Mit über fünfundzwanzig internationalen Bestsellern gehört Victoria Holt zu den populärsten und beliebtesten Romanautorinnen der Welt. Schon ihr Vater, ein englischer Kaufmann, fühlte sich zu Büchern stärker hingezogen als zu seinen Geschäften. In ihrem Domizil hoch über den Dächern von London schrieb sie die spannenden, geheimnisumwitterten Geschichten aus vergangenen Zeiten, in denen sich der milde Glanz der Nostalgie, interessante Charaktere und aufregende Vorgänge aufs glücklichste ergänzen. Victoria Holt starb am 18. Januar 1993 auf einer Schiffsreise.

Victoria Holt

Tanz der Masken

Roman

Aus dem Englischen von
Margarete Längsfeld

Von Victoria Holt sind außerdem erschienen:

Der Teufel zu Pferde (Band 60181)
Der Schloßherr (Band 60182)
Meine Feindin, die Königin (Band 60183)
Die Ashington-Perlen (Band 60184)
Verlorene Spur (Band 60186)
Unter dem Herbstmond (Band 60187)
Das Vermächtnis der Landowers (Band 60188)
Die Insel Eden (Band 60189)
Geheimnis einer Nachtigall (Band 60190)
Fluch der Seide (Band 60191)
Der indische Fächer (Band 60192)
Die Lady und der Dämon (Band 1455)

Dieses Buch wurde auf chlor- und säurefreiem Papier gedruckt.

Vollständige Taschenbuchausgabe 1985, 10. Auflage 1993

Titel der Originalausgabe »The Mask of the Enchantress«

Originalverlag William Collins Sons & Co.Ltd., London
Umschlaggestaltung: Agentur Zero, München
Umschlagabbildung: Stock Imagery/Bavaria
Satz: Ventura Publisher im Verlag
Druck und Bindung: Elsnerdruck, Berlin
Printed in Germany
ISBN 3-426-60185-0

2 4 5 3 1

Inhalt

Drei Wünsche im Zauberwald

Ich sitze in der Falle. Ich bin in einem Netz gefangen, und es ist nur ein kleiner Trost, daß ich das Netz selbst gesponnen habe. Der Gedanke an die Tragweite dessen, was ich getan habe, erfüllt mich mit lähmender Angst. Ich habe niederträchtig, vielleicht sogar verbrecherisch gehandelt; jeden Morgen, wenn ich aufwache, schwebt eine drohende Wolke über mir, und ich frage mich, welch neues Mißgeschick dieser Tag für mich bereithält. Wie oft habe ich gewünscht, ich hätte nie von Susannah, Esmond und den anderen gehört – besonders aber von Susannah. Ich wünsche, ich hätte nie einen Blick auf Mateland geworfen, dieses stattliche, ehrwürdige Schloß, das mit seinem mächtigen Pförtnerhaus, seinen grauen Mauern und Zinnen wie der Schauplatz eines Ritterromans aus dem Mittelalter wirkte. Dann wäre ich nie in Versuchung geraten.
Am Anfang sah alles so einfach aus, und ich war so verzweifelt. »Dieser alte Teufel packt dich am Ellbogen und verführt dich«, hätte meine alte Freundin Cougaba auf der Vulkaninsel gesagt. Es stimmte. Der Satan hatte mich verführt, und ich war der Versuchung erlegen. Deshalb befinde ich mich hier auf Schloß Mateland und suche, gefangen und verzweifelt, nach einem Ausweg aus einer Lage, die mit jedem Tag bedrohlicher wird.
Die Anfänge liegen weit zurück – eigentlich begann alles schon vor meiner Geburt. Es ist die Geschichte meines Vaters und meiner Mutter; es ist die Geschichte Susannahs – und natürlich auch meine. Doch als mir zum erstenmal bewußt wurde, daß es mit mir eine besondere Bewandtnis hatte, war ich gerade erst sechs Jahre alt.

Ich verbrachte die frühen Jahre meiner Kindheit in der Holzapfelhütte am Dorfanger von Cherrington. Der Anger lag im Schatten der Kirche. In seiner Mitte befand sich ein Weiher. An schönen Tagen ließen sich dort die alten Männer auf der Holzbank nieder und verplauderten den Vormittag. Auch ein Maibaum stand auf dem Anger, und am ersten Mai wählten die Dorfbewohner eine Königin. Ich beobachtete die Feierlichkeiten durch die Ritzen der Jalousien vor dem Fenster der guten Stube, sofern es mir gelang, den wachsamen Augen Tante Amelias zu entkommen.
Tante Amelia und Onkel William waren sehr fromm und meinten, der Maibaum sollte entfernt werden und mit diesen heidnischen Bräuchen müsse Schluß sein; doch glücklicherweise waren wir anderen nicht dieser Ansicht.
Wie gerne wäre ich dort draußen gewesen. Ich sehnte mich danach, das junge Grün aus den Wäldern zu holen, eines der Bänder zu ergreifen und mit den ausgelassen Feiernden um den Maibaum zu tanzen. Ich hielt es für den Gipfel der Glückseligkeit, zur Maikönigin gewählt zu werden. Doch für diese Ehre mußte man wenigstens sechzehn Jahre alt sein, und ich war damals noch nicht einmal sechs.
Ich hätte mein seltsames Leben vermutlich noch eine ganze Weile so hingenommen, wären da nicht all diese Winke und Andeutungen gewesen. Einmal hörte ich Tante Amelia sagen: »Ich weiß nicht, ob wir auch das Richtige getan haben, William. Miss Anabel hat mich gebeten, und ich gab einfach nach.«
»Denk doch auch an das Geld«, mahnte Onkel William.
»Aber es bedeutet doch, daß wir eine Sünde billigen.«
Onkel William versicherte ihr, daß niemand behaupten könne, sie hätten gesündigt.
»Wir haben einer Sünderin vergeben, William«, beharrte sie.
William erwiderte, sie hätten keine Schuld auf sich geladen. Sie hätten nur getan, wofür sie bezahlt würden, und womöglich könnten sie damit der Hölle eine Seele entreißen.

»Die Sünden der Väter werden den Kindern vergolten«, erinnerte ihn Tante Amelia.
Er nickte nur und ging hinaus zum Holzschuppen, wo er eine Weihnachtskrippe für die Kirche schnitzte.
Mir wurde allmählich klar, daß Onkel William nicht so ausschließlich danach strebte, gut zu sein, wie Tante Amelia. Er lächelte hin und wieder – zwar ein verschämtes Lächeln, aber es deutete sich doch zuweilen an; und als er mich einmal während der Festlichkeiten am ersten Mai durch die Jalousien spähen sah, ging er ohne etwas zu sagen aus dem Zimmer.
Gewiß, ich schreibe dies erst nach Jahren auf, doch ich glaube mich zu erinnern, daß ich sehr bald merkte, daß in Cherrington gewisse Mutmaßungen über mich geäußert wurden. Onkel William und Tante Amelia waren ein für die Betreuung eines Kindes ungeeignetes Paar.
Matty Grey, die eine der Hütten am Anger bewohnte und an Sommertagen vor ihrer Tür zu sitzen pflegte, galt im Dorf als eine Art Original. Ich plauderte gern mit Matty, wann immer es mir möglich war. Das wußte sie, und wenn ich in ihre Nähe kam, stieß sie seltsame schnaufende Laute aus, und ihr fetter Körper zitterte, was ihre Art zu lachen war. Dann rief sie mich zu sich und lud mich ein, mich zu ihren Füßen niederzusetzen. Sie nannte mich »armes kleines Würmchen« und befahl ihrem Enkel Tom, ja nett zur kleinen Suewellyn zu sein.
Mein Name gefiel mir recht gut. Er war von Susan Ellen abgeleitet. Ich glaube, das »w« hatte man dazwischengeschoben, um die zwei nebeneinanderstehenden »e« zu trennen. Ich fand den Namen hübsch. Ausgefallen. In unserem Dorf gab es eine Menge Ellens und eine Susan, die Sue gerufen wurde. Aber Suewellyn war einmalig.
Tom gehorchte seiner Großmutter. Er sorgte dafür, daß die anderen Kinder aufhörten, mich zu hänseln, weil ich anders war. Ich besuchte die private Elementarschule, deren Vorsteherin eine ehemalige Gouvernante vom Gutshaus war. Sie hatte die

Tochter des Gutsherrn unterrichtet. Als die junge Dame ihre Dienste nicht mehr benötigte, hatte sie ein kleines Haus unweit der Kirche bezogen und eine Schule eröffnet, in welche nun die Dorfkinder gingen. Unter ihnen war auch Anthony, der Sohn der Tochter des Gutsherrn. Nach einem Jahr würde er einen Hauslehrer bekommen, und später würde er ins Internat gehen. Es war schon eine buntgemischte Gesellschaft, die sich da in Miss Brents Stube versammelte und mit Holzstäbchen Buchstaben in mit Sand gefüllte flache Kästen kritzelte und das Einmaleins herunterleierte. Wir waren zwanzig, im Alter von fünf bis elf, aus allen Volksschichten; für manche war die Ausbildung mit elf Jahren zu Ende, andere würden sie fortsetzen. Außer dem Erben des Gutsherrn waren da noch die Töchter des Arztes und die drei Kinder eines ortsansässigen Bauern sowie all diejenigen, die so waren wie Tom Grey. Unter ihnen war ich das einzige Kind, das ungewöhnlich war.

Mit mir hatte es nämlich etwas Geheimnisvolles auf sich. Ich war bereits geboren, ehe ich eines Tages im Dorf auftauchte. Die Ankunft der meisten Kinder war sonst ein vielbesprochenes Ereignis, bevor der Neuankömmling wirklich in Erscheinung trat. Mit mir war das anders. Ich lebte bei einem Ehepaar, das für die Betreuung eines Kindes höchst ungeeignet war. Ich war immer gut angezogen und trug zuweilen Kleider, die weit kostspieliger waren, als es der Stand meiner Pflegeeltern erlaubt hätte.

Dann waren da die Besuche. Einmal im Monat kam *sie*.

Sie war schön. Sie fuhr in der Bahnhofsdroschke vor der Hütte vor, und ich wurde zu ihr in die gute Stube geschickt. Ich wußte, daß es ein bedeutendes Ereignis war. Denn die gute Stube wurde nur zu besonderen Gelegenheiten benutzt, etwa wenn der Pfarrer zu Besuch kam. Die Jalousien waren stets heruntergelassen, aus Furcht, die Sonne könnte den Teppich ausbleichen oder den Möbeln schaden. Hier herrschte eine heilige Atmosphäre. Vielleicht lag es an dem Bild von Christus

am Kreuz oder an dem Heiligen – ich glaube, es war Sankt Stephan –, in dem lauter Pfeile steckten und aus dessen Wunden Blut tropfte; gleich daneben hing ein Jugendbildnis unserer Königin, die sehr streng, hochmütig und mißbilligend dreinschaute. Das Zimmer wirkte bedrückend auf mich, und nur bei verführerischen Ereignissen, wie es die Festlichkeiten am ersten Mai waren, traute ich mich hinein, um durch die Ritzen auf das übermütige Treiben auf dem Anger zu spähen.
Doch wenn *sie* da war, war das Zimmer wie verwandelt. Sie hatte prachtvolle Kleider. Sie trug stets mit Rüschen und Bändern besetzte Blusen, lange Glockenröcke und kleine, mit Federn und Schleifen verzierte Hüte.
Sie sagte jedesmal: »Hallo, Suewellyn!«, so, als sei sie mir gegenüber ein wenig schüchtern. Dann lief ich auf sie zu und ergriff ihre ausgestreckte Hand. Sie hob mich hoch und musterte mich so eindringlich, daß ich mich ängstlich fragte, ob mein Scheitel gerade war und ob ich nicht vergessen hatte, mich hinter den Ohren zu waschen.
Wir setzten uns nebeneinander auf das Sofa. Eigentlich haßte ich dieses Sofa. Es war aus Roßhaar und pikte sogar durch meine Strümpfe hindurch an den Beinen; doch wenn *sie* da war, merkte ich nichts davon. Sie stellte mir eine Menge Fragen, die alle mich betrafen. Was aß ich gern? War mir im Winter kalt? Wie ging es mir in der Schule? Waren alle nett zu mir? Als ich lesen lernte, wünschte sie, daß ich ihr zeigte, wie gut ich es beherrschte. Sie drückte mich an sich, und wenn die Droschke wieder vorfuhr, um sie zum Bahnhof zu bringen, umarmte sie mich und machte ein Gesicht, als würde sie gleich weinen.
Das war alles sehr schmeichelhaft. Denn wenn sie sich auch eine Weile mit Tante Amelia unterhielt und ich unterdessen aus der guten Stube geschickt wurde, schien es doch, als ob ihre Besuche vornehmlich mir galten.
Wenn sie fort war, kam es mir vor, als habe sich im Haus etwas verändert. Onkel William sah aus, als strenge er sich mächtig

an, damit seine Miene sich zu einem Lächeln verzog, und Tante Amelia ging umher und murmelte vor sich hin: »Ich weiß nicht, ich weiß nicht.«
Natürlich wurden die Besuche im Dorf bemerkt. James, der Droschkenkutscher, und der Stationsvorsteher flüsterten über *sie*. Später wurde mir klar, daß sie ihre eigenen Schlüsse aus der eigentlich gar nicht so geheimnisvollen Angelegenheit zogen, und ich bezweifle nicht, daß ich schon viel früher davon erfahren hätte, wenn Matty Grey ihrem Enkel nicht eingeschärft hätte, sich meiner anzunehmen. Tom hatte klar zu verstehen gegeben, daß ich mich unter seinem Schutz befand und daß jeder, der mich beleidigte, es mit ihm zu tun bekäme. Ich liebte Tom, obgleich er sich nie herabließ, viele Worte mit mir zu wechseln. Doch für mich war er mein Beschützer, mein Ritter in schimmernder Rüstung, mein Lohengrin.
Aber selbst Tom konnte nicht verhindern, daß die Kinder die Köpfe zusammensteckten und über mich tuschelten, und eines Tages bemerkte Anthony den Leberfleck rechts an meinem Kinn, unmittelbar unter meinem Mund.
»Seht mal, Suewellyn hat ein Zeichen im Gesicht«, rief er da. »Da hat sie der Teufel geküßt.«
Alle lauschten mit weit aufgerissenen Augen, als er ihnen erzählte, daß der Teufel um Mitternacht komme und sich die Seinen auserwähle. Dann küsse er sie, und wo er sie berührt hätte, hinterlasse er ein Mal.
»Unsinn«, sagte ich. »Eine Menge Leute haben Leberflecke, das weiß doch jeder.«
»Dies ist eine ganz bestimmte Sorte«, sagte Anthony düster. »Die erkenne ich auf den ersten Blick. Ich hab' einmal eine Hexe gesehen, die hatte genau so einen Fleck wie den da an ihrem Mund ... versteht ihr?«
Alle starrten mich entgeistert an.
»Sie sieht aber nicht wie eine Hexe aus«, meinte Jane Motley, und ich war sicher, daß sie recht hatte. In meinem braven

Kattunkleid und mit meinem streng aus der Stirn gekämmten Haar, das zu zwei mit marineblauen Samtbändern zusammengehaltenen Zöpfen geflochten war, sah ich ganz gewiß nicht wie eine Hexe aus. Eine ordentliche, saubere, anständige Haartracht sei das, wie Tante Amelia oft betonte, wenn ich mein Haar offen tragen wollte.
»Hexen können ihre Gestalt verwandeln«, erklärte Anthony.
»Ich hab' ja immer gewußt, daß Suewellyn irgendwie anders ist«, sagte Gill, die Tochter des Schmieds.
»Wie schaut er denn aus, der ... Teufel?« fragte jemand.
»Ich weiß es nicht«, antwortete ich. »Ich hab' ihn nie gesehen.«
»Glaubt ihr kein Wort«, sagte Anthony Felton. »Sie hat das Teufelsmal.«
»Du bist ja blöde«, sagte ich zu ihm, »und niemand würde auf dich hören, wenn du nicht der Enkel des Gutsherrn wärst.«
»Hexe«, sagte Anthony.
Tom war an diesem Tag nicht in der Schule. Er mußte seinem Vater bei der Kartoffelernte helfen.
Ich hatte Angst. Die sahen mich alle so merkwürdig an, und auf einmal wurde mir bewußt, daß es mit mir eine besondere Bewandtnis hatte, daß ich anders war als die Masse.
Es war ein seltsames Gefühl – einerseits frohlockte ich, weil ich anders war, andererseits war mir bange.
Dann kam Miss Brent herein, und es wurde nicht mehr geflüstert; doch als der Unterricht zu Ende war, rannte ich schleunigst aus der Schule. Ich fürchtete mich vor diesen Kindern. Ich hatte es ihren Augen angesehen, daß sie wirklich glaubten, der Teufel habe mich des Nachts heimgesucht und mir sein Mal aufgeprägt.
Ich lief über den Anger zu Matty Grey, die vor ihrer Tür saß, einen Halbliterkrug neben sich, die Hände im Schoß gefaltet.
Sie rief mir entgegen: »Wo rennst du denn hin ... als wäre dir der Teufel auf den Fersen.«
Kalte Furcht ergriff mich. Ich blickte über meine Schulter.

Matty brach in Gelächter aus. »Ist doch bloß so 'ne Redensart. Kein Teufel ist hinter dir her. Aber du siehst ja wirklich zu Tode erschrocken aus.«
Ich ließ mich zu ihren Füßen nieder.
»Wo ist Tom?« fragte ich.
»Der buddelt noch immer Kartoffeln aus. Ist 'ne gute Ernte dieses Jahr.« Sie leckte sich die Lippen. »'s geht nichts über 'ne gute Kartoffel. Schön heiß und mehlig, mit 'ner leckeren braunen Pelle. Was Besseres gibt's nicht, Suewellyn.«
Ich sagte: »Es ist wegen meines Leberflecks im Gesicht.«
Matty beäugte mich, ohne sich zu rühren. »Was ist damit?« fragte sie. »Das ist doch bloß ein Schönheitsfleck, weiter nichts.«
»Da hat mich der Teufel geküßt, haben sie gesagt.«
»Wer hat das gesagt?«
»Die in der Schule.«
»Sie haben kein Recht, so etwas zu sagen. Ich werd's Tom erzählen, und dann sorgt er dafür, daß sie aufhören.«
»Warum ist der Fleck dann da, Matty?«
»Oh, manchmal wird man damit geboren. Die Menschen kommen mit allen möglichen Sachen auf die Welt. Die Cousine meiner Tante sah bei ihrer Geburt aus, als hätte sie einen Büschel Erdbeeren im Gesicht ... bloß weil ihre Mutter 'ne Vorliebe für Erdbeeren hatte, bevor sie auf die Welt kam.«
»Und was für eine Vorliebe hatte meine Mutter, daß ich mit so einem Fleck auf die Welt kam?«
Ich dachte: Und wo ist meine Mutter? Das war eine weitere Merkwürdigkeit an mir: Ich hatte keine Mutter. Ich hatte keinen Vater. Es gab Waisen im Dorf, aber die wußten wenigstens, wer ihre Eltern gewesen waren. Ich dagegen wußte es nicht.
»Je nun, das kann man nie wissen, Mäuschen«, sagte Matty begütigend. »Solche Dinger kriegt man eben ab und zu. Ich kannte mal ein Mädchen, das kam mit sechs Fingern auf die Welt. Na, das ließ sich schwerlich verheimlichen. Was ist schon ein Leberfleck, der bisher niemandem aufgefallen ist? Ich will

dir was sagen. Ich finde, der ist richtig hübsch. Manche Leute machen ein Riesengetue um so 'n Ding. Sie malen es sogar dunkler, damit man's besser sieht. Du brauchst dir deswegen wirklich keine Sorgen zu machen.«

Matty war einer der gütigsten Menschen, die mir in meinem Leben begegnet sind. Sie war mit ihrem Los zufrieden, obwohl es aus wenig mehr bestand als einem Dasein in der dunklen kleinen Hütte – »eins rauf, eins runter, ein Eckchen zum Waschen und Kochen und ein Abtritt hinten im Garten«, so beschrieb sie ihre Behausung. Ihr Sohn, Toms Vater, wohnte in der Hütte gleich nebenan. »Nahe, aber nicht zu dicht«, pflegte sie zu sagen, »just wie es sein soll.« Und wenn sie an trockenen Tagen draußen sitzen und das Geschehen beobachten konnte, dann begehrte sie nichts weiter.

Mochte Tante Amelia auch mißbilligend bemerken, daß Matty, wenn sie vor ihrer Tür saß, das harmonische Bild des Angers störe – Matty lebte ihr Leben nach ihrem eigenen Willen und hatte einen Zustand der Zufriedenheit erreicht, wie es nur wenigen Menschen gelingt.

Als ich am nächsten Tag zur Schule kam, flüsterte mir Anthony Felton ins Ohr: »Du bist ein Bastard.«

Ich starrte ihn an. Ich hatte diesen Ausdruck als Schimpfwort gehört und setzte dazu an, Anthony zu sagen, was ich von ihm hielt; aber da kam Tom hinzu, und Anthony verzog sich sofort.

»Tom«, flüsterte ich, »er hat Bastard zu mir gesagt.«

»Mach dir nichts draus«, meinte Tom und fügte geheimnisvoll hinzu: »Bastard nicht in dem Sinn, wie du denkst.« Ich fand das damals sehr verwirrend.

Zwei oder drei Tage vor meinem sechsten Geburtstag befahl Tante Amelia mich in die gute Stube, um etwas mit mir zu besprechen. Sie tat sehr feierlich, und ich wartete auf das, was sie mir zu sagen hatte.

Es war der erste September, und einem Sonnenstrahl war es gelungen, durch eine Ritze der nicht ganz geschlossenen Jalousien hereinzudringen. Ich sehe heute noch alles ganz deutlich vor mir: das Roßhaarsofa, die passenden Roßhaarsessel, die gottlob nur selten benutzt wurden, mit ihren säuberlich über die Rückenlehnen gestreiften Schonbezügen; die Etagere in der Ecke mit ihren Verzierungen, die zweimal in der Woche abgestaubt wurde; die Heiligenbilder an der Wand und das Konterfei der jungen Königin mit dem mißbilligenden Blick, den verschränkten Armen und dem Hosenbandorden über der Schulter. In diesem Zimmer gab es nichts Heiteres, und deshalb wirkte der Sonnenstrahl so fehl am Platz. Ich war sicher, daß Tante Amelia ihn bald bemerken und die Jalousien vollends schließen würde.

Aber sie tat zu meiner großen Überraschung nichts dergleichen. Sie war offensichtlich mit ihren Gedanken ganz woanders und schien recht besorgt.

»Miss Anabel kommt am Dritten«, sagte sie. Der dritte September war mein Geburtstag.

Ich faltete die Hände und wartete. Miss Anabel war stets an meinem Geburtstag gekommen.

»Sie denkt an ein kleines Fest für dich.«

Mein Herz klopfte schneller. Ich wartete atemlos.

»Wenn du brav bist ...«, sprach Tante Amelia weiter. Es war die übliche Einschränkung, und ich achtete kaum darauf. Sie fuhr fort: »... kannst du dein Sonntagskleid anziehen, obwohl es ein Donnerstag ist.«

An einem Donnerstag Sonntagskleider zu tragen, das erschien mir wahrhaft ungeheuerlich.

Tante Amelia hatte die Lippen fest zusammengepreßt. Ich sah ihr an, daß ihr das Vorhaben mißfiel.

»Sie will an diesem Tag mit dir ausgehen.«

Ich war fassungslos. Ich konnte mich kaum beherrschen. Am liebsten wäre ich auf dem Roßhaarsessel auf und nieder gehüpft.

»Wir müssen darauf achten, daß du nichts falsch machst«, sagte

Tante Amelia. »Ich möchte nicht, daß Miss Anabel denkt, wir erziehen dich nicht wie eine Dame.«
Ich platzte heraus, daß ich alles recht machen würde. Ich wollte nichts vergessen, was man mich gelehrt hatte. Ich würde nicht mit vollem Mund sprechen. Ich wollte mein Taschentuch bereithalten, falls es gebraucht würde. Ich wollte nicht vor mich hin summen. Ich wollte immer erst reden, wenn ich gefragt würde.
»Sehr gut«, sagte Tante Amelia, und später hörte ich Onkel William bemerken: »Was denkt sie sich nur dabei? Mir gefällt das nicht. Es setzt dem Kind Flausen in den Kopf.«
Der große Tag kam. Mein sechster Geburtstag. Ich hatte meine schwarzen Knöpfstiefel an und meine dunkelblaue Jacke, darunter nur ein Kleid aus glänzender Baumwolle. Ich trug dunkelblaue Handschuhe und einen Strohhut mit einem Gummiband unter dem Kinn, damit er nicht fortfliegen konnte.
Miss Anabel kam mit einer Droschke vom Bahnhof, und als sie zurückfuhr, saß ich mit darin.
Miss Anabel wirkte an diesem Tag verändert. Ich hatte den Eindruck, daß sie sich in Tante Amelias Gegenwart ein wenig fürchtete. Sie lachte unentwegt, umklammerte meine Hände und sagte zwei- oder dreimal: »Ist das schön, Suewellyn!«
Unter den neugierigen Blicken des Stationsvorstehers stiegen wir in den Zug, und kurz darauf dampften wir davon. Ich konnte mich nicht erinnern, zuvor schon einmal mit der Eisenbahn gefahren zu sein, und ich wußte nicht, was ich aufregender fand, das Geräusch der Räder, die ein munteres Lied zu singen schienen, oder die vorübersausenden Felder und Wälder; das größte Vergnügen jedoch war die Gegenwart von Miss Anabel, die ganz dicht neben mir saß und ab und zu meine Hand drückte.
Ich hätte Miss Anabel gern so viele Fragen gestellt, doch ich besann mich, daß ich Tante Amelia gelobt hatte, mich wie ein wohlerzogenes Mädchen zu benehmen.

»Du bist so still, Suewellyn«, sagte Miss Anabel, und ich erklärte ihr, daß ich nur reden dürfe, wenn ich gefragt würde.
Sie lachte; sie hatte ein glucksendes Lachen, das mich jedesmal, wenn ich es hörte, zum Mitlachen reizte.
»Oh, das kannst du vergessen«, sagte sie. »Ich möchte, daß du mit mir sprichst, wann immer du Lust dazu hast. Du sollst mir alles erzählen, was dir in den Sinn kommt.«
Seltsam, als der Bann gebrochen war, fiel mir nichts mehr ein. Ich sagte: »Fragen Sie mich was.«
Sie legte den Arm um mich und drückte mich an sich. »Ich möchte, daß du mir sagst, daß du glücklich bist. Du hast Onkel William und Tante Amelia doch gern, nicht wahr?«
»Sie sind alle beide sehr gut«, erwiderte ich, »besonders Tante Amelia.«
»Ist Onkel William nicht nett zu dir?« fragte sie rasch.
»Doch, doch. Sogar netter. Tante Amelia ist nämlich so schrecklich gut, daß sie selten nett sein kann. Sie lacht nie ...« Ich brach ab, weil Miss Anabel furchtbar lachen mußte und es so aussah, als behauptete ich, sie sei nicht nett.
Sie umarmte mich und sagte: »O Suewellyn ... was bist du doch für ein kleines Mädchen.«
»Bin ich nicht«, widersprach ich. »Ich bin größer als Clara Feen und Jane Motley. Und die sind älter als ich.«
Sie drückte mich an sich, so daß ich ihr Gesicht nicht sehen konnte, und ich hatte den Eindruck, daß sie es absichtlich vor mir verbarg. Der Zug hielt, und sie sprang auf. »Hier steigen wir aus«, sagte sie. Sie nahm mich bei der Hand, und wir verließen den Zug. Wir rannten fast den Bahnsteig entlang. Draußen stand ein zweirädriger Einspänner. Eine Frau saß darin.
»O Janet«, rief Miss Anabel, »ich wußte, daß du kommen würdest.«
»'s ist nicht recht«, sagte die Frau mit einem Blick auf mich. Sie hatte ein blasses Gesicht und braunes, im Nacken zu einem Knoten zusammengefaßtes Haar. Sie trug eine braune Haube,

die mit Bändern unter dem Kinn befestigt war, und ich mußte plötzlich an Onkel William denken, weil ich merkte, daß sie sich bemühte, ein Lächeln zu unterdrücken.
»Das ist also das Kind, Miss«, sagte sie.
»Ja, das ist Suewellyn«, erwiderte Miss Anabel.
Janet schnalzte mit der Zunge. »Ich weiß nicht, warum ich ...«, begann sie.
»Janet, das wird ein wundervoller Tag. Ist der Korb da?«
»Alles wie befohlen, Miss.«
»Komm, Suewellyn«, sagte Miss Anabel. »Steig in die Kutsche. Wir machen eine Spazierfahrt.«
Janet saß vorn und hielt die Zügel. Miss Anabel und ich nahmen hinter ihr Platz. Miss Anabel umklammerte meine Hand. Sie lachte wieder.
Der Einspänner setzte sich in Bewegung, und bald fuhren wir über baumgesäumte Feldwege. Ich wünschte, es würde ewig so weitergehen. Es war, als betrete ich eine verzauberte Welt. Die Bäume begannen gerade, sich bunt zu färben; ein schwacher Dunst lag in der Luft, und der diesige Sonnenschein verlieh der Landschaft etwas Geheimnisvolles.
»Ist dir warm genug, Suewellyn?« erkundigte sich Miss Anabel.
Ich nickte glücklich. Ich wollte nicht sprechen. Ich hatte Angst, den Zauber zu brechen; ich fürchtete, ich würde in meinem Bett aufwachen und feststellen, daß ich alles nur geträumt hatte. Ich versuchte, jeden Augenblick einzufangen und festzuhalten; *jetzt*, sagte ich zu mir. Es ist freilich immer jetzt, aber ich wünschte, dieser Augenblick des Jetzt bliebe mir ewig erhalten.
Ich war nahezu unerträglich aufgeregt, nahezu unerträglich glücklich.
Als der Einspänner plötzlich anhielt, stieß ich einen Seufzer der Enttäuschung aus. Aber es sollte noch mehr kommen.
»Das ist die Stelle«, sagte Janet. »Aber, Miss Anabel, ich finde, es ist viel zu nahe, um sich hier so sorglos niederzulassen.«
»Ach was, Janet. Es ist vollkommen sicher. Wie spät ist es?«

Janet blickte auf die Uhr, die sie an ihrer schwarzen Bluse befestigt hatte.
»Halb zwölf«, sagte sie.
Miss Anabel nickte. »Nimm den Korb«, sagte sie. »Mach alles bereit. Suewellyn und ich machen einen kleinen Spaziergang. Das ist dir doch recht, Suewellyn, oder?«
Ich nickte. Mir wäre alles recht gewesen, was ich mit Miss Anabel zusammen tat.
»Geben Sie nur acht, Miss«, sagte Janet. »Wenn man Sie sieht ...«
»Man wird uns schon nicht sehen. Bestimmt nicht. So nahe gehen wir nicht heran.«
»Das will ich auch nicht hoffen.«
Miss Anabel nahm mich bei der Hand, und wir spazierten davon.
»Ist die aber schlecht aufgelegt«, sagte ich.
»Sie ist auf der Hut.«
»Was heißt das?«
»Sie will nichts riskieren.«
Ich verstand zwar nicht, wovon Miss Anabel sprach, war aber zu glücklich, um mir darüber den Kopf zu zerbrechen.
»Laß uns in den Wald gehen«, sagte sie. »Ich möchte dir etwas zeigen. Los, komm!«
Wir sausten zwischen den Bäumen hindurch über das Gras.
»Fang mich doch«, rief Miss Anabel.
Es gelang mir beinahe; sie lachte und entwischte mir wieder. Ich geriet außer Atem und war noch glücklicher als im Zug und in der Kutsche. Die Bäume hatten sich gelichtet; wir waren am Waldrand angelangt.
»Suewellyn«, sagte Miss Anabel mit sanfter Stimme. »Schau.«
Und dort, ungefähr eine Viertelmeile von uns entfernt, stand es, von einem Graben umgeben, auf einem kleinen Hügel. Ich konnte es deutlich sehen. Es war wie ein Schloß aus einem Märchen.
»Was sagst du nun?« fragte Miss Anabel.

»Ist das ... echt?« wollte ich wissen.
»Aber ja ... es ist echt.«
Ich besaß schon immer ein ausgeprägtes Erinnerungsvermögen. Hatte ich nur ein- oder zweimal einen Blick auf etwas geworfen, konnte ich mir alle Einzelheiten merken. Deshalb war es mir auch möglich, das Bild von Schloß Mateland in den kommenden Jahren im Gedächtnis zu bewahren. Ich beschreibe es jetzt so, wie ich es kenne.
Als ich es mit sechs Jahren zum erstenmal erblickte, war der Tag von einem Zauber verklärt, und es blieb mir für einige Jahre in Erinnerung wie ein Traum.
Das Schloß war prächtig und geheimnisvoll. Es war von hohen Mauern umringt, mit mächtigen Rundtürmen an den vier Ecken; an jeder Mauerseite stand ein eckiger Turm, und auch das traditionelle, mit Pechnasen bewehrte Pförtnerhaus fehlte nicht. Lange, schmale Fensterschlitze waren in die Quadermauern eingelassen. Die Brüstung des seitlichen Wachturms, der das darunterliegende Portal schützte, erinnerte mich auf schaurige Weise daran, daß einst siedendes Öl auf jeden herabgegossen wurde, der den Versuch wagte, die Befestigungen zu überwinden. Hinter den Zinnen auf den Mauern befanden sich Wandelgänge, von denen die Verteidiger ihre Pfeile niederprasseln ließen. Dies alles und noch viel mehr erfuhr ich erst später, als ich jeden Kragstein, jede Pechnase, jede Biegung der Wendeltreppen kennenlernen sollte. Doch das Schloß zog mich bereits von jenem ersten Augenblick an in seinen Bann; es war fast, als ergreife es Besitz von mir. Später gefiel ich mir in der Vorstellung, daß es mir meine Handlungsweise aufzwang.
Damals aber vermochte ich nur neben Miss Anabel zu stehen, sprachlos vor Staunen.
Ich hörte sie lachen, und sie flüsterte: »Gefällt es dir?«
Ob es mir gefiel? Dies schien mir ein viel zu schwaches Wort, um auszudrücken, welche Gefühle der Anblick des Schlosses in mir erweckte. Es war das Herrlichste, was ich je gesehen hatte.

In Miss Brents Schulzimmer hing ein Bild von Schloß Windsor. Es war wunderschön. Aber das hier war etwas anderes. Das hier war echt. Die Septembersonne ließ die kleinen scharfen Quarzstückchen im Mauerwerk funkeln.
Miss Anabel wartete auf meine Antwort.
»Es ist schön ... Es ist echt.«
»O ja, es ist echt«, wiederholte Miss Anabel. »Es steht schon seit siebenhundert Jahren dort.«
»Siebenhundert Jahre«, echote ich.
»Eine lange Zeit, hm? Und denk nur, du bist erst seit sechs Jahren auf dieser Erde. Ich freue mich, daß es dir gefällt.«
»Wohnt da auch jemand?«
»O ja, da wohnen Leute.«
»Ritter ...«, flüsterte ich. »Vielleicht die Königin.«
»Nein, nicht die Königin, und es gibt heutzutage auch keine Ritter in Rüstungen mehr ... nicht einmal in siebenhundert Jahre alten Schlössern.«
Plötzlich erschienen vier Leute – ein Mädchen und drei Knaben. Sie ritten über den Rasen vor dem Schloßgraben. Das Mädchen hatte ein Pony; sie fiel mir besonders auf, weil sie ungefähr in meinem Alter sein mußte. Die Knaben waren älter.
Miss Anabel hielt den Atem an. Sie legte ihre Hand auf meinen Arm und zog mich ins Gebüsch.
»Kein Grund zur Aufregung«, flüsterte sie wie zu sich selbst. »Sie gehen hinein.«
»Wohnen sie dort?« fragte ich.
»Nicht alle. Nur Susannah und Esmond. Malcolm und Garth sind zu Besuch.«
»Susannah«, sagte ich. »Das klingt ein bißchen wie mein Name.«
»O ja, gewiß.«
Ich beobachtete, wie die Reiter die Brücke, die über den Graben führte, überquerten und durch das Pförtnerhaus im Schloß verschwanden.

Ihr Erscheinen hatte Miss Anabel tief bewegt. Sie ergriff plötzlich meine Hand, und ich erinnerte mich an Tante Amelias Geheiß, nicht zu reden, wenn ich nicht gefragt wurde.
Miss Anabel lief zurück unter die Bäume. Ich versuchte sie zu fangen, und wir lachten wieder.
Wir kamen zu einer Lichtung; dort hatte Janet den Korb ausgepackt und ein Tuch auf dem Gras ausgebreitet; sie legte Besteck und Teller auf.
»Wir wollen noch etwas warten«, sagte Miss Anabel.
Janet nickte mit verkniffenen Lippen, als halte sie eine unfreundliche Bemerkung zurück.
Miss Anabel schien ihre Gedanken zu erraten, denn sie sagte: »Es ist nicht deine Sache, Janet.«
»O nein«, erwiderte Janet mit einem Gesicht wie eine Henne, der sich die Haare sträuben, »das weiß ich sehr gut. Ich tu' nur, was man mir aufträgt.«
Miss Anabel gab ihr einen leichten Schubs. Dann sagte sie: »Horcht!«
Wir lauschten. Ich hörte das unverkennbare Geräusch von Pferdehufen.
»Er ist es«, sagte Miss Anabel.
»Seien Sie vorsichtig, Miss«, warnte Janet. »Es könnte jemand anders sein.«
Ein Reiter kam in Sicht. Anabel stieß einen Freudenschrei aus und lief ihm entgegen.
Er sprang vom Pferd und band es an einen Baum. Miss Anabel, die für eine Frau recht groß gewachsen war, wirkte neben dem Mann mit einemmal sehr klein. Er legte ihr seine Hände auf die Schultern und blickte sie ein paar Sekunden lang an. Dann fragte er: »Wo ist sie?«
Miss Anabel streckte ihre Hand aus, und ich lief zu ihr.
»Das ist Suewellyn«, sagte sie.
Ich machte einen Knicks, wie ich es vor dem Gutsherrn und dem Pfarrer zu tun pflegte, weil man es mich so gelehrt hatte. Der

Mann hob mich hoch, hielt mich in seinen Armen und sah mich prüfend an.
»O je«, sagte er, »wie klein sie noch ist.«
»Vergiß nicht, sie ist erst sechs«, erwiderte Miss Anabel. »Was hast du denn erwartet? Eine Amazone? Dabei ist sie sehr groß für ihr Alter, nicht wahr, Suewellyn?«
Ich sagte, ich sei größer als Clara Feen und Jane Motley, und die seien älter als ich.
»Fein«, sagte er, »das ist ein Glück. Ich bin froh, daß du die zwei überholt hast.«
»Aber Sie kennen sie doch gar nicht«, meinte ich.
Da mußten sie beide lachen.
Er ließ mich hinunter und strich mir übers Haar. Ich trug es heute offen, denn Miss Anabel konnte Zöpfe nicht leiden.
»Jetzt wollen wir essen«, verkündete Miss Anabel. »Janet hat alles vorbereitet.« Sie flüsterte dem Mann zu: »Höchst widerwillig, das kann ich dir versichern.«
»Das brauchst du mir nicht eigens zu versichern«, erwiderte er. »Sie glaubt, dies sei wieder einer von meinen verrückten Plänen.«
»Na und, ist es das nicht?«
»Oh, du hast es genauso gewollt wie ich.«
Seine Hand lag noch immer auf meinem Kopf. Er zerzauste mein Haar und sagte: »Ich glaube schon.«
Anfangs war ich ziemlich enttäuscht, daß er und Janet zugegen waren. Ich hätte Miss Anabel lieber für mich allein gehabt. Doch nach einer Weile änderte ich meine Meinung. Jetzt war es nur noch Janet, die ich nicht dabeihaben wollte. Sie saß ein Stück von uns entfernt, und ihre Miene gemahnte mich an Tante Amelia. Das wiederum erinnerte mich an die unerfreuliche Tatsache, daß dieser märchenhafte Tag einmal enden würde, ich in das Haus am Anger zurückkehren mußte und mir nur die Erinnerung blieb. Doch vorerst war jetzt, und das Jetzt war wunderbar.

Wir setzten uns zum Essen nieder, ich saß zwischen Miss Anabel und dem Herrn. Ein- oder zweimal sprach sie ihn mit seinem Vornamen an. Er hieß Joel. Man sagte mir nicht, wie ich ihn nennen sollte, was mich ein wenig verlegen machte. Er hatte etwas Besonderes an sich, und es war unmöglich, sich diesem Flair zu entziehen. Ich spürte, daß Janet Achtung vor ihm hatte. Mit ihm sprach sie nicht so wie mit Anabel. Wenn sie ihn anredete, nannte sie ihn Sir.

Er hatte dunkelbraune Augen, und sein Haar war von etwas hellerem Braun. Er hatte tiefe Grübchen im Kinn und strahlend weiße Zähne. Seine Hände waren kräftig und gepflegt. Sie fielen mir besonders auf; am kleinen Finger trug er einen Siegelring. Mir schien, daß er mich und Miss Anabel beobachtete, und Miss Anabel ihrerseits beobachtete ihn und mich. Janet, die ein wenig abseits saß, hatte ihr Strickzeug hervorgeholt, und ihre klappernden Nadeln schienen ebenso von ihrer Mißbilligung zu künden wie ihr verkniffener Mund.

Miss Anabel erkundigte sich bei mir nach dem Leben in der Hütte bei Tante Amelia und Onkel William. Sie hatte mich das meiste schon vorher gefragt, und mir wurde klar, daß sie die Fragen wiederholte, damit Joel die Antworten hören konnte. Er lauschte aufmerksam, und hin und wieder nickte er.

Das Mahl war köstlich; vielleicht war ich aber auch so verzaubert, daß mir alles anders vorkam als im Alltagsleben. Es gab Hähnchen, knuspriges Brot und eine Art Gewürzgurken, die ich noch nie gekostet hatte.

»Oh«, sagte Miss Anabel, »Suewellyn hat den Wunschknochen.« Sie nahm den Knochen von meinem Teller und hielt ihn in die Höhe.

»Komm, Suewellyn, wir müssen ziehen. Wenn du die größere Hälfte erwischst, hast du einen Wunsch frei.«

»Drei Wünsche«, sagte der Mann.

»Nein, nur einen, Joel, das weißt du doch«, widersprach Miss Anabel.

»Heute sind es drei«, erwiderte er. »Es ist ein besonderer Geburtstag, hast du das vergessen?«
»Natürlich ist es ein besonderer Tag.«
»Also gibt es auch besondere Wünsche. Und jetzt geht's los.«
»Du weißt, was du zu tun hast, Suewellyn«, sagte Miss Anabel. Sie nahm den Knochen. »Du legst deinen kleinen Finger um dieses Ende, und ich lege meinen kleinen Finger um das andere Ende, und dann ziehen wir. Wer das größere Stück bekommt, darf sich etwas wünschen.«
»Dreimal«, sagte Joel.
»Eine Bedingung ist dabei«, erklärte Miss Anabel. »Du darfst deine Wünsche nicht verraten. Fertig?«
Wir legten unsere kleinen Finger um den Knochen. Es knackte. Der Knochen war durchgebrochen, und ich schrie entzückt auf, weil ich das größere Stück in der Hand hielt.
»Suewellyn hat gewonnen!« rief Miss Anabel.
»Mach die Augen zu, und denk dir deine Wünsche«, sagte Joel und lächelte dabei.
Ich hielt den Knochen in der Hand und überlegte, was ich mir am liebsten wünschte. Ich wollte, daß dieser Tag nie endete, aber das wäre ein törichter Wunsch gewesen, denn nichts, nicht einmal ein Hühnerknochen, könnte ihn erfüllen. Ich dachte angestrengt nach. Ich hatte mir immer einen Vater und eine Mutter gewünscht, und ehe ich mich versah, war der Wunsch gedacht – aber ich wollte nicht irgendwelche Eltern. Ich wollte einen Vater wie Joel und eine Mutter wie Miss Anabel. Damit war der zweite Wunsch gedacht. Ich wollte nicht in der Holzapfelhütte leben müssen. Ich wollte bei meinen Eltern wohnen.
Die drei Wünsche waren gedacht.
Ich öffnete die Augen. Die beiden beobachteten mich eindringlich.
»Bist du fertig mit deinen Wünschen?« fragte Miss Anabel.
Ich nickte und preßte die Lippen zusammen. Es war sehr wichtig, daß die Wünsche in Erfüllung gingen.

Danach aßen wir köstliche, mit Kirschmarmelade gefüllte Törtchen, und als ich in den süßen Kuchen biß, dachte ich: Eine größere Seligkeit kann es nicht geben.
Joel fragte mich, ob ich reiten könne.
Ich verneinte.
»Das sollte sie aber«, sagte er mit einem Blick auf Miss Anabel.
»Darüber müßte ich mit deiner Tante Amelia sprechen«, meinte Miss Anabel.
Joel erhob sich und reichte mir seine Hand. »Komm, laß uns sehen, ob es dir Spaß macht«, sagte er.
Ich ging mit ihm zu seinem Pferd, und er hob mich in den Sattel. Er führte das Pferd zwischen den Bäumen herum. Ich fand, dies sei der aufregendste Augenblick meines Lebens. Plötzlich sprang Joel hinter mir auf, und schon preschten wir davon, aus dem Wald hinaus auf ein Feld. Das Pferd verfiel in Galopp, immer schneller, und einen Moment dachte ich: Vielleicht ist er der Teufel und will mich entführen.
Doch seltsamerweise hatte ich nichts dagegen. Ich wollte, daß er mich entführte. Ich wollte mein ganzes Leben lang bei ihm und Miss Anabel bleiben. Es war mir einerlei, ob er der Teufel war. Wenn Tante Amelia und Onkel William Heilige waren, dann war mir der Teufel lieber. Ich hatte das Gefühl, das Miss Anabel stets in seiner Nähe war, und wenn ich mit einem von ihnen zusammen wäre, so wäre auch der andere nicht weit.
Doch der aufregende Ritt ging zu Ende, und das Pferd schritt wieder langsam durch die Bäume zu der Lichtung, wo Janet die Picknickreste zusammenpackte und den Korb in dem Einspänner verstaute.
Joel stieg ab und hob mich herunter.
Ich war unbeschreiblich traurig, denn ich wußte, daß mein Besuch im Zauberwald mit dem fernen Schloß vorüber war. Es war wie ein schöner Traum, und ich sträubte mich heftig, daraus zu erwachen. Doch ich wußte, es half nichts.

Joel hob mich auf seine Arme und gab mir einen Kuß. Ich legte meine Arme um seinen Hals. Ich sagte: »Oh, war das schön.«
»Nie habe ich einen Ritt mehr genossen«, erwiderte er.
Miss Anabel sah uns mit einem Blick an, als wüßte sie nicht, ob sie lachen oder weinen sollte; da sie nun einmal Miss Anabel war, lachte sie.
Joel stieg auf sein Pferd und folgte uns zur Kutsche. Miss Anabel und ich kletterten hinein. Er verschwand in die eine Richtung, und wir fuhren in die andere Richtung zum Bahnhof. Dort stiegen wir aus.
»Vergiß nicht, mich vom Zug abzuholen, Janet«, sagte Miss Anabel. Dies gemahnte mich auf traurige Weise daran, daß der Tag fast vorüber war, daß ich bald wieder in die Hütte zurückkehrte und daß die Erlebnisse dieses Tages der Vergangenheit angehörten. Wir saßen nebeneinander im Zug und hielten uns fest an den Händen, als wollten wir uns nie wieder loslassen. Wie der Zug raste! Wie gern hätte ich ihn aufgehalten! Die Räder lachten mich aus: »Bist bald zurück! Bist bald zurück!« sagten sie wieder und wieder.
Kurz vor der Ankunft legte Miss Anabel ihren Arm um mich und fragte: »Was hast du dir gewünscht, Suewellyn?«
»Oh, das darf ich nicht verraten«, rief ich. »Sonst geht es nicht in Erfüllung, und das wäre schrecklich.«
»Waren deine Wünsche denn so dringend?«
Ich nickte.
Sie schwieg eine Weile, und dann sagte sie: »Es stimmt nicht ganz, daß du sie *niemandem* verraten darfst. Einem Menschen darfst du's erzählen, wenn du willst ... und wenn du flüsterst, gehen die Wünsche trotzdem in Erfüllung.«
Ich war selig. Es ist sehr tröstlich, wenn man seine Erlebnisse mit jemandem teilen kann, und mit niemandem hätte ich sie lieber geteilt als mit Miss Anabel.
Also sagte ich: »Zuerst habe ich mir einen Vater und eine Mutter

gewünscht. Dann wünschte ich, daß es Sie und Joel sind; und danach wünschte ich, daß wir alle zusammensein könnten.«
Sie sprach lange kein Wort, und ich hätte gern gewußt, ob es ihr leid tat, daß sie es erfahren hatte.
Wir waren am Bahnhof angelangt. Die Droschke erwartete uns, und in wenigen Minuten kamen wir zur Holzapfelhütte. Sie wirkte trostloser denn je, nachdem ich in dem wundersamen Wald gewesen und das Zauberschloß gesehen hatte.
Miss Anabel küßte mich und sagte: »Ich muß mich beeilen, sonst versäume ich meinen Zug.« Sie sah immer noch so aus, als fange sie gleich an zu weinen, obwohl sie lächelte. Ich lauschte auf das Klappern der Pferdehufe, die sie davontrugen.
In meinem Zimmer lagen zwei Päckchen, die Miss Anabel für mich dagelassen hatte. Das eine enthielt ein mit Bändern verziertes Kleid aus blauer Seide. Es war das hübscheste Kleid, das ich je gesehen hatte. Das war Miss Anabels Geburtstagsgeschenk. In dem anderen Päckchen war ein Buch über Pferde, und ich wußte, daß es von Joel war.
Was für ein herrlicher Geburtstag! Doch das Traurige an herrlichen Erlebnissen ist, daß sie die folgenden Tage um so trüber erscheinen lassen.
Tante Amelia bemerkte zu Onkel William über den Ausflug: »So was setzt ihr nur Flausen in den Kopf!«
Möglicherweise hatte sie recht.

In den folgenden Wochen lebte ich wie in einem Traum. Immer wieder betrachtete ich das blaue Kleid, das in meinem Schrank hing. Ich zog es nie an. Es sei höchst unangemessen, meinte Tante Amelia, und ich sah ein, daß sie recht hatte. Es war zu schade, um getragen zu werden. Es war nur zum Anschauen da.
In der Schule sagte Miss Brent: »Was ist in dich gefahren, Suewellyn? Du bist neuerdings sehr unaufmerksam.«
Anthony Felton behauptete, ich ginge nachts zum Hexensabbat;

dort zöge ich alle meine Kleider aus, tanzte immer im Kreis herum und küßte Bauer Mills Ziege.
»Sei nicht albern«, sagte ich zu ihm, und ich glaube, die anderen stimmten mit mir überein, daß er phantasierte. Tante Amelia hätte nie zugelassen, daß ich nachts fortging und meine Kleider auszog, weil es sich nicht schickte; und Ziegen zu küssen war ungesund. Ich las, soviel ich vermochte, in dem Buch über Pferde. Zwar begriff ich nicht alles, aber ich hoffte unentwegt, daß Miss Anabel eines Tages wiederkäme, um mich in den Zauberwald zu bringen. Ich wollte unbedingt etwas über Pferde wissen, wenn ich Joel wieder begegnete. Ich dachte, wie töricht ich doch war, weil ich mir nichts gewünscht hatte, das leichter zu erfüllen wäre – etwa noch so einen Tag im Wald anstatt Eltern. Väter und Mütter mußten schließlich verheiratet sein. Sie glichen nicht im geringsten Miss Anabel und Joel.
Ich fing an, mich für Pferde zu interessieren. Anthony Felton hatte ein Pony, und ich bat ihn, mich darauf reiten zu lassen. Zuerst lachte er mich aus, doch dann fiel ihm wohl ein, daß ich, wenn ich zu reiten versuchte, bestimmt hinunterfallen würde; und das gäbe einen Heidenspaß. Wir gingen also zur Pferdekoppel beim Gutshaus; ich stieg auf Anthonys Pony und ritt eine Runde durch die Koppel. Es war ein Wunder, daß ich nicht abgeworfen wurde. Ich dachte immerfort an Joel und bildete mir ein, daß er mich beobachtete. Ich wollte vor seinen Augen bestehen.
Anthony war sehr enttäuscht und ließ mich danach nie wieder auf seinem Pony reiten.
Im November kam Miss Anabel wieder. Sie war blasser und magerer geworden. Sie erzählte mir, daß sie krank gewesen sei; sie habe eine Rippenfellentzündung gehabt und deshalb nicht früher kommen können.
»Gehen wir wieder in den Wald?« fragte ich.
Sie schüttelte den Kopf, und ich fand, daß sie sehr traurig aussah.

»Hat es dir dort gefallen?« fragte sie gespannt.
Ich faltete die Hände und nickte. Es war nicht in Worten auszudrücken, wie sehr es mir gefallen hatte.
Sie schwieg mit traurigem Blick, und ich sagte: »Es war ein wunderbares Schloß. Es sah gar nicht echt aus, und ich glaube, es ist nicht immer da. Obwohl – das Mädchen und die Jungen sind hineingegangen. Und das Pferd war auch da. Ich bin auf einem Pferd geritten ... wir sind galoppiert. Das war aufregend.«
»Es hat dir also sehr gefallen, Suewellyn.«
»Ja, besser als alles, was ich bisher erlebt habe.«
Später hörte ich sie mit Tante Amelia sprechen.
»Nein«, sagte Tante Amelia, »das geht nicht, Miss Anabel. Wo sollten wir es denn lassen? So etwas können wir uns nicht leisten. Das gäbe nur noch mehr Gerede. Und ich versichere Ihnen – es wird bereits mehr als genug geklatscht.«
»Es wäre doch aber gut für sie.«
»Die Leute tuscheln schon. Ich glaube nicht, daß Mister Planter damit einverstanden wäre. Es gibt Grenzen, Miss Anabel. Und in so einem Dorf ... Ihre Besuche zum Beispiel. Die sind doch schon ungewöhnlich genug.«
»O ja, ich weiß, ich weiß, Amelia. Aber ihr würdet gut bezahlt ...«
»Es geht dabei nicht um Geld. Es geht um den äußeren Anschein. In so einem Dorf ...«
»Schon gut. Lassen wir das vorerst. Es wäre mir nur lieb gewesen, wenn sie reiten würde, und ihr hätte es Freude gemacht.«
Das war alles sehr geheimnisvoll. Ich wußte, daß Miss Anabel mir zu Weihnachten ein Pony schenken wollte, und Tante Amelia war dagegen.
Ich war sehr zornig. Ich hätte mir ein Pony wünschen sollen. Das wäre etwas Vernünftiges gewesen. Aber ich war so töricht gewesen und hatte mir etwas Unmögliches gewünscht.
Miss Anabel ging, doch ich wußte, daß sie wiederkommen würde, obwohl ich Tante Amelia zu ihr hatte sagen hören, sie möge nicht allzu oft kommen. Das waren böse Aussichten.

Ich bat Anthony Felton, mich noch einmal auf seinem Pony reiten zu lassen, doch er weigerte sich. »Warum sollte ich?« fragte er.
»Weil ich beinahe auch eins bekommen hätte«, erklärte ich ihm stolz.
»Was soll das heißen? Wieso hättest ausgerechnet du ein Pony bekommen sollen?«
»Aber ich hätte wirklich beinahe eins bekommen«, beharrte ich.
Ich malte mir aus, wie ich auf einem Pony, das viel hübscher war als Anthonys, an der Pferdekoppel der Feltons vorüberritt, und war so zornig und enttäuscht, daß ich Anthony und Tante Amelia haßte. Das konnte ich Tante Amelia natürlich nicht sagen, aber Anthony bekam es von mir zu hören.
»Du bist eine Hexe und ein Bastard«, schrie er zurück, »und beides zusammen ist das Allerschlimmste auf der Welt.«
Matty Grey saß nicht mehr draußen vor ihrer Hütte. Es war zu kalt.
»Der Wind, der da über den Anger fegt, fährt mir in die Knochen«, sagte sie. »Tut meinem Zipperlein nicht gut.« Ihr Zipperlein war ihr Rheumatismus, und im Winter war er so schlimm, daß sie sich nicht vom Feuer entfernen konnte. »Das alte Zipperlein macht mir heute den Garaus«, pflegte sie zu sagen. »Aber Scherz beiseite, so weit ist es noch nicht mit mir. Tom macht mir ein schönes Feuerchen, und was gibt es Schöneres als ein gemütliches Holzfeuer? Und wenn dann noch ein Kessel auf dem Herd summt ... dann hat man's fast so gut wie die Engel im Himmel.«
Ich machte es mir zur Gewohnheit, auf dem Heimweg von der Schule bei Matty hereinzuschauen. Ich konnte nie lange bleiben, weil Tante Amelia nichts davon wissen durfte. Sie hätte es nicht gebilligt. Wir waren »bessere Leute« als Matty. Ich begriff das nicht ganz. Wenn ich auch nicht zum Stand des Arztes oder des Pfarrers gehörte, die ihrerseits nicht den Rang

des Gutsherrn erreichten, so waren wir doch etwas »Besseres« als Matty.
Matty hieß mich eine Scheibe von dem großen Weißbrotlaib herunterschneiden. »Von der unteren Seite, Mäuschen.« Und ich spießte das Brot auf eine lange Röstgabel, die Toms Onkel in der Schmiede gefertigt hatte, und hielt es ans Feuer, bis es goldbraun war.
»Eine Tasse voll gutem starkem Tee und eine Scheibe guter brauner Toast; ein eigener Herd, und wenn draußen der Wind heult und nicht hereinkann ... ich wette, was Besseres kann's nicht geben.«
Da war ich anderer Meinung. Ich wußte, was es noch geben konnte: einen Zauberwald, ein Tuch auf dem Gras; Wunschknochen vom Huhn und zwei schöne Menschen, die anders waren als alle, die ich kannte; ein Zauberschloß, das man durch die Bäume erspähte, und ein Pferd, auf dem man galoppieren konnte.
»Woran denkst du, Suewellyn?« fragte Matty.
»Es kommt drauf an«, meinte ich. »Manche Leute wollen vielleicht keinen Toast und keinen starken Tee. Sie mögen vielleicht lieber ein Picknick im Wald.«
»Nun, das meine ich ja. Auf die Phantasie kommt es an. Von meinen Träumen habe ich nun erzählt, jetzt bist du dran.«
Und ehe ich mich versah, schilderte ich ihr, was ich erlebt hatte. Sie hörte zu. »Und du hast den Wald wirklich gesehen? Und das Schloß? Und jemand hat dich mitgenommen, hm? Ich weiß schon, die Dame, die immer kommt.«
»Matty«, fragte ich aufgeregt, »hast du gewußt, daß man drei Wünsche hat, wenn man einen Hühnerknochen durchbricht und die größere Hälfte erwischt?«
»O ja, das ist ein altes Spielchen. Als ich klein war, gab es ab und zu ein Rebhuhn bei uns, ein richtiger Festschmaus war das. Erst wurde es gerupft und gefüllt ... und wenn es aufgefuttert war, haben wir Kinder uns um den Wunschknochen gebalgt.«

»Hast du dir auch mal was gewünscht? Sind deine Wünsche in Erfüllung gegangen?«
Sie schwieg eine Weile, dann sagte sie: »Ja. Ich denke, ich hatte ein schönes Leben. Ja, meine Wünsche sind wahr geworden.«
»Glaubst du, daß meine auch in Erfüllung gehen?«
»Ja, ganz bestimmt. Eines Tages wirst du's richtig gut haben. Das ist eine sehr hübsche Dame, die dich immer besuchen kommt.«
»Sie ist schön«, sagte ich. »Und er ...«
»Wer ist er, Liebes?«
Ich dachte: Ich rede zuviel. Das darf ich nicht ... nicht einmal mit Matty. Ich hatte Angst, darüber zu sprechen, weil ich dann womöglich entdecken würde, daß alles gar nicht wirklich geschehen war, sondern daß ich nur geträumt hatte.
»Ach niemand«, sagte ich.
»Du verbrennst den Toast. Macht nichts. Kratz das Schwarze über dem Ausguß ab.«
Ich kratzte das Verbrannte vom Brot herunter und strich Butter darauf. Ich bereitete Tee und schenkte ein. Dann saß ich eine Weile und starrte in die Flammen. Das Holz glühte rot, blau und gelb. Jetzt glaubte ich sogar, das Schloß zu sehen.
Plötzlich fiel die Glut zusammen, und das Bild erlosch.
Es wurde Zeit, daß ich heimging. Sonst würde Tante Amelia mich vermissen und peinliche Fragen stellen.

Weihnachten rückte näher. Die Kinder sammelten im Wald Efeu und Stechpalmenzweige, um das Schulzimmer zu schmükken. Miss Brent stellte in ihrer Diele einen Briefkasten auf, in den wir die Karten an unsere Freunde steckten. Am Tag vor Heiligabend, dem letzten Schultag, spielte Miss Brent den Postboten; sie öffnete den Briefkasten und nahm die Karten heraus; dann setzte sie sich an ihr Pult. Sie rief uns einzeln zu sich, und wir nahmen die für uns bestimmten Karten in Empfang.
Wir waren alle sehr aufgeregt. Die Karten hatten wir im Klas-

senzimmer selbst gebastelt, und es gab dabei viel Geflüster und Gekicher. Wir bemalten das Papier, falteten es mit großer Geheimnistuerei zusammen, schrieben dann die Namen derjenigen, an die der Gruß gerichtet war, darauf und steckten die Karten in den Kasten.

Nachmittags sollte ein Konzert stattfinden. Miss Brent würde Klavier spielen, und wir würden alle im Chor singen; diejenigen unter uns, die eine gute Stimme hatten, sollten ein Lied vortragen, andere Gedichte aufsagen.

Es war für uns alle ein großer Tag, und wir freuten uns schon Wochen vor Weihnachten darauf.

Noch aufregender aber war für mich Miss Anabels Besuch. Sie kam am Tag vor der Schulfeier. Sie brachte mir einige Päckchen mit, auf die sie »Am Weihnachtstag öffnen« geschrieben hatte. Doch ich fand Miss Anabel selbst immer viel aufregender als ihre Mitbringsel.

»Im Frühling«, sagte sie, »machen wir wieder ein Picknick.«

Ich war begeistert. »An derselben Stelle!« rief ich. »Gibt es dann auch wieder Hühnerknochen?«

»Ja«, versprach sie. »Dann darfst du dir wieder etwas wünschen.«

»Aber vielleicht erwische ich diesmal gar nicht das größere Stück vom Knochen.«

»Ich denke doch«, meinte sie lächelnd.

»Miss Anabel, kommt er … kommt Joel auch?«

»Ich glaube schon«, sagte sie. »Du mochtest ihn gern, nicht wahr, Suewellyn?«

Ich zögerte. Gern haben war nicht ganz das richtige Wort, um es auf Götter anzuwenden.

Sie wirkte beunruhigt. »Er hat dich doch nicht … erschreckt?«

Wieder schwieg ich, und sie fuhr fort: »Möchtest du ihn wiedersehen?«

»O ja«, rief ich begeistert, und sie schien zufrieden.

Ich war traurig, als die Droschke kam, um sie zum Bahnhof zu

bringen, aber nicht so traurig wie sonst; denn war der Frühling auch noch weit, er würde doch gewiß kommen, und ich freute mich heute schon auf den herrlichen Ausflug in den Wald.
Onkel William hatte die Weihnachtskrippe in seinem Holzschuppen fertiggeschnitzt, und nun stand sie mit dem Abbild des Christkindes in der Kirche. Drei Jungen von der Schule sollten die drei Weisen darstellen. Einer war der Sohn des Vikars, und ich fand es ganz natürlich, daß sein Vater ihn dabeihaben wollte. Der zweite war Anthony Felton, denn er war der Enkel des Gutsherrn; seine Familie spendete großzügig für die Kirche und stellte ihre Gartenanlagen oder, wenn es regnete, die große Halle für Feste und Wohltätigkeitsbasare zur Verfügung. Tom war der dritte, weil er eine schöne Stimme hatte. Es war kaum zu glauben, daß so ein schlampiger Bengel eine so wunderbare Stimme besaß. Ich freute mich für Tom, denn es war eine Ehre für ihn. Matty war entzückt. »Sein Vater hatte eine gute Stimme. Und mein Großvater auch«, erzählte sie mir. »So was vererbt sich in der Familie.«
Tom hatte einen riesigen Stechpalmenzweig über der *Heimkehr des Seemanns* in Mattys Stube befestigt, was dem Bild einen nahezu heiteren Anstrich verlieh. Ich hatte die *Heimkehr des Seemanns* oft betrachtet; denn dies war ein Bild, das ich in Mattys Besitz eigentlich nicht vermutet hätte. Es hatte etwas Schwermütiges an sich. Aber das lag vielleicht auch daran, daß es kein farbiger Druck war. Der Seemann stand mit einem Bündel über der Schulter in der Hüttentür. Seine Frau starrte entgeistert vor sich hin, als sähe sie etwas Entsetzliches und erlebe nicht die Rückkehr eines geliebten Menschen. Matty hatte mit Tränen in den Augen über das Bild gesprochen. Seltsam, daß jemand, der sich über die Heimsuchungen des wirklichen Lebens lustig machen konnte, über die scheinbaren Probleme einer Person auf einem Bild Tränen vergoß.
Ich hatte sie bedrängt, mir die Geschichte zu erzählen. »Also«, sagte sie, »das war so: Du siehst das Bettchen mit dem kleinen

Kind. Dieses Kind dürfte aber gar nicht dasein, weil der Seemann drei Jahre fort war, und sie hat das Baby bekommen, während er weg war. Das gefällt ihm nicht ... und ihr auch nicht.«
»Warum gefällt es ihm nicht? Er sollte doch froh sein, wenn er heimkommt und ein kleines Kind findet.«
»Nun, es ist eben nicht seins, und darum gefällt es ihm nicht.«
»Warum nicht?«
»Na ja, er ist – nun, sagen wir – eifersüchtig. Eigentlich waren es zwei Bilder; sie gehörten zusammen. Meine Mama hat sie aufgeteilt, als sie starb. Sie sagte, die *Heimkehr* ist für dich, Matty, und der *Abschied* ist für Emma. Emma ist meine Schwester. Sie ist nach ihrer Heirat in den Norden gezogen.«
»Und den *Abschied* hat sie mitgenommen?«
»Ja. Dabei hat sie sich gar nicht viel daraus gemacht. Und ich hätte so gern beide Bilder gehabt. Obwohl der *Abschied* sehr traurig war. Der Mann hat die Frau umgebracht, weißt du, und die Polizei holte ihn ab, um ihn aufzuhängen. Das war mit *Abschied* gemeint. Oh, wie gern hätte ich den *Abschied* auch besessen.«
»Matty«, fragte ich, »was ist aus dem kleinen Kind in dem Bettchen geworden?«
»Jemand hat es in seine Obhut genommen«, sagte sie.
»Das arme Kind! Jetzt hat es keinen Vater und keine Mutter mehr.«
Matty sagte schnell: »Tom hat mir von eurem Briefkasten in der Schule erzählt. Ich hoffe, du hast eine hübsche Karte für Tom gemacht. Er ist ein guter Junge, unser Tom.«
»Ich hab' ihm eine ganz schöne Karte gemalt«, erwiderte ich, »mit einem Pferd.«
»Da wird er sich aber freuen. Er ist ganz vernarrt in Pferde. Wir wollen ihn zu Schmied Jolly in die Lehre geben, denn Schmiede haben schließlich viel mit Pferden zu tun.«
Meine Besuche bei Matty gingen immer viel zu schnell zu Ende.

Außerdem waren sie stets davon überschattet, daß Tante Amelia zu Hause auf mich wartete.
Die Holzapfelhütte wirkte nach den Besuchen bei Matty immer besonders freudlos. Das Linoleum auf dem Fußboden war gefährlich glatt gebohnert, und an den Bildern von Christus und Sankt Stephan steckten keine Stechpalmen. Die hätten dort auch völlig deplaciert gewirkt, und die mißmutige Königin mit einem Zweig zu schmücken hätte an Majestätsbeleidigung gegrenzt.
»Dreckzeug«, hatte Tante Amelia einmal darüber geäußert. »Rieselt bloß runter, und die Beeren treten sich überall fest.«
Der Tag der Schulfeier war gekommen. Wir stimmten unseren Gesang an, und die Begabteren unter uns – zu denen ich nicht gehörte – trugen ihre Gedichte und Lieder vor. Der Briefkasten wurde geöffnet. Von Tom bekam ich eine wunderschöne Pferdezeichnung, und auf der Karte stand geschrieben: »Fröhliche Weihnachten, immer Dein Tom Grey.« Jeder in der Schule hatte jedem eine Karte geschenkt, und das Austeilen dauerte sehr lange. Anthony Felton wollte mich mit seiner Karte wohl eher verletzen als mir gute Wünsche übermitteln. Er hatte eine Hexe gemalt, die auf einem Besenstiel ritt. Ihr offenes, dunkles Haar schien im Wind zu flattern, und sie hatte ein schwarzes Mal am Kinn. »*Zauber*hafte Weihnachten« hatte Anthony darauf geschrieben. Es war eine schlechte Zeichnung, und ich stellte schadenfroh fest, daß die Hexe Miss Brent wesentlich ähnlicher war als mir. Ich rächte mich mit dem Bild eines ungeheuer fetten Jungen (Anthony war nämlich ausgesprochen gefräßig und deshalb ganz schön pummelig) mit einem Plumpudding in der Hand. »Werde Weihnachten nicht zu fett, sonst kannst du nicht mehr reiten«, hatte ich dazu geschrieben, und er würde wissen, daß ich ihm das genaue Gegenteil wünschte.
Am Heiligen Abend fielen ein paar Schneeflocken, und alle hofften, sie würden liegenbleiben. Doch sie schmolzen, kaum daß sie den Boden berührten, und gingen bald in Regen über.

Ich besuchte mit Tante Amelia und Onkel William die Christmette; dieser nächtliche Ausflug hätte ein Erlebnis werden können; aber leider konnte mich nichts freuen, wenn ich zwischen meinen zwei strengen Wächtern einherschreiten und steif mit ihnen in der Kirchenbank sitzen mußte.
Ich schlief während des Gottesdienstes fast ein und war froh, als ich endlich wieder ins Bett schlüpfen konnte. Dann kam der Weihnachtsmorgen, und ich war sehr aufgeregt, obwohl es für mich keinen Weihnachtsstrumpf gab. Ich wußte, daß andere Kinder solche Strümpfe bekamen, und stellte es mir wundervoll vor, meinen Strumpf vor lauter guten Dingen ausgebeult vorzufinden und mit einer Hand hineinzufahren, um die Köstlichkeiten hervorzuziehen.
»Das ist kindisch«, sagte Tante Amelia, »und nicht gut für die Strümpfe. Du bist schon zu alt für solchen Firlefanz, Suewellyn.«
Aber ich hatte ja Anabels Geschenke. Wieder war es etwas zum Anziehen – zwei Kleider, von denen eines besonders schön war. Ich hatte das blaue, das sie mir geschenkt hatte, nur ein einziges Mal getragen, und zwar als sie kam. Jetzt besaß ich noch ein zweites Seidenkleid; dazu noch ein wollenes und einen hübschen Muff aus Seehundsfell; außerdem bekam ich drei Bücher. Ich war von den Geschenken entzückt und bedauerte nur, daß Anabel nicht da war, um sie mir persönlich zu überreichen.
Von Tante Amelia erhielt ich eine Schürze und von Onkel William ein Paar Strümpfe. Das waren keine besonders aufregenden Geschenke.
Am Morgen gingen wir in die Kirche, und dann nahmen wir zu Hause das Festmahl ein. Es gab Huhn, was in mir Erinnerungen weckte, aber von Wunschknochen war nicht die Rede. Danach folgte der Plumpudding.
Am Nachmittag las ich in meinen Büchern. Der Tag wurde mir sehr lang. Wie gern wäre ich zu den Greys hinübergelaufen. Matty war zur Feier des Tages nach nebenan gegangen, und fröhlicher Lärm drang auf den Anger hinaus. Tante Amelia

hörte das und meinte kopfschüttelnd, Weihnachten sei doch eigentlich ein ernstes Fest. Es sei Christi Geburtstag. Die Menschen sollten Würde zeigen und sich nicht wie die Heiden aufführen.

»Ich finde, es sollte ein Freudenfest sein«, hielt ich ihr entgegen, »gerade weil Christus geboren wurde.«

Tante Amelia sagte: »Ich hoffe nicht, daß du dir komische Ideen in den Kopf setzt, Suewellyn.«

Ich hörte sie zu Onkel William bemerken, daß es in unserer Schule alle möglichen Kreaturen gebe und es bedauerlich sei, daß Leute wie die Greys ihre Kinder zusammen mit denen aus besseren Kreisen dorthin schicken durften.

Ich hätte fast herausgeschrien, daß die Greys die besten Menschen seien, die ich kannte, doch ich wußte, daß jegliche Mühe umsonst sei, Tante Amelia davon zu überzeugen.

Der zweite Weihnachtsfeiertag war noch stiller als der erste. Es regnete, und der Südwestwind fegte über den Anger.

Es war ein endlos langer Tag. Ich konnte mich nur an meinen Geschenken ergötzen und mich fragen, wann ich wohl das Seidenkleid anziehen könnte.

Im neuen Jahr kam Anabel wieder. Tante Amelia hatte in der guten Stube Feuer gemacht – ein seltenes Ereignis – und die Jalousien hochgezogen, weil sie sich ja nun nicht mehr beklagen konnte, daß die Sonne den Möbeln schadete.

Selbst im Schein der Wintersonne sah das Zimmer immer noch recht trostlos aus. Keines der Bilder wurde durch das Licht freundlicher. Sankt Stephan blickte noch gequälter in die Stube, die Königin noch mißbilligender, und Christus hatte sich überhaupt nicht verändert.

Miss Anabel kam wie gewöhnlich kurz nach dem Mittagessen. Sie sah wunderschön aus in ihrem pelzverbrämten Mantel mit einem Muff aus Seehundsfell, der mir wie der große Bruder von meinem erschien.

Ich umarmte sie und bedankte mich für die Geschenke.

»Eines Tages«, sagte sie, »bekommst du ein Pony. Ich bestehe darauf.«
Wir unterhielten uns wie immer. Ich zeigte ihr meine Hefte, und wir sprachen über die Schule. Ich erzählte ihr nie etwas von den Hänseleien, die ich von Anthony Felton und seinen Kumpanen zu erdulden hatte, weil ich mir gut vorstellen konnte, daß es ihr Kummer machen würde.
So verging dieser Tag mit Anabel viel zu schnell, und als die Droschke kam, um sie wieder zum Bahnhof zu bringen, schien es ein Besuch wie jeder andere gewesen zu sein. Aber das war nicht ganz der Fall.

Matty erzählte mir von dem Mann, der im Gasthof King William abgestiegen war.
Tom arbeitete dort nach der Schule; er trug das Gepäck in die Zimmer und machte sich auch sonst nützlich. »Das ist sein zweites Eisen im Feuer«, sagte Matty, »falls es mit dem Schmied nicht klappt.«
Tom hatte ihr von dem Mann im Gasthof berichtet, und Matty erzählte es mir weiter.
»Ein richtiger Meckerfritze ist im King William abgestiegen«, berichtete sie. »Ein aufgeplusterter Gentleman. Wohnt im besten Zimmer. Kam mit schlechter Laune an. Weil nämlich keine Droschke da war, um ihn zum King William zu bringen, als er aus dem Zug stieg. Je nun, es konnte schließlich keine dasein. Die Droschke war unterwegs, nicht wahr?« Matty gab mir einen Stups. »Du hattest doch gestern Besuch, nicht? Also, da mußte Mister Großmächtig eben warten, und eins mögen Gentlemen dieser Sorte überhaupt nicht gern – daß man sie warten läßt.«
»Aber die Droschke braucht doch nicht lange für den Weg zur Holzapfelhütte und zurück zum Bahnhof.«
»Das nicht, aber reiche, großmächtige Gentlemen mögen eben nicht einmal ein Minütchen warten, während andere bedient werden. Ich hab's von Jim Fenner.« (Das war unser Stationsvor-

steher, Gepäckträger und Bahnhofsfaktotum.) »Der Mensch stand wutschnaubend auf dem Bahnsteig, während die Droschke mit deiner jungen Dame davonfuhr. Er fragte immer wieder: ›Wo fährt sie denn hin? Wie weit ist das?‹ Und der alte Jim sagte, ganz außer sich, weil er doch sah, daß dies ein richtiger Gentleman war, Jim sagte also: ›Sir, es dauert nicht lange. Die junge Dame fährt bloß zur Holzapfelhütte am Anger.‹ – ›Holzapfelhütte‹, brüllte er, ›und wie weit ist das?‹ – ›Gleich am Anger, Sir. Dort bei der Kirche. Kaum mehr als einen Steinwurf weit. Die junge Dame wäre zu Fuß in zehn Minuten dort. Aber sie nimmt jedesmal die Kutsche und läßt sich auch wieder abholen.‹ Nun, damit schien er zufrieden, und er sagte, er würde warten. Er stellte Jim eine Menge Fragen, und als seine Wut verraucht war, entpuppte er sich als ein ganz umgänglicher Gentleman. Er wurde sehr höflich und gab Jim fünf Schilling. So jemanden kriegt Jim nicht alle Tage zu sehen. Hoffentlich bleibt der Gentleman lange hier, sagte er.«
Leider konnte ich nicht mehr länger bei Matty bleiben und lief eilends zur Hütte zurück. Er wurde jetzt früh dunkel, und wenn wir aus der Schule kamen, dämmerte es bereits. Miss Brent hatte vorgeschlagen, im Winter schon um drei Uhr Schluß zu machen, damit die Kinder, die weiter weg wohnten, vor Anbruch der Dunkelheit zu Hause waren. Im Sommer war die Schule um vier Uhr aus. Dafür fingen wir jetzt schon um acht Uhr früh an, statt um neun wie im Sommer, und um acht Uhr war es noch ziemlich dunkel.
Tante Amelia stellte Blätter zu einem Strauß zusammen. Sie sagte: »Die bringe ich in die Kirche, Suewellyn. Sie sind für den Altar. Schade, daß es in dieser Jahreszeit keine Blumen gibt. Der Vikar meint, es sähe so kahl aus, wenn die Herbstblumen verblüht sind, deshalb versprach ich, ein paar Blätter zu sammeln, um die Kirche damit zu schmücken. Er schien das für eine gute Idee zu halten. Du kannst mitkommen.«
Ich brachte meine Schultasche in mein Zimmer und ging gehor-

sam hinunter. Wir überquerten mit wenigen Schritten den Anger und traten in die Kirche.
Drinnen herrschte tiefe Stille. Die bunten Glasfenster sahen düster aus, wenn die Sonne nicht hereinschien und auch kein Gaslicht brannte. Allein wäre mir wohl ein wenig bange gewesen; ich hätte befürchtet, daß die Christusgestalt vom Kreuz steigen könnte, um mir meine Sünden vorzuwerfen. Ich glaubte, die Bilder in den bunten Glasfenstern könnten lebendig werden. Sie stellten alle möglichen Martyrien dar, und dort oben war auch mein alter Bekannter Sankt Stephan, dem es auf Erden so schrecklich ergangen war. Unsere Schritte hallten unheimlich auf den Steinplatten wider.
»Wir müssen uns beeilen, Suewellyn«, sagte Tante Amelia. »Bald wird es ganz dunkel sein.«
Wir stiegen die drei steinernen Stufen zum Altar hinauf.
»So!« meinte Tante Amelia. »Die machen sich ganz gut. Ich denke, ich stelle sie am besten ins Wasser. Hier, Suewellyn, nimm diesen Krug, und lauf damit zur Pumpe.«
Ich ergriff den Krug und lief damit auf den Kirchhof hinaus. Die Grabsteine sahen aus wie kniende alte Männer und Frauen, die ihre Gesichter mit grauen Kapuzen verhüllt hatten.
Die Pumpe befand sich nur wenige Meter von der Kirche entfernt. Um dorthin zu gelangen, mußte ich an einigen der ältesten Grabsteine vorbei. Ich hatte die Inschriften darauf schon oft gelesen, wenn wir aus der Kirche kamen. Diese Toten waren schon vor langer, langer Zeit begraben worden: Einige Daten reichten zurück bis ins siebzehnte Jahrhundert. Ich lief an den Gräbern vorbei zur Pumpe, pumpte kräftig und füllte das Gefäß.
Plötzlich hörte ich Schritte. Ich blickte über meine Schulter. Es war dunkel geworden, seit ich mit Tante Amelia die Kirche betreten hatte. Ich spürte, wie mir ein Schauer über den Rücken rieselte. Ich hatte das Gefühl, daß jemand ... daß etwas mich beobachtete.
Ich wandte mich wieder der Pumpe zu. Es war ziemlich anstren-

gend, mit einer Hand die Pumpe zu bedienen und mit der anderen den Krug zu halten.
Mir zitterten die Hände. Sei nicht albern, redete ich mir zu. Warum sollte nicht jemand auf den Friedhof kommen? Vielleicht war es die Frau des Vikars auf dem Heimweg oder noch eine andere eifrige Kirchgängerin, die auch den Altar schmücken wollte.
Ich hatte den Krug vollgemacht und verschüttete ein wenig Wasser. Dann hörte ich das Geräusch wieder. Mir blieb vor Schreck fast die Luft weg: Dort, zwischen den Grabsteinen, stand eine Gestalt. Ich war überzeugt, daß es ein Geist war, der einem Grab entstiegen war. Ich stieß einen Entsetzensschrei aus und rannte, so schnell ich konnte, zum Kirchenportal. Das Wasser im Krug schwappte über und bespritzte meinen Mantel. Doch ich hatte die schützende Tür der Kirche erreicht.
Ich blieb einen Moment stehen und blickte über meine Schulter. Niemand war zu sehen.
Tante Amelia wartete ungeduldig am Altar.
»Komm, mach schon«, sagte sie.
Ich reichte ihr den Krug. Meine Hände waren naß und kalt, und ich zitterte.
»Es ist nicht genug«, schalt sie. »Du unachtsames Kind, du hast es verschüttet.«
Ich blieb entschlossen stehen. »Draußen ist es dunkel«, sagte ich störrisch. Nichts hätte mich bewegen können, noch einmal zur Pumpe zu gehen.
»Ich denke, es wird reichen«, sagte Tante Amelia mürrisch. »Suewellyn, ich weiß nicht, warum du nichts anständig machen kannst.«
Sie ordnete die Blätter, und wir verließen die Kirche. Ich hielt mich dicht an Tante Amelia, als wir den Friedhof überquerten und auf den Anger hinaustraten.
»Es ist nicht ganz das, was ich gern für den Altar gehabt hätte«, murmelte Tante Amelia. »Aber es muß genügen.«

In dieser Nacht konnte ich nicht schlafen. Ich döste nur und sah mich wieder bei der Pumpe auf dem Kirchhof stehen und malte mir aus, wie der Geist sich aus der Erde erhob, um die Menschen zu erschrecken. Mich hatte er jedenfalls gründlich erschreckt. Ich hatte mir Geister immer als nebelhafte, weiße, durchsichtige Wesen vorgestellt. Wenn ich mich jedoch recht besann, soweit meine verschwommene Erinnerung und meine Angst es zuließen, so war dieser Geist vollkommen angekleidet gewesen. Es war ein Mann gewesen, ein sehr großer Mann mit einem glänzenden schwarzen Hut. Ich hatte keine Zeit gehabt, viel mehr von ihm wahrzunehmen als einen starren Blick, und den hatte er fest auf mich gerichtet.
Schließlich schlief ich ein, so tief, daß ich am nächsten Morgen zu spät aufwachte.
Tante Amelia musterte mich mit grimmiger Miene, als ich zum Frühstück hinunterkam. Sie hatte mich nicht gerufen. Das tat sie nie. Man erwartete von mir, daß ich von selbst rechtzeitig aufwachte und pünktlich zur Schule ging. Das hatte etwas mit Disziplin zu tun, auf welche Tante Amelia mindestens ebenso viel Wert legte wie auf Ehrbarkeit.
Ich kam infolgedessen zu spät zur Schule, und Miss Brent, die der Meinung war, Erziehung zur Pünktlichkeit sei ebenso wichtig wie Lesen, Schreiben und Rechnen, sagte, wenn ich nicht rechtzeitig erscheinen könne, so müsse ich eine halbe Stunde nachsitzen und das Glaubensbekenntnis aufschreiben.
Das bedeutete hinwiederum, daß ich keine Zeit haben würde, bei Matty hereinzuschauen.
Der Tag verging, und um drei Uhr saß ich an meinem Pult und schrieb: »Ich glaube an Gott, den allmächtigen Vater ...« Nach zwanzig Minuten war ich fertig. Ich ging nach oben, klopfte an die Tür von Miss Brents Wohnzimmer und reichte ihr meine Strafarbeit. Sie sah sie durch, nickte und sagte: »Und nun beeil

dich, damit du daheim bist, bevor es dunkel wird. Und, Suewellyn, bemühe dich, pünktlich zu sein. Unpünktlichkeit zeugt von schlechten Manieren.«

Ich sagte demütig: »Ja, Miss Brent« und rannte los.

Wenn ich die Abkürzung über den Kirchhof nähme, hätte ich gerade noch Zeit, bei Matty hereinzuschauen und ihr von dem Geist zu berichten, den ich tags zuvor auf dem Friedhof gesehen hatte, und käme ich dann zu spät nach Hause, könnte ich Tante Amelia von dem Nachsitzen und dem Glaubensbekenntnis erzählen. Sie würde grimmig nicken und Miss Brents Vorgehen gutheißen.

Es mag merkwürdig scheinen, daß ich nach dem Erlebnis am Vortag den Weg über den Kirchhof nahm. Doch es war bezeichnend für mich und wirft vielleicht ein wenig Licht auf das, was später geschah, daß gerade meine Furcht dem Kirchhof einen besonderen Reiz verlieh. Es war noch nicht ganz dunkel. Der Tag war heiterer, als der vergangene gewesen war, und die Sonne stand noch als großer roter Ball am Horizont. Ich hatte Angst; ich zitterte, war gleichzeitig aufgeregt und beklommen, doch irgendwie fühlte ich mich unwillkürlich zum Kirchhof hingezogen.

Sobald ich ihn betrat, schalt ich mich töricht, weil ich hergekommen war. Kalte Furcht ergriff mich, und ich verspürte den dringenden Wunsch, kehrtzumachen und davonzulaufen. Aber ich tat es nicht. Ich machte einen Bogen um den alten Teil und schlug den Weg zwischen den helleren Steinen ein, deren Inschriften noch nicht von der Zeit und der Witterung verblaßt waren.

Ich wurde verfolgt. Ich wußte es. Ich hörte die Schritte hinter mir und fing an zu rennen. Wer immer hinter mir her war, er hatte es ebenfalls eilig.

Wie dumm von mir, hierherzukommen! Ich hatte mich selbst herausgefordert. Das Erlebnis gestern war bereits eine Warnung gewesen. Wie hatte ich mich gefürchtet, und dabei war

Tante Amelia nicht weit weg gewesen. Ich brauchte nur zu ihr zu laufen. Und doch war ich zurückgekommen – allein.
Vor mir tauchten die grauen Mauern der Kirche auf. Wer immer mir folgte, er war schneller als ich. Es ... er ... war mir dicht auf den Fersen.
Ich blickte auf das Kirchenportal und erinnerte mich, daß ich einmal gehört hatte, Kirchen seien Zufluchtsorte, weil sie heilige Stätten seien. Für böse Geister sei dort kein Platz.
Vor der Kirchentür zögerte ich ... sollte ich hineingehen oder weiterrennen?
Eine Hand berührte mich.
Ich holte tief Luft.
»Was hast du denn, Kleine?« fragte eine wohltönende und sehr freundliche Stimme. »Du brauchst keine Angst zu haben.«
Ich fuhr herum und stand einem sehr großen Mann gegenüber. Der schwarze Hut, den er auch gestern getragen hatte, thronte auf seinem Kopf. Der Mann lächelte. Er hatte dunkelbraune Augen, und sein Gesicht sah keineswegs so aus, wie ich mir ein Geistergesicht vorstellte. Vor mir stand ein lebendiger Mann. Er nahm seinen Hut ab und verbeugte sich.
»Ich möchte mich doch nur mit dir unterhalten«, fuhr er fort.
»Sie waren gestern auf dem Kirchhof«, hielt ich ihm vor.
»Ja«, sagte er. »Ich liebe Kirchhöfe. Ich lese die Inschriften auf den Grabsteinen so gern. Du nicht?«
Doch, ich las sie auch gern, aber ich sagte nichts. Ich zitterte vor Angst.
»Die Pumpe ging ein bißchen streng, nicht wahr?« fuhr er fort. »Ich wollte dir helfen. Einer hätte den Krug halten können, während der andere pumpte, meinst du nicht?«
»Ja«, sagte ich.
»Magst du mir die Kirche zeigen? Ich interessiere mich für alte Kirchen.«
»Ich muß nach Hause«, erklärte ich ihm. »Ich bin schon spät dran.«

»Ja, später als die anderen. Warum?«
»Ich mußte nachsitzen ... um das Glaubensbekenntnis aufzuschreiben.«
»Ich glaube an Gott, den allmächtigen Vater. Glaubst du an ihn, Kleine?«
»Natürlich. Jeder glaubt an ihn.«
»Wirklich? Dann weißt du auch, daß Gott über dich wacht und dich vor allen Gefahren und Bedrängnissen der Nacht beschützt ... auch vor Fremden auf dem Kirchhof. Komm ... nur für einen Augenblick. Zeig mir die Kirche. Ich glaube, die Leute hier sind sehr stolz auf die bunten Glasfenster.«
»Der Vikar schon«, bestätigte ich. »Es ist sogar darüber geschrieben worden. Er hat die Ausschnitte alle gesammelt. Sie können sie sehen, wenn Sie wollen. Er zeigt sie Ihnen bestimmt.«
Er hielt noch immer meinen Arm und zog mich zum Kircheneingang. Er musterte neugierig die Anschläge in der Vorhalle, auf denen die Veranstaltungen angekündigt waren.
Im Innern der Kirche war mir wohler. Die heilige Atmosphäre machte mir wieder Mut. Ich spürte, daß mir hier bei dem goldenen Kreuz und den bunten Glasfenstern, auf denen das Leben Jesu in wunderschönem Rot, Blau und Gold dargestellt war, nichts Böses zustoßen konnte.
»Eine schöne Kirche«, sagte der Mann.
»Ja, aber ich muß gehen. Der Pfarrer wird Sie herumführen.«
»Einen Moment noch. Ich möchte sie lieber bei Tageslicht sehen.«
»Es wird gleich dunkel«, sagte ich. »Und ich ...«
»Ja, du mußt daheim sein, ehe es dunkel ist. Wie heißt du?«
»Suewellyn.«
»Ein hübscher und ungewöhnlicher Name. Und weiter?«
»Suewellyn Campion.«
Er nickte, als sei er mit meinem Namen zufrieden.
»Und du wohnst in der Holzapfelhütte?«

»Woher wissen Sie das?«
»Ich habe dich dort hineingehen sehen.«
»Sie haben mich also beobachtet.«
»Ich war zufällig in der Nähe.«
»Ich muß gehen, sonst wird Tante Amelia böse.«
»Du wohnst bei deiner Tante Amelia, nicht wahr?«
»Ja.«
»Wo sind deine Eltern?«
»Ich muß gehen. Der Vikar kann Ihnen alles über die Kirche erzählen.«
»Ja, gleich. Wer war die Dame, die dich vorgestern besucht hat?«
»Ich weiß, wer Sie sind. Sie sind der Mann, der sich wegen der Droschke so aufgeregt hat.«
»Ja, das stimmt. Man sagte mir, sie sei nur zur Holzapfelhütte gefahren. Sie ist eine äußerst reizvolle Dame. Wie heißt sie?«
»Miss Anabel.«
»Aha. Besucht sie dich oft?«
»O ja.«
Plötzlich griff er mir ans Kinn und blickte mir ins Gesicht. Da dachte ich, er sei der Teufel und wolle sich den Leberfleck an meinem Kinn anschauen.
Ich sagte: »Ich weiß, wonach Sie suchen. Lassen Sie mich gehen. Ich muß jetzt nach Hause. Wenn Sie die Kirche besichtigen wollen, fragen Sie den Vikar.«
»Suewellyn«, sagte er, »was hast du denn? Wonach suche ich? Willst du es mir nicht sagen?«
»Es hat nichts mit dem Teufel zu tun. Man wird damit geboren. Es ist wie mit den Erdbeeren im Gesicht, wenn die Mutter eine Vorliebe für Erdbeeren hatte.«
»Was?« fragte er.
»Es ist nichts, wirklich. So was haben viele Leute. Es ist nur ein Leberfleck.«
»Er ist sehr hübsch«, sagte er. »Wirklich, sehr hübsch. Suewel-

lyn, du warst sehr nett zu mir, und jetzt begleite ich dich nach Hause.«
Ich rannte beinahe aus der Kirche. Er blieb an meiner Seite, und wir schritten rasch über den Kirchhof zum Anger.
»Da drüben ist die Holzapfelhütte schon«, sagte er. »Lauf schnell hinüber. Ich passe hier auf, bis du drinnen bist. Gute Nacht, Suewellyn, und danke, daß du so nett zu mir warst.«
Ich rannte los.
Auf dem Weg zu meinem Zimmer begegnete ich Tante Amelia.
»Du kommst zu spät«, sagte sie.
»Ich mußte nachsitzen.«
Sie nickte und lächelte zufrieden.
»Ich mußte das Glaubensbekenntnis aufschreiben.«
»Das wird dich lehren, faul im Bett zu liegen«, bemerkte sie.
Ich lief in mein Zimmer. Ich konnte ihr nichts von dem Fremden erzählen. Das war alles so sonderbar. Warum war er mir gefolgt? Warum wollte er, daß ich ihm die Kirche zeigte, wenn er sich, als er drinnen war, kaum dafür zu interessieren schien? Das war ziemlich rätselhaft. Doch ich hatte wenigstens meine Furcht überwunden. Ich hatte mich auf den Kirchhof gewagt und entdeckt, daß der Geist nur ein Mensch war.
Ich fragte mich, ob ich ihn wohl jemals wiedersehen würde.
Aber ich sah ihn nicht wieder.
Als ich am nächsten Tag zu Matty hereinschaute, erzählte sie mir, daß der Gentleman aus dem King William ausgezogen sei. Tom hatte ihm seine Reisetasche in die Droschke getragen, und er war mit dem Zug abgereist, und zwar erster Klasse.
»Das war ein echter, anständiger Gentleman«, sagte Matty, »reist erster Klasse und läßt sich im King William nur vom Besten geben. Von der Sorte steigen nicht viele bei John Jeffers ab, und Tom hat er einen Schilling geschenkt fürs Rauftragen von seinem Gepäck und noch einen fürs Runtertragen. Ein richtiger Gentleman.«
Ich überlegte, ob ich Matty von meiner Begegnung auf dem

Kirchhof mit diesem echten, anständigen, richtigen Gentleman berichten sollte.
Ich zögerte, denn ich war meiner selbst nicht ganz sicher. Vielleicht würde ich es ihr eines Tages erzählen, aber jetzt noch nicht ... nein, jetzt noch nicht.

Bis zum Ende der Woche hatte meine innere Spannung nachgelassen, die ich verspürte, seit ich dem Mann auf dem Friedhof zum erstenmal begegnet war. In der Kirche war er immerhin recht freundlich gewesen. Er hatte ein sympathisches Gesicht und erinnerte mich ein wenig an Joel. Seine Stimme klang ähnlich, und er hatte das gleiche Lächeln. Er wollte die Kirche besichtigen und hatte geglaubt, daß ich, die ich im Dorfe lebte, ihm etwas darüber erzählen könnte, weiter nichts. Ich wußte, daß er am nächsten Tag den Vikar nicht aufgesucht hatte, war er doch am nächsten Morgen abgereist.
Es war ein kalter Tag. Miss Brent hatte im Schulzimmer Feuer gemacht; dennoch waren unsere Finger klamm vor Kälte, was unserer Handschrift nicht gerade zugute kam. Wir waren alle heilfroh, als es drei Uhr war und wir nach Hause eilen konnten.
Ich schaute bei Matty vorbei, die vor einem lodernden Feuer saß. Der von schwarzem Ruß bedeckte Kessel stand auf dem Herd, und es würde nicht mehr lange dauern, bis Matty sich ihren Tee bereitete.
Sie begrüßte mich wie immer mit ihrem glucksenden Lachen, das ihren molligen Körper erzittern ließ.
»Das is 'n Tag und noch 'n halber dazu«, sagte sie. »Der Wind kommt direkt von Osten. Nicht mal 'n Hund würde an so 'nem Tag rausgehen ... wenn er nicht muß.«
Ich machte es mir zu ihren Füßen gemütlich und wünschte, ich könnte den ganzen Abend hierbleiben. In der Holzapfelhütte war es bei weitem nicht so behaglich. Freilich, Mattys Kaminsims war mit einer Staubschicht bedeckt, und unter ihrem Stuhl lagen Krümel; doch all dies war von einer Gemütlichkeit, die ich

daheim vermißte. Ich dachte daran, wie ich in meinem eiskalten Schlafzimmer mich auskleiden und über das gefährlich glatte Linoleum schaudernd ins Bett hüpfen mußte. Neben Mattys Kamin lag eine Wärmflasche aus Steingut, die sie mit ins Bett nahm.

Tom kam herein und sagte: »Hallo, Oma.« Er nickte mir zu, denn mir gegenüber war er immer etwas schüchtern.

»Wirst du im King William nicht gebraucht?« fragte Matty.

»Hab' noch 'ne Stunde Zeit, bevor der Betrieb losgeht. Ist sowieso nicht viel zu tun ... an so 'nem Abend.«

»Je nun, es kommen nicht alle Tage so feine Herren zu euch.«

»Leider«, meinte Tom.

Ehe ich's mich versah, erzählte ich ihnen von der Begegnung auf dem Kirchhof. Ich hatte es gar nicht beabsichtigt, aber ich mußte einfach darüber sprechen. Tom hatte das Gepäck des Herrn getragen und einen Schilling von ihm bekommen. Sie sollten wissen, daß auch ich seine Bekanntschaft gemacht hatte.

»Leute wie er interessieren sich immer für Kirchen und dergleichen«, sagte Tom.

Matty nickte. »Einmal war einer hier ... der hatte es auf die Grabsteine abgesehen. Hat sich da hingehockt ... vor Sir John Ecclestones geschnitztes Bild, und hat es auf 'n Stück Papier abgemalt. O ja, so was gibt's.«

»Als ich nachsitzen mußte, bin ich über den Kirchhof nach Hause gegangen. Er war dort und ... hat gewartet.«

»Gewartet?« echote Tom. »Worauf?«

»Ich weiß nicht. Er wollte, daß ich ihm die Kirche zeige, und ich hab' ihm gesagt, der Vikar könnte ihm alles viel besser erzählen, was er wissen möchte.«

»Oh, das macht der Vikar gern. Wenn er einmal loslegt und sich über die Gewölbe und die Fenster ausläßt, ist er nicht mehr zu halten.«

»Komisch«, sagte ich, »mir war, als wollte er eigentlich mich sehen ... nicht die Kirche.«

Matty sah Tom scharf an.
»Tom«, sagte sie streng, »ich hab' dir doch gesagt, du sollst Suewellyn im Auge behalten.«
»Tu' ich ja auch, Oma. Sie mußte an dem Tag nachsitzen, an dem ich zur Arbeit ins Gasthaus mußte. Nicht wahr, Suewellyn?«
Ich nickte.
»Du sollst mit fremden Männern keine Kirchen besichtigen, Mäuschen«, sagte Matty. »Keine Kirchen und nichts.«
»Ich wollte ja gar nicht, Matty. Er hat mich irgendwie gezwungen.«
»Und wie lange wart ihr in der Kirche?« fragte Matty eindringlich.
»Ungefähr fünf Minuten.«
»Und hat er bloß mit dir geredet? Er hat nicht ... hm ...«
Ich war verwirrt. Ich verstand nicht, was Matty mit ihrer Andeutung meinte.
»Laß gut sein«, fuhr sie fort. »Seine Hoheit ist weg, und damit basta. Der besichtigt hier keine Kirchen mehr.«
Es wurde ganz still in der Hütte. Dann sackte das Feuer in der Mitte zusammen, und ein Funkenturm ergoß sich über die Herdplatte. Tom ergriff den Haken und kniete nieder, um das Feuer zu schüren. Sein Gesicht war ganz rot.
Matty war ungewöhnlich schweigsam.
Ich konnte nicht länger bleiben, aber ich nahm mir vor, wenn ich mit Matty allein wäre, sie zu fragen, warum sie wegen des Mannes so beunruhigt war.
Doch dazu sollte es nie kommen.

Es war ein milder, nebliger Tag gewesen. Als ich kurz nach drei Uhr von der Schule nach Hause ging, war es fast schon dunkel. Wie ich den Anger überquerte, sah ich die Bahnhofsdroschke vor der Holzapfelhütte stehen und wunderte mich, was das zu bedeuten habe. Miss Anabel gab immer Bescheid, bevor sie kam.

Ich schaute deshalb nicht, wie ich es vorgehabt hatte, bei Matty herein, sondern rannte, so schnell ich konnte, nach Hause.
Als ich eintrat, kamen Tante Amelia und Onkel William aus der guten Stube. Sie sahen verstört aus.
»Da bist du ja«, bemerkte Tante Amelia überflüssigerweise; sie schluckte, und dann war es kurze Zeit still. Schließlich sagte sie: »Es ist etwas passiert.«
»Miss Anabel ...«, begann ich.
»Sie ist droben in deinem Zimmer. Geh nur hinauf. Sie wird es dir erklären.«
Ich raste die Treppe hinauf. In meinem Zimmer herrschte ein wildes Durcheinander. Meine Kleider lagen auf dem Bett, und Miss Anabel war dabei, sie in eine Reisetasche zu packen.
»Suewellyn!« rief sie, als ich eintrat. »Wie bin ich froh, daß du pünktlich bist!«
Sie lief auf mich zu und umarmte mich. Dann sagte sie: »Du kommst mit mir. Ich kann es dir jetzt nicht erklären ... Später wirst du alles verstehen. O Suewellyn, du willst doch sicher mitkommen!«
»Mit Ihnen? Aber natürlich, Miss Anabel.«
»Ich fürchtete ... schließlich warst du so lange hier ... ich dachte schon ... ach, nichts. Ich habe deine Kleider eingepackt. Hast du sonst noch was?«
»Meine Bücher.«
»Gut ... gib sie her ...«
»Fahren wir in die Ferien?«
»Nein«, sagte sie, »du gehst für immer fort. Du wirst jetzt bei mir leben und ... und ... Aber das erzähle ich dir später. Fürs erste möchte ich nur, daß wir den Zug erwischen.«
»Wohin fahren wir?«
»Das weiß ich selbst nicht genau. Aber weit fort. Suewellyn, hilf mir mal.«
Ich suchte meine wenigen Bücher zusammen und stopfte sie zu meinen Kleidern in die Reisetasche, die Miss Anabel mitge-

bracht hatte. Ich war ganz durcheinander. Insgeheim hatte ich immer gehofft, daß etwas Derartiges geschehen möge. Und nun, da es eingetreten war, fühlte ich mich dermaßen überrumpelt, daß ich überhaupt nichts begriff.

Miss Anabel schloß die Tasche und faßte nach meiner Hand.

Wir blickten uns noch einmal in dem Zimmer um, in dieser spärlich möblierten Kammer, die, solange ich zurückdenken konnte, mein Zuhause war. Glänzend gebohnertes Linoleum, Sprüche an den Wänden – alle mahnend und ein wenig drohend. Derjenige, der mich am tiefsten beeindruckt hatte, lautete: »Mit dem ersten Betrug in unserem Leben / ein unentwirrbares Netz wir weben.«

Daran sollte ich mich in den kommenden Jahren noch oft erinnern. Da stand das schmale, eiserne Bettgestell mit der Flickensteppdecke, die Tante Amelia gemacht hatte – jeder Flicken von akkuraten Hexenstichen eingerahmt, ein Sinnbild vorbildlichen Fleißes. »Du solltest anfangen, für eine Flickendecke zu sammeln«, hatte Tante Amelia einmal gesagt. Jetzt nicht, Tante Amelia! Ich gehe fort, für immer fort von Flickendecken und kalten Schlafzimmern und noch kälterer Fürsorge. Ich gehe mit Miss Anabel.

»Sagst du deinem Zimmer Lebewohl?« fragte Miss Anabel. Ich nickte.

»Tut es dir ein bißchen leid?« erkundigte sie sich besorgt.

»Nein«, erwiderte ich heftig.

Sie lachte das Lachen, das ich so gut kannte, aber es klang jetzt etwas anders, spitzer, ein wenig hysterisch.

»Komm«, sagte sie, »die Droschke wartet.«

Tante Amelia und Onkel William waren in der Diele.

»Ich muß schon sagen, Miss Anabel ...«, begann Tante Amelia.

»Ich weiß ... ich weiß ...«, erwiderte Miss Anabel. »Aber es muß sein. Ihr bekommt euer Geld ...«

Onkel William blickte hilflos auf sie.

»Ich möchte nur wissen«, fuhr Tante Amelia fort, »was die Leute dazu sagen werden.«
»Die klatschen doch schon seit Jahren«, gab Miss Anabel leichthin zurück. »Sollen sie doch.«
»Wer hier nicht lebt, hat gut reden«, murrte Tante Amelia.
»Laß gut sein, es war nicht so gemeint. Komm, Suewellyn, sonst verpassen wir noch den Zug.«
Ich blickte zu Tante Amelia auf. »Lebwohl, Suewellyn«, sagte sie, und ihre Lippen zuckten. Sie beugte sich herunter und drückte ihre Wange an meine; das war das Höchste an Zärtlichkeit, dessen sie fähig war. »Bleib ein braves Mädchen ... wohin es dich auch treibt. Vergiß nicht, deine Bibel zu lesen, und vertraue auf den Herrn.«
»Ja, Tante Amelia.«
Dann war Onkel William an der Reihe. Er gab mir einen richtigen Kuß. »Bleib ein braves Mädchen«, wiederholte er und drückte mir die Hand.
Dann hastete Miss Anabel mit mir zur Droschke.

Wenn man über einen Zeitraum von vielen Jahren zurückblickt, ist es nicht immer leicht, sich an das zu erinnern, was man erlebte, als man noch nicht ganz sieben Jahre alt war. Ich nehme an, das Bild verfärbt sich ein wenig; vieles ist vergessen; doch ich weiß sicher, daß ich furchtbar aufgeregt war und es nicht bedauerte, die Holzapfelhütte zu verlassen. Nur um Matty tat es mir leid, und natürlich um Tom. Ich hätte gern noch einmal bei Matty am Feuer gesessen und ihr erzählt, wie ich Miss Anabel in der Hütte beim Packen meiner Sachen antraf, während die Droschke wartete, um uns zum Bahnhof zu bringen.
Ich erinnere mich, wie der Zug durch die Dunkelheit fuhr, wie dann und wann die Lichter einer Stadt auftauchten und wie anders die Räder diesmal sangen: Du gehst fort. Du gehst fort. Du gehst fort mit Miss Anabel.

Miss Anabel hielt meine Hand ganz fest und fragte: »Bist du glücklich, Suewellyn?«
»O ja«, antwortete ich.
»Und es macht dir wirklich nichts aus, Tante Amelia und Onkel William zu verlassen?«
»Nein«, erwiderte ich. »Ich hab' Matty liebgehabt und Tom auch ein bißchen, und Onkel William hatte ich gern.«
»Sie haben natürlich gut für dich gesorgt. Ich war ihnen sehr dankbar.«
Ich schwieg, denn ich verstand nichts.
»Gehen wir wieder in den Wald?« fragte ich. »Schauen wir uns das Schloß an?«
»Nein. Wir fahren weiter weg.«
»Nach London?« Miss Brent hatte oft von London gesprochen, und es war auf der Landkarte mit einem großen schwarzen Punkt markiert, so daß ich es auf der Stelle finden konnte.
»Nein, nein«, sagte Miss Anabel. »Viel weiter. Mit einem Schiff. Wir verlassen England.«
Mit einem Schiff! Ich war so aufgeregt, daß ich unwillkürlich auf dem Sitz auf und nieder hüpfte. Sie lachte und umarmte mich, und ich dachte, daß Tante Amelia jetzt sicher sagen würde, ich solle stillsitzen.
Wir stiegen aus und warteten auf dem Bahnsteig auf einen anderen Zug. Miss Anabel holte eine Tafel Schokolade aus ihrer Reisetasche. »Das lindert die Pein«, sagte sie und lachte. Obgleich ich nicht wußte, was sie meinte, lachte ich mit ihr und biß herzhaft in die köstliche Schokolade. Tante Amelia hatte in der Holzapfelhütte keine Schokolade geduldet. Anthony Felton hatte manchmal welche mit in die Schule gebracht und sich ein Vergnügen daraus gemacht, sie allein vor unserer Nase aufzuessen und uns zu sagen, wie gut sie schmeckte.
Es war Nacht, als wir den Zug verließen. Miss Anabel hatte mehrere Reisetaschen dabei, und zusammen mit meiner hatten

wir eine ganze Menge Gepäck. Wir fuhren mit einer Droschke zu einem Hotel, wo wir ein großes, luxuriöses Doppelzimmer bekamen.
»Morgen müssen wir früh raus«, sagte Miss Anabel. »Kannst du früh aufstehen?«
Ich nickte selig. Man brachte uns etwas zu essen aufs Zimmer – heiße Suppe und köstlichen Schinken; und dann schliefen Miss Anabel und ich zusammen in dem großen Bett.
»Ist das nicht himmlisch, Suewellyn?« meinte sie. »So habe ich es mir immer gewünscht.«
Ich wollte nicht schlafen, weil ich mein Glück noch länger auskosten wollte; aber ich war so müde, daß mir bald die Augen zufielen. Als ich aufwachte, war ich allein im Bett. Ich entsann mich, wo ich war, und stieß einen erschreckten Schrei aus, weil ich glaubte, Miss Anabel hätte mich verlassen.
Doch dann sah ich sie am Fenster stehen. »Was ist denn, Suewellyn?« fragte sie.
»Ich dachte, Sie wären fort. Ich dachte, Sie hätten mich verlassen.«
»Nein«, sagte sie. »ich verlasse dich nie mehr. Komm her.«
Ich trat ans Fenster, von wo aus sich mir ein seltsamer Ausblick bot: Inmitten von lauter Gebäuden lag etwas, das wie ein großes Schiff aussah.
»Das ist der Hafen«, erklärte sie. »Siehst du das Schiff? Heute nachmittag legt es ab, und wir fahren mit.«
Das Abenteuer wurde von Minute zu Minute spannender, obwohl es doch nichts Schöneres geben konnte, als mit Miss Anabel zusammenzusein.
Wir frühstückten in unserem Zimmer. Dann brachte der Träger unsere Taschen hinunter, und wir fuhren in einer Droschke zum Hafen. Man nahm uns das Gepäck ab, und wir gingen die Gangway hinauf. Miss Anabel hielt meine Hand ganz fest und führte mich eine Treppe hinauf, durch einen langen Flur. Wir gelangten zu einer Tür, und sie klopfte an.

»Wer ist da?« fragte eine Stimme.
»Wir sind's«, rief Miss Anabel.
Die Tür ging auf, und da stand Joel!
Er riß Miss Anabel in seine Arme und drückte sie an sich. Dann hob er mich hoch und hielt mich fest. Mein Herz klopfte heftig. Ich mußte an den Wunschknochen im Wald denken.
»Ich hatte Angst, du könntest nicht ...«, begann er.
»Aber natürlich konnte ich«, sagte Miss Anabel. »Und ich wäre auf keinen Fall ohne Suewellyn gekommen.«
»Nein, natürlich nicht«, erwiderte er.
»Jetzt sind wir in Sicherheit«, sagte sie, aber es kam ein wenig ängstlich heraus, wie ich fand.
»Erst in drei Stunden ... wenn wir ablegen.«
Sie nickte. »Dann bleiben wir solange hier in der Kabine.«
Er blickte auf mich herunter. »Was hältst du davon, Suewellyn? Bißchen überraschend, was?«
Ich nickte, schaute mich in dem Raum um, den man, wie ich erfahren hatte, Kabine nannte. Er enthielt zwei Betten übereinander. Miss Anabel öffnete eine Tür, und ich blickte in einen anderen, sehr kleinen Raum.
»Da schläfst du, Suewellyn.«
»Schlafen wir denn auf dem Schiff?«
»O ja, wir schlafen eine ganze Weile hier.«
Ich war zu verwirrt, um zu begreifen. Dann ergriff Miss Anabel meine Hand, und wir setzten uns alle auf das untere Bett, ich in der Mitte.
»Ich möchte dir etwas sagen«, begann Miss Anabel. »Ich bin nämlich deine Mutter.«
Eine Woge des Glücks schlug über mir zusammen. Ich hatte eine Mutter, und diese Mutter war Miss Anabel! Es war das Wunderbarste, das mir widerfahren konnte – noch viel, viel schöner, als mit einem Schiff zu verreisen.
»Da ist noch etwas«, sagte Miss Anabel. Sie wartete.
Dann erklärte Joel: »Und ich bin dein Vater.«

Darauf herrschte in der Kabine tiefe Stille, bis Miss Anabel fragte: »Woran denkst du, Suewellyn?«
»Ich glaube, Hühnerknochen können wirklich zaubern. Meine Wünsche ... sie sind alle drei in Erfüllung gegangen.«

Kinder nehmen so vieles als selbstverständlich hin. Schon nach kurzer Zeit war mir, als hätte ich schon immer auf einem Schiff gelebt. Ich gewöhnte mich bald an das Rollen, Schlingern und Stampfen, das mir überhaupt nichts ausmachte, während andere Leute dabei seekrank wurden.
Als das Schiff einen Tag auf See war und England weit hinter uns lag, bemerkte ich eine Veränderung bei meinen Eltern. Ihre Spannung ließ nach. Sie wirkten glücklicher. Ich hatte das unbestimmte Gefühl, daß sie vor irgend etwas flohen. Aber nach einer Weile dachte ich nicht mehr daran.
Mir schien, als seien wir eine Ewigkeit auf dem Schiff. Ganz plötzlich war es Sommer geworden, zu einer Zeit, da es eigentlich gar nicht Sommer sein sollte – und es war noch dazu ein sehr heißer Sommer. Wir glitten auf dem ruhigen blauen Meer dahin, und ich war entweder mit Joel oder Anabel – oder mit beiden – an Deck; wir beobachteten Tümmler, Wale, Delphine und fliegende Fische, die ich bisher alle nur aus Bilderbüchern kannte.
Auch ich hatte einen neuen Namen. Ich hieß nicht mehr Suewellyn Campion. Ich war jetzt Suewellyn Mateland. Ich könne mich Suewellyn Campion Mateland nennen, schlug Anabel vor, dann würde ich den Namen nicht verlieren, den ich nahezu sieben Jahre getragen hatte.
Anabel war Mrs. Mateland. Ich solle nun nicht mehr Miss Anabel zu ihr sagen, meinte sie. Wir überlegten, wie ich sie nennen sollte. Mama klang zu förmlich, Mutter zu streng. Wir wollten uns vor Lachen ausschütten! Schließlich sagte sie: »Nenn mich doch einfach Anabel, ohne Miss.« Das schien die beste Lösung, und Joel nannte ich Vater Jo.

Ich fühlte mich wie im siebten Himmel, denn endlich hatte ich Vater und Mutter. Anabel liebte ich abgöttisch. Ich betete sie an. Und Joel? Ihm gegenüber empfand ich eine ungeheure Ehrfurcht. Er war so groß und sah so bedeutend aus. Ich glaubte, jedermann fürchtete ihn ein wenig ... sogar Anabel.
Ich zweifelte nicht daran, daß er der großartigste und stärkste Mann der Welt war. Er war wie ein Gott. Doch Anabel war keine Göttin. Sie war das lieblichste menschliche Wesen, das ich kannte, und nichts war meiner Liebe zu ihr vergleichbar.
Ich erfuhr, daß Joel Arzt war; denn als eine Mitreisende erkrankte, wurde er gerufen.
»Er hat schon vielen Menschen das Leben gerettet«, erzählte Anabel.
»Einmal, als ...«
Ich wartete, daß sie fortführe, doch sie schwieg, und da ich so in meine Gedanken vertieft war über die wunderbare Wendung, die mein Leben genommen hatte, fragte ich nicht weiter. Ich hatte nicht nur Eltern bekommen, sondern ausgerechnet diese beiden. Das war wahrhaftig ein Wunder, nachdem ich vorher jahrelang niemanden hatte. Die Reise ging weiter, und die Temperaturen kletterten höher. Ich konnte mir kaum noch vorstellen, wie der Ostwind über den Anger fegte und ich im Winter die dünne Eisschicht durchstoßen mußte, um an das Waschwasser in dem Krug in meinem Schlafzimmer zu gelangen.
Das lag nun alles weit zurück, und die Erinnerung daran wurde immer verschwommener, je mehr mein neues Leben das alte verdrängte.
Und eines Tages erreichten wir Sydney, eine schöne und aufregende Stadt. Ich stand zwischen meinen Eltern, als wir mit dem Schiff die Hafenmauern passierten. Mein Vater erzählte mir, daß vor vielen Jahren Gefangene von England hierhergebracht wurden. Die Küste glich der englischen – vielmehr der von Wales – und hieß deshalb Neusüdwales.

»Sydney hat immer noch den schönsten Hafen der Welt«, sagte mein Vater.
Eigentlich war alles, was auf mich einstürmte, zu viel, um von einem Kind in meinem Alter verarbeitet zu werden. Eine neue Familie, ein neues Land, ein neues Leben. Aber ich war jung, lebte einfach von einem Tag zum anderen, und jeden Morgen wachte ich aufgeregt und glücklich auf.
Ich lernte Sydney recht gut kennen. Wir blieben drei Monate hier. Wir mieteten ein Haus in Hafennähe, wo wir ein ziemlich zurückgezogenes Leben führten. Eine ungewisse Beklommenheit, die auf dem Schiff nicht zu spüren gewesen war, hatte sich über unsere kleine Familie gesenkt. Bei Anabel bemerkte ich sie häufiger als bei meinem Vater. Es war beinahe, als fürchtete sie sich vor allzuviel Glück.
Auch ich fühlte eine unbestimmte Furcht.
Einmal fragte ich Anabel: »Anabel, wenn man glücklich ist, kann dann jemand kommen und einem alles wieder wegnehmen?«
Sie sah mich betroffen an und begriff sogleich, daß sich ihre Angst auf mich übertragen hatte.
»Nichts kann uns auseinanderbringen«, sagte sie schließlich fest. Mein Vater verließ uns für eine, wie es schien, endlose Zeit. Jeden Tag warteten wir auf die Ankunft des Schiffes, das ihn zurückbringen würde. Ich wußte, daß Anabel traurig war, obwohl sie sich bemühte, es mich nicht merken zu lassen. Wir lebten zu zweit so weiter, wie wir es zu dritt getan hatten, doch es entging mir nicht, daß Anabel verändert war. Ständig blickte sie aufs Meer hinaus.
Und eines Tages kam er zurück.
Er war sehr vergnügt, umarmte Anabel stürmisch und hob mich hoch, während er sie immer noch mit einem Arm festhielt.
Jubelnd erzählte er: »Wir gehen fort. Ich habe den richtigen Ort gefunden. Er wird euch gefallen. Dort können wir uns niederlassen ... weit draußen im Ozean. Da wirst du dich sicher fühlen, Anabel.«

»Sicher«, wiederholte sie. »Ja ... das ist es, was ich mir wünsche ... daß ich mich sicher fühlen kann. Wohin gehen wir? Wo ist es?«
»Ich zeig's euch auf der Landkarte.«
Wir steckten alle drei unsere Köpfe über die Landkarte. Australien sah wie eine etwas unförmig geknetete Teigplatte aus. Neuseeland wirkte wie zwei sich gegenseitig anfauchende Hunde. Und weit draußen im blauen Meer waren mehrere kleine schwarze Punkte. Auf einen davon deutete mein Vater.
»Ideal«, sagte er. »Abgeschieden ... bis auf eine Gruppe ähnlicher Inseln. Diese ist die größte. Dort ist nicht viel los. Die Bevölkerung ist freundlich und zugänglich. Der Kokosnußanbau ist dort noch sehr spärlich entwickelt, und die ganze Insel ist voller Palmen. Ich habe sie Palmeninsel genannt, obwohl sie schon einen anderen Namen hat: Vulkaninsel. Sie brauchen dort einen Arzt. Es gibt auf der ganzen Insel ... keine Schule ... nichts. Es ist ein Ort zum Untertauchen ... ein Ort, den man entwickeln, aus dem man etwas machen kann. Oh, Anabel, mir gefällt es dort. Und dir wird es auch gefallen.«
»Und Suewellyn?«
»An Suewellyn habe ich auch gedacht. Du kannst sie ein paar Jahre selbst unterrichten, und danach kann sie in Sydney zur Schule gehen. Es ist ja nicht allzu weit entfernt. Ab und zu legt ein Schiff an und holt Kopra, die getrockneten und zerkleinerten Kokosnußkerne, ab. Es ist genau der richtige Ort, Anabel. Das wußte ich gleich, als ich die Insel sah.«
»Was müssen wir mitnehmen?« fragte sie.
»Eine Menge Zeug. Aber wir haben etwa einen Monat Zeit. Das Schiff geht alle zwei Monate. Ich möchte, daß wir das nächste nehmen, das dorthin fährt. Bis dahin gibt es viel zu tun.«
Jetzt waren wir sehr beschäftigt. Wir kauften die unterschiedlichsten Sachen – Möbel, Kleider und Vorräte aller Art.
Mein Vater muß ein sehr reicher Mann sein, dachte ich bei mir. Tante Amelia sagte immer, sie muß jeden Pfennig zweimal

herumdrehen, bevor sie ihn ausgibt. Wer den Pfennig nicht ehrt, ist des Talers nicht wert – das ist eines ihrer Lieblingssprichwörter. Spare in der Zeit, so hast du in der Not, lautete ein anderes. Jede Brotkruste mußte zu Brotpudding verarbeitet werden, und im Winter hatte ich oft Mühe, etwas für die hungernden Vögel zu finden.

Mein Vater sprach immerzu von der Insel. Palmen wuchsen dort im Überfluß, aber auch andere Bäume wie etwa der Affenbrotbaum, außerdem Bananen, Orangen und Zitronen.

Es stand dort auch ein Haus, das für den Mann gebaut worden war, der begonnen hatte, den Kokosnußanbau zu einem Wirtschaftszweig zu entwickeln. Mein Vater hatte es zu einem günstigen Preis erworben.

Eines Tages wurde dann unser gesamtes Gepäck auf das Schiff verfrachtet, und wir liefen aus. Ich weiß nicht mehr, zu welcher Zeit des Jahres das war. Es gab hier ja keine Jahreszeiten, wie ich sie kannte. Es war immer Sommer. Meinen ersten Eindruck von der Vulkaninsel werde ich nie vergessen. Zuerst gewahrte ich den massiven, spitzen Berg, der sich aus dem Meer zu erheben schien und schon lange, bevor wir die Insel erreichten, zu sehen war.

»Einen merkwürdigen Namen hat die Insel«, sagte mein Vater.

»Übersetzt bedeutet er etwa Grollender Riese.«

Wir drei standen Hand in Hand an Deck, begierig, einen ersten Blick auf unsere neue Heimat zu werfen. Und da war sie – ein mächtiger, spitzer Berg, der sich aus dem Meer erhob.

»Warum grollt er?« wollte ich wissen.

»Er hat schon immer gegrollt. Manchmal, wenn er richtig zornig wird, spuckt er sogar glühende Steine und, du wirst es kaum glauben, Felsbrocken aus.«

»Ist er wirklich ein Riese?« fragte ich. »Ich hab' noch nie einen Riesen gesehen.«

»Nun, bald wirst du mit dem Grollenden Riesen Bekanntschaft

machen; aber er ist kein richtiger Riese«, antwortete mein Vater. »Es ist ein Berg, weiter nichts. Aber er beherrscht die ganze Insel. Die Eingeborenen nennen sie die Insel des Grollenden Riesen, doch vor langer Zeit kamen Reisende hierher und tauften sie in Vulkaninsel um, und so heißt sie auch auf den Landkarten.«

Wir standen an Deck und schauten dem Berg entgegen, und bald nahm das Land rund um den Berg Gestalt an: überall gelber Sand und wogende Palmen.

»Wie das Paradies«, seufzte Anabel.

»Das wird es auch für uns«, erwiderte mein Vater.

Wir konnten nicht direkt an der Insel anlegen, sondern mußten etwa eine Meile entfernt vor Anker gehen. Am Ufer herrschte ein lebhaftes Treiben. Braunhäutige Menschen paddelten in leichten, schlanken Booten umher, die man, wie ich später erfuhr, Kanus nannte. Die Leute riefen und gestikulierten, und meistens lachten sie.

Unser Hab und Gut wurde auf mehrere Rettungsboote des Schiffes und auf die Kanus verfrachtet und an Land gebracht. Als alles drüben war, kamen wir an die Reihe.

Dann wurden die kleinen Boote hochgezogen, und das große Schiff lief wieder aus und ließ uns in unserer neuen Heimat auf der Vulkaninsel zurück.

Es gab viel zu tun und viel zu sehen. Ich konnte fast nicht glauben, daß dies alles Wirklichkeit war. Ich kam mir vor wie eine Gestalt aus einer Abenteuergeschichte.

Anabel bemerkte meine Verwirrung und sagte: »Eines Tages wirst du alles verstehen.«

»Erzähl's mir jetzt«, bat ich.

Sie schüttelte den Kopf. »Das wäre heute zuviel für dich. Ich möchte warten, bis du größer bist. Aber ich fange jetzt an, alles aufzuschreiben, damit du es später lesen und begreifen kannst. Oh, Suewellyn, ich wünsche so sehr, daß du uns verstehst. Ich möchte nicht, daß du uns eines Tages etwas vorwirfst. Wir lieben

dich. Du bist unser Kind, und weil es eben auf diese Weise geschah, lieben wir dich um so mehr.«
Sie sah meinen verwunderten Blick und küßte mich, drückte mich an sich und fuhr fort: »Später werde ich dir alles erklären. Warum du hier bist ... warum wir alle hier sind ... und wie es dazu kam. Es blieb uns nichts anderes übrig. Du darfst weder deinem Vater Vorwürfe machen ... noch mir. Wir sind nicht wie Amelia und William.« Sie lachte leise. »Die leben ... gesichert. Ja, das ist das richtige Wort. Wir nicht. Das liegt nicht in unserer Natur. Ich habe das Gefühl, daß du genauso veranlagt bist.« Wieder lachte sie. »Nun, so sind wir eben. Und doch ... Suewellyn, wir werden uns hier niederlassen ... wir werden gern hier sein. Immer, wenn wir Heimweh haben, müssen wir daran denken ... daß wir zusammen sind und daß dies die einzige Möglichkeit für uns ist, beieinander zu bleiben.«
Ich schlang die Arme um ihren Hals. Mein Herz floß fast über vor Liebe zu ihr.
»Wir werden nie mehr auseinandergehen, nicht wahr?« fragte ich ängstlich.
»Niemals«, erwiderte sie heftig. »Nur der Tod kann uns scheiden. Aber wer mag schon an den Tod denken? Hier ist das Leben. Spürst du es, Suewellyn? Hier wimmelt es von Leben. Du brauchst nur einen Stein aufzuheben, und schon ...« Sie zog eine Grimasse. »Ich könnte ganz gut ohne Ameisen, Termiten und dergleichen auskommen ... Aber das hier ist das Leben ... und es ist unser Leben ... wir drei beisammen. Hab Geduld, mein geliebtes Kind. Sei glücklich. Laß uns jeden Tag neu erleben, ja?«
Ich nickte lebhaft, und wir wanderten zusammen zu den Palmen am Strand, wo sich das warme Wasser der Tropen am Ufer kräuselte.

Anabels Erzählung

Jessamy hat in meinem Leben eine große Rolle gespielt. Sie war von Anfang an dagewesen. Sie war reich und verwöhnt, das einzige Kind hingebungsvoller Eltern. Ich habe sie nie um ihre schönen Kleider und ihren Schmuck beneidet, denn ich bin keine neidische Natur. Das ist einer meiner wenigen und daher erwähnenswerten Vorzüge. Ich war jedenfalls immer der Ansicht, daß ich mehr besaß als Jessamy.

Sicher, ich lebte nicht von Lakaien umgeben, in einem hochherrschaftlichen Haus. Ich hatte auch nicht mehrere Ponys, auf denen ich nach Herzenslust reiten konnte. Ich lebte mit meinem Vater -- meine Mutter war bei meiner Geburt gestorben – in einem geräumigen Pfarrhaus, und wir hatten nur zwei Hausmädchen, Janet und Amelia. Sie waren beide nicht besonders liebevoll zu mir, doch ich glaube, Janet hatte mich auf ihre Art gern, wenn sie es auch niemals gern zugab. Sie waren aber beide sehr gewissenhaft, wenn es darum ging, mir meine Fehler vorzuhalten. Dennoch lebte ich glücklicher, viel glücklicher als Jessamy. Jessamy war nämlich, wohlwollend ausgedrückt, ausgesprochen fade, und so übertrieben aufrichtige Menschen wie Janet, denen niemals eine Lüge über die Lippen kam, gleichgültig, wie sehr sie dadurch die Gefühle eines Menschen geschont hätten, bezeichneten Jessamy geradeheraus als langweilig.

»Na wenn schon«, pflegte Janet zu sagen. »Ihr Vater kauft ihr 'nen netten Ehemann. Sie dagegen, Miss Anabel, müssen wohl selbst einen finden.« Dabei schürzte sie die Lippen, als sei sie überzeugt, daß für mich nur eine geringe Hoffnung bestehe, einen Mann zu finden. Die gute Janet, sie war die beste Seele

auf der Welt, doch sie war von einer unerschütterlichen Wahrheitsliebe durchdrungen, von der sie niemals abließ.
»Ein Glück, daß du nicht vor der Inquisition aufgewachsen bist, Janet«, sagte ich einmal zu ihr. »Du hättest noch angesichts des Scheiterhaufens auf dem letzten Körnchen Wahrheit bestanden.«
»Was reden Sie da, Miss Anabel«, gab sie zurück. »Mir ist noch nie jemand begegnet, der sich solche Phantastereien ausdenkt wie Sie. Eines Tages werden Sie böse auf die Nase fallen, lassen Sie sich das gesagt sein.«
Sie wurde noch Zeuge, wie ihre Prophezeiung wahr wurde, aber das war einige Jahre später.
Ich lebte also im Pfarrhaus mit meinem geistesabwesenden Vater, der überaus redlichen Janet und Amelia, die mindestens ebenso tugendhaft war wie Janet, aber dies noch viel stärker herauskehrte.
So mancher mag sich darüber wundern, wie ich das Leben in so vollen Zügen genießen konnte. Es gab ja für mich so viel zu tun. Ich fand einfach alles interessant. Meinem Vater ging ich nach Kräften zur Hand. Einmal schrieb ich sogar eine Predigt für ihn, und erst als er sie zur Hälfte vorgetragen hatte, merkte er, daß dies nicht ganz die Art von Predigt war, die seine Pfarrkinder zu hören wünschten. Sie handelte von den guten und schlechten Eigenschaften der Menschen, und ich hatte meine Meinung aus Versehen mit der Beschreibung von Fehlern einiger Zuhörer in den Bänken untermalt. Glücklicherweise wechselte mein Vater geistesgegenwärtig in eine andere Predigt über, die er in der Schublade bereithielt. Sie handelte von Gottes Gaben in der Natur und war eigentlich für das Erntedankfest gedacht, doch da mein Vater den Wechsel vornahm, ehe meine aufrührerischen Worte die Versammlung aus ihrem üblichen Dämmerschlaf riß, fiel es niemandem auf.
Danach durfte ich leider keine Predigten mehr verfassen, dabei hätte es mir wirklich Spaß gemacht.

Auch die Sonntage sind mir noch in gut in Erinnerung. Die Familie Seton saß stets in ihrer Bank vorn unter der Kanzel. Sie waren eine angesehene Familie: Sie wohnten im Gutshaus, und ihnen verdankte meine Vater sein Auskommen, denn sie waren mit uns verwandt. Lady Seton war meine Tante; sie war die Schwester meiner Mutter. Amy Jane hatte gut daran getan, Sir Timothy Seton zu ehelichen; er war ein reicher Mann und besaß eine Menge Ländereien und Liegenschaften. Es war eine sehr harmonische Verbindung, abgesehen von einer Kleinigkeit: Sie hatten keinen Sohn, der den illustren Namen Seton fortführen konnte, und ihre ganze Hoffnung ruhte auf ihrer einzigen Tochter Jessamy. Jessamy wurde verwöhnt und verhätschelt, doch das schadete seltsamerweise ihrem Charakter keineswegs. Sie war ein schüchternes Kind, und wenn wir zwei allein waren, war ich überlegen. Waren aber Erwachsene zugegen, so hatte in deren Augen alles insofern seine Richtigkeit, als ich Jessamy als die Überlegene erscheinen ließ.

Bevor Jessamy eine Gouvernante hatte, kam sie zum Unterricht ins Pfarrhaus, wo der Vikar meines Vaters uns unterwies.

Doch laß mich von vorn beginnen. Amy Jane und Susan Ellen waren Schwestern. Sie waren die Töchter eines Pfarrers, und als sie heranwuchsen, verliebte sich Susan Ellen, die jüngere, in den Vikar, den Assistenten ihres Vaters. Der war arm und nicht in der Lage, einen Hausstand zu gründen. Doch Susan Ellen hatte sich noch nie um die praktischen Seiten des Lebens gekümmert. Sie schlug die Ratschläge ihres Vaters, der gesamten Dorfgemeinschaft und ihrer energischen Schwester in den Wind und brannte mit dem Vikar durch. Sie waren sehr arm, weil er nichts verdiente, deshalb gründeten sie eine kleine Schule, in der sie eine Zeitlang gemeinsam unterrichteten. Unterdessen hatte Amy Jane, die kluge Jungfrau, die Bekanntschaft des reichen Sir Timothy Seton gemacht. Er war ein kinderloser Witwer und wünschte sich sehnlichst Nachkommen. Amy Jane war eine gutaussehende, äußerst tüchtige junge Dame. Ihrer Heirat

stand nichts im Wege. Er brauchte eine Herrin für sein Haus und Kinder für seine Kinderstuben. Amy Jane schien durchaus befähigt, ihm beides zu verschaffen.
Amy Jane war überzeugt, daß sie die passende Frau für ihn und, was noch wichtiger war, daß er der richtige Mann für sie sei. Reichtum, Ansehen, Sicherheit – das waren in Amy Janes Augen drei sehr erstrebenswerte Ziele. Und nach der kümmerlichen Heirat ihrer Schwester mußte schließlich jemand das Familienglück wieder aufrichten.
Also heiratete Amy Jane und machte sich energisch an die Erfüllung der Pflichten, die sie auf sich genommen hatte. Fortan war Sir Timothys Haushalt in äußerst bewährten Händen, sehr zu seiner und weniger zu der Dienstboten Freude; denn diejenigen, die nach Amy Janes Ansicht ihren Lohn nicht wert waren, wurden entlassen; die übrigen erkannten, daß ihr Schicksal von ihrer Fähigkeit abhing, Amy Jane zufriedenzustellen, und sie bemühten sich nach Kräften, dem nachzukommen.
Alsbald fand sich auch für den Vikar und seine leichtsinnige junge Frau eine Stellung und eine Bleibe, und zwar im Bereich von Seton Manor, dem Herrensitz der Setons.
Nachdem dies geordnet war, nahm Amy Jane ihr nächstes Vorhaben in Angriff, nämlich die Kinderstuben von Seton Manor zu füllen.
Hierin war sie jedoch weniger erfolgreich. Sie erlitt eine Fehlgeburt, was sie für ein Versehen des Allerhöchsten hielt, da sie doch gebetet hatte. Jetzt ließ sie das ganze Dorf um einen Sohn beten, und sie wurde auch sogleich wieder schwanger. Diesmal ging die Schwangerschaft erfolgreich zu Ende, und war das Ergebnis, ein Mädchen, auch nicht ganz zufriedenstellend, so war es doch immerhin ein Anfang.
Sir Timothy war hingerissen von dem wimmernden Säugling, bei dem es, wie die Hebamme bemerkte, eines besonders kräftigen Klapses auf den Po bedurft hatte, um ihn zum Atmen zu bewegen. »Das nächste Kind wird ein Knabe«, behauptete Amy

Jane mit einer Stimme, die den Himmel hätte erzittern lassen können. Doch der Arzt widersprach und meinte, Amy Jane würde ihr Leben aufs Spiel setzen, wenn sie noch einmal eine Schwangerschaft durchzustehen versuchte. Sie möge es bei dem Mädchen bewenden lassen. Das Kind werde schließlich bei entsprechender Behandlung groß und stark werden. »Lassen Sie es nicht noch einmal darauf ankommen«, riet der Arzt. »Ich könnte mich für die Folgen nicht verbürgen.« Und da weder Amy Jane noch Sir Timothy ein solches Unheil heraufbeschwören wollte, bekamen sie keine weiteren Kinder mehr. Nachdem Jessamys Zustand ein paar Wochen bedenklich schwankte, verlangte sie eines Tages plötzlich energisch nach Nahrung, und von da ab strampelte und schrie sie wie alle anderen Babys auch.

Einige Monate nach Jessamys Geburt hielten im Pfarrhaus Leben und Tod Hand in Hand Einzug. Amy Jane erlitt einen Schock. Meine Mutter hatte sie schon immer zutiefst enttäuscht: Sie hatte nicht nur diese unziemliche Ehe geschlossen, sondern gerade, als ihre tüchtige Schwester ihr mit einer sehr angenehmen Stellung, die Sir Timothy mit einiger Anstrengung besorgt hatte – es gab schließlich verdienstvollere Menschen als meinen Vater –, auf die Beine half, hatte sie einem Kind das Leben geschenkt und war dabei gestorben. Ein Baby in einem Pfarrhaus bei einem überaus hilflosen Mann, das war, gelinde gesagt, verdrießlich, doch eine Frau wie Amy Jane ließ sich nicht einschüchtern. Sie engagierte Janet, damit sie für mich sorge, und Amy Jane, als nächste Verwandte meiner Mutter, behielt mich natürlich im Auge.

So wurde ihre vergötterte Jessamy zu einem Bestandteil meiner Kindheit und Jungmädchenzeit. Jessamys Kleider wurden ins Pfarrhaus geschickt und für mich geändert. Ich war etwas größer als Jessamy, was durch ihre breiteren Schultern wieder ausgeglichen wurde, so daß ihre Sachen mir nicht zu kurz waren. Janet meinte, es sei ein Kinderspiel, die Kleider etwas

enger zu nähen, außerdem seien sie aus besseren Stoffen, als wir sie uns sonst in diesem Haus leisten könnten.
»Sie sehen darin entschieden besser aus als Miss Jessamy«, pflegte sie zu sagen, und aus dem Munde der wahrheitsliebenden Janet war das sehr schmeichelhaft.
Auf diese Weise wurde ich daran gewöhnt, abgelegte Kleider zu tragen. Ich kann mich nur an ganz wenige erinnern, die ich nicht von Jessamy bekam. Da ich also viel mit ihr zusammen war, noch dazu in ihren abgelegten Kleidern, wurde auch ich zu einem Bestandteil ihres Lebens.
Eine Zeitlang hielt Tante Amy Jane es für schicklich, daß Mädchen eine Schule besuchten, und es war die Rede davon, uns gemeinsam hinzuschicken. Ich war begeistert, Jessamy dagegen ängstigte sich. Doktor Cecil, der Arzt, der entschieden hatte, daß es in den Kinderstuben der Setons außer Jessamy keinen weiteren Nachwuchs mehr geben dürfe, meinte jedoch, sie sei für eine Internatsschule zu zart. »Ihre Brust«, sagte er nur. So wurde es nichts mit der Schule, und da Jessamy zu schwach auf der Brust war, durfte ich natürlich auch nicht gehen, war meine Brust auch noch so kräftig – und weder ich noch Doktor Cecil hatte irgendwelche Anzeichen für das Gegenteil festgestellt. Sir Timothy hätte das Schulgeld zahlen müssen, und es ging natürlich nicht an, daß man mich hinschickte und für mich bezahlte, während seine Tochter zu Hause blieb.
Wenn auf Seton Manor eine Gesellschaft gegeben wurde, besann sich Tante Amy Jane auf ihre Pflicht und lud mich jedesmal ein. Wenn sie uns im Pfarrhaus aufsuchte, kam sie in der Kutsche angefahren, im Winter mit einem Fußwärmer, im Sommer mit einem Sonnenschirm. An Wintertagen hatte sie ihren vornehmen Zobelmuff dabei und entstieg der Kutsche, während der Kutscher ihr ehrerbietig die Tür aufhielt, und dann marschierte sie ins Haus. Im Sommer reichte sie ihren Sonnenschirm dem Kutscher, der ihn feierlich aufspannte und mit einer Hand über sie hielt, während er ihr mit der anderen beim

Aussteigen behilflich war. Ich pflegte dieses Ritual vom Fenster aus halb belustigt, halb ehrfürchtig zu beobachten.
Mein Vater war jedesmal furchtbar verlegen, wenn er Tante Amy Jane empfing. Er suchte krampfhaft nach seiner Brille, die er auf den Kopf hinaufgeschoben hatte. Sie rutschte immer zu weit nach hinten, und er dachte dann, er hätte sie verlegt, was hin und wieder durchaus vorkam.
Tante Amy Janes Visiten galten eindeutig mir, denn ich war ihre *Pflicht.* Sie hatte keinen Grund, sich wegen eines Mannes herzubemühen, der seinen Lebensunterhalt ihrem – oder Sir Timothys – Wohlwollen verdankte; aber schließlich kamen alle Segnungen, mit denen unser Haushalt bedacht wurde, von ihr. Dann schickte man nach mir, und ich wurde eindringlich gemustert. Janet meinte, daß Lady Seton mich eigentlich nicht leiden könne, weil ich gesünder aussehe als Jessamy und sie an die schwache Brust und andere Unpäßlichkeiten ihrer Tochter erinnerte. Ich war nicht sicher, ob Janet recht hatte, doch ich spürte, daß Tante Amy Jane mich nicht sehr liebte. Ihre Sorge um mein Wohl beruhte auf *Pflicht*, nicht auf Zuneigung, und es behagte mir ganz und gar nicht, ein Gegenstand der *Pflicht* zu sein.
»Kommenden Freitag veranstalten wir einen musikalischen Abend«, bemerkte sie eines Tages. »Anabel soll auch kommen. Es wird spät werden, deshalb bleibt sie am besten über Nacht bei uns. Das Kleid, das sie tragen wird, ist bei Jennings in der Kutsche. Er wird es gleich hereinbringen.«
Mein Vater, um Selbstachtung ringend, sagte: »Oh, das ist nicht nötig. Wir können doch ein Kleid für Anabel kaufen.«
Tante Amy Jane lachte. Mir war aufgefallen, daß ihr Lachen selten heiter klang. Es war auch geringschätzig gemeint und sollte demjenigen, dem es galt, seine Dummheit vor Augen halten.
»Das ist ganz unmöglich, mein lieber James.« Wenn sie »mein lieber« sagte, war damit meist ein Vorwurf verbunden. Ich war

von dergleichen tief beeindruckt. Lachen sollte eigentlich Fröhlichkeit bekunden; Koseworte waren dazu da, jemanden Zuneigung spüren zu lassen, doch Tante Amy Jane verkehrte sie ins Gegenteil. Ich nahm an, das kam daher, daß sie eine so tüchtige, hochgestellte, unfehlbare Persönlichkeit war. »Es ist kaum zu erwarten, daß du von deinem Gehalt angemessene Kleidung kaufen kannst.« Wieder ließ sie dieses Lachen hören, während ihre Augen durch unser bescheidenes Empfangszimmer schweiften, das sie im Geiste mit der vornehmen Halle von Seton Manor verglich, die seit Jahrhunderten von der Familie Seton benutzt wurde, mit schimmernden Schwertern an den Wänden und mit Gobelins, die sich seit Generationen im Familienbesitz befanden. »Nein, nein, James, überlaß das nur mir. Das bin ich Susan Ellen schuldig.« Ihre gesenkte Stimme ließ erkennen, daß sie von einer Toten sprach. »Sie hätte es so gewünscht. Sie hätte gewiß nicht gewollt, daß Anabel wie eine Wilde aufwächst.«
Mein Vater öffnete den Mund zum Protest, doch da hatte Tante Amy Jane sich bereits mir zugewandt. »Janet kann es umändern. Das ist ganz einfach.« In Tante Amy Janes Augen waren die Aufgaben anderer Leute immer ganz einfach. Nur die Pflichten, die sie selbst übernahm, waren aufreibend. Sie musterte mich mißbilligend, wie ich fand. »Ich hoffe, Anabel«, fuhr sie fort, »daß du dich anständig beträgst und Jessamy nicht aufregst.«
»Ja, Tante Amy Jane.«
Ich empfand einen unwiderstehlichen Drang zu kichern, der mich damals, fürchte ich, in Gegenwart vieler Leute überkam.
Das schien meine Tante zu spüren, und mit dumpfer Grabesstimme sprach sie: »Denke stets daran, was deine Mutter gewollt hätte.«
Beinahe hätte ich erwidert, ich sei nicht sicher, was meine Mutter gewollt hätte, denn ich war eine streitbare Natur und konnte nie der Versuchung widerstehen, einer Sache auf den

Grund zu gehen. Ich hatte von mehreren Dienstboten in Seton Manor gehört, daß meine Mutter durchaus nicht die Heilige war, zu der Tante Amy Jane sie erhob. Meine Tante hatte anscheinend vergessen, daß meine Mutter ihren Dickkopf durchgesetzt und einen mittellosen Vikar geehelicht hatte. Die Dienstboten erzählten mir, Miss Susan Ellen sei ein »lustiges Haus« gewesen. »Immer zu Späßen aufgelegt. Wenn man's recht bedenkt, Miss Anabel, Sie sind ihr genaues Ebenbild.« Das war, weiß Gott, unverzeihlich.

Ich ging also in Jessamys Seidenmoirékleid, das wirklich sehr hübsch war, zu dem musikalischen Abend, und Jessamy bestätigte mir: »Es steht dir viel besser als mir, Anabel.«

Jessamy war ein liebes Mädchen, und deshalb ist alles, was ich ihr antat, um so verwerflicher. Dauernd brachte ich sie in Bedrängnis. Die Sache mit den Zigeunern ist ein typisches Beispiel dafür.

Es war uns verboten, allein in den Wald zu gehen, und gerade diese Tatsache machte die Wälder für mich besonders verlokkend.

Jessamy wollte nicht in den Wald. Sie war ein Mädchen, das am liebsten genau das tat, was man von ihr verlangte, wenn sie einsah, daß es zu ihrem Besten war. Das hatte man uns, weiß Gott, oft genug erklärt. Ich aber war das genaue Gegenteil, und es bereitete mir großes Vergnügen, zu erproben, was stärker war – meine Überzeugungskraft oder Jessamys Wunsch, auf den Pfaden der Tugend zu wandeln.

Jedesmal behielt ich die Oberhand, weil ich Jessamy so lange zusetzte, bis sie nachgab, und auf diese Weise überredete ich sie schließlich, sich mit mir in den Wald zu wagen, wo ein paar Zigeuner kampierten. Wir wollten ihnen bloß einmal kurz zuschauen, versprach ich ihr, und wieder verschwinden, bevor sie uns bemerkten.

Wegen der Zigeuner durften wir natürlich erst recht nicht in den Wald. Ich war jedoch fest entschlossen und setzte Jessamy so

unbarmherzig zu, daß sie sich schließlich bereit erklärte, mich zu begleiten.
Wir gelangten zu einem Wohnwagen, neben dem auf qualmendem Feuer ein Kochkessel stand. Es duftete sehr verlockend. Auf den Stufen des Wohnwagens hockte eine Frau mit einem zerlumpten roten Schal und Ohrringen aus Messing. Sie war eine richtige Zigeunerin, mit wirren schwarzen Haaren und großen, funkelnden dunklen Augen.
»Schönen guten Tag, hübsche Damen«, rief sie, als sie uns erblickte.
»Guten Tag«, erwiderte ich und packte Jessamys Arm, weil ich den Eindruck hatte, sie wolle kehrtmachen und davonlaufen.
»Nur nicht so schüchtern«, lud die Frau uns näher. »Meine Güte! Ihr seid ja zwei feine junge Damen. Ich wette, daß euch ein rosiges Schicksal erwartet.«
Ich war fasziniert von der Aussicht, in die Zukunft schauen zu können. Das hat mich schon immer gereizt, und noch heute kann ich keiner Wahrsagerin widerstehen.
»Komm schon, Jessamy«, sagte ich und zog die Widerstrebende vorwärts.
»Ich finde, wir sollten lieber zurückgehen«, flüsterte sie.
»Ach was«, sagte ich und hielt sie fest. Sie mochte sich nicht weiter widersetzen. Sie fürchtete, sich vor den Zigeunern ungehörig aufzuführen. Jessamy wog stets gute und schlechte Manieren gegeneinander ab und hatte Angst, sich letztere zuschulden kommen zu lassen.
»Na, ihr zwei kommt doch sicher aus dem feinen Haus«, sagte die Frau.
»Sie schon«, erklärte ich. »Ich bin vom Pfarrhaus.«
»Oh, heilig, heilig«, sagte die Frau. Ihre Augen ruhten auf Jessamy, die eine feine Goldkette mit einem herzförmigen Medaillon trug. »Ja, meine Hübsche«, fuhr sie fort, »ich bin sicher, daß dich ein angenehmes Schicksal erwartet.«

»Mich auch?« fragte ich und hielt ihr meine Hand hin. Die Frau ergriff sie. »Du wirst dein Glück selbst machen müssen.«
»Tut das nicht jeder?« fragte ich.
»Oh, du bist schlau, was? Ja, du hast recht ... mit ein bißchen Hilfe vom Schicksal, hm? Du hast eine große Zukunft vor dir. Ein großer, dunkler Fremder wird dir begegnen, und du wirst übers Meer fahren. Und Gold ... ja, ich sehe Gold. Oh, du hast eine große Zukunft vor dir, jawohl, Missie. Jetzt will ich mir aber auch die andere kleine Dame anschauen.«
Jessamy zögerte und zog ihre Hand nach vorn. Mir fiel auf, wie braun und schmuddelig die Hand der Zigeunerin im Vergleich zu der Jessamys war.
»Oooh. Dir lacht das große Glück, wahrhaftig. Du wirst einen feinen Herrn heiraten und in seidener Bettwäsche schlafen. Du wirst goldene Ringe an den Fingern tragen ... feiner als diese Kette.« Sie hatte die Kette in die andere Hand genommen und begutachtete sie. »O ja, dir steht eine schöne, rosige Zukunft bevor.«
Ein Mann kam herbeigeschlendert. Er war ebenso dunkelhaarig wie die Frau.
»Hast wohl den Damen die Zukunft geweissagt, Cora?« fragte er die Zigeunerin.
»Die lieben kleinen Seelchen«, gurrte sie schmeichlerisch. »Sie wollten ihr Schicksal wissen. Die Kleine hier wohnt in einem feinen Haus.«
Der Mann nickte. Sein Blick gefiel mir ganz und gar nicht. Er hatte die stechenden Augen eines Frettchens; die Frau dagegen war dick und sah recht gutmütig aus.
»Hoffentlich haben sie dir ein Silberstück in die Hand gedrückt, Cora«, sagte er.
Sie schüttelte den Kopf.
Die kleinen Frettchenaugen glitzerten. »Oh, das ist aber Pech. Ihr müßt der Zigeunerin ein Trinkgeld geben.«
»Und wenn wir's nicht tun?« fragte ich neugierig.

»Dann kehrt sich alles um. Aus gut wird schlecht. Ach, das ist wirklich Pech... wenn man der Zigeunerin kein Silberstück gibt.«
»Wir haben kein Silber«, sagte Jessamy bestürzt.
Der Mann griff nach dem Kettchen. Er zerrte daran, und der Verschluß riß auf. Er lachte, dabei bemerkte ich seine scheußlichen schwarzen Zähne.
Nun sah ich ein, daß die Erwachsenen recht gehabt hatten und daß es wirklich unklug gewesen war, in den Wald zu gehen.
Der Mann hielt die Kette in die Höhe und begutachtete sie von allen Seiten.
»Das ist meine beste Kette«, sagte Jessamy. »Die hat mir mein Papa geschenkt.«
»Dein Papa ist ein reicher Mann. Der schenkt dir bestimmt eine neue.«
»Ich habe sie zum Geburtstag bekommen. Bitte, geben Sie sie mir zurück. Meine Mutter wird böse, wenn ich sie verliere.«
Der Mann versetzte der Frau einen Stups. »Und Cora wird bestimmt böse, wenn wir sie nicht bekommen«, sagte er. »Schaut, sie hat euch einen Dienst erwiesen. Sie hat euch euer Schicksal geweissagt, und das muß natürlich belohnt werden. Ihr müßt der Zigeunerin ein Trinkgeld geben... wenn nicht, wird furchtbares Unheil über euch hereinbrechen. Das stimmt doch, nicht wahr, Cora? Cora weiß es. Sie hat überirdische Kräfte. Sie steht mit denen in Verbindung, die alles wissen. Und auch der Teufel ist ein guter Freund von ihr. Er sagt zu ihr: ›Wenn dich jemand übers Ohr haut, Cora, dann gib mir Bescheid.‹ Nun, sich das Schicksal voraussagen zu lassen, ohne der Zigeunerin ein Silberstück zu geben, das verstößt gegen die Regel. Aber Gold tut's auch ... mit Gold geht's genauso gut.«
Jessamy war vor Schreck wie gelähmt. Sie starrte nur auf ihre Kette in der Hand des Mannes. Doch ich witterte Gefahr. Ich sah, wie diese kleinen Augen unsere Kleider, besonders Jessa-

mys, musterten. Sie trug auch noch ein goldenes Armband, aber das war zum Glück von ihrem Ärmel verdeckt.
Wir mußten schleunigst von hier verschwinden. Ich ergriff Jessamys Hand und stürzte davon; ich rannte, so schnell ich konnte, und zerrte Jessamy mit mir. Aus dem Augenwinkel sah ich, daß der Mann hinter uns hersetzte.
Die Frau schrie ihm nach. »Laß sie in Ruhe. Sei kein Narr, Jem. Laß sie gehen, und schirr die Pferde vor den Planwagen.«
Jessamy folgte mir keuchend. Dann blieb ich stehen und lauschte. Der Mann hatte Coras Rat befolgt und lief uns nicht mehr nach.
»Er ist weg«, sagte ich.
»Und meine Kette auch«, jammerte Jessamy.
»Wir sagen, er hat sich an uns rangemacht und dir die Kette weggerissen.«
»Aber das stimmt doch gar nicht«, widersprach Jessamy. Du liebe Güte, dachte ich, diese Wahrheitsfanatiker können einem ganz schön auf die Nerven gehen!
»Er hat sie dir weggeschnappt«, beharrte ich. »Wir dürfen nicht erzählen, wie weit wir in den Wald hineingegangen sind. Wir sagen einfach, er hat sich an uns herangemacht und sie dir weggeschnappt.«
Jessamy war sehr geknickt. Ich erzählte also zu Hause die Geschichte, hielt mich so weit wie möglich an die Wahrheit, ohne jedoch die Frau und ihre Wahrsagerei zu erwähnen.
Große Bestürzung war die Folge – nicht so sehr wegen des Verlustes der Kette, sondern weil wir, wie Tante Amy Jane es ausdrückte, belästigt worden waren. Ein paar Männer wurden in den Wald geschickt, doch der Wohnwagen war verschwunden, und nur die Radspuren und die Überreste des Feuers zeugten davon, daß dort Zigeuner gehaust hatten.
Tante Amy Jane, die sich um die meisten Belange des Dorfes ebenso kümmerte wie um die Angelegenheiten von Seton Manor, ließ überall im Wald Tafeln mit der Aufschrift »Zutritt für

Unbefugte verboten« aufstellen, und von da an durften keine Zigeuner mehr im Wald kampieren. Mich plagte dabei das schlechte Gewissen, weil ich dies verursacht hatte, doch ich beruhigte mich mit dem Gedanken, daß ich den Zigeuner nicht zum Dieb gemacht hatte – das war er bereits gewesen–, und ich kam zu dem Schluß, daß ich mir eigentlich nichts vorzuwerfen brauchte.
Die arme, unschuldige Jessamy aber machte sich Vorwürfe. Sie errötete jedesmal, wenn von Zigeunern oder Wahrsagerei die Rede war. Wir hätten uns einer Lüge schuldig gemacht, sagte sie, und der Engel, der die guten und bösen Taten der Menschen aufzeichnete, würde es vermerken. Wir würden zur Verantwortung gezogen, wenn wir in den Himmel kämen.
»Bis dahin ist noch viel Zeit«, tröstete ich sie. »Und wenn der liebe Gott so ist, wie ich ihn mir vorstelle, dann kann er diesen kleinen Petzengel nicht besonders gut leiden. Es ist nicht nett, den Menschen nachzuspionieren und ihre Taten in ein Buch einzutragen.«
Jessamy rechnete beständig damit, daß der Himmel sich auftun und Gott eine schreckliche Strafe über mich verhängen würde. Ich versicherte ihr jedoch, daß der Herr schon häufig Gelegenheit dazu gehabt und bisher nichts dergleichen unternommen hätte, und das müsse wohl bedeuten, daß er mich nicht für gar so sündhaft hielt.
Jessamy schwankte. Ihr Dasein war mit Ängsten und Unschlüssigkeit beladen. Die arme Jessamy – sie besaß so viel und verstand es kaum zu nützen.

Ich nahm stets regen Anteil an Amelia Lang und William Planter. So weit ich zurückdenken konnte, hatten sie zum Haushalt des Pfarrhauses gehört, und all die Jahre hindurch war nichts Besonderes an ihnen gewesen. Dann entdeckte ich plötzlich, daß »zwischen ihnen etwas war«, wie Janet es ausdrückte. Von Stund an wurde ich von Neugier verzehrt und wollte unbedingt her-

ausfinden, was das war. Ich unterhielt mich mit Jessamy darüber und dachte mir die wildesten Gerüchte über die beiden aus. Williams Name machte mir Spaß. William Planter (Pflanzer) sei ein hübscher Name für einen Gärtner, sagte ich zu Jessamy. War er nun Gärtner geworden, weil er Planter hieß, oder war es einfach ein Scherz Gottes ... oder dessen, dem er diesen Namen ursprünglich zu verdanken hatte? William war nämlich der Sproß einer langen Ahnenreihe von Planters, und die waren alle für ihr gärtnerisches Geschick bekannt.
Jetzt überkam mich der Übermut, und ich steckte Jessamy damit an; wir vergaßen alle Benimmvorschriften und bedachten die Leute mit ähnlichen Namen wie William Planter. Die Köchin, meinte ich, müsse Mrs. Backegut heißen statt Mrs. Wells. Thomas, der Butler, müsse einen ihm gemäßen Namen haben. Offenbar wußte niemand, wie er richtig hieß. Er wurde immer nur Thomas genannt. Der Lakai sollte Jack Dienstmann heißen, der Kutscher George Pferdemeier. Und Jessamy müßte Jessamy Gütlich heißen.
Das alles fand ich unglaublich komisch.
Doch dieses »Etwas« zwischen William und Amelia ließ mir keine Ruhe. Einmal bot sich mir die seltene Gelegenheit, Amelia deswegen auszuhorchen. Ja, es herrsche ein Einverständnis zwischen ihnen, doch William habe nie gesprochen, und solange er dies nicht tue, müsse alles bleiben wie bisher.
Ich verstand nicht, was sie meinte, denn ich hatte William schon häufig sprechen hören. Er sei doch nicht stumm, bemerkte ich.
»Er hat nicht gesprochen«, beharrte Amelia, und mehr wollte sie nicht sagen.
Es war mein Werk, daß er schließlich »sprach«. Mir gelang es, sie eines Nachmittags zusammenzubringen. Ich hatte Amelia in den Garten gelockt, um ein paar Rosen zu pflücken, nachdem ich festgestellt hatte, daß William in den Rosenbeeten arbeitete. Als sie auf diese Weise beisammen waren, sagte ich: »William,

du willst nicht sprechen. Du mußt aber, und zwar sofort. Die arme Amelia kann nichts tun, wenn du nicht *sprichst.*«
Sie sahen einander an; Amelia wurde puterrot und William nicht minder.
Dann sagte er: »Willst du, Amelia?«
Und Amelia erwiderte: »Ja, William.«
Ich betrachtete sie zufrieden, aber sie schienen mich total vergessen zu haben. Doch William hatte »gesprochen«, und jetzt waren sie verlobt.
Das Verlöbnis währte etliche Jahre, aber jedermann wußte, daß William und Amelia von diesem Tag an einander versprochen waren, und als Janet mir erklärte, dies bedeute, daß nun niemand anders sie haben könne, bemerkte ich, ich nähme nicht an, daß jemand anders sie wolle, und ich erzählte ihr, wie ich William zum »Sprechen« gebracht hatte.
»Kleine Intrigantin!« rief sie aus und lachte dabei.
Es gab immer neue Gründe, weshalb Amelia und William nicht heiraten konnten. William lebte in einer winzigen Behausung auf dem Grund, der zum Pfarrhaus gehörte. Es war kaum mehr als ein Gartenhäuschen und bot nicht genügend Platz für zwei. Mit der Hochzeit mußten sie also warten, bis sie eine geeignete Unterkunft fanden.
Amelia war über diese Verzögerung verstimmt, und doch war sie glücklich, weil William gesprochen hatte. Ich erinnerte mich oft daran, daß ich dabei meine Hand im Spiel hatte.
Mehrere Jahre vergingen, und dann passierte es: William fiel an einem Herbsttag vom Baum. Es war auf eine Leiter geklettert, um Äpfel von den oberen Ästen zu pflücken, dabei verfehlte er eine Sprosse. Er brach sich ein Bein und wurde nie mehr ganz gesund. Er humpelte, bekam Rheumatismus in dem kranken Bein, und mein Vater sprach mit Sir Timothy über ihn.
Sir Timothy war ein herzensguter Mensch, dem sehr am Wohl seiner Untergebenen gelegen war, und diejenigen, die bei uns

lebten, fielen – natürlich dank Tante Amy Jane – ebenfalls unter seine Zuständigkeit.
Es war klar, daß etwas für William Planter getan werden mußte.
Sir Timothy, dessen Liegenschaften offensichtlich im ganzen Land verstreut waren, besaß eine Hütte am Anger von Cherrington. Wegen des Holzapfelbaumes, der davor stand, wurde sie Holzapfelhütte genannt.
William konnte seit seinem Unfall nicht mehr richtig arbeiten. Es wurde ihm eine Leibrente versprochen, und er sollte Amelia heiraten, die er schon viel zu lange hingehalten hatte, um dann mit ihr in die Holzapfelhütte zu ziehen, die sie auf Lebenszeit bewohnen durften.
Also heirateten William und Amelia und zogen zufrieden nach Cherrington.
Amelia schickte uns jedes Jahr zu Weihnachten eine Karte. Sie schienen sich in die Ehe ebenso gut eingelebt zu haben wie in der Holzapfelhütte.
Gelegentlich half uns ein Gärtner von Seton Manor aus, und eine Witwe aus dem Dorf übernahm an Amelias Stelle die Arbeiten im Haus.
Wir wuchsen heran. Jessamy war zwar ein paar Monate älter als ich, aber ich kam mir ihr gegenüber immer älter vor.
Inzwischen waren wir nun siebzehn geworden und sollten bald in die Gesellschaft eingeführt werden, allerdings erst, wenn wir das achtzehnte Lebensjahr erreicht hatten. Das Ganze hatte nur den einen Zweck, nämlich geeignete Ehemänner für uns zu finden. Vor diesem großen Ereignis fanden ein paar Gesellschaften statt, die ich »Schnüffelabende« nannte, und eine davon, die mir damals nicht sonderlich bedeutsam erschien, hatte doch unser ganzes Leben verändert.
Tante Amy Jane lud ein paar Leute zu einem sogenannten kleinen Tanzfest in ihr Haus. Es sollte kein Ball werden, nur ein vergnüglicher Abend, eine Art Generalprobe für den großen

Feldzug, der gestartet werden sollte, sobald Jessamy achtzehn war.
Ich wollte wieder eines von Jessamys umgeänderten Kleidern anziehen, doch mein Vater protestierte und meinte, ich solle in der Stadt Stoff kaufen und mir von der Dorfschneiderin ein Kleid nähen lassen. Mir war aber klar, daß kein Stoff, den wir im Ort bekommen konnten, und keine noch so geschickte Verarbeitung durch die fleißige Sally Summers einem Vergleich mit einem umgeänderten Kleid aus Jessamys Garderobe standhalten konnte; denn Jessamys Kleider kamen aus London oder aus Bath und waren nicht nur nach der neuesten Mode geschnitten, mit der Sally Summers' biedere Näherei nicht Schritt halten konnte, sondern sie waren aus so zarten und feinen Stoffen, wie wir sie uns niemals hätten leisten können.
So überzeugte ich denn meinen Vater, daß ich mich in Jessamys abgelegten Kleidern ganz wohl fühlte, und wenn Janet sie geändert hatte, sah ihnen niemand an, daß sie für mich umgearbeitet worden waren.
Es war ein sehr schönes Kleid – mit einem enganliegenden Mieder, das die Taille betonte, und einem Rock mit Hunderten von Rüschen, die kaskadenartig herabfielen. Es war Jessamy zu eng geworden und ließ sich ohne Schwierigkeiten ändern.
Jessamy hatte dunkles Haar und war ein wenig bläßlich; sie schlug ihrem Vater nach und hatte dessen ziemlich große Nase geerbt. Jedoch ihr liebes Gesicht und die wunderschönen dunklen Rehaugen machten das wieder wett. Ich fand, sie hätte ausgesprochen reizvoll sein können, wäre sie nur ein wenig lebhafter gewesen. Das Kleid, welches ich trug, war rosa und hatte nicht zu ihrem Teint gepaßt. Ich war blond und hatte hellbraune Augen mit sehr langen Wimpern, die an den Spitzen golden schimmerten; meine scharf gezeichneten Brauen waren von einer dunkleren Schattierung als mein Haar und fielen daher besonders auf. Meine Haut war sehr hell, und ich hatte eine Stupsnase und einen breiten Mund. Ich wußte, daß ich

attraktiv war, denn Leute, die mich zum erstenmal sahen, schauten gleich noch einmal hin. Ich war keineswegs schön, doch war ich immer guter Laune, und nichts konnte meinen Frohsinn trüben. Immer hatte ich etwas zum Lachen und war glücklich, wenn ich meine Freude mit jemandem teilen konnte. Für manche Leute – solche wie Tante Amy Jane und Amelia – war dies entschieden ein Fehler; sie schüttelten die Köpfe und taten alles, um diese Eigenschaft zu unterdrücken. Andere dagegen fanden es amüsant und reizvoll, wie ich an der Art, wie sie mich anlächelten, merken konnte.

Da waren wir nun auf diesem Tanzfest, das sich als so schicksalhaft für meine Zukunft erweisen sollte.

Man hatte mir die Kutsche geschickt, was wirklich sehr aufmerksam von meiner Tante war, denn es wäre recht umständlich gewesen, in meinem Aufputz zu Fuß zum Herrschaftshaus zu gehen.

Ich traf noch vor den anderen Gästen ein und ging in Jessamys Zimmer. Sie trug ein über und über mit Rüschen und Volants besetztes blaues Seidenkleid. Mir wurde das Herz schwer, denn die Farbe stand Jessamy gar nicht, und außerdem machten Rüschen sie zu plump. Am besten sah sie in ihrem grauen Reitkostüm mit der streng geschnittenen Jacke und dem Hut mit dem grauen Seidenband aus.

Sie war wie immer davon begeistert, wie gut das Kleid zu mir paßte.

»Es ist zauberhaft«, rief sie aus. »Warum stehen dir meine Sachen immer besser als mir?«

»Liebe Jessamy, das bildest du dir ein«, schwindelte ich, denn ich war nie von Janets Wahrheit-um-jeden-Preis-Philosophie angehaucht. »Du siehst reizend aus.«

»Ist ja nicht wahr. Alles wird mir zu eng. Warum nehme ich nur dauernd zu? Du bist schlank wie eine Gerte.«

»Ich bewege mich mehr als du, Jessamy. Ich esse weiß Gott genauso viel wie du. Aber du bist nur hübsch mollig. Mary

Macklin sagt, Männer mögen mollige Frauen, und sie muß es schließlich wissen.«
Ich kicherte, denn Mary Macklin war das leichte Mädchen unserer Gemeinde, und Tante Amy Jane setzte alles daran, sie aus dem Dorf zu vertreiben.
»Hat sie das zu dir gesagt?« fragte Jessamy.
»O nein, ich weiß es nur vom Hörensagen.«
Just in diesem Augenblick kam Onkel Timothy mit zwei kleinen Pappschachteln herein.
»Für meine Mädchen«, sagte er und betrachtete uns voller Stolz.
Die Schachteln enthielten Orchideen. Ich stieß einen entzückten Schrei aus. Dies war genau das, was ich brauchte, um meinem umgeänderten Kleid einen Hauch von Eleganz zu verleihen. Noch dazu waren die Orchideen sorgfältig ausgewählt, denn sie paßten haargenau zu unseren Kleidern.
Onkel Timothy stand da und machte ein Gesicht wie ein vergnügter Schuljunge, und auf einmal kam mir seine Güte zu Bewußtsein. Er hatte den Planters die Holzapfelhütte überlassen, und mir schenkte er eine wunderschöne Orchidee, die vollkommen mit meinem Kleid harmonierte.
Ich legte meine Blume auf den Tisch und schlang meine Arme um Onkel Timothys Hals und gab ihm einen herzhaften Kuß.
Ausgerechnet in diesem Augenblick kam meine Tante herein.
»Was geht hier vor?« verlangte sie zu wissen.
Ich löste meine Arme von Onkel Timothys Hals und sagte: »Onkel Timothy hat uns so wunderschöne Orchideen geschenkt.«
Onkel Timothy errötete und blickte ein wenig schuldbewußt drein, und meine Tante fuhr fort: »Ihr führt euch ja sehr ausgelassen auf. Ich stecke dir deine Blume ans Kleid, Jessamy. Es gibt nämlich eine richtige und eine falsche Stelle dafür.«
Onkel Timothy sagte: »Na, dann will ich mal wieder gehen. Es gibt noch eine Menge zu tun.«
»Das kann man wohl sagen«, erwiderte meine Tante frostig.

Ich trat vor den Spiegel und steckte meine Orchidee an. Ich war ganz hingerissen, bemerkte aber nebenbei, wie Tante Amy Jane mir ein- oder zweimal einen mißbilligenden Blick zuwarf.
Einer der Gäste war Captain Lauder. Ich schätzte ihn auf Anfang Zwanzig; er war groß, elegant und sehr zuvorkommend. Er war der Sohn von Sir Geoffrey Lauder, und seine Familie gehörte unverkennbar zu den einflußreichen Mitgliedern der Gesellschaft; denn Tante Amy Jane behandelte sie ausgesprochen freundlich.
Captain Lauder wurde Jessamy vorgestellt und tanzte mit ihr. Er war sehr charmant, und es gelang ihm auf Anhieb, Jessamy ihre Befangenheit zu nehmen, was durchaus nicht einfach war. Bei Captain Lauder jedoch blühte sie auf, und ich gewahrte, daß Jessamy eigentlich recht attraktiv war; sie brauchte nur jemanden, der ihr den Glauben an sich selbst verlieh.
Auch ich wurde häufig zum Tanzen aufgefordert und bemerkte hin und wieder, daß Tante Amy Jane mich eindringlich beobachtete. Hoffentlich hatte ich nichts falsch gemacht, denn ich liebte derlei Veranstaltungen über alles, und es wäre mir unerträglich gewesen, wenn man mich davon ausgeschlossen hätte. Es gab so vieles, das mir Spaß machte und über das ich noch hinterher lachen konnte. Kurz vor dem Essen tanzte ich mit einem netten jungen Soldaten, und als wir ins Speisezimmer traten, stießen wir auf Jessamy und Captain Lauder.
»Das ist meine Cousine«, sagte Jessamy.
Captain Lauder sah mich an. Aus seinen Augen strahlte Bewunderung, als er meine Hand ergriff und sie küßte.
»Sie sind also Anabel Campion«, sagte er. »Miss Seton hat mir von Ihnen erzählt.«
Ich schnitt eine Grimasse, und Jessamy sagte schnell: »Aber nur Gutes.«
»Vielen Dank, daß du den Rest für dich behalten hast«, erwiderte ich, und alle lachten.
Wir nahmen zu viert an einem Tisch Platz, und es wurde eine

sehr fröhliche Mahlzeit; doch immer, wenn ich aufblickte, ruhten Captain Lauders Augen auf mir.
Als wir das Speisezimmer verließen, war er an meiner Seite.
»Ich möchte mit Ihnen tanzen«, sagte er.
»Gut«, erwiderte ich, »sie fangen gerade wieder an zu spielen.«
Wir tanzten. »Sie sind schön«, stellte er fest.
Das war nicht wahr, aber ich hatte längst gelernt, daß es das beste war, dic Leute bei ihrer guten Meinung zu lassen, und sei sie noch so falsch.
»Ich wollte, ich wäre Ihnen früher begegnet«, fuhr er fort.
»Aber Sie haben den Abend doch gewiß auch ohne meine Gesellschaft genossen.«
Er lachte. »Wie ich höre, sind Sie die Tochter des Pfarrers.«
»Ach du liebe Güte, da hat Sie Jessamy aber ausführlich aufgeklärt.«
»Sie hat Sie gern.«
»Ich sie auch. Sie ist eine liebe Person.«
»O ja, das habe ich gemerkt. Trotzdem wünschte ich, der faszinierenden Miss Campion früher begegnet zu sein.«
»Was für bezaubernde Dinge Sie sagen.«
»Das klingt, als ob Sie die Wahrheit meiner Worte bezweifeln.«
»Sollte ich das? Ich habe eine so hohe Meinung von mir, daß es mir gar nicht in den Sinn kam, all die Nettigkeiten, mit denen Sie mich bedenken, nicht für bare Münze zu nehmen.«
»Finden Sie es nicht heiß hier drin? Wollen wir hinausgehen?«
Jetzt hätte ich natürlich nein sagen müssen, aber das tat ich keineswegs. Mir war sehr warm, und ich wollte genau wissen, wie weit Tante Amy Janes erlauchter Gast gehen würde.
Draußen schien der Halbmond zwischen den Sternen.
»Sie sehen im Mondlicht zauberhaft aus«, sagte er.
»Weil es nicht soviel enthüllt«, gab ich zurück.
Er hatte mich in den Schatten eines Baumes gezogen und seine Arme um mich gelegt.

Ich wand mich aus seiner Umarmung. »Nüchtern betrachtet«, sagte ich, »sollten wir in den Ballsaal zurückkehren.«
»Ich kann unmöglich nüchterne Betrachtungen anstellen, wenn Sie in meiner Nähe sind.«
Plötzlich packte er mich mit festem Griff, aus dem ich mich nicht befreien konnte, und dann lagen seine Lippen auf den meinen. Das geschah viel schneller, als ich es für möglich gehalten hatte. Ich wollte doch gar nicht im Garten sein und gewaltsam von einem Mann geküßt werden, den ich kaum kannte! Aber er war einfach stärker als ich.
Plötzlich hörte ich ein Husten, und er hörte es wohl auch, denn er ließ mich abrupt los. Zu meinem Schrecken kam Tante Amy Jane auf uns zu.
»Oh«, sagte sie mit bestürzter Stimme, als sie sah, wen sie beim Küssen unter ihrem Baum ertappt hatte, und sie fügte hinzu: »Captain Lauder ... und ... hm ... Anabel. Mein Kind, du wirst dich erkälten. Geh sofort hinein.«
Ich war heilfroh, der Situation entrinnen zu können, und im Davonlaufen hörte ich meine Tante gleichmütig fortfahren: »Ich möchte Ihnen meine Hortensien zeigen, Captain Lauder. Da wir gerade hier draußen sind ...«
Ich eilte geradewegs in Jessamys Schlafzimmer. Meine Haare waren zerzaust, mein Gesicht leicht gerötet, und auf der Wange hatte ich einen roten Fleck. Ich untersuchte ihn gründlich. Er würde bald verschwinden.
Rasch brachte ich mein zerzaustes Kleid und meine Frisur in Ordnung und ging in den Ballsaal zurück. Jessamy tanzte mit einem Gutsherrn aus der Nachbarschaft.
Am nächsten Tag machte ich mich auf eine Strafpredigt von Tante Amy Jane gefaßt. Sie hatte mit eigenen Augen gesehen, wie der Captain mich küßte, und ich war sicher, daß ich, da er zu ihren bevorzugten Gästen gehörte, für den Vorfall verantwortlich gemacht werden würde. Captain Lauder kam aus einer zu angesehenen und zu reichen Familie, um im Unrecht zu sein.

Er war Junggeselle und ein durchaus angemessener Freier, und die Entdeckung eines idealen Gentleman in eben dieser Kategorie war ja Tante Amy Janes nächstes Ziel, und zwar eines, das sie beharrlich verfolgte. Wenn Captain Lauder daher bei ungehörigem Betragen ertappt wurde, so mußte er folglich zu dieser Unbesonnenheit verleitet worden sein.
Zu meiner Verwunderung ließ sie aber darüber kein einziges Wort fallen, nur hin und wieder fing ich einen recht seltsamen Blick von ihr auf.
Eine Weile wiegte ich mich in dem Glauben, sie hätte es vergessen. Aber Tante Amy Jane vergaß nie etwas.
Aus diesem Grund wurde ich auch nicht eingeladen, als Jessamy mit ihren Eltern Schloß Mateland einen Besuch abstattete, und ich war sicher, daß dies nur an jenem peinlichen Vorfall lag, denn ich hatte Jessamy schon häufig bei Besuchen begleitet, und Jessamy bat immer, daß ich mitkommen dürfe. Gewiß hatte sie es auch diesmal getan, doch Tante Amy Jane war unerbittlich.
Ich kam also nicht mit nach Schloß Mateland. Sonst hätten die Dinge womöglich eine andere Wendung genommen, und ich würde dies alles nicht für dich aufschreiben, Suewellyn. Dein und mein Leben wäre in glatteren Bahnen verlaufen. An welch dünnen Zufallsfäden hängen doch die großen Ereignisse in unserem Dasein! Dein und mein Leben hätte so anders sein können ... und das alles wegen eines unfreiwilligen Kusses unter einer Eiche!

In einem Zustand, den ich nur als verträumt bezeichnen kann, kehrte Jessamy von Schloß Mateland zurück. Eine Zeitlang bekam ich kein vernünftiges Wort aus ihr heraus; dann aber zeigte sich an ihr eine erstaunliche Veränderung.
Jessamy war wie neugeboren; sie war lebhafter geworden, was ihr meiner Ansicht nach immer gefehlt hatte, um attraktiv zu sein. Aus dem schlaksigen Mädchen war eine hübsche junge Frau geworden.

Natürlich verlor ich keine Zeit, ihr alles Vorgefallene zu entlocken.
Schloß Mateland schien ein zauberhaftes Anwesen zu sein, eine Mischung aus Eldorado, Utopia und den elysischen Gefilden. Es war von Göttern und einer Göttin bewohnt, und seit Jessamy über diese magische Schwelle geschritten war, hatte sich die Welt für sie verändert.
»Nie werde ich den ersten Anblick vergessen«, schwärmte sie. »Wir stiegen aus dem Zug, und die Kutsche von Mateland erwartete uns, um uns zum Schloß zu bringen. Die Fahrt an den Feldern vorbei wird mir unvergeßlich bleiben...«
»Es hat sich deinem Gedächtnis für immer eingeprägt. Das hast du bereits zweimal erwähnt. Weiter, Jessamy.«
»Es ist genau so, wie man sich ein Schloß vorstellt. Es stammt aus dem Mittelalter.«
»Wie die meisten Schlösser. Laß jetzt mal das Schloß beiseite. Was ist mit den Leuten?«
»Oh, die Leute ...« Sie schloß die Augen halb und seufzte. »Da ist zunächst Egmond Mateland ...«
»Egmont! Ein mittelalterlicher Name, richtig zu einem Schloß passend.«
»Anabel, wenn du mich ständig unterbrichst und dich über alles lustig machst, erzähle ich dir nichts mehr.«
Ich war verblüfft. Anzeichen von Auflehnung bei unserer braven Jessamy! Ja, es mußte wirklich etwas geschehen sein.
»Da wäre also Egmont«, fuhr ich fort. »Und weiter?«
»Er ist der Vater.«
»Von wem?«
»Von David und Joel. David hat einen süßen kleinen Sohn namens Esmond. Er wird eines Tages das Schloß erben.«
»Wie interessant«, meinte ich kühl, als besagte das überhaupt nichts.
»Wenn du's natürlich nicht wissen möchtest ...«
»Sicher möchte ich es wissen. Aber du machst so langsam.«

»Also gut. Dort leben die zwei Brüder David und Joel. David ist der ältere. Er ist mit Emerald verheiratet.«
»Die Namen gefallen mir.«
»Du unterbrichst schon wieder, Anabel. Wenn du's hören möchtest ...«
»Und ob«, sagte ich zerknirscht.
»David verwaltet die recht ansehnlichen Güter. Joel ist Arzt...«
Aha, dachte ich, es ist Joel. Ich kannte meine Jessamy zu gut, als daß mir die Veränderung ihrer Stimme entgangen wäre, als sie seinen Namen erwähnte. Ich bemerkte auch das leichte Zucken ihrer Lippen.
»Erzähl mir von dem Arzt«, bat ich.
»Er ist so ein guter Mensch, Anabel, Ich meine, er tut wirklich eine Menge Gutes ... für eine Menge Menschen.«
Mein Interesse erlahmte ein wenig. Leute, die für eine Menge Menschen eine Menge Gutes tun, waren einzelnen Personen gegenüber häufig gleichgültig. Sie liebten die Menschen als Masse, nicht als Einzelwesen. Überdies waren sie meist von ihren guten Werken so in Anspruch genommen, daß sie ansonsten etwas langweilig wirkten. Mein einziges Interesse an Joel galt der Wirkung, die er auf Jessamy ausübte.
»Inwiefern?« fragte ich.
»Durch seine Arbeit natürlich. Er hat eine Praxis in der kleinen Stadt. Das Schloß liegt etwas außerhalb ... mitten auf dem Land. Er wohnt natürlich bei seiner Familie im Schloß. Die Matelands leben seit Jahrhunderten dort.«
»Seit den Tagen von Wilhelm dem Eroberer, möchte ich wetten.«
»Du machst dich schon wieder über sie lustig. Nein, *nicht* seit den Tagen von Wilhelm dem Eroberer. Das Schloß wurde erst hundert Jahre, nachdem er nach England kam, erbaut.«
»Ich sehe, du bist in der Familiengeschichte bestens bewandert. Sehr beachtlich nach einem einzigen kurzen Besuch.«
»Mir ist, als hätte ich Mateland zeit meines Lebens gekannt.«

»Das Schloß oder seine faszinierenden Insassen?«
»Du weißt schon, was ich meine.«
»Ja, Jessamy. Erzähl mir mehr von dem atemberaubenden Joel Mateland.«
»Er ist der jüngere Sohn.«
»Ja, das hast du mir bereits erzählt; er hat einen älteren Bruder namens David mit einem entzückenden Sohn Esmond, gezeugt mit der prächtigen Emerald. Die und Großpapa Egmont sind mir bereits bekannt. Jetzt erzähl mir von Joel.«
»Er ist groß und stattlich.«
»Selbstverständlich.«
»Er wollte seit jeher Arzt werden. Seine Familie war zuerst dagegen, weil die Matelands noch nie einen Arzt in der Familie hatten.«
»Das kann ich mir denken. Die sind bestimmt viel zu aristokratisch, um sich mit einem Beruf zu besudeln.«
»Laß doch die Sticheleien, Anabel. Du kennst die Leute ja gar nicht.«
»Glücklicherweise sind deine Kenntnisse so umfangreich, daß sie aus dir nur so heraussprudeln. Wie alt ist Joel?«
»Er ist nicht mehr so ganz jung.«
»Ich denke, er ist der jüngere Bruder?«
»Ist er auch. David ist etwa zwei Jahre älter. Er war schon zehn Jahre verheiratet, als Esmond geboren wurde. Joel war auch verheiratet, aber er hat keine Kinder. Wie alle angesehenen Familien wünschten sie sich einen Erben.«
»Was ist mit Joels Frau?«
»Sie ist gestorben.«
»Also Witwer, hm?«
»Er ist der interessanteste Mensch, dem ich je begegnet bin.«
»Das ist mir nicht entgangen.«
»Meiner Mutter hat er sehr gut gefallen. Mein Vater hat die Familie irgendwo kennengelernt ... wo, habe ich vergessen. Deshalb haben wir sie besucht.«

»Es war offensichtlich eine sehr erfolgreiche Visite.«
»O ja«, seufzte Jessamy beseligt.
Sehr bezeichnend, dachte ich. Ein Witwer. Vielleicht der bestgeeignete Ehemann für Jessamy. Und Schloß Mateland! Es bestanden gute Aussichten, daß Tante Amy Jane ihren Segen dazu geben würde.
Das schien wirklich der Fall zu sein, denn nach etwa einem Monat erfolgte ein weiterer Besuch auf Schloß Mateland. Er sollte nur ein paar Tage dauern, aber Jessamy und ihre Eltern blieben zwei Wochen fort.
Nach ihrer Rückkehr suchte mich eine strahlende Jessamy auf. Ich erriet die Neuigkeit, bevor Jessamy sie mir erzählte. Sie hatte sich mit Joel Mateland verlobt. Tante Amy Jane hatte die Schlacht gewonnen, noch ehe sie richtig begonnen hatte. Keine großen Bälle für Jessamy – was bedeutete, wie mir mit einem schmerzlichen Stich bewußt wurde, daß es auch für mich keine geben würde. Ich hätte an Jessamys Bällen teilgenommen, konnte jedoch nicht erwarten, daß sie eigens für mich veranstaltet wurden.
Ich zuckte die Achseln.
Aber Jessamy, dieses gutmütige Geschöpf, fand noch Zeit, an mich zu denken.
»Wenn ich auf Schloß Mateland bin, mußt du mich besuchen und eine Weile bleiben.«
Ich sah ihren klaren Augen an, was für Pläne sie schmiedete. Jessamy hatte ihr Glück schon immer gern geteilt. Sie würde den besten Ehemann der Welt bekommen, und sie würde mit Freuden den zweitbesten für mich finden.
Ich gab ihr einen Kuß. Ich wünschte ihr alles Glück der Erde.
»Du verdienst es, liebste Jessamy«, sagte ich, und dieses Mal meinte ich es ernst.
Die Matelands kamen nicht nach Seton Manor. Joel habe so schrecklich viel zu tun, erklärte Jessamy, außerdem sei sie mit ihren Eltern auf Mateland jederzeit willkommen.

Die Hochzeit sollte jedoch bei den Setons stattfinden. Tante Amy Jane stürzte sich mit Eifer auf die Vorbereitungen, denn dies sollte eine Veranstaltung werden, die alles Bisherige übertraf. Da durften keine Kosten gescheut werden. Die ersehnte Hochzeit der einzigen Tochter mußte mit allen Ehren und aller Würde begangen werden.
Eines Nachmittags, kurz nach der Verlobung, kam Tante Amy Jane in ihrer Kutsche zum Pfarrhaus. Es war Anfang Mai – kein Wetter für Fußwärmer und Muff noch für einen Sonnenschirm. Der Lakai der Setons half ihr aus der Kutsche, und sie begab sich ins Haus. Janet führte sie in unseren ziemlich schäbigen kleinen Salon, in dem mein Vater üblicherweise seine Pfarrkinder empfing, wenn sie zu ihm kamen, um ihre Sorgen vor ihm auszuschütten.
Auch ich wurde herbeibefohlen.
Tante Amy Jane hatte auf dem einzigen bequemen Lehnstuhl Platz genommen, und selbst bei diesem hingen die Federn durch. Sie gaben ächzende Protestlaute von sich, wenn jemand sich niedersetzte, und ich fragte mich, wie sie das nicht unbeträchtliche Gewicht meiner Tante aushalten sollten. Sie musterte unser Zimmer mit abschätzigem Blick, doch mit den Gedanken war sie woanders. Sie schien außerordentlich guter Laune zu sein.
Die Hochzeit ihrer Tochter würde das zweitgrößte Erlebnis ihres Lebens werden, das lediglich von dem Triumph ihrer eigenen Vermählung mit dem reichen Sir Timothy überstrahlt wurde.
»Wie ihr wißt«, verkündete sie, »wird Jessamy heiraten.«
Ich konnte mich nicht enthalten zu murmeln: »Wir haben davon gehört.«
Tante Amy Jane zog es vor, meine Unverschämtheit zu ignorieren, und fuhr fort: »Die Hochzeit soll so glanzvoll wie möglich werden.«
Sie lächelte selbstgefällig. »Glanzvoll« – das bedeutete den

Glanz von Onkel Timothys Geld, und es war wohlbekannt, wer das verwaltete.
»Timothy und ich haben beschlossen, daß es ein unvergeßlicher Tag für Jessamy und uns werden soll. Aber bis dahin gibt es noch viel zu tun. Ich weiß gar nicht, wie ihr Brautkleid rechtzeitig fertig werden soll. Aber um von der eigentlichen Feier zu sprechen... Jessamy hat einen Wunsch geäußert. Sie möchte, daß du ihre Brautjungfer bist, Anabel.«
»Oh, wie lieb von Jessamy. Sie denkt wirklich immer an andere.«
»Jessamy ist eben anständig erzogen.« Ein strenger Blick traf meinen Vater, dem dieser Seitenhieb völlig entging, da er sich abmühte, seine Brille zu fassen, die noch weiter als sonst nach hinten gerutscht war.
»Es steht also fest, daß du die Brautjungfer wirst. Dazu müssen wir dich entsprechend einkleiden. Ich lasse Sally Summers kommen und ein Kleid für dich nähen.«
»Vielleicht könnten wir selbst etwas finden...«, begann mein Vater.
»Nein, James. Das Kleid wird nicht gefunden. Es wird gemacht. Es muß für diese Gelegenheit genau passend sein. Ich dachte an Dottergelb.«
Dottergelb gefiel mir gar nicht. Es gehörte nicht gerade zu den Farben, die mir besonders gut standen, und ich hatte den Verdacht, daß Tante Amy Jane sie gerade deswegen ausgewählt hatte.
»Jessamy ist mehr für Blaßrot oder Azurblau«, fuhr sie fort.
Die gute Jessamy! Sie wußte genau, welche Farben am besten zu mir paßten.
»Ich vermute, daß sie als Braut in diesem Fall die Entscheidung trifft«, meinte ich.
Meine Tante erwiderte nichts darauf. Statt dessen sagte sie: »Sally kommt in ein paar Tagen mit dem Stoff. Die Sache duldet keinen Aufschub. Ich habe Sally angewiesen, das Kleid hier zu machen. Sie dürfte ungefähr einen Tag dazu brauchen. Du wirst

natürlich den Gottesdienst abhalten, James, und Anabel kann sich vor der Kirche der Hochzeitsgesellschaft anschließen, und hinterher kommt ihr zur Feier ins Gutshaus. Das Brautpaar macht seine Hochzeitsreise nach Florenz. Ihr könnt ins Pfarrhaus zurückkehren, wenn sie aufgebrochen sind. Ich stelle euch die Kutsche zur Verfügung.«

»Oh, Tante Amy Jane, wie gut du organisieren kannst!« rief ich aus. »Alles ist bis ins kleinste Detail geplant. Ich bin sicher, es wird wunderschön.«

Sie bedachte mich mit einem seltenen zustimmenden Blick, und als sie fort war, kam mir in den Sinn, wie anders das Leben für mich sein würde, wenn Jessamy verheiratet war. Ihre Anwesenheit war mir so selbstverständlich, und ich würde sie sehr vermissen.

Aber ich konnte sie ja in diesem prachtvollen, zauberhaften Schloß besuchen und würde den Mann kennenlernen, der ein solches Wunder an ihr vollbracht hatte.

Zwei Tage später kam der Stoff für mein Kleid, ein weicher, azurblauer Seidenchiffon.

Die gute Jessamy! dachte ich.

Ein lieblicher Morgen brach an. Der Juni war der richtige Monat zum Heiraten, und morgen sollte Jessamys Hochzeitstag sein.

Im Gutshaus würde es wie in einem Tollhaus zugehen, wenn die vielen Gäste eintrafen. »Wir haben das Haus voll«, erklärte Tante Amy Jane stolz. »Die Familie des Bräutigams wohnt selbstverständlich bei uns im Haus.«

Ich hatte mich erboten, beim Schmücken der Kirche zu helfen. Schon am frühen Morgen waren aus den Gärten der Setons Rosen geschickt worden, die jetzt in Eimern im Vorraum der Kirche standen. Sally Summers beherrschte die Kunst des Blumenarrangierens ebenso vollkommen wie das Schneidern und war von meiner unermüdlichen Tante mit dieser Aufgabe betraut worden. Die arme Sally! Sie hatte ganz dunkle Ränder um

ihre Augen und war völlig überarbeitet, so sehr hatte man sie in den letzten Wochen herumgehetzt.
»Ich gehe schon mal hin«, sagte ich zu ihr. »Du kannst später kommen und die Blumen richtig arrangieren. Aber es ist für dich sicher eine Erleichterung, wenn sie bereits auf die verschiedenen Gefäße verteilt sind.«
Sally nickte mir dankbar zu, und ich begab mich an diesem Junimorgen, einen Tag vor Jessamys Hochzeit, gleich nach dem Frühstück in die Kirche, um mit der Dekoration zu beginnen.
Es war ein prächtiger Morgen, und ich war bester Laune. Morgen war ein großer Tag. Wer hätte es für möglich gehalten, daß Jessamy so bald heiraten würde! Die schüchterne kleine Jessamy hatte den Mann ihrer Wahl gefunden, und er war in einem Schloß zu Hause! – wenn er es auch mit David, Emerald, dem kleinen Esmond und Großvater Egmont teilte. Und der Bräutigam war noch dazu Arzt. Welch angesehener Beruf. Nie würde sie an mysteriösen Krankheiten leiden; denn er würde stets wissen, was ihr fehlte, und wem sollte er wohl aufmerksamere Pflege angedeihen lassen als seiner eigenen Frau? O ja, Jessamy glich der Prinzessin aus einem Roman. Nie hätte ich das für möglich gehalten. Ich hatte eigentlich immer gedacht, daß ich trotz meiner überwältigenden Benachteiligung als erste heiraten würde.
Nun, das Schicksal – oder Tante Amy Jane, was für mich ein und dasselbe war – hatte anders entschieden. Und so stand ich denn hier mit Kübeln voller herrlicher Blumen, die den Vorraum der Kirche mit ihrem köstlichen Duft erfüllten, um mich einer Aufgabe zu unterziehen, für die ich nicht sonderlich geeignet war; doch für die bedauernswerte, überarbeitete Sally war ich immerhin eine Hilfe.
Ich trug die Eimer in die Kirche und holte die Vasen aus der Sakristei. Dann machte ich mich ans Werk. Ich sortierte die Blumen nach Farben und holte frisches Wasser von der Pumpe.

Eine Stunde lang arbeitete ich, vorsichtig mit den dornigen Stielen hantierend, und fing an, so gut ich es vermochte, zu arrangieren.
Es waren wunderschöne Blumen – nur die edelsten Blüten kamen für Tante Amy Jane in Betracht, und ich konnte mir vorstellen, wie sie die Gärtner herumkommandiert hatte, seit sie wußte, daß die Hochzeit stattfinden würde. Ich beschloß, die herrlichen rosa Rosen, die noch köstlicher dufteten als die anderen, auf den Altar zu stellen, und zwar in einem ziemlich schweren Metallgefäß. Dummerweise beging ich den Fehler, diese Vase zuerst mit Wasser zu füllen und die Blumen darin zu ordnen, um sie dann die teppichbelegten Stufen zum Altar hinaufzuschleppen. Ich hätte sie natürlich erst zum Altar tragen und dann füllen sollen. Aber ich hatte mir soviel Mühe mit dem Arrangement gegeben und wollte es deshalb nicht zerstören. Ich war überzeugt, daß ich ein solches Kunstwerk kein zweites Mal zustande bringen würde. Daher hob ich das Gefäß auf und stieg die Stufen zum Altar hinauf.
Bis heute weiß ich nicht genau, wie es passierte; ob ich hörte, wie die Kirchentür knarrte und dann aufging, worauf ich mich umdrehte und hinfiel, oder ob ich zuerst stolperte und stürzte und die Tür erst dann aufging. Jedenfalls drehte ich mich zur Tür und sah einen Mann dort stehen… und dann entglitt das Gefäß meinen Händen. Zwar bemühte ich mich krampfhaft, die Vase zu retten. Doch vergebens. Die Rosen fielen heraus, und die Dornen zerkratzten meine Hände. Ich lag der Länge nach über die drei Stufen hingestreckt. Das alles geschah in weniger als einer Sekunde. So lag ich da, die Kittelschürze, die ich über mein Kleid gezogen hatte, war klatschnaß, die Blumen um mich verstreut, und die Vase war, im Fallen die edlen Blüten aus den Setonschen Gärten verstreuend, die Treppe hinuntergepoltert. Ein Mann blickte auf mich herab.
»Was ist passiert? Ich fürchte, ich habe Sie erschreckt«, hörte ich ihn sagen.

Schon oft habe ich von derlei dramatischen Augenblicken gehört, in denen man Menschen begegnet, die einen augenblicklich in ihren Bann ziehen. Ich hatte nie daran geglaubt. Meiner Meinung nach mußte man einen Menschen erst lange kennen, ehe man beurteilen konnte, ob man ihn mochte oder nicht. Ein tiefes Gefühl muß erst erwachen. Doch auf diesen Altarstufen geschah irgend etwas mit mir. Zwar war ich versucht, die Situation auf die leichte Schulter zu nehmen, aber es lag etwas in der Luft, das keine Leichtfertigkeit duldete.

Der Mann war groß; er hatte dunkles Haar und dichte Augenbrauen. Sein Gesicht schien mir unergründlich, doch ich hätte es unaufhörlich betrachten mögen.

Ich konnte höchstens ein paar Sekunden dort gelegen und zu ihm emporgeblickt haben, doch es kam mir wie eine Ewigkeit vor. Dann kniete er neben mir nieder und half mir auf.

»Ich habe das Wasser über den Teppich gegossen«, klagte ich.

»Ja. Aber zuerst wollen wir sehen, ob mit Ihnen alles in Ordnung ist. Kommen Sie. Stehen Sie auf.«

Ich gehorchte.

»Geht's?« fragte er.

»Mein Fuß tut ein bißchen weh.«

Er kniete sich hin und befühlte mit sicherer, doch vorsichtiger Berührung meinen Knöchel.

»Sie müssen fest auftreten«, sagte er. »Verlegen Sie Ihr ganzes Gewicht auf den Fuß. In Ordnung?«

»In Ordnung.«

»Es ist nichts gebrochen. Was ist mit Ihrem Handgelenk? Sie sind darauf gefallen, glaube ich.«

Ich betrachtete meine Hände. Sie waren blutbefleckt.

»Nur ein paar Kratzer von den Dornen«, murmelte ich und rieb meine Hände aneinander.

Der Mann lächelte mich an, und erst jetzt wurde mir bewußt, wie unordentlich ich aussehen mußte in dem viel zu großen

Kittel und mit meinen Haaren, die sich aus den Klammern gelöst hatten.
»Danke«, sagte ich mit niedergeschlagenen Augen.
»Wollen wir das hier nicht aufheben?« fragte er.
Er bückte sich und hob die Vase auf.
»Sie hat nichts abbekommen«, bemerkte er.
»Gottlob. Sie ist eines der besten Stücke aus dem Kirchenfundus.«
»Ja, sie ist recht hübsch. Wo soll sie hin?«
»Auf den Altar. Aber zuerst muß ich sie mit Wasser füllen und die Rosen wieder hineinstellen.«
»Ich an Ihrer Stelle würde es nicht noch einmal versuchen, die volle Vase die Stufen hinaufzutragen.«
»Es war dumm von mir, ich habe mir nichts dabei gedacht.«
Er stellte die Vase auf den Altar, und ich bückte mich nach dem Wasserkübel. Der Mann nahm ihn mir ab und trug ihn zum Altar hinauf. Ich stopfte die Blumen wahllos in die Vase. Sally Summers würde einen argen Schock bekommen.
»Morgen findet hier eine Hochzeit statt«, sagte ich. »Ich bin gerade dabei, die Kirche zu schmücken. Nicht besonders gut, wie Sie sehen, aber es wird alles noch ordentlicher hergerichtet. Sie wollen wohl die Kirche besichtigen?«
»Ja, es ist ein schönes altes Gebäude.«
»Normannisch. Jedenfalls zum Teil. Mein Vater führt Sie gern herum. Er ist in der Geschichte bestens bewandert.«
Der Mann musterte mich eindringlich. »Sie sind also die Tochter des Pfarrers.«
»Ja.«
»Es freut mich, Ihre Bekanntschaft zu machen. Ich bedaure nur, daß Ihnen durch mein Erscheinen ein solches Mißgeschick widerfahren ist.«
»Sie dürfen es meiner Unachtsamkeit zuschreiben.«
»Sind Sie wieder ganz in Ordnung?«
»Ja, völlig. Vielen Dank.«

»Kein bißchen mitgenommen?«
»Nein. Als Kind bin ich oft hingefallen.«
Er lächelte. »Haben Sie noch lange mit den Blumen zu tun?«
»Eigentlich schon. Aber ich muß gehen. Die Schneiderin kommt jeden Moment, und ich möchte sie nicht warten lassen. Sie hat soviel zu tun, und sie ist außerdem noch für den Blumenschmuck zuständig, daher muß sie sich nicht nur vergewissern, ob ich für den großen Tag richtig angezogen bin, sondern sie muß auch noch mein trostloses Werk verschönern.«
»Nun«, meinte er, »dann darf ich Sie nicht länger aufhalten.«
»Ich hätte Ihnen gern die Kirche gezeigt«, sagte ich bedauernd. Ich hatte die Kunst, meine Gefühle zu verbergen, noch nicht gelernt, und aus irgendeinem Grunde fühlte ich mich ungeheuer beschwingt, was mir selbst unerklärlich war; denn bei anderen, ebenso gut aussehenden Männern war mir das noch nie passiert. Unsere Unterhaltung war auch nicht gerade sehr geistreich gewesen. Ich war zwar eher etwas einsilbig, aber ich fühlte eine innere Seligkeit, daß er in die Kirche gekommen war.
»Vielleicht ein andermal«, meinte er.
»Kommen Sie öfter in diese Gegend?«
»Ich bin zum erstenmal hier«, erklärte er. »Aber ich komme wieder. Und dann müssen Sie mir alles ganz genau zeigen.«
Zusammen verließen wir die Kirche. Er verbeugte sich und setzte seinen Hut auf, den er beim Eintritt abgenommen hatte. Er war in Reitkleidung und ging zu seinem Pferd, das am Friedhofstor festgebunden war. Ich kehrte ins Pfarrhaus zurück. Sally Summers war bereits da und sah nervös auf die Uhr.
»Schon gut, Sally«, sagte ich. »Ich war in der Kirche. Ich habe Wasser geholt und die meisten Blumen in die Vasen gestellt. Nicht besonders schön, aber es wird dir die Arbeit erleichtern.«
»O danke, Miss Anabel. Jetzt wollen wir mal sehen, ob das Kleid richtig sitzt. Ich war gestern im Gutshaus bei Miss Jessamy. Wie ein richtiges Gemälde sieht sie aus.«

Ich zog meine Schürze und mein altes Kleid aus und streifte das blaue Seidenchiffonkleid über.
»Um Himmels willen, Miss Anabel, Sie haben ja Blut an den Händen«, rief Sally aus.
»Ich habe mich an den Rosenstielen gestochen. Ich bin über die Stufen gestolpert und habe die Vase und die Blumen fallen lassen.«
Sally stieß einen erschrockenen Laut aus und sagte: »Ich möchte nicht, daß Blut an das Kleid kommt, Miss.«
»Es hat ja schon aufgehört zu bluten«, beschwichtigte ich verträumt.
Und da stand ich nun in meinem prachtvollen Brautjungfernkleid und wünschte, der Fremde könnte mich jetzt sehen.
Ich stellte mir vor, er käme in die Kirche und würde fragen: »Ist die Pfarrerstochter da? Sie hat versprochen, mir die Kirche zu zeigen.« Und dann würden wir zusammen herumgehen, und er würde wieder und immer wieder kommen.

Ich konnte mir gut vorstellen, wie es an diesem Morgen im Gutshaus zuging. Alle rannten sie sicher hin und her, und Tante Amy Jane würde, einem Kapitän auf der Brücke seines Schiffes gleich, darüber wachen, daß die Befehle ausgeführt wurden.
Und Jessamy? Sie würde früh aufwachen, falls sie überhaupt geschlafen hatte. Man würde ihr ein Frühstückstablett aufs Zimmer bringen. Das Brautkleid – Sally Summers' ganzer Stolz – hing im Schrank bereit. Dann würde das Ankleideritual beginnen, um die kleine Jessamy in eine liebreizende Braut zu verwandeln.
Ich hätte eigentlich dabeisein sollen. Es war gemein von Tante Amy Jane, mich auszuschließen. Immerhin war ich Jessamys Vertraute. Ich hatte alle Geheimnisse ihrer Kindheit mit ihr geteilt. Sie würde gewiß jetzt gern mit mir reden wollen. Und ich hätte gern so vieles von ihr gewußt. Ich war sicher, daß Jessamy keine Ahnung von den ehelichen Pflichten hatte. Mein Wissen

über diese Dinge war auch nicht eben groß, aber ich hielt die Augen und Ohren offen und hatte dadurch einiges in Erfahrung gebracht.

Der Vormittag zog sich schier endlos hin. Mein Vater war nervös. Ihm oblag die wichtige Aufgabe, den Gottesdienst abzuhalten und die Trauung vorzunehmen.

»Es ist doch bloß eine Hochzeit wie jede andere auch«, versuchte ich ihn zu beruhigen. Doch an diese Worte sollte ich später noch denken.

Ich betrachtete mein Spiegelbild voller Genugtuung. Mein Brautjungfernkleid war äußerst elegant. Ich hatte noch nie ein eigens für mich angefertigtes Kleid besessen und kam mir darin großartig vor.

Endlich war es Zeit, zur Kirche zu gehen. Dort sollte ich auf die Braut warten. Und da kam sie mit Onkel Timothy, strahlend in ihrem weißen Satinkleid mit dem langen Schleier und Orangenblüten im Haar.

Sie fing meinen Blick auf und lächelte, als ich aus der hinteren Bank trat, um ihr und Onkel Timothy zum Altar zu folgen.

Die Gäste trafen ein – auf der einen Seite nahm die Gefolgschaft der Braut Platz, auf der anderen die des Bräutigams. Unsere kleine Kirche war bald bis auf den letzten Platz besetzt.

Dann kam der Bräutigam. Und ich brauche dir, Suewellyn, nicht zu sagen, wer er war, denn das hast du längst erraten. Er war der Mann, den ich tags zuvor in der Kirche getroffen hatte. Es war Joel Mateland, der im Begriff war, Jessamys Gatte zu werden.

Zunächst verstand ich meine Gefühlsregungen nicht, aber später wurde ich mir darüber klar. Ich spürte nur, wie Trauer mich wie eine große, schwere Wolke einhüllte. Und noch heute, wenn ich Rosenduft einatme, muß ich daran denken, wie Joel in der Kirche nach vorne schritt und an Jessamys Seite trat, und ich höre noch heute ihre Stimmen, die sich das Jawort gaben.

Und von der Stunde an hatte sich die Welt für mich verändert.

Wie durch einen Schleier sah ich ihn Arm in Arm mit Jessamy den Mittelgang entlangschreiten. Ich erinnere mich an den Hochzeitsempfang im Gutshaus, an die vielen Menschen und die aufwendige Pracht. Jessamy sah bezaubernd und glücklich aus, und der allgegenwärtige Rosenduft war überwältigend.
Joel trat zu mir und sagte: »Keine bösen Nachwirkungen?«
»Oh, der Sturz«, stammelte ich. »Danke, nein. Ich hatte ihn schon vergessen.«
Er stand da und blickte mich an – er lächelte nicht, sah mich nur an.
»Das Kleid steht Ihnen sehr gut«, sagte er.
»Danke. Jedenfalls besser als mein Kittel.«
»Der stand Ihnen auch«, meinte er.
Eine merkwürdige Unterhaltung zwischen Bräutigam und Brautjungfer.
Ich hörte mich sagen: »Ich hatte keine Ahnung, daß Sie der Bräutigam sind.«
»Ja, ich war ungerechterweise im Vorteil, denn ich wußte, wer Sie sind.«
»Warum haben Sie sich nicht vorgestellt?«
Er antwortete nicht, denn Jessamy war hinzugetreten.
»Oh, ihr macht euch ja schon miteinander bekannt. Das ist meine Cousine Anabel, Joel.« Sie sprach seinen Namen ziemlich schüchtern aus, fand ich.
»Ja, ich weiß«, erwiderte er.
»Ich hoffe, ihr werdet euch gut verstehen.«
»Das tun wir bereits. Aber vielleicht sollte ich nicht für Anabel sprechen.«
»Doch, doch, das dürfen Sie ruhig«, erwiderte ich.
Tante Amy Jane steuerte auf uns zu. »Na, ihr zwei...« Sie tat schalkhaft und genoß ihre neue Rolle als Schwiegermutter. Doch anstatt mich wie gewöhnlich über ihr Gehabe lustig zu machen, stieg diesmal ein gereizter Widerwille in mir hoch.
Das ist ungerecht, dachte ich. Oder doch nicht. Sie hätte mich

mit auf das Schloß nehmen sollen. Dann wäre ich ihm früher begegnet. Was dachte ich da? Was war mit mir los? Ich wußte es ganz genau. So etwas kam zuweilen vor. Er hatte etwas an sich, das mich zu ihm hinzog, so daß ich gleichzeitig hätte lachen und weinen mögen. Dergleichen geschah hin und wieder, wenn auch selten. Und für mich war es zu spät geschehen.

Die Tage nach der Hochzeit vergingen nur schleppend. Ich war niedergeschlagen und vermißte Jessamy mehr, als ich es für möglich gehalten hätte. In der Bibliothek meines Vaters las ich ein Buch über Florenz und malte mir aus, ich sei dort ... mit ihm. Ich versuchte mir Jessamy dort vorzustellen. Sie hatte sich nie besonders für Kunstwerke interessiert. Im Geiste sah ich sie vor mir, wie sie am Arno entlangspazierten, wo Dante Beatrice begegnet war, und wie sie auf dem Ponte Vecchio klotzige, mit Steinen überladene, sündteure Armreifen kauften.
»Was ist denn plötzlich in Sie gefahren?« erkundigte sich Janet. »Sie machen ein Gesicht wie sieben Tage Regenwetter.«
»Das macht die Hitze«, sagte ich.
»Die hat Ihnen doch sonst nie was ausgemacht«, erwiderte sie. »Ich glaube, Sie sind eifersüchtig.«
Du lieber Himmel, das sah Janet ähnlich; sie ahnte die Wahrheit und zögerte nicht, sie mir vorzuhalten.
»Rede keinen Unsinn«, fuhr ich sie an.
Der August verging. Die Vorbereitungen zu dem Kirchenfest, das im Garten von Seton Manor stattfinden sollte, nahmen viel Zeit in Anspruch.
»Voriges Jahr«, klagte Tante Amy Jane, »war Jessamy hier und hat uns geholfen.«
Ich versuchte, mich am Dorfleben zu beteiligen, aber ich war nicht mit dem Herzen dabei. Das war ich zwar sonst auch nie gewesen, aber früher hatte ich alles spaßig gefunden. Jetzt aber langweilte mich alles.
Anfang September kam Jessamy für eine Woche nach Hause.

Ich konnte es kaum erwarten, sie zu sehen. Ich war neugierig, was ich empfinden würde, wenn ich Joel wiedersah.
Doch ich wurde nicht nach Seton Manor eingeladen. »Jessamy möchte eine Weile mit ihren Eltern allein sein«, behauptete Tante Amy Jane. »Ohne Außenstehende ... nicht einmal Verwandte.«
Sie war mit der Heirat sichtlich zufrieden.
Jessamy suchte mich jedoch bei der ersten Gelegenheit auf. Sie kam herübergeritten und sah bezaubernd aus in ihrem dunkelblauen Reitkostüm und dem frechen Hut mit einer winzigen blauen Feder.
Sie war zweifellos glücklich. Wir umarmten uns.
»O Jessamy, es war gräßlich ohne dich.«
Das überraschte sie. »Wirklich, Anabel?«
»Ich saß hier fest und schenkte auf dem Gartenfest eine Tasse Tee nach der anderen aus ... die Tasse zu einem Penny, alles für einen guten Zweck; und du warst unterdessen mit deinem Märchenprinzen im romantischen Italien. Laß dich anschauen, mein Dornröschen, das durch einen Kuß erweckt wurde.«
»Du redest Unsinn, Anabel, wie immer. Ich hatte überhaupt nicht geschlafen, das kann ich dir versichern. Zum Glück. Sonst hätte ich Joel nicht gesehen.«
»Und er ist genauso, wie du es dir in deiner Phantasie ausgemalt hast?«
»O ja ... und ob.«
»Warum hast du ihn nicht mit zu uns gebracht?«
»Er ist gar nicht hier. Er hat ja seine Arbeit.«
»Natürlich. Und er hat nichts dagegen, daß du hier bist?«
»O nein. Es war sein Vorschlag. Er sagte: › Alle möchten dich gewiß sehen, dein Vater, deine Mutter, deine Cousine ...‹ Er hat von dir gesprochen, Anabel. Ich glaube, du hast einen großen Eindruck auf ihn gemacht. Das war wieder mal bezeichnend für dich, Altarstufen hinunterzufallen.«
»Ja, das sah mir ähnlich. Ich muß ziemlich dämlich ausgesehen

haben in Sallys Schürze, naß, mit hängenden Haaren und von Rosen umgeben.«
»Er hat's mir erzählt und hat darüber sehr gelacht. Er sagte, er fand dich sehr …«
»Ja?«
»Amüsant und … attraktiv.«
»Ich sehe, du hast einen scharfsinnigen Mann geheiratet.«
»Gewiß, sonst hätte er mich ja nicht genommen.« O ja, Jessamy hatte sich verändert. Sie trat sicher und selbstbewußt auf. Das hatte sie ihm zu verdanken. Glückliche Jessamy!
»Ich bin so neugierig«, sagte ich. »Du mußt mir von Florenz erzählen und von den Flitterwochen und vom Leben in dem zauberhaften Schloß.«
»Wenn du dich so sehr dafür interessierst, Anabel, mache ich dir einen Vorschlag.«
»Ja?«
»Komm doch mit, wenn ich zurückfahre.«
»O Jessamy!« rief ich. Es war, als blitzten rund um mich Lichter auf. Jubel… unbeschreiblicher Jubel, und dann warnte mich eine innere Stimme: Nein, nein. Du darfst nicht. Warum nicht? Du weißt, warum.
»Möchtest du nicht mitkommen, Anabel?« Ihre Stimme klang verwundert. »Ich denke, du interessierst dich so für das Schloß.«
»Das schon, aber…«
»Ich dachte, du würdest gern mitkommen. Gerade hast du gesagt, wie langweilig es hier ist…«
»Ist es ja auch … Soll ich wirklich?«
»Was um Himmels willen soll das heißen?«
»Jung vermählt und so. Das fünfte Rad am Wagen …«
Sie brach in Gelächter aus. »So ist es ganz und gar nicht. Wir leben ja nicht allein in unserem Heim. Wir wohnen mit den anderen zusammen im Schloß. Ich bekomme Joel nicht allzuoft zu sehen.«
»Was, du siehst ihn nicht oft?«

»Er hat seine Praxis in der Stadt. Manchmal übernachtet er auch dort. Zuweilen fühl' ich mich ein bißchen einsam.«
»Einsam? Was ist denn mit David und Emerald, mit dem kleinen Esmond und Großpapa?«
»Das Schloß ist unendlich groß. Du hast nie in einem Schloß gelebt, Anabel.«
»Nein. Und du auch nicht, ehe du diese glänzende Partie gemacht hast.«
»Sprich nicht so darüber.«
»Wie?«
»Als ob du dich darüber lustig machst.«
»Du kennst meine vorlaute Art, Jessamy. Es war nicht so gemeint. Es liegt mir fern, mich über deine Ehe lustig zu machen. Du hast es verdient, glücklich zu sein. Du bist so ein *guter* Mensch.«
»Ach Unsinn«, sagte Jessamy.
Ich gab ihr einen Kuß.
»Du bist sentimental geworden«, meinte sie.
»Jessamy«, sagte ich fest, »ich komme mit dir.«

Vorher gab es noch eine Menge zu erledigen.
»Ja, du solltest wirklich gehen«, meinte mein Vater. »Es wird dir guttun. Du warst in letzter Zeit nicht recht auf der Höhe.«
»Kommst du ohne mich zurecht?«
»Natürlich. Es gibt genug Leute im Dorf, die mir gern helfen.«
Das stimmte. Als Witwer hatte mein Vater eine ganze Anhängerschaft mehr oder weniger älterer Damen, die sich nach Kräften bei ihm einschmeichelten. Er hat ihre Beweggründe nie durchschaut und glaubte, es sei lediglich die Kirche, der ihr Interesse galt. Er war ein überaus argloser Mensch, und ich war ganz und gar nicht nach ihm geartet.
»Du brauchst etwas Neues zum Anziehen«, meinte Jessamy und kam mit einem Armvoll Kleider herüber. »Ich war eben dabei, sie auszusondern. Ich trage sie nicht mehr.«

Janet brannte geradezu darauf, sie umzuändern. Sie war mit meiner Reise nach Mateland durchaus einverstanden. Ich glaube, daß sie mich auf ihre zurückhaltende Art wirklich liebte und der Meinung war, nur mit Hilfe von Jessamy könne es gelingen, den richtigen Mann für mich zu finden. Janet hatte ihre Hoffnung auf die großen Bälle für Jessamy gesetzt, an denen ich teilnehmen sollte, und sie war überzeugt gewesen, daß ich diejenige sein würde, der die Freier nachliefen.

Tante Amy Jane hingegen war unschlüssig. »Warte noch eine Weile«, meinte sie. »Anabel kann dich später besuchen.«

Doch Jessamy gab nicht nach, und so saßen wir zwei an einem strahlenden Septembertag in einem Abteil erster Klasse und rollten Richtung Mateland.

Für Mateland war eigens eine Haltestelle eingerichtet worden, und ein Schild auf dem Bahnsteig verkündete: »Schloß Mateland«. Wir stiegen aus. Eine Kutsche mit einem livrierten Diener wartete bereits auf uns. Er verbeugte sich und nahm uns das Handgepäck ab. Er sagte zu Jessamy: »Der Rest wird mit dem Lastfuhrwerk abgeholt, Madam.«

Kurz darauf rumpelten wir die Straße hinunter zum Schloß.

Nie werde ich den ersten Anblick vergessen. Du hast es gesehen, Suewellyn. Ich habe es dir gezeigt, und du warst genauso beeindruckt wie ich. Deshalb will ich es dir nicht in allen Einzelheiten schildern. Ich brauche dir die würdevollen alten Mauern nicht zu beschreiben, das mächtige Pförtnerhaus, die Türme mit den Pechnasen und den schmalen Fensterschlitzen.

Ich war wie verzaubert. Ein goldener Schimmer lag über allem, und mir war, als stünde ich auf der Schwelle zu einem aufregenden Drama, in dem ich die Hauptrolle spielen sollte.

»Du bist von dem Schloß beeindruckt, wie ich sehe«, sagte Jessamy. »Das ergeht jedem so. Als ich es zum erstenmal sah, dachte ich, es sei aus einem der Märchen, die wir früher gelesen haben. Weißt du noch?«

»O ja. Meistens wurde dort eine Prinzessin gefangengehalten, die es zu erretten galt.«
»Und alle Prinzessinnen waren schön und hatten langes blondes Haar. Wie du, Anabel.«
»Ich glaube, die Rolle paßt nicht ganz zu mir. Du bist die Prinzessin, Jessamy, aus jahrelangem Schlummer in Seton von Prinz Joel wach geküßt.«
»Oh, ich bin so froh, daß du mitgekommen bist, Anabel.« Wir fuhren durch die Pforte in einen Hof. Diener eilten herbei und halfen uns beim Aussteigen.
»Danke, Evans«, sagte Jessamy äußerst würdevoll. Das Leben in einem Schloß hatte sie bereits geprägt, fand ich.
Du hast das Schloß von außen gesehen, Suewellyn, aber nicht von innen. Glaube mir, das Innere ist ebenso überwältigend. Die Vergangenheit scheint sich auf dich herabzusenken, sobald du die Eingangshalle betrittst. Es wundert mich nicht, daß die Matelands diesem Ort in Ehrfurcht zugetan sind. Es steht seit Jahrhunderten. Es wurde im zwölften Jahrhundert von einem Vorfahren errichtet, aber damals war es kaum mehr als eine Festung, die im Laufe der Jahrhunderte ausgebaut wurde. Ich glaube, die Matelands hängen an jedem einzelnen Stein. Sie haben das Schloß gepflegt und vergrößert. Es ist ihr Heim und ihr Stolz. Sogar ich spürte etwas von seiner Anziehungskraft, obwohl meine Verbindung mit ihm doch nur durch Jessamy zustande kam, die dort eingeheiratet hatte.
Die Eingangshalle hatte kunstvoll behauene Steinwände, an denen Waffen hingen; und etliche Rüstungen, die wohl einst verschiedenen Mitgliedern der Familie gehört hatten, standen wie Wächter herum. Sie hatte eine Decke aus edlen Hölzern, und am Ende war ein Podium für musikalische Vorträge; auf der anderen Seite befanden sich durchbrochene Zwischenwände, und neben dem Podium zog sich eine wunderschöne Treppe hoch. Jessamy blickte mich von der Seite an, um zu sehen,

welchen Eindruck dieser Anblick auf mich machte. Ich muß gestehen, ich war sprachlos vor Staunen.
»Ich bringe dich in dein Zimmer«, sagte Jessamy. »Es liegt dicht bei meinem. Komm mit.«
Wir gingen durch die Halle und die Treppe hinauf. Oben befand sich eine lange Galerie. »Das ist die Bildergalerie. Hier hängen die Familienmitglieder, die erlauchten und die anderen.«
»Du willst mir doch nicht erzählen, daß es auch ›andere‹ Matelands gab.«
»Jede Menge«, sagte sie lachend.
Ich wäre gern noch geblieben, doch sie drängte mich weiter. »Du hast später genug Zeit, sie zu betrachten«, sagte sie. »Komm, ich möchte dir dein Zimmer zeigen.«
»Wissen die anderen schon, daß du zurück bist? Wissen sie, daß ich mitgekommen bin?«
»Daß ich da bin, wissen sie. Von dir habe ich nichts erwähnt, weil du dich nicht gleich entschieden hattest.«
»Vielleicht wollen sie mich gar nicht hier haben.«
»Aber ich«, sagte sie und umarmte mich.
»Ein sonderbares Hauswesen ist das hier, findest du nicht?«
»Ja, weil es so furchtbar weitläufig ist. Jeder geht seiner Wege. Keiner stört den anderen. Das klappt recht gut. Ich dachte, du möchtest gewiß nicht abgeschieden irgendwo im Schloß wohnen. Deshalb hast du ein Zimmer in meiner Nähe.«
»Das ist gut so. Ich hätte wirklich nicht allein sein mögen. Ich würde mir einbilden, sämtliche längst verblichenen Matelands, die guten wie die ›anderen‹, kämen zu mir herabgestiegen.«
»Du hattest schon immer eine lebhafte Phantasie. Später zeige ich dir alles ... die Bibliothek, die lange Galerie, die Waffenkammer, den Speisesaal, den Salon, das Musikzimmer ... alles.«
»Es wundert mich nicht, daß es deiner Mutter hier gefiel und daß sie fand, dies sei eine angemessene Umgebung für ihr geliebtes Töchterchen.«
»O ja, meine Mutter war vom ersten Augenblick an begeistert.«

»Seton Manor erscheint dagegen wie eine Tagelöhnerhütte.«
»Ach komm, das darfst du nicht sagen.«
»Nein, natürlich nicht. Es ist ungerecht gegenüber dem guten alten Seton. Seton ist schön. Ich bin nicht sicher, ob es mir nicht sogar lieber wäre als das Schloß.«
»Jetzt hör aber auf mit dem Unsinn. Hier ist dein Zimmer.«
Ich blickte mich um. Es war ein kreisrunder Raum. Er hatte drei hohe, schmale Fenster mit Vorhängen aus scharlachrotem Samt. Das Himmelbett hatte goldfarbene Gardinen und eine goldene Tagesdecke. In einem Alkoven befanden sich eine Waschschüssel und ein Wasserkrug. Der Fliesenboden war mit Perserteppichen bedeckt, darauf standen ein Tisch, mehrere Stühle, eine kleine Spiegelkommode und etliche niedrige Schränke. Ich war hingerissen von der Ausstattung.
»Wir befinden uns im westlichen Eckturm«, erklärte Jessamy.
Ich trat ans Fenster und blickte auf Rasenflächen, grasbewachsene Hügel und entfernte Wälder.
»Meins ... unseres liegt gleich da drüben auf dem Flur.«
Ich sagte spontan: »Darf ich euer Zimmer sehen?« und wünschte augenblicklich, ich hätte es nicht gesagt. Ich wollte ihr Zimmer nicht sehen, wollte nicht an die beiden denken.
»Aber sicher. Komm und schau's dir an.« Ich folgte ihr drei Stufen hinunter auf einen Flur. Sie stieß eine Tür auf. Es war ein geräumiges, hohes Zimmer mit einem großen, mit feinen Seidengardinen versehenen Bett, einer Frisierkommode, Stühlen und zwei großen Wandtischen sowie einem Alkoven, der dem meinen ähnelte.
Im Geiste sah ich die beiden hier zusammen vor mir, aber ich mußte dieses Bild verdrängen. Es machte mich unglücklich.
Ich wandte mich ab und ging in mein Zimmer zurück.
»Wo wohnen die anderen?« fragte ich.
»David und Emerald wohnen im Ostflügel. Wir sehen sie bei den Mahlzeiten.«
»Und der Großvater?«

»Er bewohnt eine eigene Zimmerflucht, die er nur selten verläßt. Du, Anabel, ich muß dich auf etwas aufmerksam machen.«
»Ja?«
»Es handelt sich um Emerald. Sie ist gebrechlich. Sie hat eine Gesellschafterin.«
»Oh, als Invalidin hatte ich sie mir nicht vorgestellt.«
»Sie hatte vor ein paar Jahren einen Reitunfall, und nun sitzt sie die meiste Zeit in einem Sessel. Elizabeth ist ihr sehr zugetan.«
»Elizabeth?«
»Elizabeth Larkham. Sie ist fast so was wie eine Freundin. Sie ist Witwe und hat einen Sohn... Garth. Er ist im Internat. In den Ferien kommt er hierher, damit er bei seiner Mutter sein kann. Weißt du ... sie gehört beinahe zur Familie. Beim Abendessen wirst du alle kennenlernen.«
»Und ... dein Mann?«
»Er wird auch dasein, denke ich.«
Es klopfte an der Tür. »Oh, das ist dein Gepäck. Möchtest du dich waschen? Man wird dir heißes Wasser bringen. Und vielleicht möchtest du dich ein bißchen ausruhen? Wir essen im kleinen Speisezimmer. Ich führe dich hin, wenn du fertig bist. Man verirrt sich anfangs leicht in diesem Schloß. Jedenfalls ist es mir so ergangen.«
Mein Gepäck wurde hereingetragen, und ein Mädchen brachte warmes Wasser.
Ich nahm ein Kleid heraus – ein blaues mit enganliegendem Mieder und ziemlich weitem Rock –, eines der vielen umgeänderten, aus denen meine ganze Garderobe bestand; es war eine recht umfangreiche Garderobe, doch das einzige Stück, das eigens für mich angefertigt wurde, war das Brautjungfernkleid aus blauem Seidenchiffon.
Ich wusch mich und legte mich eine Weile auf mein Bett.
Wie seltsam war dies doch alles, sinnierte ich, und wie rasch ist alles gegangen. Letztes Jahr um diese Zeit hatten wir noch nie

etwas von dem Namen Mateland gehört, und jetzt waren wir hier.
Während ich auf meinem Bett lag, überlegte ich hin und her, wie das Zusammentreffen mit Jessamys Mann ausfallen würde. Ich war ihm ja nur zweimal begegnet, einmal, als ich in der Kirche die Blumen arrangierte, und dann bei der Hochzeit; und doch konnte ich mich an jede Einzelheit seines Gesichtes erinnern. Ich wußte noch genau, wie er mich angeschaut hatte, fragend und eindringlich, als übte ich dieselbe Wirkung auf ihn aus wie er auf mich.
Mein Verlangen, ihn wiederzusehen, wurde nahezu unerträglich, dennoch vernahm ich gleichzeitig eine warnende innere Stimme.
Du hättest nicht herkommen dürfen, sagte sie.
Aber ich mußte doch Jessamys Einladung in ihr neues Heim annehmen. Nicht einmal Tante Amy Jane war dagegen gewesen.
Es klopfte an der Tür.
»Bist du fertig?« fragte Jessamy beim Eintreten. »Du siehst reizend aus.«
»Erkennst du es wieder?«
»Ja, aber ich habe damit nicht so gut ausgesehen.«
»Aber jetzt würde es dir stehen. Du bist so hübsch geworden. Die Ehe bekommt dir gut, Jessamy.«
»Ja«, sagte sie. »Das glaube ich auch.«
Sie schob ihren Arm durch den meinen.
»Morgen führe ich dich herum und zeige dir das Schloß.«
»Wie ein Monarch, der sein Reich inspiziert.«
»O nein. Das kommt mir nicht zu. Großvater Egmont ist der Schloßherr ... und nach ihm David. Dann Esmond. Sie sind die Monarchen. Wir stehen am Rand. Du mußt bedenken, Joel ist der jüngere Sohn.«
»Ich glaube, dem alten Schloß gehört eure ganze Liebe.«
»Und ob, Anabel. Vielleicht empfindest du es nicht so ... weil du

keine Mateland bist. Einst haben sie um das Schloß gekämpft ... haben ihr Leben dafür hingegeben.«
»Davon bin ich überzeugt. Und jetzt bist du eine von ihnen, liebe Cousine. – Gott, ist das ein weitläufiges Haus.«
»Ich sagte dir doch, das Schloß ist sehr groß.«
»Auf die Besichtigung freue ich mich richtig.«
»Es ist zum Teil recht schauerlich. Es gibt Verliese und so.«
»Mein liebe Jessamy, ich wäre schrecklich enttäuscht, wenn es hier keine Verliese gäbe.«
Wir waren zu einer von einem steinernen Spitzbogen umrahmten Tür gekommen, hinter der ich Stimmen vernahm. Jessamy drückte die Klinke und trat in ein Zimmer. Ich folgte ihr.
Es war kein großer Raum. Ein Feuer im Kamin verbreitete eine anheimelnde Atmosphäre. Ich sah mehrere Leute, und als wir eintraten, erhob sich ein Mann und kam auf uns zu.
Er sah nicht ganz so aus wie Joel, der meine Gedanken beherrschte, seit ich ihm begegnet war, und doch war eine Ähnlichkeit vorhanden, so daß ich sogleich wußte, daß dies David war, der ältere Bruder und Erbe des Schlosses. Er hatte dunkles Haar und leuchtende braune Augen. Er ergriff meine Hände und drückte sie fest. »Willkommen auf Mateland«, begrüßte er mich. »Ich wußte gleich, wer Sie sind. Miss Anabel Campion. Jessamy hat von Ihnen erzählt.«
»Und Sie sind gewiß ...«
»David Mateland. Ich habe die Ehre, der Schwager Ihrer Cousine zu sein.«
Er hatte seinen Arm durch den meinen geschoben. Seine Hände waren warm, beinahe liebkosend.
»Hier ist sie, meine Liebe«, sagte er. »Jessamys Cousine Anabel. Wir dürfen Sie doch Anabel nennen? Sie gehören doch jetzt zur Familie.«
Das also war Emerald. Sie war alles andere als ein kostbarer Edelstein, obwohl ihr Name von *emerald*, dem englischen Namen für Smaragd, abgeleitet war. Sie war bleich und hatte

sandfarbenes Haar. Ihre hellblauen Augen lagen in tiefen Höhlen, und ich fragte mich, ob sie viele Schmerzen litt. Ihre Beine waren in eine blaue Wolldecke gehüllt, und die dünnen, blaugeäderten Hände ruhten schlaff in ihrem Schoß.
Sie lächelte mich an. Es war ein gütiges Lächeln.
»Wir freuen uns, Sie bei uns im Schloß zu haben«, sagte sie. »Wie schön für Jessamy. Elizabeth, meine Liebe, komm und begrüße Anabel.«
Eine große, noch ziemlich junge Frau war ins Zimmer getreten. Ich schätzte sie auf Ende Zwanzig. Sie war schlank; ihr glattes dunkles Haar trug sie in der Mitte gescheitelt und im Nacken zu einem Knoten zusammengefaßt. Sie hatte große, schläfrig wirkende Augen und volle rote Lippen, die nicht recht zu dem übrigen Gesicht paßten. Die ziemlich schmale Nase verlieh ihr ein etwas herbes Aussehen. Im ganzen war es aber ein interessantes Gesicht.
Sie streckte ihre Hand aus und umfaßte die meine mit festem Griff.
»Wir haben durch Jessamy schon so viel von Ihnen gehört«, sagte sie. »Sie wollte unbedingt, daß Sie für eine Weile herkommen.«
»Wir waren schon immer gute Freundinnen«, erwiderte ich.
Sie betrachtete mich mit abschätzigem Blick, und ich glaubte, in den schläfrigen Augen ein hintergründiges Glitzern wahrzunehmen.
»Wo ist Joel?« fragte David. »Kommt er noch?«
»Er weiß, daß ich heute nach Hause kommen wollte«, sagte Jessamy. »Ich bin sicher, er wird bald hiersein.«
»Das will ich hoffen«, meinte David. »Er ist noch nicht lange genug verheiratet, um einfach wegzubleiben. Laßt uns etwas trinken, während wir warten. Vielleicht möchte Miss Anabel unseren Mateland Cup kosten. Das ist ein ganz besonderes Gebräu, wie Sie gleich feststellen werden, Miss Anabel.«
»Danke«, sagte ich. »Ich probiere es gern.«

»Trinke nicht zuviel davon«, warnte Jessamy. »Es ist sehr stark.«
»Du hättest sie nicht warnen sollen«, sagte David. »Ich hatte gehofft, daß vielleicht damit die Zurückhaltung schwinden und die wahre Miss Anabel hervortreten würde.«
»Ich kann Ihnen versichern, daß ich jetzt so bin, wie ich immer bin«, sagte ich. »Es gibt keine andere, die zum Vorschein kommen könnte.«
Er trat neben mich. Sein Blick ruhte auf mir, und ich hatte ein recht unbehagliches Gefühl dabei. »So?« meinte er. »Ich habe gleich gemerkt, daß Sie eine sehr ungewöhnliche Dame sind.«
Elizabeth Larkham brachte mir den Mateland Cup in einem Zinnbecher.
»Es wird Ihnen bestimmt schmecken«, meinte sie. »David braut es eigenhändig. Da läßt er niemand anderen heran.«
»Nur ich besitze die Zauberformel«, sagte er, indem er mir in die Augen blickte.
»Ich will es gern probieren«, erwiderte ich und setzte den Becher an meine Lippen.
»Jetzt bin ich gespannt, was Sie dazu sagen«, erklärte er.
»Es ist gut ... sehr gut sogar.«
»Dann trinken Sie aus, und nehmen Sie noch einen.«
»Ich bin gewarnt worden«, erinnerte ich ihn.
Er zog eine Grimasse, und Jessamy trat zu mir. »Ich trinke nie viel davon«, sagte sie.
»Dann will ich's auch nicht tun.«
Sie lächelte mich ein wenig besorgt an. Liebe Jessamy, dachte ich. Sie verdient von allem das Beste. Ein Schloß, einen Gatten, den sie liebt und von dem sie geliebt wird. Man muß Jessamy einfach gern haben.
Als wir uns zum Essen niedersetzen wollten, kam Joel.
Er ergriff meine Hand, und eine kribbelnde Erregung durchlief mich. Es schien, wir sahen einander länger an, als es die Sitte unter diesen Umständen erlaubte, aber vielleicht bildete ich mir das auch nur ein.

»Ich freue mich, daß Sie gekommen sind«, sagte er.
»Danke. Und ich freue mich, daß ich hier bin.«
Wir setzten uns zu Tisch. Mein Platz war neben Joel, und ich war kaum je in meinem Leben so aufgeregt gewesen.
»Ich hoffe, es gab keine Komplikationen«, meinte er.
Ich war einen Augenblick lang verwirrt, und er fuhr fort:
»Der Sturz. Ihr Knöchel ... Ihr Handgelenk ...«
»O nein. Überhaupt keine.« Und dann dachte ich: Das ist nicht wahr. Es gab Komplikationen, aber die sind von der Art, daß man nicht davon sprechen kann. Denn seither ist nichts mehr so, wie es früher war.
Er sagte zu den anderen: »Als ich Miss Campion zum erstenmal sah, lag sie auf den Altarstufen.«
»Das hat gewiß etwas zu bedeuten«, meinte David.
»Ich war von Rosen umgeben.«
»Als Opferlamm?«
»Kaum. Ich hatte eine große Kittelschürze an und wollte eigentlich den Altar schmücken.«
»Aha, in der Ausübung guter Werke.«
»Für Jessamys Hochzeit«, ergänzte ich.
»Die Blumen waren zauberhaft«, rief Jessamy aus. »Nie werde ich diesen Rosenduft vergessen.«
»Ich bin sicher, sie waren äußerst kunstvoll arrangiert«, lächelte David.
»O ja, aber nicht von mir. Ich bin für dergleichen überhaupt nicht begabt.«
»Aber Sie verstehen sich bestens darauf, Altarstufen hinunterzufallen, da Sie dieses Mißgeschick ohne Schaden an Knöchel oder Handgelenk überstanden haben.«
David Mateland war mir ein Rätsel. Sein offenkundiges Interesse an meiner Person war mir unbehaglich. Er war durchaus freundlich, aber gleichzeitig spürte ich einen leisen Spott.
»Ich hoffe, Sie werden sich hier im Schloß wohl fühlen«, sagte Emerald.

»Das nehme ich doch an«, erwiderte Jessamy an meiner Stelle.
»Es ist ein wenig zugig«, bemerkte Emerald. »Aber in dieser Jahreszeit ist das nicht unangenehm.«
»Es heißt, daß man im Winter, wenn der Wind von Osten weht, mit einem Schlachtschiff durch die Korridore segeln könnte«, fügte David hinzu.
»So schlimm ist es nun auch wieder nicht«, wandte sich Joel an mich, indem er seine Hand leicht auf meinen Arm legte. »Und außerdem haben wir noch nicht Winter.«
»Ich erinnere mich, als ich das erstemal hierher kam, war es recht unwirtlich«, sagte Emerald. »Ich bin aus Cornwall, wo das Klima milder ist.«
»Aber auch feuchter«, ergänzte Elizabeth Larkham. »Mir ist es hier lieber.«
»Oh, Elizabeth liebt diesen Ort und alles, was damit zusammenhängt.«
»Für mich ist es ein reines Glück, daß ich hier bin«, sagte Elizabeth zu mir. »Emerald ist so gut zu mir. Außerdem, es ist eine große Erleichterung, daß ich meinen Sohn während der Schulferien hier bei mir haben kann.«
»Liebe Elizabeth«, murmelte Emerald.
Die Unterhaltung verlief während der Mahlzeit in dieser Art weiter. Ich verspürte eine gewisse Spannung im Raum. Die Umgebung war so fremd für mich. In einem Zimmer mit Wandteppichen und mit einer Rüstung in der Ecke zu speisen, mit lauter Fremden – abgesehen von Jessamy – in einem mittelalterlichen Schloß zu weilen – das war weiß Gott neu für mich. Aber was noch viel interessanter war: daß das Leben dieser Menschen hier viel komplizierter war, als es den Anschein hatte. Da war Emerald in ihrem Sessel, beflissen umsorgt von Elizabeth Larkham mit ihren katzenhaften Bewegungen und diesen merkwürdigen Augen, die so schläfrig schienen und doch alles aufnahmen, was um sie herum vorging. Und dann David. Es war leicht zu durchschauen, daß er Damengesellschaft liebte. Doch

seine Blicke waren allzu kühn, als daß ich mich dabei hätte wohl fühlen können. Sein Mund hatte einen leicht grausamen Zug, der auch in seinen Reden zum Ausdruck kam. In seinen Worten schwang immer ein wenig Sarkasmus mit, und ich konnte mir vorstellen, daß es ihm ein gewisses Vergnügen bereitete, verletzende Dinge zu sagen. Vielleicht war es falsch, ein vorschnelles Urteil zu fällen, aber das war nun mal meine Art. Wie oft hatte ich meine Einschätzung schon berichtigen müssen! David hatte eine invalide Frau, und das war für einen Mann mit seinem – wie ich mir denken konnte – sinnlichen Naturell gewiß eine harte Prüfung. Doch die erste Stelle in meinem Denken nahm Joel ein. Joel war mir ein Rätsel. Er war schwer zu durchschauen. Er schien sich von den anderen abzusondern. Er war Arzt, und es war kaum angebracht, daß ein Arzt in einem solchen Haus seinem Beruf nachging. Er hatte seine Praxis in der Stadt, die etwa drei Kilometer vom Schloß entfernt lag. Jessamy hatte erzählt, daß er in seiner Arbeit aufging und daß er manchmal über Nacht in der Stadt blieb. Ich konnte nicht ganz verstehen, warum er Jessamy geheiratet hatte.
Schon wieder zog ich voreilige Schlüsse. Wer kann schon wissen, was die Menschen zueinander hinzieht? Daß Jessamy ihn vergötterte, war unverkennbar, und die meisten Männer genießen es, vergöttert zu werden. Auch ich gehörte zu seinen Anbeterinnen. Wenn er zugegen war, galt meine ganze Aufmerksamkeit nur ihm. Ich verpaßte kein Wort, das er an mich richtete, und ich spürte jeden Blick, den er mir zuwandte, und ich glaube nicht, daß es lediglich Einbildung war, daß er dies ziemlich häufig tat.
Er erregte mich. Ich wollte in seiner Nähe sein. Ich wollte seine Aufmerksamkeit auf mich lenken, mit ihm reden, alles über ihn erfahren. Ich wollte wissen, was es bedeutete, in einem Schloß geboren zu sein, an einem solchen Ort zu leben, mit Bruder David aufgewachsen zu sein. Ich war wie von ihm besessen.
Den Kaffee nahmen wir in einem kleinen Salon ein. Es wurde

sehr viel geredet. Morgen sollte ich Großvater Egmont vorgestellt werden und den kleinen Esmond kennenlernen. Er war vier Jahre alt, und ich erfuhr, daß er ein Jahr vor Emeralds Unfall geboren wurde.
Um zehn Uhr meinte Jessamy, sie wolle mich in mein Zimmer bringen. Sie sei müde von der Reise, und mir ergehe es gewiß ebenso. Morgen wolle sie mir das Schloß zeigen.
Ich wünschte gute Nacht, und Jessamy begleitete mich mit einer Kerze in einem Messingleuchter die Treppe hinauf.
Mir war etwas unheimlich zumute, wie ich hinter Jessamy die Treppe hinaufstieg. Wir gingen die Galerie entlang. Die Bilder sahen im Kerzenschein anders aus; man hätte meinen können, es seien lebendige Menschen, die auf uns herabblickten.
»Wir können unmöglich Gaslicht im Schloß haben«, meinte Jessamy. »Das wäre ziemlich unpassend, nicht wahr?«
Ich stimmte ihr zu.
»Zu manchen Gelegenheiten stellen wir in der großen Halle Fackeln auf. Ich kann dir sagen, das wirkt fabelhaft.«
»Das kann ich mir denken, Jessamy, du liebst euer Schloß, nicht wahr?«
»Ja. Würdest du es nicht auch lieben?«
»Ich glaube schon«, erwiderte ich.
Wir waren in dem Turmzimmer angelangt, und Jessamy zündete auf der Frisierkommode zwei Kerzen an.
Ich wollte nicht, daß sie schon ging. Mir war, als würde ich in dieser Nacht nicht gut schlafen.
»Jessamy«, sagte ich, »lebst du gern hier mit all den Leuten?«
Sie riß die Augen weit auf. »Aber natürlich. Joel ist doch hier.«
»Aber es ist eigentlich nicht wie in einem eigenen Heim, nicht wahr? Da sind David und Emerald ... eine eigene Familie. Du weißt, was ich meine.«
»Familien wie diese haben immer zusammengelebt. In alten Zeiten waren es noch viel mehr Personen. Wenn Esmond her-

anwächst und heiratet, wird er mit seiner Familie ebenfalls hier leben.«
»Und eure Kinder vermutlich auch.«
»Natürlich. Das ist Tradition.«
»Und du verstehst dich gut mit David und Emerald?«
Sie zögerte einen Augenblick. »Ja … ja … natürlich. Warum auch nicht?«
»Das beteuerst du mir zu stark. Warum nicht? fragst du. Ich denke, es gibt genug Gründe für Unstimmigkeiten. Die Menschen müssen nicht unbedingt gut miteinander auskommen, nur weil sie gezwungen sind, zusammenzuleben. Es ist sogar eher wahrscheinlich, daß sie sich nicht vertragen.«
»O Anabel, das sieht dir ähnlich. Ich kann nicht sagen, daß ich Emerald ausgesprochen gern hätte. Sie ist ziemlich zerstreut und in sich gekehrt. Das liegt an ihrem Zustand. Es ist schrecklich. Früher war sie immer geritten. Diese Unbeweglichkeit muß sich ja schließlich auf ihr Gemüt legen, nicht wahr? Und David – nun, ihn verstehe ich überhaupt nicht. Der ist mir zu raffiniert. Er sagt so spitze Sachen … manchmal …«
»Spitze Sachen?«
»Verletzende Sachen. Er und Joel kommen nicht gut miteinander aus. Brüder müssen sich nicht immer gut verstehen, oder? Manchmal glaube ich, David ist eifersüchtig auf Joel.«
»Eifersüchtig? Warum? Hat er Absichten auf dich?«
»Natürlich nicht. Aber da ist etwas … Und dann … Elizabeth.«
»Sie scheint eine sehr verschlossene junge Dame zu sein.«
»Sie ist wunderbar zu Emerald. Ich glaube, David ist ihr sehr dankbar für das, was sie für Emerald tut. Und sie ist natürlich froh, daß sie hier ist. Sie ist schließlich Witwe und hat einen Sohn. Er ist ungefähr acht … etwa vier Jahre älter als Esmond und im Internat, und wenn er in den Ferien herkommen darf, ist sie so dankbar. Das befreit sie von einem großen Problem. Anabel, du magst Joel doch, oder?«
»Ja«, sagte ich ruhig, »ich mag ihn. Ich mag ihn sehr.«

Sie legte ihren Arm um mich.
»Darüber bin ich froh, Anabel«, sagte sie, »sehr froh.«

Am nächsten Morgen machte Jessamy mit mir einen Rundgang durch das Schloß. Joel sei schon in die Stadt gegangen, erklärte sie mir.
Ich war von allem, was ich sah, bezaubert.
Sie schlug vor, ganz unten zu beginnen. Wir stiegen eine steinerne Wendeltreppe hinab. Man mußte sich an einem Seil festhalten, da die Stufen nicht sehr breit waren und sich auf einer Seite zu schmalen Stegen verengten.
Die Verliese mit ihren kleinen, stickigen Zellen, von denen viele nicht einmal ein winziges Gitterfenster hatten, flößten mir Angst ein.
Jessamy sagte: »Ich finde es gräßlich hier unten. Hierher kommt nie jemand ... außer wenn wir Gäste herumführen. Früher hatte jedes Schloß seine Verliese. Es gab einmal einen Mateland, zu König Stephans Zeiten, glaube ich, als sich das Land im Aufruhr befand, der hatte Reisenden aufgelauert und sie hier festgehalten, um Lösegeld zu erpressen. Sein Sohn war noch schlimmer. Der hat sie sogar gefoltert.«
Ich schauderte. »Laß uns weitergehen und den Rest besichtigen«, schlug ich vor.
»Du hast recht. Es ist grauenvoll hier unten ... ich finde, was hier geschah, sollte man vergessen.«
Wir stiegen, wiederum mit Hilfe eines Halteseils, eine andere Treppe hinauf und gelangten in eine steinerne Halle.
»Hier befinden wir uns genau unter der großen Eingangshalle«, erklärte Jessamy. »Wenn du dort die Treppe hinaufgehst, kommst du in einen schmalen Durchgang, und dann stehst du vor der Tür, die in die Haupthalle führt. Dies hier ist eine Art Krypta. Wenn jemand stirbt, wird die Leiche für eine Weile hier aufgebahrt.«
»Es riecht nach Tod«, sagte ich.

Sie nickte. »Sieh dir das Kreuzgewölbe aus hartem Kalkstein an. Und fühl nur mal diese massiven Säulen.«
»Sehr beeindruckend«, sagte ich. »Dies ist sicher der älteste Teil des Schlosses.«
»Ja, es gehört zum ursprünglichen Bau.«
»Das Leben muß damals sehr hart gewesen sein.«
Die Verliese gingen mir nicht aus dem Sinn. Sie würden mich noch verfolgen, wenn ich wieder in meinem luxuriösen Zimmer war.
Wir kehrten in die Halle zurück, wo Jessamy mich auf die kunstvollen Steinmetzarbeiten und die wahrhaft edlen Hölzer an der gewölbten Decke hinwies. Sie zeigte mir die erlesene Faltenfüllung, die angebracht worden war, als Königin Elisabeth das Schloß besuchte, und die Schnitzereien am Fuß des Musikantenpodiums, die Szenen aus der Bibel darstellten. Dann begaben wir uns zu der langen Galerie, wo ich Portraits einstiger und heutiger Matelands betrachtete. Es war interessant, Großvater Mateland dort zu sehen und einen Eindruck von dem Mann zu bekommen, den ich bald kennenlernen sollte. Er hatte große Ähnlichkeit mit David, dieselben dichten Brauen und die durchdringenden Augen. Von Joel und David hingen ebenfalls Bilder dort.
»Der kleine Junge ist wohl noch nicht gemalt worden«, bemerkte ich.
»Nein, sie werden nicht eher gemalt, als bis sie einundzwanzig geworden sind.«
»Wie aufregend, auf all deine Vorfahren zurückzublicken. O Jessamy, vielleicht werden deine Nachkommen dies alles eines Tages erben.«
»Das ist kaum wahrscheinlich«, sagte sie. »Erst müßte ich einmal ein Kind haben … und dann gibt es noch Esmond. Seine Kinder werden die Erben sein. David ist der ältere.«
»Angenommen, Esmond würde sterben … oder er bliebe unverheiratet … und deshalb gäbe es keine rechtmäßigen Erben.«

»Oh, sprich nicht davon, daß Esmond stirbt! Er ist so ein niedlicher kleiner Junge.«
Sie schien es auf einmal sehr eilig zu haben, von der Bildergalerie fortzukommen.
Wir besichtigten die übrigen Räume, den Salon, das Speisezimmer, wo wir am Abend zuvor gegessen hatten, die Bibliothek, die Waffenkammer – eine solche Gewehrsammlung hatte ich noch nie gesehen –, das Elisabethzimmer, das Adelaidezimmer – beide Königinnen hatten das Schloß mit ihrer Gegenwart beehrt – und die vielen Schlafgemächer. Ich wunderte mich, wie jemand den Weg durch das Schloß finden konnte, ohne sich zu verirren.
Schließlich kamen wir zur Kinderstube, und dort machte ich Esmonds Bekanntschaft. Er war, wie Jessamy gesagt hatte, ein hübscher kleiner Knabe. Er saß mit Elizabeth Larkham auf einer Bank vor einem Fenster; Elizabeth las ihm vor.
Er stand auf, als wir eintraten. Er kam auf uns zu, und Jessamy sagte: »Das ist Esmond. Esmond, das ist Miss Campion.«
Er ergriff meine Hand und küßte sie. Es war eine reizende Geste, und ich fand ihn sehr hübsch mit seinem dunklen Haar und den schönen braunen Augen ... unverkennbar ein Mateland.
»Du bist Jessamys Cousine«, stellte er fest.
Ich bejahte und erklärte, daß ich mir das Schloß anschaute.
»Ich weiß«, sagte er.
Elizabeth legte ihm eine Hand auf die Schulter. »Esmond hat ständig nach Ihnen gefragt«, sagte sie.
»Das ist aber nett von dir«, wandte ich mich an den Jungen.
»Kannst du lesen?« fragte er. »Dies ist die Geschichte von den drei Bären.«
»Ich glaube, die kenne ich«, sagte ich. »›Wer hat auf meinem Stuhl gesessen?‹ ›Wer hat von meinem Mus gegessen?‹«
»Es war kein Mus. Es war Brei«, berichtigte er mich ernsthaft.
»Ich nehme an, das wechselt mit den Jahren«, erwiderte ich. »Mus oder Brei, was macht das schon?«

»Das macht sehr viel«, beharrte er. »Mus ist kein Brei.«
»Esmond ist ein Kleinkrämer«, sagte Elizabeth.
»Wieso bin ich ein Krämer?« fragte Esmond. »Was ist ein Krämer?«
Elizabeth sagte: »Das erkläre ich dir ein andermal. Ich wollte gerade mit ihm hinausgehen«, wandte sie sich an uns. »Es ist Zeit für seinen Morgenspaziergang.«
»Noch nicht«, sagte Esmond.
Sie nahm ihn fest bei der Hand.
»Du hast später noch Zeit genug, um dich mit Miss Campion zu unterhalten«, sagte sie.
»Und wir setzen jetzt unseren Rundgang fort«, meinte Jessamy.
»Es ist phantastisch hier, nicht wahr?« Elizabeth blickte mir ins Gesicht, und wieder hatte ich das Gefühl, daß etwas Abschätzendes in ihrem Blick lag.
Ich stimmte ihr zu.
»Wir gehen zu den Zinnen hinauf«, verkündete Jessamy. »Ich möchte ihr den Wandelgang zeigen.«
»Wir sehen uns später«, sagte ich zu Esmond. Er nickte und meinte bekümmert: »Es war bestimmt kein Mus.«
Jessamy und ich stiegen erneut eine von diesen beschwerlichen Wendeltreppen hinauf, und dann befanden wir uns bei den Zinnen.
»Esmond ist ein sehr ernsthaftes Kind«, sagte Jessamy. »Er müßte mehr mit anderen Jungen in seinem Alter zusammensein. Nur wenn Garth und Malcolm hier sind, bekommt er andere Jungen zu sehen. Und die sind beide älter als er.«
»Von Garth habe ich gehört«, sagte ich. »Aber wer ist Malcolm?«
»Er ist eine Art Vetter. Sein Großvater war Egmonts jüngerer Bruder. Ich habe einmal gehört, daß es vor Zeiten einen Streit zwischen Egmont und seinem Bruder gegeben hatte. Egmont hat dann eingelenkt, und Malcolm kommt nun regelmäßig zu Besuch. Ich glaube, Egmont sieht in ihm einen möglichen, wenn auch nicht wahrscheinlichen Erben des Schlosses. Falls

Esmond stürbe und Joel und ich keine Kinder hätten, wäre Malcolm wohl der nächste in der Reihe. Malcolm ist ungefähr so alt wie Garth ... manchmal sind sie beide zusammen hier. Das ist gut für Esmond. Elizabeth ist natürlich in ihn vernarrt, und ich glaube, sie ist ein bißchen eifersüchtig, wenn er sich jemand anders zuwendet.«
»Auf mich braucht sie nicht eifersüchtig zu sein. Ich bin nur ein vorüberziehender Gast.«
»Sag das nicht, Anabel. Ich möchte, daß du oft herkommst. Du weißt ja nicht, wie sehr deine Gegenwart mich aufheitert.«
»Dich aufheitert! Als ob du das nötig hättest.«
»Ich meine, deine Gegenwart hilft mir sehr.«
Ihre Worte ließen mich aufhorchen. Offensichtlich standen die Dinge auf dem Schloß nicht so, wie sie schienen. Jessamy war nicht vollkommen glücklich. Ich war sicher, daß es etwas mit Joel zu tun hatte.

Drei Tage war ich nun schon im Schloß. Ich hatte die Bekanntschaft von Egmont gemacht, einem recht grimmig dreinschauenden alten Herrn mit den buschigen, bei ihm allerdings ergrauten Augenbrauen der Matelands. Er war sehr leutselig zu mir.
»Er hat dich ins Herz geschlossen«, stellte Jessamy fest.
Sie erzählte mir, er stehe in dem Ruf, in seiner Jugend ein Schürzenjäger gewesen zu sein und überall in der Umgebung Maitressen gehabt zu haben. Im ganzen Bezirk wimmelte es geradezu von Matelands.
»Ich glaube, er hat nie versucht, seine Vaterschaft zu leugnen«, sagte Jessamy. »Er war stolz auf seine Männlichkeit und hat sich stets um seine Abkömmlinge gekümmert.«
»Und was sagte seine Frau zu all diesen Bastarden?«
»Sie hat sie still geduldet. Was hätte sie auch sonst tun können? Damals war dergleichen ja noch viel selbstverständlicher als heute, da die Königin mit so gutem Beispiel vorangeht.«
»Sie erhebt die Tugend zur Mode«, bemerkte ich, »aber das

bedeutet manchmal, die Unmoral zu verschleiern, statt sie zu unterdrücken.«
Jessamy runzelte die Stirn, und ich fragte mich, was sie wohl dachte. Ich bekam allmählich ein gutes Gespür für ihre Stimmungen. Zum erstenmal in ihrem Leben verbarg Jessamy etwas vor mir. Irgend etwas stimmte nicht. Doch sosehr ich mich auch bemühte, ich konnte sie nicht dazu bewegen, mir ihre Probleme anzuvertrauen, und je länger ich mich im Schloß aufhielt, um so fester war ich überzeugt, daß es dort Geheimnisse gab.
Joel sah ich häufig, aber nie allein. Manchmal hatte ich den Eindruck, daß wir uns beide aus dem Weg gingen. Doch eines Tages trafen wir zufällig zusammen.
Ich war einige Male ausgeritten. Jessamy ritt sehr viel. Das hatte sie in Seton schon getan, und Tante Amy Jane hatte widerwillig erlaubt, daß ich zusammen mit Jessamy Reitunterricht nahm. Ich war immer gern geritten, und zu den glücklichsten Tagen meiner Kindheit zählten diejenigen, an denen ich, in Jessamys umgeänderten Reitkleidern, über die Felder preschte oder die Wege entlangtrabte. Damals hatte ich nichts Aufregenderes gekannt, als vom Wind zerzaust auf einem Pferd übers Land zu galoppieren.
Es machte Spaß, auf Mateland zu reiten, wo selbstverständlich in einem großen Reitstall mehrere Pferde zur Verfügung standen. Wir suchten das richtige Tier für mich aus, und Jessamy und ich ritten täglich.
Einmal trafen wir unterwegs David. Er befand sich auf seiner Runde durch die Matelandschen Güter, die er verwaltete, und als er uns sah, gesellte er sich zu uns.
Er plauderte liebenswürdig und erkundigte sich, was ich von dem Reitstall auf Mateland hielt und von dem Pferd, das wir für mich ausgesucht hatten, ob ich eine erfahrene Reiterin sei und so weiter.
Jessamy verlangsamte ihr Tempo, um mit einer Frau vor einer

der Hütten zu plaudern. Ich bemerkte ein seltsames Lächeln auf Davids Lippen. Er ließ sein Pferd schneller gehen, und ich tat es ihm nach. Er bog in einen Feldweg ein, und da wurde mir klar, daß er versuchte, Jessamy abzuschütteln.
Ich fragte: »Weiß sie, daß wir diesen Weg nehmen?«
»Sie wird es schon merken.«
»Aber ...«
»Ach, kommen Sie, Anabel. Nie habe ich eine Chance, mit Ihnen zu sprechen.«
In seiner Stimme schwang ein Ton mit, der mich auf der Hut sein ließ.
»Wir werden Jessamy verlieren«, wandte ich ein.
»Vielleicht ist es Absicht.«
»Meine nicht«, gab ich ihm zu verstehen.
»Anabel, Sie sind eine sehr attraktive junge Dame, das wissen Sie selbst. Und Sie sind nicht so spröde, wie Sie mich glauben machen wollen. Sie haben uns alle behext.«
»Sie alle?«
»Meinen Vater, mich und meinen jungvermählten Bruder.«
»Es schmeichelt mir, daß ich einen solchen Eindruck auf Ihre Familie mache.«
»Anabel, Sie würden überall Eindruck machen. Sie haben mehr als nur Schönheit. Wußten Sie das?«
»Nein, aber es interessiert mich, eine Aufzählung meiner Vorzüge zu hören.«
»Sie sind so vital ... so empfänglich ...«
»Empfänglich wofür?«
»Für das, was Sie in Männern erwecken.«
»Hier bekomme ich eine ganze Menge beigebracht, aber jetzt muß ich darauf bestehen, daß die erste Lektion hiermit beendet ist und daß die erste Lektion die letzte bleibt.«
»Ich finde Sie sehr amüsant.«
»Sonst noch ein Talent? Sie machen mich ganz eingebildet.«
»Ich sage Ihnen nichts, was Sie nicht schon wissen. Seit Sie ins

Schloß gekommen sind, denke ich immerzu an Sie. Haben Sie auch an mich gedacht?«

»Ich denke natürlich an die Menschen, in deren Gesellschaft ich mich befinde. Jetzt aber denke ich, daß wir uns wieder zu Jessamy begeben sollten.«

»Erlauben Sie mir, Sie auf den Gütern herumzuführen. Es gibt eine Menge, das Sie interessieren wird, Anabel ...«

Ich machte kehrt und rief nach Jessamy, die uns bereits suchte.

»Ich habe euch nicht in den Weg einbiegen sehen«, sagte sie vorwurfsvoll.

In meinem Innern war ich sehr aufgewühlt. Es war mir klar, daß ich nicht länger auf dem Schloß bleiben durfte. Dieser Mann war mir unheimlich. Ich wollte fort von ihm.

Lange dachte ich über Davids Worte nach. Die Männer in der Familie waren alle von mir beeindruckt, hatte er gesagt. Ich wußte, daß *er* beeindruckt war. Was versprach er sich von mir? Einen kurzen Flirt, eine flüchtige Affäre? Er war mit einer behinderten Frau verheiratet, und das war gewiß eine harte Prüfung für einen Mann von seinem Naturell. Ich bezweifelte nicht, daß er versuchte, jede Frau, mit der er in Berührung kam, zu verführen, daher sollte ich seine Annäherungsversuche vielleicht nicht allzu wichtig nehmen. Ich mußte ihm nur zeigen, daß es nicht meine Art war, mich auf kurze Liebesabenteuer mit verheirateten Männern einzulassen ... und selbst wenn, daß er mich keineswegs reizte.

Ich saß gern bei Großvater Egmont und plauderte mit ihm. Auch er machte mir Komplimente und gab mir eindeutig zu verstehen, daß er mich für eine anziehende junge Frau hielt. Ich hatte zuvor nicht viel darüber nachgedacht, und es war, als habe ich mich verändert, seit ich über die Schwelle von Schloß Mateland getreten war, als wäre eine Zauberformel über mich gesprochen worden. »Jeder Mann, der dich erblickt, wird dich begehren!« So oder ähnlich. Großvater Egmont deutete mit einem listigen

Augenzwinkern an, daß er, wäre er dreißig Jahre jünger, mir den Hof machen würde. Das amüsierte mich, und ich ging unbeschwert und kokett darauf ein, was ihn entzückte. Mir fiel auf, daß er sich gegenüber Jessamy, Emerald und Elizabeth ganz anders benahm. Tatsächlich schien ich etwas in mir zu haben, das diesen Funken in den Matelands entzündete.

Ich wußte auch, daß Joel für meine Gegenwart empfänglich war, doch er schien mir auszuweichen. Aber eines Tages traf ich beim Ausritt mit ihm zusammen. Jessamy hatte irgendwelche Pflichten zu erledigen und mich gefragt, ob es mir etwas ausmachte, heute allein auszureiten.

Ich verneinte, und als ich durch das große Tor und den Hügel hinab auf den Wald zuritt, gesellte sich Joel zu mir.

»Hallo«, sagte er und tat überrascht. »Reiten Sie heute allein?«

»Ja. Jessamy hat zu tun.«

»Haben Sie ein bestimmtes Ziel?«

»Nein. Ich reite einfach drauflos.«

»Haben Sie etwas dagegen, wenn ich Sie ein Stück begleite?«

»Im Gegenteil«, erwiderte ich.

So ritten wir durch den Wald, und ich spürte dieselbe Erregung wie bei unserer ersten Begegnung in der Kirche und dann bei der Hochzeit. Dieses eigenartige innere Feuer konnte nur er in mir entfachen.

Er fragte, ob ich meinen Besuch genieße, und dann sprach er von der Pfarrei und der Kirche, die ihn so beeindruckt hatte, und ich unterhielt mich prächtig. Ich jubelte innerlich; ich wollte die Minuten einfangen und festhalten, damit sie nicht vorübergingen.

»Es ist nichts Besonderes an mir. Ich vermute, alle Pfarrerstöchter und -frauen führen ein ähnliches Dasein«, plauderte ich. »Ansonsten gibt es immer ein besonders wichtiges Anliegen bei den Pfarreien. Entweder ist es das Dach, der Kirchturm oder der Glockenstuhl ... Wir haben jetzt in England das Jahrhundert der verfallenden Kirchen, was vermutlich ganz natürlich ist, weil

die meisten vor mindestens fünfhundert Jahren erbaut wurden. Sie haben gewiß auch Probleme mit dem Schloß.«
»Ständig«, bestätigte er. »Unser großer Feind, der Totenkäfer, zwingt uns unaufhörlich zum Handeln. Wenn wir glauben, wir hätten ihn vernichtet, dann hören wir ihn an einer anderen Stelle klopfen. Das ist die große Sorge meines Bruders.«
»Und die Ihre ist Ihr Beruf. Gibt es viele Ärzte in Ihrer Familie?«
»Nein. Ich bin der erste. Es gab Streit deswegen, aber ich blieb eisern.«
»Das kann ich mir denken.«
»Oh, Sie haben sich ein Bild von mir gemacht, wie?«
»Ja. Ich halte Sie für einen Mann, der alles erreicht, was er sich in den Kopf gesetzt hat.«
»Ganz so ist es nicht. Es sprach eigentlich nichts dagegen, daß ich Arzt wurde. So etwas war einfach noch nie dagewesen, und wenn Ihnen ein dümmerer Grund einfällt, etwas nicht zu tun, nur weil es das noch nie gegeben hat, so nennen Sie ihn mir bitte.«
»Ich wüßte keinen«, sagte ich. »Sie haben also studiert und Examen gemacht.«
»Ja. Ich war schließlich nicht der Erbe. Die zweiten Söhne haben mehr Freiheiten als die Erstgeborenen. Manchmal ist es nicht übel, der zweite Sohn zu sein.«
»In Ihrem Fall gewiß nicht. Erzählen Sie mir von Ihrem Studium. Sind Sie als Spezialist ausgebildet?«
»Nein ... als praktischer Arzt ...« Er berichtete mir von seiner Ausbildung und wie er schließlich eine Praxis in der Stadt eröffnet hatte. »Es wurde höchste Zeit«, sagte er. »Es gibt zu wenig Ärzte in dieser Gegend. Ich habe viel zu tun, das dürfen Sie mir glauben.« Er wandte mir unvermittelt sein Gesicht zu. »Möchten Sie meine Praxis sehen? Ich zeige sie Ihnen gern. Ich hoffe, daß ich bald in der Lage sein werde, in der Stadt ein Hospital zu bauen, denn das haben wir dringend nötig.«
»Ja«, sagte ich, »gern.«

»Dann kommen Sie mit. Es ist nicht weit.«
Wir waren am Stadtrand angelangt und ritten schweigend weiter. Ich fragte mich, ob er sich oft auch mit Jessamy so unterhielt. Es machte ihm sichtlich Vergnügen, über seine Arbeit zu sprechen.
Mateland war eine kleine Stadt, und als wir durch die Straßen ritten, riefen mehrere Leute Joel einen Gruß zu. Er machte seine Bemerkungen dazu. »Da drüben geht eine Herzerweiterung. Schwieriger Fall. Der Mann traut sich entschieden zuviel zu.«
»Die Nieren«, sagte er über eine magere kleine Frau, die »Guten Morgen, Doktor« rief, als wir vorüberkamen.
Ich lachte. »Für Sie sind das also Herzen und Nieren oder was sonst bei ihnen nicht in Ordnung ist.«
»Das ist schließlich mein Beruf.«
»Wir übrigen sind vermutlich ganze Körper, bis Sie feststellen, daß eines unserer Organe besondere Aufmerksamkeit verdient.«
»Ganz recht.«
Wir waren bei einem dreistöckigen Haus angelangt. Es stand etwas abseits von den anderen Häusern in der Straße. Eine Wagenauffahrt und ein halbkreisförmiger Fußweg mit einem Tor an jedem Ende führten zum Haus. Wir ritten hinein, stiegen ab und banden unsere Pferde an.
Als wir ins Haus traten, kam eine Frau ins Vestibül, die ich sogleich für die Haushälterin hielt.
»Dorothy«, sagte Joel, »das ist Miss Campion, die Cousine meiner Frau.«
Dorothy musterte mich mit abschätzendem Blick.
»Guten Tag, Miss«, sagte sie.
»Irgendwelche Nachrichten?« fragte Joel.
»Jim Talbot war hier. Sie möchten heute nachmittag mal bei seiner Frau hereinschauen. Er sagt, es geht ihr besser, aber sie ist noch nicht wieder ganz auf dem Damm.«
»Ich gehe heute nachmittag zu ihr, Dorothy.« Er wandte sich an

mich. »Möchten Sie Tee oder Kaffee? Ich denke, dazu haben wir noch Zeit, Dorothy, ehe die Sprechstunde beginnt.«
»Ich hätte gern Kaffee«, bat ich, und Dorothy ging hinaus.
Es wurde eine zauberhafte Stunde für mich. Joel erzählte mit glühender Begeisterung von seiner Arbeit, und ich hatte den Eindruck, daß er sich nur mit wenigen Menschen so angeregt unterhalten konnte wie mit mir. Sein Leben verlief so anders als das der übrigen Familie. Er war ein moderner Arzt, und dazu diese mittelalterliche Umgebung!
Während wir Kaffee tranken, erläuterte er mir seine Lage.
»Wäre ich der Ältere«, sagte er, »so wäre mir dies alles nicht möglich gewesen. Es bedeutet mir sehr viel. Ich kann nicht beschreiben, wie aufregend das ist. Man weiß nie, ob man nicht eine entscheidende Entdeckung macht ... ein unbekanntes Symptom, ein Heilmittel ... etwas, das einem einen Hinweis gibt, wie man weitermachen soll. Mein Interesse für die Medizin wurde durch einen alten Arzt geweckt, als ich noch ein kleiner Junge war. Der Arzt kam zum Schloß, um meine Mutter zu behandeln, und ich beobachtete ihn und hörte ihm zu. Mein Vater lachte mich aus, als ich erklärte, ich wolle Arzt werden. ›Warum nicht?‹ fragte ich. ›David wird das Schloß und die Güter verwalten.‹ Es wäre ihnen natürlich lieb gewesen, wenn ich ihn dabei unterstützt hätte. Dabei wäre es gewiß zu Reibungen gekommen. Ich weiß nicht, wer sturer ist, er oder ich. Jeder von uns will seinen eigenen Weg gehen, und wenn zwei Menschen wie wir in verschiedene Richtungen streben, muß einer nachgeben. Warum waren Sie nicht dabei, als Jessamy das erste Mal aufs Schloß kam? Sagten Sie nicht, Sie waren oft auf Seton Manor?«
»Man hat mich nicht gefragt«, sagte ich.
Er blickte mich ganz fest an, und dann äußerte er etwas, das mich gleichzeitig erschreckte und entzückte. Er sagte einfach: »Wie schade!«
Ich hörte mich rasch erwidern: »Nun, jetzt bin ich ja hier.«

Er schwieg einen Augenblick, dann sagte er: »Wir sind eine eigenartige Gesellschaft im Schloß, finden Sie nicht?«
»Wieso?«
»Sind Sie etwa nicht der Meinung?«
»Man ist nie auf Menschen vorbereitet, die man noch nicht kennt.«
»Sie glauben also nicht, daß es mit uns etwas Besonderes auf sich hat?«
»Nein. Außer daß Sie Ihre Vorfahren über Hunderte von Jahren zurückverfolgen können und in einem Schloß leben.«
»Einen großen Teil meiner Zeit verbringe ich hier.« Er zögerte.
»Gefällt es Jessamy hier auch?« fragte ich.
»Sie ... sie ist noch nicht oft hiergewesen. Ich übernachte hier, wenn ich am nächsten Morgen früh auf den Beinen sein muß oder spätabends noch arbeite.«
»Es ist nicht sehr weit bis zum Schloß.«
»Aber manchmal ist es bequemer, hierzubleiben.«
Seltsam, als Jessamy das erwähnte, hatte es ganz anders geklungen.
»Um von der Besonderheit unserer Familie zu reden«, fuhr er fort, »es hat immer Gerüchte über uns gegeben. Es heißt, auf uns lastet ein Fluch, der die Ehefrauen der Matelands betrifft.«
»Oh, was ist das für ein Fluch?«
»Das ist eine lange Geschichte. Kurz gesagt, während des Bürgerkrieges brach ein Zwist zwischen dem Schloß und einigen Stadtbewohnern aus. Sie waren für das Parlament. Die Schloßbewohner waren natürlich strenge Royalisten. Die Armee des Königs war in der Übermacht und überfiel die Stadt; ein Bewohner floh mit seiner jungen schwangeren Frau ins Schloß. Sie baten um Hilfe. Sie wurde ihnen verweigert, und einer meiner Vorfahren drohte, er werde sie den Mannen des Königs ausliefern. Sie gingen fort, und die Frau starb im Straßengraben. Ihr Mann verfluchte daraufhin die Matelands. Sie hätten seine Frau

ermordet, sagte er, und deshalb sollte das Unglück über alle ihre Frauen kommen.«
»Nun, ich nehme an, der Fluch hat sich als unwirksam erwiesen.«
»Dessen bin ich mir nicht so sicher. Das Merkwürdige an diesen Legenden ist, daß sie sich ab und zu bewahrheiten, und dann lebt die Erinnerung an sie um so stärker wieder auf.«
»Und wenn nicht, geraten sie vermutlich in Vergessenheit.«
»Meine Mutter bekam Lungentuberkulose, als ich zehn Jahre alt war«, sagte er. »Sie wissen, Jessamy ist meine zweite Frau. Nie werde ich den Abend vergessen, als Rosalie starb. Sie war meine Frau ... meine erste Frau. Sie war achtzehn. Wir kannten uns seit unserer Kindheit. Sie war zierlich, hübsch und ein wenig frivol. Sie tanzte für ihr Leben gern und war sehr eitel ... auf charmante Art eitel, verstehen Sie?«
»Ja«, sagte ich, »ich verstehe.«
»Auf dem Schloß sollte ein Ball stattfinden. Rosalie schwärmte seit Tagen von ihrem Kleid. Es war über und über mit Rüschen besetzt ... fliederfarben, das weiß ich noch. Sie war begeistert und probierte es am Abend vor dem Ball an. Sie tanzte darin wild im Zimmer herum, geriet zu nahe an die Kerzenflamme; wir versuchten, sie zu retten ... aber es war zu spät.«
»Wie furchtbar. Das tut mir leid.«
»Wir konnten nichts mehr tun«, sagte er ruhig.
Ich berührte seine Hand. »Aber jetzt sind Sie glücklich.«
Er nahm meine Hand und hielt sie fest, erwiderte aber nichts.
»Dann«, fuhr er fort, »geschah ein Reitunfall. Emerald. Meine Mutter ... Rosalie ... Emerald ...«
»Aber jetzt haben Sie Jessamy, und das Glück wird bleiben.«
Er blickte mich unentwegt an und sprach kein Wort. Zwischen uns war etwas geschehen. Es gab vieles, das nicht gesagt zu werden brauchte. Ich verstand. Er hatte bei Jessamy einen gewissen Frieden gefunden, aber er wollte mehr.
Woher wußte ich das? Ich erkannte das Verlangen in seinen

Augen und das Wissen in ihnen, daß meine Empfänglichkeit für ihn nicht verborgen blieb.
Sorgfältig stellte ich meine Kaffeetasse hin.
»Jetzt treffen wohl bald Ihre Patienten ein«, sagte ich.
»Ich bin froh, daß Sie gekommen sind«, erwiderte er.
»Es war sehr interessant.«
Er ging mit mir zu den Pferden.
Nachdenklich ritt ich davon, und als ich den Waldrand erreicht hatte, hörte ich Pferdehufe hinter mir, und dann war ein Reiter an meiner Seite.
»Guten Morgen.« Es war David.
»Guten Morgen«, sagte ich. »Ich wollte gerade zum Schloß zurück.«
»Ich hoffe, Sie haben nichts dagegen, wenn ich Sie begleite. Ich bin auch auf dem Rückweg.«
Ich neigte den Kopf.
»Entdecke ich da einen Mangel an Begeisterung? Ich sehe, ich habe nicht solches Glück wie mein Bruder. Was halten Sie von seiner Praxis?«
»Sie sind mir gefolgt?«
Er lächelte hämisch. »Ich habe Sie zufällig mit dem alten Joel herauskommen sehen. Sie machten beide einen äußerst zufriedenen Eindruck.«
»Ich hatte ihn zufällig getroffen, und er erbot sich, mir sein Haus in der Stadt zu zeigen. Mir scheint, an einer so natürlichen Begebenheit gibt es nichts, was Ihre Belustigung rechtfertigen könnte.«
»Ganz recht«, sagte er. »Alles höchst anständig und natürlich. Warum sollte unser vortrefflicher Doktor seiner angeheirateten Cousine seine Praxis nicht zeigen? Ich dachte nur, ich sollte eine leise Warnung in Ihre unschuldigen Ohren träufeln. Zwischen uns gibt es keinen Unterschied, müssen Sie wissen. Wir sind alle gleich. Alle männlichen Matelands haben denselben schweifenden Blick ... seit jeher ... wir sind seit König Stephans Zeiten

dafür bekannt. Unsere Art ändert sich sowenig wie die Flecken des Leoparden. Hüten Sie sich vor den Matelands, Anabel, und besonders vor Joel.«
»Ihre Phantasie geht mit Ihnen durch. Sie und Ihr Bruder sind beide glücklich verheiratet.«
»So?« fragte er.
»Außerdem«, sagte ich, »finde ich diese Unterhaltung ziemlich geschmacklos.«
»In diesem Fall«, meinte er, indem er spöttisch den Kopf neigte, »müssen wir abbrechen.«
Wir kehrten schweigend zum Schloß zurück. Ich war sehr verstört, und es war mir klar, daß ich von hier fortmußte und nie wiederkommen durfte.

Wie langweilig war es doch im Pfarrhaus. Meine Gedanken eilten immer wieder zum Schloß zurück.
Jessamy schrieb mir:

Ich vermisse Dich, Anabel. Du solltest zu Weihnachten herkommen. Wir begehen das Weihnachtsfest im Schloß auf traditionelle Weise, so wie es seit Hunderten von Jahren üblich ist ... Weihnachtslieder werden gesungen, und in der Halle wird eine große Schale mit dampfendem Punsch aufgesetzt. Esmond hat mir davon erzählt. Esmond und ich sind allmählich gute Freunde geworden. Am Heiligen Abend findet in der Halle ein Gottesdienst mit Gesang statt, und anschließend werden Lebensmittelkörbe an alle bedürftigen Dorfbewohner verteilt. Die Leute kommen ins Schloß, um die Körbe in Empfang zu nehmen. Die Gärtner haben bereits mit den Dekorationen begonnen. Du mußt unbedingt kommen, Anabel, sonst ist mir die Freude am Fest verdorben. Joel hat schrecklich viel zu tun. Ich habe ihn in den letzten Wochen kaum gesehen. Er sagt, es gibt so viele Kranke in der Stadt. Er arbeitet sehr hart. Großvater Egmont ist damit ganz und gar nicht einverstanden. Er meint, das habe es noch nie gegeben, daß ein Mateland für das, was er tut, wahrhaftig Geld nimmt. Er findet es entwürdigend. Von den Armen nimmt Joel natürlich nichts. Er hat es ja gar nicht nötig. Alle Matelands sind reich ... sehr reich, glaube ich. Joel ist ein sehr guter Mensch, Anabel, wirklich ...

An dieser Stelle hielt ich im Lesen inne. Ich fand, Jessamy war ein wenig zu emphatisch. Ich dachte über Joel nach. Daß er als Arzt den Armen half, war sehr löblich. Doch er hatte so einen eigenwilligen Zug um den Mund ... ich konnte ihn nicht beschreiben, doch das ließ vermuten, daß er kein Heiliger war. Er war ein Mann, der nicht ruhte, bis er erreichte, was er sich in den Kopf gesetzt hatte. Er konnte auch unbarmherzig sein, und doch war ich von ihm besessen. Ich wünschte, ich wäre ihm nie begegnet. »Wir sind alle gleich«, hatte David gesagt. Ob das heißen sollte, daß sie alle Schürzenjäger waren?
Hör endlich auf, an die Matelands zu denken, ermahnte ich mich.
Im Pfarrhaus gab es genug zu tun, zumal ich mich entschlossen hatte, über Weihnachten nicht nach Mateland zu fahren. Tante Amy Jane und Onkel Timothy waren ebenfalls auf dem Schloß eingeladen und hatten vor, hinzugehen.
»Weihnachten auf einem Schloß, das wird gewiß interessant«, sagte Tante Amy Jane. »Ich hoffe, hier geht alles gut, James.« Sie wollte damit ausdrücken, daß sie dieses Jahr zum erstenmal Weihnachten nicht zu Hause war, um die Feierlichkeiten zu beaufsichtigen. »Zum Kinderfest bin ich aber hier«, fuhr sie fort. »Und ich gestatte dem Mütterverein, seine Jahresversammlung in unserer Halle abzuhalten. Alles ist in die Wege geleitet. Ich glaube, daß ich den Rest euch überlassen und guten Gewissens abreisen kann.«
Wie gern wäre ich mitgekommen! Sei nicht albern, schalt ich mich. Du hast selbst schuld. Du warst schließlich eingeladen.

Weihnachten schien sich endlos hinzuziehen. Den ganzen Heiligen Abend regnete es. Mit Hilfe einer Frau aus dem Dorf briet Janet die Gans. Für sie allein sei es zuviel Arbeit, sagte sie, nachdem Amelia in die Holzapfelhütte gezogen sei.
Der Doktor kam mit seiner Frau und den beiden Töchtern am ersten Feiertag zum Essen zu uns. Es war recht still im Vergleich zu den Weihnachtsfesten, die wir auf Seton Manor begangen hatten. Der Tag schien endlos, und dann folgte noch der zweite Feiertag.
Ich ritt aus. Ich hatte die Erlaubnis, ein Pferd aus den Setonschen Stallungen zu benutzen. Der Stallknecht, der es für mich sattelte, meinte: »Ohne Miss Jessamy ist hier alles ganz anders. Sie war so eine reizende junge Dame.«
»Sie *ist,* Jeffers«, rief ich. »Sprich nicht von ihr, als gehöre sie der Vergangenheit an.«
Ich war deprimiert und fand kein Vergnügen an diesem Morgen, obschon es ein angenehmer, sehr milder Tag war. Ein schwacher Nebel durchzog die Luft. Ich bemerkte eine Menge Beeren an den Stechpalmen, ein Zeichen für einen strengen Winter, wie diejenigen erklärten, die mit dem Landleben vertraut waren.
Jessamy machte mir Sorgen. Ich wußte selber nicht, warum. Sie hatte alles. Warum war mir bange um ihre Zukunft? Ich mußte aufhören, an Schloß Mateland und seine Bewohner zu denken. Mein Leben würde in ganz anderen Bahnen verlaufen.
Ich brachte das Pferd in den Stall zurück und ging zum Pfarrhaus. Mein Vater war nicht zu Hause.
»Er ist noch nicht zurück«, sagte Janet. »Ich erwarte ihn seit einer Stunde. Ich möchte endlich das Essen auftragen.«
»Meinst du, er ist noch in der Kirche?«
»Er wollte hinübergehen, um ... ich weiß nicht mehr, weswegen.«
»Er hat die Zeit vergessen«, sagte ich. »Ich gehe ihn holen.«
Ich ging in die Kirche. Ich konnte sie nicht mehr betreten, ohne daran zu denken, wie ich auf den Altarstufen ausgestreckt lag

und Joel Mateland dort stand. Bis zu diesem Zeitpunkt war ich ein anderer Mensch gewesen.
Ich rief nach meinem Vater und erhielt keine Antwort.
Er muß in der Sakristei sein, dachte ich, oder in der Marienkapelle.
Und dann sah ich ihn. Er lag ganz nahe bei der Stelle, wo ich hingefallen war. Ich lief zu ihm hin und rief: »Vater, was ist passiert?«
Ich kniete neben ihm nieder. Zuerst dachte ich, er sei tot. Dann sah ich seine Lider flattern. Ich rannte hinaus, um Hilfe zu holen.

Er hatte einen Schlaganfall erlitten. Er war auf einer Seite gelähmt und hatte die Sprache verloren.
Ich pflegte ihn mit Janets Hilfe. Ein Vikar kam, um das Amt zu übernehmen, solange mein Vater krank war – so hieß es jedenfalls; doch Janet und ich wußten, daß er nie wieder predigen würde.
Tom Gillingham war ein ernster junger Mann. Er war Junggeselle. Janet behauptete, er sei uns aus einer ganz bestimmten Absicht geschickt worden.
»Wessen Absicht?« fragte ich. »Gottes oder des Bischofs?«
»Ich würde sagen, daß beide ein bißchen beteiligt waren«, erwiderte Janet.
Janet, treu ihrer Gewohnheit, frei heraus zu sprechen, machte mir die Sache klar.
»Ihr Vater wird nie wieder genesen«, sagte sie. »Wir können Gott danken, wenn es nicht schlimmer wird. Und was wird aus Ihnen? Sie müssen auch mal an sich denken. Oh, gucken Sie ruhig, als wollten Sie sagen, ich soll mich um meine eigenen Sachen kümmern. Aber das *ist* meine Sache. Ich arbeite schließlich hier, oder? Was wird aus Ihnen und mir, wenn Ihr Vater stirbt?«
»Er kann noch jahrelang leben.«
»Sie wissen genau, daß das nicht wahr ist. Sie sehen doch, er

wird von Tag zu Tag schwächer. Zwei Monate noch ... höchstens drei, schätze ich. Dann werden Sie sich einiges überlegen müssen. Ich bezweifle, daß der Herr Pfarrer ein Vermögen hinterläßt.«
»Deine Zweifel sind berechtigt, Janet.«
»So, und was bleibt Ihnen dann? Gesellschafterin einer alten Dame? Das ist nichts für Sie, Miss Anabel. Gouvernante ... vielleicht schon eher, aber auch nicht das Richtige. Doch wenn's das nicht ist, dann müssen Sie eben hierbleiben.«
»Und wie soll ich das anfangen?«
»Ist doch sonnenklar, weil dieser Tom Gillingham nämlich Junggeselle ist.«
Ich mußte unwillkürlich lächeln. »Was würde er wohl sagen, wenn er wüßte, daß du seine Zukunft in die Hand nimmst?«
»Er hätte nichts dagegen ... wenn er sähe, *wie* ich sie in die Hand nehme. Er hat ein Auge auf Sie geworfen, Miss Anabel. Es würde mich nicht wundern, wenn er auch schon auf diesen Gedanken gekommen wäre.«
»Er ist ein sehr sympathischer junger Mann«, gab ich zu.
»Und Sie sind in einem Pfarrhaus aufgewachsen ... kennen sich aus mit dem ganzen Drum und Dran.«
»Das ist ja alles ganz vortrefflich, bis auf eine Kleinigkeit.«
»Und die wäre?«
»Ich will Tom Gillingham nicht heiraten.«
»Die Liebe kommt dann mit der Zeit, wie man so sagt.«
»Sie kann auch schwinden, und wenn sie nicht von Anfang an vorhanden ist, kann sie nicht einmal das. Nein, Janet, wir müssen uns etwas anderes ausdenken.«
»Um mich ist mir nicht bange. Ich könnte vorübergehend bei meiner Schwester Maria unterkommen. Wir haben uns nie besonders gut vertragen, aber ich hätte eine Bleibe, während ich mich nach einer Stellung umschaue.«
»O Janet«, rief ich, »ich fände es schrecklich, wenn ich mich von dir trennen müßte.«

Ihr Gesicht verzog sich schmerzlich, doch sie behielt ihre Gefühle stets unter Kontrolle.
Wir schwiegen. Eine trostlose Zukunft lag vor uns.

Als Tante Amy Jane und Onkel Timothy zurückkamen, vernahmen sie erschüttert, was meinem Vater zugestoßen war.
»Das bringt dich in eine heikle Lage, Anabel«, sagte Tante Amy Jane.
»Du mußt natürlich nach Seton Manor kommen«, meinte der gute Onkel Timothy.
Tante Amy Jane bedachte ihn mit einem kalten Blick. Sie konnte es nicht leiden, wenn er mir seine Zuneigung zeigte.
»Anabel möchte gewiß nicht von der Wohltätigkeit anderer leben«, behauptete sie. »Dazu ist sie viel zu stolz.«
»Wohltätigkeit!« rief Onkel Timothy aus. »Sie ist doch unsere Nichte.«
»Meine Nichte. Deshalb, Timothy, bin ich diejenige, die weiß, was das beste für sie ist. Sie wird eben etwas *tun* müssen.«
»Ich werde wissen, was ich zu tun habe, wenn es soweit ist«, sagte ich frostig.
Tante Amy Jane bekam einen nachdenklichen Blick. Ich sah ihr an, daß sie sich daranmachte, einen Plan für meine Zukunft auszuarbeiten.
Als sie erfuhr, daß Tom Gillingham bereits in der Pfarrei eingetroffen und sogar dazu bestimmt war, das Amt nach dem Tod meines Vaters zu übernehmen, war ihr die Lösung ebenso klar wie Janet. Tom Gillingham sollte mich heiraten, ob er wollte oder nicht. Er würde zur Vernunft gebracht werden – wie jeder, der in Tante Amy Janes Machenschaften eine Rolle spielte.
Ich wußte, daß Tom keine Einwände erheben würde. Er war mir zugetan, und ich brauchte ihm nur zu zeigen, daß er mir nicht gleichgültig war, und schon würde er mir einen Heiratsantrag machen.

Aber ich konnte es nicht. Es wäre, als schriebe ich das Schlußkapitel meiner Lebensgeschichte, denn alles Kommende wäre genau vorhersehbar.
Wäre nur Jessamy nicht fortgegangen. Wenn ich Schloß Mateland nie gesehen, wenn ich nie erfahren hätte, daß es auf der Welt noch andere Ziele gab als das Streben nach einem einigermaßen angenehmen Dasein, so hätte ich mich möglicherweise in das Unvermeidliche gefügt. Doch ich hatte einen Blick von einem anderen Leben erhascht. Ich war Joel Mateland begegnet, und ungeachtet dessen, daß er der Ehemann meiner Cousine war, mußte ich unentwegt an ihn denken.
Eine friedliche Existenz als Pfarrersfrau in der Kirche von Seton – das war kein Leben für mich.
Im Frühling starb mein Vater. Der Augenblick der Entscheidung war gekommen.
Tom Gillingham gab mir klar zu verstehen, daß ich nichts zu überstürzen brauchte; doch es schickte sich freilich nicht, daß ich als unverheiratete Frau weiterhin im Pfarrhaus wohnte. Wäre mein Vater am Leben geblieben – wenn auch als hilfloser Invalide –, so wäre es etwas anderes gewesen.
Am Tag des Begräbnisses hielt Tom den Trauergottesdienst, und wir folgten den Sargträgern auf den Friedhof. Als wir am Grab standen, wurde ich von Verzweiflung übermannt. Ich dachte an meinen lieben, gütigen Vater, an seine Nachgiebigkeit, seine zerstreute, doch stets selbstlose Art.
Ein Lebensabschnitt war zu Ende.
Eine Hand schob sich in die meine; ich wandte mich um und erblickte Jessamy. Ihr Anblick tat mir wohl; ein leichter Hoffnungsschimmer durchflutete mich und linderte meinen Jammer ein wenig.

Die Trauernden waren alle fort. Jessamy saß, die Arme um die Knie geschlungen, auf dem Schemel in meinem Schlafzimmer und sah mich an. Sie hatte immer so dagesessen. Dieser Anblick rief so viele Erinnerungen an unsere Kindheit zurück – wie ich Jessamy unterdrückt, bisweilen sogar schikaniert und in Bedrängnis gebracht hatte. Liebe, liebe Jessamy – sie hatte nie aufgehört, mich zu lieben, und war ich auch noch so gemein zu ihr.

»Was willst du jetzt anfangen, Anabel?« frage sie.

Ich zuckte die Achseln.

»Meine Mutter sagt, du wirst Tom Gillingham heiraten. Das tust du doch nicht, oder?«

»Diesmal irrt sich deine Mutter. Ich mag Tom, aber ...«

»Natürlich kannst du ihn nicht heiraten«, stellte Jessamy fest. »Aber was nun?«

»Es bleibt mir wohl nichts anderes übrig, als eine Stellung anzunehmen.«

»Ach, Anabel, wie gräßlich für dich!«

»Wenn man kein Geld hat, muß man oft Dinge tun, die einem nicht zusagen. Doch ich mache mir Sorgen um Janet. Sie will nicht hierbleiben, und bei ihrer Schwester kann sie nur vorübergehend unterkommen. Sie muß sich eine neue Stellung suchen ... und das ist nicht einfach.«

»Anabel, ich möchte, daß du mit mir aufs Schloß kommst. Du fehlst mir sehr. Ich bin zuweilen recht einsam. Um die Wahrheit zu sagen, Joel ist so häufig fort und dann ... Ich glaube, er ist nicht sehr ...«

»Was?«

»Nicht sehr zufrieden mit unserer Ehe. Manchmal ist er beinahe abweisend. Emerald kann so verletzende Dinge sagen, und David erst recht. Bisweilen glaube ich, daß Joel und David sich hassen. Und dann Elizabeth ... aus ihr werde ich überhaupt nicht schlau. Ich fühle mich dort so allein ... mir ist ein bißchen bange. Nein, nicht richtig bange, aber ...«

»Ich dachte, du bist dort so glücklich.«

»Bin ich ja auch ... besonders jetzt ... Anabel, ich bekomme ein Baby.«

Ich sprang auf, ergriff ihre Hand, zog sie vom Schemel und umarmte sie.
»Ist das nicht aufregend?« fragte sie.
»Joel ist gewiß überglücklich.«
»O ja. Anabel, du mußt mit mir kommen. Du mußt einfach ... besonders jetzt.«
»Ich glaube nicht, daß das richtig wäre, Jessamy.«
»Aber du mußt. Du darfst mich nicht im Stich lassen.«
»Im Stich lassen! Du hast einen Mann ... und du bekommst ein Kind. Du hast alles. Was willst du da noch von mir?«
»Ich brauche dich.« Sie schwieg einen Augenblick. Dann sagte sie: »Anabel, ich würde mich besser fühlen, sicherer, wenn du da wärst.«
»Sicherer? Wovor fürchtest du dich?«
»Es ist ... es ist nichts Bestimmtes.« Sie lachte nervös auf. »Ich weiß es nicht. Vielleicht liegt es einfach an dem Schloß. Die Vergangenheit ist dort so gegenwärtig. Alle die längst verblichenen Matelands ... Manchmal scheint es, sie lauern dort ... in den Ecken ... Dann diese Legende von den Frauen. Es soll angeblich Unglück bringen, die Frau eines Mateland zu sein.«
»Jessamy«, sagte ich, »du fürchtest dich vor etwas.«
»Du weißt doch, ich war schon immer ein bißchen einfältig. Anabel, ich brauche dich. Ich habe mir alles genau überlegt. Janet könnte auch mitkommen, als deine Zofe. Damit wäre alles gelöst.«
»Aber ... vielleicht wollen die anderen mich nicht dort haben. Dein Mann ... dein Schwiegervater ...«
»Da irrst du dich aber. Da irrst du dich ganz und gar. Alle haben sich gefreut, als ich den Vorschlag machte ... sie haben so nett von dir gesprochen. Großvater Egmont sagt, du würdest Schwung ins Haus bringen. David meint, deine Gegenwart sei angenehm, weil du so amüsant seist.«
»Und Emerald?«

»Sie zeigt nie große Begeisterung, aber sie hat auch keine Einwände gemacht.«
»Und dein Mann?«
»Ich glaube, er würde sich ebenso freuen wie die anderen. Er findet, es würde mir guttun, dich bei mir zu haben. Im Schloß ist Platz genug. Und Janet kann auch kommen. Meinst du, das würde ihr gefallen?«
»Bestimmt«, sagte ich. »Aber ich glaube nicht, daß es klug wäre.« Ich fügte entschlossen hinzu: »Nein, Jessamy, ich werde nicht kommen.«
Doch ich wußte, daß ich gehen würde. Zwei Wege standen mir offen – der eine war trostlos und konnte mir nichts bieten, und der andere lockte mich in Abenteuer und Aufregung, und sollte er sich als gefährlich erweisen – nun, es war von jeher meine Natur gewesen, die Gefahr herauszufordern. Sie verlockte und faszinierte mich.
Einen Monat nach dem Tod meines Vaters befanden sich Janet und ich auf dem Weg nach Schloß Mateland.

Ich zog also in mein Turmzimmer ein. Schloß Mateland war meine neue Heimat. Janet war begeistert.
»Ist schon ein kleiner Unterschied zum Pfarrhaus«, bemerkte sie. »Und hier kann ich ein Auge auf Miss Jessamy werfen, das liebe, kleine Ding; ich bin nämlich nicht ganz sicher, daß mit ihr alles seine Richtigkeit hat.«
»Wie meinst du das?« wollte ich wissen.
»Ich wette, sie wird vernachlässigt, jawohl. Und hier gibt's Leute, denen muß man auf die Finger schauen.«
Janet also betätigte sich freudig als Wachhund des Schlosses.
Allmählich gelang es mir, den Tod meines Vaters zu verwinden. Solange er lebte, war mir gar nicht klargeworden, wie sehr ich ihn liebte. Er war mir immer so weltfremd erschienen, so abwesend und in seine Bücher vertieft; er war seinen Pflichten nach-

gekommen, hatte jeden Sonntag eine nicht eben feurige Predigt gehalten vor Leuten, die weniger gekommen waren, um ihn zu hören, sondern weil es von ihnen erwartet wurde, daß sie kamen. Nun, da er tot war, erkannte ich, was für ein selbstloser Mensch er gewesen war. Seine gütige Art fehlte mir.

Er hatte mir wenig Geld hinterlassen – nicht genug, um davon zu leben, aber es reichte für ein paar notwendige Anschaffungen und konnte mir ein geringes Maß an Unabhängigkeit ermöglichen.

Das Pfarrhaus zu verlassen und mit dieser neuen und aufregenden Umgebung zu vertauschen – das war das beste Mittel gegen meinen Kummer. Ich hatte in meinem Vater nie einen Aufpasser gesehen; er hatte selten die Zügel in die Hand genommen, sondern sich meistens im Hintergrund gehalten; doch nun, da er tot war, fühlte ich mich einsam.

Ich war im Schloß durchaus willkommen. Großvater Egmont kam am ersten Abend zum Essen herunter und hieß mich, neben ihm Platz zu nehmen. »Sie werden ein bißchen Leben ins Schloß bringen«, sagte er und wackelte mit dem Kinn, was bei ihm ein Zeichen von Amüsement war. »Hab' immer gern hübsche Frauen um mich gehabt.«

David zog eine Augenbraue hoch und zwinkerte mir zu. »Nun sind Sie also hier«, meinte er, »und gehören zu uns. Ich brauche Ihnen nicht zu sagen, was ich davon halte. Tausendmal willkommen auf Schloß Mateland, schöne Anabel.«

Und Joel? Er blickte mir ins Gesicht; seine Augen lächelten und sagten deutlicher als Worte, wie sehr er sich freute, daß ich da war.

Emerald pflegte ohnehin kaum zu zeigen, was sie empfand. »Ich hoffe, es gefällt Ihnen hier«, sagte sie mit einem zweifelnden Ton in der Stimme.

Elizabeth Larkham meinte, Jessamy sei gewiß von meinem Kommen begeistert, als ob Jessamy die einzige wäre, der meine Gegenwart Annehmlichkeiten brachte.

Jetzt war ich also hier. Ich hatte für mich und Janet eine Bleibe gefunden. Janet war höchst befriedigt. Selbst sie war nicht frei von diesem eingefleischten Dünkel, der den meisten Dienstboten anzuhaften scheint: Je vornehmer der Haushalt, dem sie dienen, um so eingebildeter sind sie. Von einem Pfarrhaus, wo eine gewisse Sparsamkeit unumgänglich war, zu einem Schloß, wo weltliche Güter im Überfluß vorhanden zu sein schienen, war es ein großer Schritt nach oben.
Ich wußte von Anfang an, daß ich mich vorsehen mußte. David war zweifellos entschlossen, mir nachzustellen. Immer, wenn er mich ansah, leuchteten seine Augen auf. In seiner Einbildung war ich bereits seine Geliebte, wohingegen ich fest entschlossen war, es in Wirklichkeit nicht dazu kommen zu lassen, doch ich sah, daß er genauso fest entschlossen war, eben dies zu erreichen. Er war ein skrupelloser Mensch. O ja, ich mußte mich in acht nehmen. Nicht, daß ich befürchtete, seinen Umgarnungen zu erliegen. Das würde mir nicht passieren. Doch ich war überzeugt, daß er alles daransetzen würde, um mir eine Falle zu stellen und mich in Verlegenheit zu bringen.
Was Joel betraf, so war ich mir nicht ganz sicher, was er für mich empfand. Zuweilen las ich in seinen Augen dasselbe Verlangen, wie ich es bei David bemerkt hatte. Wenn er in meiner Nähe war, berührte er meinen Arm, meine Hand, meine Schultern, und ich spürte, daß er mir noch näher sein wollte.
Ich hätte gefühllos sein müssen, um nicht zu erkennen, daß ich in den Brüdern Mateland ungeahnte Leidenschaften geweckt hatte.
Zuweilen lag ich in meinem Turmzimmer und sagte mir: Wärest du eine gute und tugendhafte Frau, so würdest du von hier fortgehen. Du weißt, daß nichts Gutes dabei herauskommen kann. David ist ein Freibeuter, ein Nachfahre jener Männer, die Reisende überfielen und sie ins Schloß schleppten, um Lösegeld zu erpressen oder sie zu foltern. Er würde alles tun, um seine Begierde zu stillen. Von ihm droht dir ernstlich Gefahr. Und

du ... du sehnst dich mehr und mehr nach Joel. Er erregt dich. Du suchst sogar manchmal seine Nähe. Die Wahrheit ist, du bist im Begriff, dich in Joel Mateland zu verlieben; du verstrickst dich mit jedem Tag tiefer. Wenn du seine Geliebte würdest, so wäre das noch weit schlimmer, als die von David zu werden, weil Joel Jessamys Mann ist.

Es herrschte eine unbehagliche Atmosphäre im Schloß. Ich verriegelte jeden Abend meine Schlafzimmertür und war froh, daß Jessamy nur ein paar Schritte entfernt war. Ich stellte mir vor, wie sie und Joel zusammen waren. Aber zu meiner Verwunderung hielt er sich weit häufiger in seinem Haus in der Stadt auf.

Jessamy war von einer seltsamen Unruhe befallen. Einmal hatte sie einen Alptraum und schrie laut. Ich lief in ihr Zimmer, wo sie sich im Bett hin und her wälzte. Sie murmelte etwas von dem Fluch, der auf den Frauen der Matelands lastete.

Ich rüttelte sie wach, beruhigte sie und blieb den Rest der Nacht in ihrem Zimmer.

»Du hast geträumt«, sagte ich. »Du darfst keine Alpträume haben. Das schadet dem Baby.«

Janet und ich brauchten ihr nur zu sagen, daß etwas dem Baby schade, und schon war Jessamy äußerst besorgt. Das Baby war der Mittelpunkt ihres Lebens, als wenn sie eine Art von Trost von ihm erwartete.

Es gab so vieles, was ich Jessamy über ihre Ehe fragen wollte, doch ich wagte nicht, darüber zu reden. Ich fürchtete, meine Gefühle für Joel würden mich verraten.

Das Unvermeidliche mußte seinen Lauf nehmen. Und dir, Suewellyn, möchte ich begreiflich machen, daß weder Joel noch ich in böser Absicht gehandelt haben. Wir haben uns redlich bemüht, es nicht so weit kommen zu lassen. Aber wir konnten uns nicht mehr an gesellschaftliche Zwänge halten. Während meiner ersten Monate auf dem Schloß kämpften wir mit aller Kraft dagegen an, doch die Liebe war stärker.

Jessamy durfte nun nicht mehr reiten, und ich ritt allein aus. Eines Tages traf ich Joel im Wald. Ich wußte, daß er auf mich gewartet hatte.
»Ich muß Sie sprechen«, begann er. »Sie wissen, daß ich Sie liebe, Anabel.«
»Das dürfen Sie nicht sagen«, widersprach ich ziemlich matt.
»Ich muß es sagen, weil es wahr ist.«
»Sie sind mit Jessamy verheiratet.«
»Warum sind Sie beim erstenmal nicht mitgekommen? Dann wäre jetzt alles anders.«
»Wirklich?« fragte ich.
»Das wissen Sie doch. Zwischen uns bestand vom ersten Augenblick unserer Begegnung auf den Altarstufen eine gewaltige, innige Zuneigung. Ach Anabel, hätte ich Sie doch nur früher getroffen!«
Ich bemühte mich krampfhaft, Jessamy gegenüber Anstand zu wahren.
»Aber es ist nun einmal anders gekommen«, beharrte ich. »Und Sie haben Jessamy geheiratet. Warum haben Sie das getan, wenn Sie Jessamy nicht liebten?«
»Ich habe Ihnen doch von meiner ersten Ehe erzählt. Ich mußte wieder heiraten. Ich wünschte mir Kinder. Ich hatte jahrelang gewartet. Das ist ja die Ironie des Schicksals. Hätte ich nur noch ein bißchen länger gewartet ...«
»Jetzt ist es aber zu spät.«
Er beugte sich zu mir herüber. »Es ist nie zu spät.«
»Aber Jessamy ist Ihre Frau ... und bald wird sie Ihr Kind zur Welt bringen.«
»Sie sind hier«, sagte er, »und ich bin hier ...«
»Ich glaube, ich sollte das Schloß verlassen.«
»Das dürfen Sie nicht tun. Ich würde Ihnen folgen, so daß es Ihnen gar nichts nützen würde, wenn Sie fortgingen. Anabel, Sie und ich sind vom gleichen Schlag, wir sind füreinander bestimmt, von Anfang an – das wissen Sie so gut wie ich. Es

geschieht nur selten im Leben, daß man dem richtigen Menschen zur richtigen Zeit begegnet.«
»Wir sind uns aber zur falschen Zeit begegnet«, erinnerte ich ihn. »Zu spät ...«
»Wir werden uns doch nicht von gesellschaftlichen Zwängen einengen lassen. Wir werden diese von Menschen geschaffenen Barrieren beiseite schieben. Sie sind hier, und ich bin hier, das genügt.«
»Nein, nein«, beharrte ich. »Jessamy ist meine Cousine, und ich habe sie sehr gern. Sie ist so gut, unfähig zu Untreue und Rücksichtslosigkeit. Wir dürfen sie nicht hintergehen.«
»Und ich sage Ihnen, wir werden zusammensein, Anabel«, behauptete er unbeirrt. »Unser ganzes Leben lang, das schwöre ich. Ich lasse Sie nicht gehen. Sie sind nicht der Mensch, der sich von Konventionen das Leben zerstören läßt.«
»Nein, vielleicht nicht. Aber wir müssen an Jessamy denken. Wenn es jemand anders wäre ...«
»Lassen Sie uns unsere Pferde hier anbinden und miteinander reden. Bitte, bleiben Sie noch ... ich möchte Ihnen begreiflich machen ...«
»Nein«, sagte ich rasch. »Nein.« Und ich wendete mein Pferd und galoppierte davon.
Doch das Schicksal nahm unvermeidlich seinen Lauf. Eines Nachmittags kam er in mein Zimmer. Jessamy saß im Garten. Es war ein lieblicher Septembertag, und alle freuten sich an der Spätsommersonne.
Joel schloß die Tür hinter sich, blieb stehen und betrachtete mich. Ich hatte mein Kleid ausgezogen und wollte mich eben umziehen, um Jessamy im Garten Gesellschaft zu leisten.
Er zog mich in seine Arme und küßte mich; er küßte mich unaufhörlich und so heiß, daß die Leidenschaft mich ebenso wie ihn ergriff.
Doch unten saß Jessamy, unschuldig und arglos, und ich klammerte mich an meine Treue und Liebe zu ihr.

»Nein, nein«, protestiere ich. »Nicht hier.«
Das war immerhin ein Zugeständnis. Er hielt mich auf Armeslänge von sich und sah mich an.
»Du weißt, meine geliebte Anabel, daß wir zusammengehören. Nichts auf der Welt kann uns mehr trennen.«
Ich wußte es.
Er fuhr fort: »Dann also bald ...«
Und er lächelte.

Ich will keine Entschuldigungen vorbringen. Es gibt einfach keine Entschuldigungen. Wir wurden ein Liebespaar. Es war Sünde, aber wir waren schließlich keine Heiligen, außerdem konnten wir nichts dagegen tun. Unsere Gefühle waren stärker als wir. Es kommt gewiß selten vor, daß zwei Menschen sich so lieben wie wir ... vom ersten Augenblick an. Sich so zu lieben, das ist sicherlich das größte Glück auf Erden ... wenn man die Freiheit dazu hat. Wir versuchten, zu vergessen, daß wir Jessamy betrogen; leider gelang mir das nicht ganz, und das war der Wermutstropfen in meinem heimlichen Glück. Wenn wir in innigster Zweisamkeit vereint waren, konnte ich es vielleicht für kurze Zeit vergessen, doch es fiel mir schwer, Jessamy aus meinen Gedanken zu verbannen. Sie war stets gegenwärtig – außer in diesen kostbaren Augenblicken –, und ich verachtete mich dafür, daß ich sie hinterging; und wenn ich meine Situation so überdachte, wurde mir klar, daß ich von vornherein gewußt hatte, daß etwas Derartiges auf mich zukommen würde, wenn ich mit aufs Schloß käme. Ich hätte mich als edel und selbstlos erweisen müssen; ich hätte eine Stellung bei einer griesgrämigen alten Dame annehmen müssen, ihren Wünschen zuvorkommen und ihren garstigen kleinen Köter ausführen sollen, oder ich hätte versuchen sollen, mich mit der Erziehung kleiner Ekel einer fremden Kinderstube zu plagen! Ich schauderte bei dem Gedanken, und doch hätte ich, wie jämmerlich mir auch zumute sein mochte, meinen Kopf hoch tragen können.

Jessamy hatte eine schwierige Schwangerschaft. Der Arzt riet ihr, im Bett zu bleiben. Sie beklagte sich mit keinem Wort und freute sich auf den Tag, da ihr Kind zur Welt kommen würde. Sie machte sich meinetwegen Gedanken. »Du darfst nicht den ganzen Tag im Haus hocken, Anabel«, meinte sie. »Nimm ein Pferd, und reite aus.«
Die gute Jessamy und die verachtenswerte Anabel! Ich nahm also ein Pferd und ritt zu dem Haus in der Stadt, wo Joel auf mich wartete.
Er litt nicht so stark unter Gewissensbissen wie ich. Er war ein Mateland, und die Matelands hatten sich die Befriedigung ihrer Sinne wohl nie versagt. Es war mir durchaus bewußt, daß er vor mir schon viele Frauen besessen hatte. Doch das betrachtete ich seltsamerweise als Herausforderung. Er sollte nur noch an mich denken. Ich bestand damals aus lauter Gegensätzen: Einerseits hätte ich jauchzen mögen vor Glück, doch andererseits erfüllten mich Scham und heftiger Abscheu vor mir selbst. Aber eines wußte ich bestimmt: Ich konnte nicht anders handeln. Es war, als zwinge eine ungeheure Macht uns zusammen. Ich glaube, Joel empfand genauso. Er sagte, etwas Derartiges habe es in seinem Leben noch nie gegeben, und obwohl man leicht derlei Banalitäten sagt, glaubte ich ihm.
Du sollst wissen, Suewellyn, wäre dieses überwältigende Gefühl nicht gewesen, diese Überzeugung, daß Joel der einzige Mann war, den ich lieben konnte, so hätte ich mich nie auf dieses Verhältnis eingelassen. Ich bin kein guter Mensch, aber ich bin auch keine leichtfertige Frau.
Während also Jessamy die Geburt ihres Kindes erwartete, hatte ich ein glühendes Liebesverhältnis mit ihrem Mann. Wir gingen vollkommen ineinander auf, doch nur, wenn wir in seinem Haus allein waren, konnten wir es wagen, uns so zu benehmen, wie uns zumute war. Im Schloß mußten wir unsere Gefühle verbergen, und wir wußten, daß uns Gefahren von allen Seiten drohten.

Wir mußten ja nicht nur Jessamy täuschen. Ich spürte ständig Davids wachsamen Blick. Es amüsierte ihn, daß ich ihn zurückwies, und sein Verlangen wurde dadurch um so mehr angestachelt.
Falls Emerald es merkte, so war es ihr offenbar gleichgültig. Ich nehme an, daß sie an Davids Ausschweifungen gewöhnt war. Oft ertappte ich Elizabeth Larkham dabei, daß sie mich beobachtete. Sie war Emeralds Freundin, und es lag auf der Hand, daß sie Davids Interesse für mich nicht billigte.
Den alten Herrn hätte die Lage, falls er davon gewußt hätte, gewiß köstlich amüsiert.
Es war ein merkwürdiges Hauswesen. Am besten vertrug ich mich mit dem kleinen Esmond. Wir waren gute Freunde geworden. Oft saßen wir bei Jessamy, die an einem Babykleidchen arbeitete, und ich las laut vor. Es war mir ein Trost, den Jungen dabeizuhaben; mir war äußerst unbehaglich zumute, wenn ich mit Jessamy allein war.
Ich glaube, der einzige Mensch, der wußte, was zwischen Joel und mir vorging, war Dorothy. Sie war durch nichts zu erschüttern, und ich vermochte nicht zu sagen, was sie dachte. Ich nahm an, daß bereits vor mir schon Frauen ins Haus gekommen waren. Ich fragte Joel danach, und er gab zu, daß es ein- oder zweimal der Fall war, aber er versicherte mir leidenschaftlich, daß das alles etwas ganz anderes gewesen sei. Etwas wie dieses habe es noch nie gegeben. Ich glaubte ihm.
In den Sommerferien kam Elizabeth Larkhams Sohn aufs Schloß. Er war ein lauter, aufdringlicher Junger, der sich benahm, als gehöre das Schloß ihm allein. Er war etliche Jahre älter als Esmond und gab beim Spielen den Ton an. Ich fragte mich, ob Esmond gern mit ihm zusammen war. Wenn nicht, so war er zu höflich, um es zu zeigen. Seine Mutter meinte, es sei gut für ihn, jemanden um sich zu haben, der annähernd in seinem Alter war, und vielleicht hatte sie damit recht. Es kam noch ein anderer Junge zu einem kurzen Besuch, ein entfernter

Cousin namens Malcolm Mateland, dessen Großvater Egmonts Bruder war.
Heute scheint mir das, was damals geschah, unvermeidlich gewesen zu sein. Jessamys Baby kam im November zur Welt, und ich hatte inzwischen entdeckt, daß auch ich ein Kind bekommen würde.
Es war eine niederschmetternde Erkenntnis, obschon ich damit hätte rechnen müssen. Ein paar Tage behielt ich meine Entdeckung für mich.
Jessamys Baby war ein Mädchen. Sie wurde Susannah genannt. Es war in unserer Familie Brauch, den Mädchen Doppelnamen zu geben. Amy Jane zum Beispiel. Meine Mutter hieß Susan Ellen. Jessamys und mein Name waren aus zweien zusammengezogen, aus Jessica Amy und Ann Bella. So kam Jessamy auf den Gedanken, aus Susan Anna Susannah zu machen.
Jessamy war so mit ihrem Baby beschäftigt, daß sie von meinem Zustand nichts bemerkte.
Ich sprach mit Joel über meinen Zustand, und er war von der Aussicht auf ein Kind hellauf entzückt und tat alle Schwierigkeiten mit einer Handbewegung ab. Ich verstand Joel durchaus. Wie alle Matelands war er ein furchtloser Mann. Wenn er in eine schwierige Situation geriet, so war er davon überzeugt, daß sich eine Lösung finden würde.
»Nun, mein Herz«, sagte er, »so etwas ist schon millionenmal passiert. Wir werden auch einen Weg finden.«
»Ich muß fort von hier«, meinte ich. »Ich muß mir einen Vorwand überlegen, um das Schloß zu verlassen.«
»Ja, vorübergehend. Aber dann kommst du zurück.«
»Und das Kind?«
»Wir werden etwas arrangieren.«
Wir brauchten geraume Zeit, um einen Plan zu ersinnen. Wir kamen überein, daß ich den Leuten im Schloß erzählen sollte, entfernte Verwandte meines Vaters, die in Schottland lebten, wünschten mich dringend zu sehen. Ich hätte meinen Vater

diese Leute erwähnen hören, doch es habe in der Familie offenbar Streit gegeben, und nun, da mein Vater tot sei, wollten sie mich kennenlernen.
Ich sagte zu Jessamy, daß ich der Meinung sei, ich müsse die Leute aufsuchen, und Jessamy, die jegliche Familienstreitigkeiten haßte, schlug vor, ich solle für eine oder zwei Wochen dorthin gehen.
Dabei ließ ich es bewenden. Ich würde angeblich für eine Woche oder so fortgehen und dann einen Grund finden, um meinen Aufenthalt zu verlängern.
Ich war jetzt im dritten Monat schwanger. Janet war in mein Geheimnis eingeweiht. Es war unmöglich, vor ihr irgend etwas zu verbergen. Anfangs war sie empört, doch dann gewann ihr eingefleischter Hochmut die Oberhand. Der Vater meines Kindes trug immerhin einen bedeutenden Namen und war in einem Schloß zu Hause. Das machte die Sünde in Janets Augen verzeihlich. Sie würde mit mir kommen.
Wir fuhren nicht nach Schottland, sondern in ein kleines Bergdorf am Fuß des Penninischen Gebirges, wo wir die Geburt des Kindes erwarteten. Joel kam mich in dieser Zeit zweimal für ein paar Tage besuchen. Das waren friedliche, glückliche Tage. Wir machten zusammen Spaziergänge in die Berge und spielten uns vor, wir wären verheiratet und es gäbe keinen Grund, unser Kind heimlich zur Welt zu bringen.
Ja, und zu gegebener Zeit wurdest du geboren, Suewellyn, und du sollst wissen, daß kein Kind mehr geliebt wurde als du.
Was konnte ich tun? Ich hätte mich irgendwo häuslich einrichten können. Wir haben uns das überlegt. Joel hätte uns besuchen können. Aber damit war ich nicht einverstanden. Ich wollte es für uns alle so einfach wie möglich machen. Und Joel wollte mich bei sich auf dem Schloß haben. Daher kamen wir überein, dich Amelia und William Planter anzuvertrauen. Dort könnte ich dich oft besuchen und dich im Auge behalten; die Planters waren

zuverlässige Leute und würden ihre Pflicht tun – außerdem wurden sie ja auch nicht schlecht dafür bezahlt.
Sie nahmen dich zu sich und zogen dich auf, und wie du weißt, kam ich dich regelmäßig besuchen.
Das war durchaus keine ungewöhnliche Situation. Doch die Leute schöpften (natürlich) Verdacht. Die Menschen in der Umgebung der Planters müssen etwas geahnt haben. Ich sagte immer wieder zu Joel, wir sollten dich dort fortholen. Ich wollte dich bei mir haben. Ich wußte, daß die Planters dich zwar niemals schlecht behandelten, daß sie dich aber auch nicht liebten. Ich habe mir viel Sorgen um dich gemacht.
Erinnerst du dich an den Tag, als ich dich nach Mateland brachte? Ich zeigte dir das Schloß, und dann kam Joel. Du warst glücklich an diesem Tag, nicht wahr? Du hattest drei Wünsche, und ich bin fast zusammengebrochen, als du sie mir erzähltest. Es scheint wie ein Wunder, daß sie wahr geworden sind. Ich wollte nur, sie hätten sich auf etwas andere Weise erfüllen können.
Ich habe dir von David erzählt. Er war ein gemeiner Kerl. Zwar sind Joel und ich absolut keine Heiligen, und ich weiß, daß wir unsere Leidenschaft über unsere Pflicht siegen ließen. Auch haben wir dich gedankenlos in die Welt gesetzt, obwohl es uns nicht möglich war, dich so aufzuziehen, wie Eltern ihre Kinder aufziehen sollten. Unser selbstsüchtiges Verlangen ging uns über alles. Aber wir liebten uns, Suewellyn, wir liebten uns. Das ist meine einzige Entschuldigung. David konnte nichts und niemanden lieben außer sich selbst. Sein Stolz mußte befriedigt werden, koste es, was es wolle. Noch dazu war er von Mißgunst erfüllt. Ich habe rasch gemerkt, daß er neidisch auf Joel war. Gewiß, David war der Erstgeborene und hatte einen Erben. Doch Joel besaß eine innere Zufriedenheit. Seine Arbeit mit den Kranken verschaffte ihm einen seelischen Ausgleich, der David fehlte. Zudem war David ein sehr sinnlicher Mensch. Nicht, daß Joel das nicht auch wäre. Das ist er ganz gewiß. Dein Vater ist

ebenso unnachgiebig wie David. Sie sind beide echte Matelands. Beide werden von der Liebe zur Macht beherrscht, und man sagt ja, daß Macht den Charakter verdirbt. Doch Joel war daneben auch zur Liebe fähig. David besaß diese Fähigkeit nicht. Ihm ging es nur um die Befriedigung seiner eigenen Wünsche. Ich hatte ihn zurückgewiesen, was sein Verlangen gewiß nur noch steigerte; und nun wollte er nicht nur mich, sondern er wollte auch noch Rache.
David war wie ein Mensch aus einem anderen Jahrhundert. Er paßte in die Zeit, als der Schloßherr ein Feudalherr war, dem alle gehorchten und von dem das Schicksal aller abhing. Ich bin überzeugt, er war zu äußerster Grausamkeit fähig und fand ein ausgesprochenes Vergnügen daran, andere zu quälen.
Aus diesem Grund bist du denn in der Holzapfelhütte aufgewachsen, Suewellyn, und ich gelobte mir, dich eines Tages für diese frühen Jahre zu entschädigen. Niemals haben wir dich im Stich gelassen. Ich habe mich schmerzlich nach dir gesehnt. Joel und ich sprachen immerzu von dir.
Ständig betete ich, daß wir alle zusammensein könnten. Das war mein innigster Wunsch ... genau wie deiner.
Die Jahre verflogen. Es waren gefährliche Zeiten. David beobachtete mich, und ich vermute, daß er wußte, wie es um Joel und mich stand.
Mit der Zeit bekam ich heraus, daß Elizabeth Larkham seine Geliebte war. Sie war eine seltsame, eine ungewöhnliche Frau. Ich glaube, sie hatte Emerald sehr gern, doch wie bei Joel und mir waren ihre Gefühle stärker als ihre Vernunft. Diese Matelands konnten eine ungeheure Macht ausüben.
Ich war Elizabeth dafür in gewisser Weise dankbar, weil sie Davids Aufmerksamkeit von mir ablenkte. Um die Wahrheit zu sagen: Ich fühlte mich nicht wohl, es lag etwas Bedrohliches über dem Schloß. Es war einst Schauplatz vieler Tragödien gewesen; innerhalb seiner Mauern waren schaurige Dinge geschehen. Zuweilen glaubte ich, daß Gewalt, Leidenschaft, Tod

und Verderben Schatten zurücklassen, die sich auf die nachfolgende Generation herabsenken.
Zeitweise war die Atmosphäre wie in einem brodelndem Hexenkessel, der überzulaufen drohte: David, mißgünstig, sinnlich, bestrebt, seine unersättlichen Gelüste zu befriedigen; Emerald in ihrem Sessel, still und grau wie ein Geist aus der Vergangenheit – oft fragte ich mich, wie sich ihr Leben mit David vor dem Unfall abgespielt haben mochte –, dann Elizabeth Larkham, die sich Emerald – und Emeralds Mann – unentbehrlich machte; ich und Joel in unserer verbotenen Leidenschaft und uns nach etwas sehnend, das niemals sein konnte, solange Jessamy lebte; und schließlich Jessamy, die gute, unschuldige Jessamy, die spürte, daß mit ihrer Ehe etwas nicht stimmte; sie litt unter der Gleichgültigkeit ihres Mannes und ihrem eigenen Versagen. Und dann die Kinder: Esmond, aufgeweckt und klug, kurz vor dem Eintritt in die Schule; Garth, der in den Ferien kam, und Malcolm, dessen Besuche weniger häufig waren – ein herrischer Junge, der bereits Matelandsche Züge erkennen ließ; und natürlich Susannah, ein hübsches Kind, das schreiend seinen Willen durchzusetzen trachtete und selig gluckste, wenn es ihm schließlich gelungen war – fürwahr eine echte Mateland.
Trotz alledem kam eine Zeit, da mich ein Gefühl der Sicherheit einlullte. Wie dumm von mir! David würde niemals klein beigeben. Vielleicht wurde er Elizabeths allmählich überdrüssig; jedenfalls stellte er mir immer heftiger nach. Wenn ich ausritt, folgte er mir stets. Ich hatte größte Schwierigkeiten, in das Haus in der Stadt zu gelangen, ohne von ihm gesehen zu werden.
Zu den seltsamsten Zeiten stahl ich mich davon, und wenn es mir nicht gelang, ihm zu entkommen, ging ich nicht in das Haus, und Joel wartete vergebens.
Ich entdeckte, daß er David aus tiefster Seele haßte. Joels Gefühle waren immer leidenschaftlich. Halbheiten waren ihm fremd. Er warf sich mit ganzem Herzen auf alles, von dem er

besessen war: Er war von seiner Arbeit besessen, und er war von seiner Liebe zu mir besessen. Oft dachte ich, wie glücklich wir hätten sein können, Suewellyn – er, du und ich in dem Haus in der Stadt.

Und nun komme ich zu dem Tag, als ich dich zum letztenmal in der Holzapfelhütte besuchte – nein, das letzte Mal kam ich, um dich abzuholen. Ich meine das vorletzte Mal.

Ich merkte nicht, daß mir jemand folgte. Eigentlich hätte ich darauf gefaßt sein müssen. Doch er war sehr geschickt. David hatte ausspioniert, daß ich das Schloß oft für einen Tag verließ, angeblich, um Verwandte meines Vaters zu besuchen, die zu einem Zweig jener Familie gehörten, bei denen ich angeblich war, als ich dich zur Welt gebracht hatte.

Nun, an diesem Tag folgte David mir bis zur Holzapfelhütte. Er quartierte sich für ein paar Tage im Gasthaus ein und stellte eine Menge Fragen. Er sah dich ... und erschreckte dich, glaube ich. Was er entdeckte, entsprach genau dem, was er erwartet hatte. Du existiertest ... meine und Joels Tochter.

Er kam äußerst befriedigt zurück, und gleich am nächsten Tag folgte er mir, als ich in den Wald ritt.

»Anabel«, sagte er, »ich muß Sie sprechen.«

»Nun, was haben Sie mir mitzuteilen?« fragte ich.

»Es geht um das ewige Dreigespann ... Sie, Joel und mich.«

»Ich will gar nicht hören, was Sie zu einem solchen Thema zu sagen haben«, gab ich zurück.

»Oh, es geht aber nicht um das, was Sie zu hören wünschen. Es geht um das, was ich Ihnen sagen möchte. Ich weiß alles, süße Anabel. Ich weiß, was zwischen Ihnen und Joel vorgeht. Während er angeblich den Kranken beisteht, vergnügt er sich mit Ihnen in seiner Junggesellenwohnung. Ich wundere mich über Sie, Anabel; über meinen Bruder dagegen freilich nicht.«

»Ich kehre ins Schloß zurück.«

»Noch nicht. Ich weiß alles, Anabel. Ich weiß von dem Liebes-

nest über dem Sprechzimmer. Ich weiß auch von dem kleinen Mädchen. Sie ist entzückend ... genau, wie ich es von Ihrer Tochter – und Joels, natürlich – erwarten würde.«
Mir war vor Schreck ganz übel. Ich hatte vermutet, daß er etwas von meinem Verhältnis mit Joel ahnte, aber daß er von deiner Existenz wußte, das machte mir angst.
Ich hörte mich stammeln: »Sie ... Sie sind hingegangen und haben sie angesprochen ...«
»Gucken Sie doch nicht so entgeistert. Kleine Mädchen reizen mich nicht. Ich mag die großen, schönen, solche wie Sie, Anabel.«
»Warum erzählen Sie mir das alles? Warum haben Sie mir nachspioniert?«
»Das wissen Sie genau; Sie sind schließlich ein kluges Kind. Ich bin gespannt, was Jessamy sagen wird, wenn sie hört, daß ihre liebe Freundin die Geliebte ihres Mannes ist. Und ein kleines Mädchen hat sie auch! Wissen Sie, Ihr Kind sieht Susannah sehr ähnlich. Der Altersunterschied ist nicht groß. Beide sind echte Matelands, ohne Zweifel.«
Mir war sehr elend. Ich dachte an Jessamy und konnte mir ihr betroffenes Gesicht vorstellen, wenn sie alles erführe. Und ausgerechnet ich ... ihre Cousine und beste Freundin! Ich war diejenige, die sie hintergangen hatte!
»Sie dürfen es Jessamy nicht erzählen«, flehte ich.
»Das habe ich auch eigentlich nicht vor. Und ich tu's auch nicht ... unter einer Bedingung.«
Kaltes Entsetzen ergriff mich. »Was – – – für eine Bedingung meinen Sie?«
»Ich hätte angenommen, das läge für jemanden mit Ihrem Scharfsinn auf der Hand.«
Ich versuchte mich mit meinem Pferd hinter ihm vorbeizuschieben, aber er hielt meine Zügel fest.
»Nun«, sagte er, »es ist doch nur noch eine Frage der Zeit, nicht wahr?«

Ich hob meine Peitsche. Ich hätte ihm in sein maliziös lächelndes Gesicht geschlagen, aber er packte meinen Arm.
»Warum so empört?« fragte er. »Sie sind schließlich keine scheue Jungfrau mehr, oder? Ich meine, es wäre doch nicht das erste Mal, daß Sie sich auf ein solches Abenteuer einlassen.«
»Ich verachte Sie.«
»Und ich begehre Sie. Und zwar so sehr, süße Anabel, daß ich bereit bin, Ihretwegen einiges zu unternehmen.«
»Ich will Sie nicht mehr sehen.«
»Wohin sollen wir gehen? Ins Schloß? Das wäre doch amüsant, oder? Wann werden Sie kommen?«
»Niemals«, sagte ich.
»Ach, die arme, gute Jessamy, sie wird außer sich sein.«
»Haben Sie denn keinen Funken Anstand im Leib?«
»Nein.«
»Ich hasse Sie.«
»Das macht es nur um so interessanter. Hören Sie, Anabel, ich habe darauf gewartet ... jahrelang. Ich weiß von Ihnen und Joel. Warum sind Sie zu dem einen Bruder so zärtlich und zu dem anderen so grausam?«
»Weil Joel und ich uns lieben«, sagte ich heftig.
»Wie rührend. Ich könnte weinen.«
»Ich bezweifle, daß Sie überhaupt weinen können, es sei denn vor Wut.«
»Sie müssen noch vieles über mich lernen, Anabel. Aber das kommt noch. Sie haben Zeit genug dazu. Sie müssen Ihre Niedertracht vor Jessamy verbergen, nicht wahr? Und das ist nur auf eine Weise möglich.«
»Ich gehe zu ihr und sage es ihr selbst.«
»So? Die arme Jessamy! Sie ist ein sehr empfindsames Mädchen, und es geht ihr seit Susannahs Geburt nicht besonders gut. Sie hat es auf der Brust, und auch ihr Herz ist nicht ganz in Ordnung. Ich bin neugierig, wie sie die Nachricht aufnimmt. Ich meine, die Geschichte von Ihrer Gemeinheit. Sie und ihr

Mann … der Ehemann und die beste Freundin. So etwas kommt leider häufig vor.«
Ich gab meinem Pferd die Sporen und sprengte davon. Ich wußte nicht, wohin, wußte nicht, was tun. Schließlich kehrte ich zum Schloß zurück. Jessamy ruhe sich aus, sagte man mir. Ich war außer mir vor Angst. Jessamy durfte es auf keinen Fall erfahren. Und die andere Möglichkeit …
Ich zitterte vor Angst. Ein einziger Gedanke nur hämmerte in meinem Kopf: Jessamy darf es nicht erfahren.
Wieder und wieder dachte ich an diese Szene im Wald. Ich konnte Davids glitzernde Augen und seine vollen, sinnlichen Lippen nicht vergessen. Ich wußte genau, was in seinem Kopf vorging: Er glaubte, er hätte mich endlich in seine Gewalt gebracht.
Langsam öffnete sich meine Tür. Ich sprang erschrocken auf, als Jessamy eintrat.
»Hab' ich dich erschreckt?« fragte sie.
»N … nein«, antwortete ich.
»Ist etwas nicht in Ordnung?«
»Nein, wieso?«
»Du siehst so … verändert aus.«
»Ich hab' ein bißchen Kopfweh«, erklärte ich.
»Ach herrje, Anabel, es kommt so selten vor, daß dir nicht wohl ist.«
»Es ist ja nicht weiter schlimm.«
»Du mußt dir von Joel ein Mittel geben lassen. Möchtest du dich nicht lieber hinlegen? Ich bin eigentlich gekommen, um mit dir über Susannah zu sprechen.«
»Was ist mit ihr?«
»Sie kann sehr eigensinnig sein, wie du weißt. Immer versucht sie, ihren Kopf durchzusetzen, und das gelingt ihr meistens auch.«
»Sie ist eben eine Mateland«, sagte ich.
»Ich sollte dich wohl jetzt nicht damit belästigen. Es ist ja nicht

so wichtig. Ich wollte bloß mal darüber reden, denn ich war ein bißchen besorgt, und immer, wenn ich besorgt bin, komme ich zu dir. Ist dir eigentlich bewußt, daß du jetzt schon sieben Jahre im Schloß bist?«
»Damals war ich siebzehn«, bemerkte ich, nur um etwas zu sagen.
»Dann bist du jetzt also vierundzwanzig. Du solltest dich nach einem Ehemann umsehen, Anabel.«
Ich schloß die Augen. Die Unterhaltung wurde unerträglich. Jessamy redete weiter, als sinne sie laut vor sich hin. »Wir müssen deinetwegen etwas unternehmen, Gesellschaften geben ... Bälle ... Ich werde mit Joel sprechen ... wenn ich ihn sehe. Was ist mit dir? Fühlst du dich auch wirklich wohl? Ich plappere drauflos, dabei hast du Kopfweh. Du mußt dich ausruhen, Anabel!«
Sie bestand darauf, daß ich mich hinlegte. Sie deckte mich zu. Am liebsten hätte ich laut herausgeschrien: Du solltest mich hassen! Das hätte ich verdient!
Sie ging hinaus, und ich lag da und versuchte zu überlegen, was zu tun sei.
Doch ich fand keinen Ausweg. Jessamy würde es erfahren. Ein unerträglicher Gedanke. Ich mußte mit Joel sprechen, aber ich hatte Angst. Was würde er tun? Ich wußte, daß er wütend auf seinen Bruder sein würde, doch ich mußte es ihm sagen.
Ich verließ, immer noch in Reitkleidung, mein Zimmer. Als ich in die Halle trat, rief David meinen Namen. Ich lief zur Tür, doch er war vor mir dort.
»Sie haben nur kurze Bedenkzeit«, erklärte er. »Sagen wir, vier Stunden. Ich fände es sehr nett, wenn Sie in mein Zimmer kämen. Es liegt im vorderen Rundturm. Es ist sehr gemütlich. Ich lasse rechtzeitig Feuer machen und werde dort auf Sie warten. Ich nehme an, mein aufopfernder Bruder ist in seiner Praxis. Er legt anscheinend keinen Wert darauf,

bei seiner Frau zu sein. Wir beide wissen freilich, warum. Er hat Wichtigeres zu tun. Also dann, meine liebe Anabel, bis heute abend.«
Ich lief an ihm vorbei, hinaus zu den Stallungen, stieg auf mein Pferd und preschte davon, jedoch nicht in die Stadt. Ich wagte nicht, Joel von dem Vorfall zu erzählen. Und doch würde ich es tun müssen.
Ich galoppierte waghalsig über die Felder und fragte mich unentwegt, was ich tun sollte.
Es war später Nachmittag. Ich mußte zu Joel. Ich mußte es ihm sagen. Wir hatten uns gegenseitig versprochen, alles miteinander zu teilen.
Er war gerade mit der Behandlung seiner Patienten fertig und sichtlich erfreut, mich zu sehen. Ich warf mich in seine Arme und schluchzte.
Ich erzählte ihm alles, und er wurde bleich. Schließlich sagte er: »Wenn er dich heute abend erwartet, werde ich mich statt deiner bei ihm einfinden.«
»Joel«, rief ich, »was wirst du tun?«
»Ich bringe ihn um«, sagte er kalt.
»Nein, Joel. Wir müssen nachdenken. Du darfst nichts überstürzen. Es wäre Mord ... an deinem eigenen Bruder.«
»Es wäre nicht schlimmer, als eine Wespe zu töten. Ich hasse ihn.«
»Joel ... bitte ... versuche doch, ruhig zu bleiben.«
»Das ist meine Sache, Anabel.«
»Ich will nicht, daß Jessamy es erfährt. Sie würde sich nie mehr auf jemanden verlassen. Sie hat mir vertraut. Wir standen uns immer so nahe ... wir waren die besten Freundinnen. Es wäre mir unerträglich, wenn sie erfährt, was ich getan habe, Joel.«
Ich sah, wie der Zorn in ihm aufstieg, und wußte, daß er für keine weiteren Einwände mehr zugänglich war. Er konnte rasen vor Zorn. Einmal, als ein Kind in der Stadt von seinen Eltern übel

zugerichtet wurde, hatte seine Wut auf sie keine Grenzen gekannt. Er hatte die Eltern ins Gefängnis geschickt und das Kind zu jemand anderem in Pflege gegeben. Seine Wut war natürlich gerechtfertigt, doch er hatte nicht bedacht, daß die Eltern überarbeitet waren und nicht viel Verstand besaßen. Ich hatte mit ihm darüber diskutiert, aber er war uneinsichtig geblieben. Und nun sann er nur noch auf Rache an David – nicht weil dieser uns nachspioniert und dich, Suewellyn, gefunden hatte, sondern für das, was er von mir verlangte. Joel nannte es Erpressung, und das war es ja wohl auch. Und mit Erpressern, sagte er, könne man nur eines tun, nämlich sie beseitigen.
Mir war angst und bange, wenn ich bedachte, welche Leidenschaften ich in diesen beiden Männern entfacht hatte. Ich kannte ihre hitzigen Naturen, und das flößte mir Angst ein.
Wir kehrten zusammen zum Schloß zurück. Ich begab mich in mein Zimmer, schützte Kopfweh vor und ging nicht zum Abendessen hinunter. Jessamy kam nach dem Essen zu mir und erkundigte sich, wie es mir ginge. Sie erzählte mir, daß eine sehr merkwürdige Stimmung geherrscht habe. Joel hätte kaum gesprochen, und David schien so eigenartig vergnügt gewesen zu sein. »Er hat die ganze Zeit Witze gemacht ... anzügliche Witze, die ich nicht verstehen konnte«, berichtete Jessamy. »Ich war froh, als die Mahlzeit vorüber war. Arme Anabel. Es ist so ungewohnt, daß du dich nicht wohl fühlst. David sagte, er könne sich nicht erinnern, daß es dir jemals schlechtging ... außer damals, vor sechs oder sieben Jahren, als du die Verwandten deines Vaters besuchtest. Er meinte, bevor du fortgingst, sei es dir eine Zeitlang gar nicht gutgegangen, aber als du zurückkamst, hättest du dich offensichtlich wieder erholt. Es war eine gräßliche Mahlzeit, Anabel. Ich war so froh, als sie vorüber war. Aber du bist müde.« Sie beugte sich zu mir herunter und gab mir einen Kuß. »›Morgen sieht alles anders aus‹, hat die alte Amme Perkins immer gesagt, erinnerst du dich noch?«

»Danke, Jessamy«, sagte ich. »Ich hab' dich lieb. Vergiß das nicht.«
Sie lachte. »Du mußt dich ja wirklich elend fühlen, wenn du so sentimental wirst. Gute Nacht, Anabel.«
Ich hätte sie an mich ziehen mögen, hätte ihr am liebsten alles zu erklären versucht und sie um Verzeihung gebeten.
Eine Weile blieb ich so liegen. Joel hatte gesagt, er wolle mich abholen, und dann wollten wir zusammen in Davids Zimmer gehen. Er kam aber nicht, und während ich, die Augen auf die Tür geheftet, wartete, hörte ich von irgendwo außerhalb des Schlosses den gedämpften Laut eines Schusses.
Ich stand auf und lauschte angespannt. Von unten drang kein Geräusch herauf. Der Schuß hatte sicher etwas mit David und Joel zu tun. Ich schlich zu Jessamys und Joels Zimmer und horchte an der Tür. Sicherlich war Jessamy wieder allein.
Aber dann hielt ich es nicht aus. Ich machte mich auf den Weg zu Davids Zimmer im Turm. Vor der Tür blieb ich stehen und lauschte. Kein Laut drang heraus. Vorsichtig öffnete ich die Tür und schaute hinein. Im Kamin flackerte ein Feuer. Der Raum war von mehreren Kerzen erhellt. Ein Sessel stand am Feuer, und auf der samtenen Bettdecke lag ein seidener Morgenmantel.
Niemand war im Zimmer.
Mit jeder Sekunde wuchs meine Angst. Ich rannte die Treppen hinunter und in den Hof hinaus. Ich mußte wissen, was geschehen war, doch gleichzeitig fürchtete ich mich entsetzlich vor dem, was ich entdecken würde. Ich hörte eilige Schritte und hielt lauschend den Atem an.
Joel kam auf mich zugelaufen, und da wußte ich, daß sich etwas Furchtbares abgespielt hatte.
Ich warf mich in seine Arme. Ein dicker Klumpen saß mir in der Kehle, so daß ich kaum atmen konnte.

Ich stammelte: »Ich habe ... einen Schuß gehört ...«
»Er ist tot«, sagte Joel. »Ich habe ihn erschossen.«
»Gott steh uns bei«, murmelte ich.
»Ich ging in sein Zimmer«, berichtete Joel, »und sagte ihm, daß ich Bescheid wisse und ihn töten werde. Er meinte, wir sollten das wie zivilisierte Menschen regeln. Er schlug Pistolen vor. ›Wir sind beide gute Schützen‹, sagte er. Wir holten also die Pistolen aus der Waffenkammer. Er hat sich immer für den besseren Schützen gehalten ... deshalb hat er es auch vorgeschlagen ... aber diesmal war er der schlechtere.«
»Du hast ihn getötet, Joel«, flüsterte ich. »Bist du ganz sicher, daß er tot ist?«
»Ja. Ich habe direkt aufs Herz gezielt. Er oder ich ... er mußte es sein ... deinetwegen ... meinetwegen ... und wegen Sueweilyn.«
»Joel!« rief ich. »Was willst du jetzt tun?«
»Ich wußte, daß ich ihn eines Tages umbringen würde ... oder er mich. Wir waren ein- oder zweimal nahe dran. Aber das ist vorbei. Ich gehe fort. Ich muß gehen ... noch heute nacht ...«
»Joel ... nein!«
»Du kommst mit mir. Wir müssen das Land verlassen.«
»*Jetzt* ...?«
»Jetzt ... heute nacht. Alles muß sorgfältig geplant werden. Es ist nicht unmöglich. Mit meiner Bank kann ich alles arrangieren, wenn wir in Sicherheit sind. Wir können Wertsachen mitnehmen ... alles, dessen wir habhaft werden und was wir bequem tragen können. Geh in dein Zimmer. Packe zusammen, soviel du kannst. Laß niemanden wissen, was du vorhast. Bis zum Morgen sind wir fort. Wir reiten eine kurze Strecke und fahren dann mit dem Zug nach Southampton. Wir nehmen ein Schiff nach ... höchstwahrscheinlich Australien ... und von dort aus sehen wir weiter.«
»Joel«, hauchte ich, »das Kind.«

»Ja«, sagte er. »Natürlich habe ich auch an das Kind gedacht. Du mußt es gleich holen. Wir gehen zu dritt fort.«
Ich raste in mein Zimmer, und eine Stunde nachdem ich den Pistolenschuß gehört hatte, ritt ich mit Joel durch die Nacht. Am Bahnhof trennten wir uns. Er fuhr nach Southampton. Ich sollte später mit dir nachkommen. Nachdem ich auf verschiedene Anschlußzüge warten mußte, konnte ich erst am folgenden Tag zu dir kommen. Den Rest kennst du.
Das ist meine Geschichte, Suewellyn. Du liebst deinen Vater und mich, und nachdem du weißt, was geschah, wirst du uns verstehen.

Die Insel

Von allem, was seit jenem Tag, als meine Mutter mich aus der Holzapfelhütte abholte, geschah, sind mir die Jahre auf der Insel als die glücklichste Zeit meines Lebens in Erinnerung geblieben. Für mich bleibt die Insel ein zauberhafter Ort, ein verlorenes Paradies.

Im Rückblick ist es nicht immer einfach, sich ganz deutlich zu erinnern. Die Ereignisse verschwimmen im Laufe der Jahre. Heute kommt es mir vor, als seien jene Tage – außer natürlich während der Regenzeit – voller Sonnenschein gewesen. Doch auch den Regen liebte ich! Ich stellte mich ins Freie und ließ mich von ihm bis auf die Haut durchnässen. Wenn dann die Sonne herauskam, dampfte die Erde, und in wenigen Minuten war ich wieder trocken. Jeder Tag war voller Glückseligkeit. Aber nur für mich. Zeitweise spürte ich bei meinen Eltern eine gewisse Furcht. Wenn während der ersten Jahre ein Schiff draußen anlegte, gab meine Mutter sich jedesmal alle Mühe, ihre Angst vor mir zu verbergen, und mein Vater saß, ein Gewehr auf den Knien, am obersten Fenster, von wo man die Bucht überblicken konnte. Wenn das Schiff, das uns allerlei Pakete gebracht hatte, wieder losmachte, war alles aufs neue in Ordnung, und lachend und ausgelassen tranken wir eine Flasche besonders guten Wein. Ich ahnte, daß meine Eltern fürchteten, mit dem Schiff würde jemand kommen, den sie nicht zu sehen wünschten.

An dem Tag, als wir auf der Insel anlangten, wurden wir von Luke Carter, dessen Haus mein Vater gekauft hatte, empfangen. Ihm gehörte die Kokosplantage, die der Insel einen gewissen

Wohlstand gebracht hatte. Er erzählte meinem Vater, daß er seit zwanzig Jahren hier lebte. Nun aber wurde er alt und wollte sich zurückziehen. Zudem war das Geschäft in den letzten Jahren ins Stocken geraten. Der Absatz war zurückgegangen; die Einheimischen wollten nicht mehr arbeiten – sie lagen lieber in der Sonne und huldigten dem alten Grollenden Riesen. Luke Carter wollte noch so lange bleiben, um meinem Vater alles zu zeigen, aber dann würde das nächste Schiff, das von der Insel ablegte, ihn mitnehmen.

Er war jetzt ganz allein. Sein ehemaliger Partner war einer der auf der Insel verbreiteten Fieberkrankheiten, die während der feuchten Jahreszeit besonders tückisch waren, erlegen.

»Sie sind Arzt«, sagte Luke Carter. »Da werden Sie wohl wissen, wie Sie damit fertig werden.«

Mein Vater erklärte, die hier heimischen Fieberkrankheiten seien auch ein Grund, weshalb er sich ausgerechnet auf dieser Insel habe niederlassen wollen. Vielleicht könnte er ein Mittel entdecken, um sie zu bekämpfen.

»Da werden Sie sich aber mit dem alten Wandalo anlegen«, meinte Luke Carter. »Der beherrscht die ganze Insel. Er entscheidet, wer sterben wird und wer nicht. Er ist der Medizinmann und der Hohepriester, dabei sitzt er unter seinem Banjanbaum und denkt über den Sinn der Welt nach.«

An den folgenden Tagen führte Luke Carter meinen Vater auf der Insel herum.

Meine Mutter ließ mich nie allein aus dem Haus. Wenn wir hinausgingen, hielt sie mich fest an der Hand, und ich war ziemlich verwundert, als ich feststellte, daß unser Anblick die Inselbewohner erheiterte, vor allem die Kinder, deren Kichern durch einen Klaps auf den Rücken zum Verstummen gebracht werden mußte. Manchmal lugten sie durch die Fenster zu uns herein, und wenn wir aufblickten, flitzten sie davon, als fürchteten sie um ihr Leben. Abends klärte uns Luke Carter über die Insel und ihre Bewohner auf.

»Die Eingeborenen sind intelligent«, berichtete er, »aber auch geschickte Langfinger und haben keine Achtung vor fremdem Eigentum. Sie müssen auf Ihre Habe aufpassen. Die Leute lieben bunte Farben und funkelnden Glanz, aber sie können nicht zwischen einem Diamanten und einer Glasscherbe unterscheiden. Wer sie gut behandelt, zu dem sind sie freundlich. Eine Kränkung vergessen sie ebensowenig wie einen guten Dienst. Und wenn man ihr Vertrauen gewinnt, sind sie sehr anhänglich. Ich habe zwanzig Jahre lang unter ihnen gelebt, ohne mit einer Keule erschlagen oder als Opfer für den Grollenden Riesen in den Krater geworfen zu werden, also habe ich meine Sache wohl ganz gut gemacht.«
»Ich hoffe, daß ich ebenso gut mit ihnen auskommen werde«, sagte mein Vater.
»Die Leute werden Sie akzeptieren... mit der Zeit. Fremden gegenüber sind sie schüchtern. Deshalb hielt ich es für das beste, noch eine Weile hierzubleiben. Bis ich fortgehe, werden sie sich daran gewöhnt haben, daß Sie nun auch zur Insel gehören. Sie lieben Kinder und sind im Grunde anspruchslos. Nur müssen Sie dem Riesen Respekt erweisen, das ist das einzige, worauf Sie achten müssen.«
»Erzählen Sie uns von diesem Riesen«, bat meine Mutter. »Ich weiß natürlich, daß es der Berg ist.«
»Wie Sie wissen, gehört diese Insel zu einer Gruppe vulkanischer Inseln, die vor Millionen von Jahren entstanden sind, als die Erdkruste sich bildete und die Erde von inneren Eruptionen erschüttert wurde. Dabei wurde nach Meinung der Eingeborenen der alte Riese emporgeschleudert. Er ist der Gott der Insel. Die Leute glauben, er sei Herr über Leben und Tod und müsse versöhnlich gestimmt werden. Sie huldigen ihm, indem sie Berghänge mit Muscheln, Blumen und Federn schmücken, und wenn er zu grollen anfängt, bekommen sie furchtbare Angst. Er ist ein alter Teufel, dieser Berg. Einmal ist er wirklich ausgebrochen. Das muß vor dreihundert Jahren gewesen sein. Die Insel

wäre um ein Haar vernichtet worden. Jetzt grollt er von Zeit zu Zeit und spuckt dabei Steine und Lava aus ... sozusagen, um das Volk zu warnen.«
»Wir hätten uns wohl besser eine andere Insel aussuchen sollen«, meinte meine Mutter. »Das Rumoren dieses Grollenden Riesen gefällt mir nicht.«
»Er ist nicht gefährlich. Sie müssen bedenken, es ist dreihundert Jahre her, seit er das letzte Mal richtig aktiv war. Das bißchen Grollen ist so etwas wie ein Sicherheitsventil. Mit seinen Ausbrüchen ist es vorbei. Noch einmal hundert Jahre, und er ist vollends erloschen.«
Luke Carter machte uns mit Cougaba bekannt, die ihm das Haus geführt hatte und bereit war, auch bei uns in Dienst zu treten. Er hatte gehofft, daß wir sie behalten würden, da es ihr jetzt schwerfallen dürfte, das große Haus zu verlassen und wieder in eine der Eingeborenenhütten zu ziehen. Sie war fast die ganzen zwanzig Jahre, die er auf der Insel verbracht hatte, bei ihm gewesen. Außerdem hatte sie noch eine Tochter namens Cougabel; und es sei ratsam, meinte Luke Carter, sie mit ihrer Mutter zusammen im Haus wohnen zu lassen.
»Die beiden werden Ihnen gute Dienste leisten«, sagte er. »Sie werden eine Art Boten zwischen Ihnen und den Eingeborenen sein.«
Meine Mutter erklärte sogleich, wie froh sie sei, die beiden zu haben, denn sie hatte sich bereits gesorgt, wo sie brauchbare Dienstboten herbekommen sollte.
So gingen die ersten Wochen auf der Vulkaninsel dahin, und als Luke Carter uns verließ, hatten wir uns eingewöhnt.
Mein Vater hatte auf die Bevölkerung großen Eindruck gemacht. Er war ein stattlicher Mann – 1,93 Meter –, wohingegen die Inselbewohner eher kleinwüchsig waren. Das verschaffte ihm von vornherein einen Vorteil. Dazu kam seine Persönlichkeit. Er war zum Befehlen geboren und versuchte auch hier sogleich, seine Autorität zu beweisen. Luke Carter hatte den

Inselbewohnern erzählt, mein Vater sei ein großer Doktor und er sei gekommen, um die Leute gesund zu machen. Er verfüge über besondere Heilmittel und könne der Insel gewiß viel Gutes bringen.
Die Inselbewohner waren enttäuscht. Sie hatten Wandalo. Wozu brauchten sie noch einen zweiten Medizinmann? Sie wollten jemanden, der das Kokosnußgeschäft wieder in Gang brachte und der Insel zu Wohlstand verhalf.
Es war wirklich schade, den natürlichen Reichtum dieser Gegend nicht auszunutzen. Unsere Vulkaninsel war die größte der Gruppe und bot alles, was man sich von einer Südseeinsel versprach – heiße Sonne, schwere Regenfälle, wogende Palmen und sandige Strände.
Als mein Vater die Insel zum ersten Mal gesehen hatte, hatte er sie Palmeninsel taufen wollen, doch sie hieß bereits Vulkaninsel, was bezüglich des Riesen ebenso passend war.
Es war eine schöne Insel, gut achtzig mal sechzehn Kilometer groß, üppig, fruchtbar, von dem großen Berg beherrscht. Er war gewaltig, dieser Berg, geradezu furchterregend, und wenn man dicht davor stand – und es war auf dieser Insel nicht möglich, weit von ihm entfernt zu sein –, schien er tatsächlich ein drohendes Eigenleben zu besitzen. Die Täler waren fruchtbar, doch wenn man hinaufblickte, so konnte man auf den oberen Abhängen die Zerstörungen wahrnehmen, wo der Zorn des Riesen getobt und die Erde verwüstet hatte. In den Tälern aber wuchsen Bäume und Sträucher im Überfluß. Kasuarinen, Kaurifichten und Affenbrotbäume gediehen üppig neben Sagopalmen, Orangenbäumen und Ananaspflanzen, Bananenstauden und natürlich den unvermeidlichen Kokospalmen.
Hüte dich vor dem Riesen. Er kann zornig werden, belehrte mich Cougaba, die mich rasch ins Herz schloß und so etwas wie meine Kinderfrau wurde. Ich mochte sie recht gern, und meine Mutter freute sich darüber und förderte unsere Freundschaft. Cougaba war dankbar, weil nicht nur sie, sondern auch ihre

Tochter im Haus bleiben durfte. Sie liebte ihr Kind abgöttisch, das ungefähr so alt wie ich sein mußte; allerdings war es schwierig, das Alter der Eingeborenen zu schätzen. Das Mädchen war von beträchtlich hellerer Hautfarbe als seine Mutter und hatte einen glatten hellbraunen Teint, der sie sehr reizvoll machte. Sie besaß strahlende braune Augen und schmückte sich gern mit Muscheln und Perlen, die zumeist mit Drachenblut, dem Saft des Drachenbaumes, rot gefärbt waren. Cougabel wurde von ihrer Umgebung bevorzugt behandelt. Man zollte ihr einen gewissen Respekt, was auf ihre Herkunft zurückzuführen war. Sie erzählte mir, sie sei ein Kind der Maske, und was das bedeutete, erfuhr ich später.
Ich lernte eine Menge von Cougabel. Sie nahm mich mit, wenn sie Muscheln und Hahnenfedern an den Berghang legte, um den Riesen zu besänftigen.
»Du mitkommen«, radebrechte sie. »Riese vielleicht böse auf euch. Ihr kommen auf Insel, und Wandalo nicht froh. Er sagen Medizinmann hier. Wandalo will, daß Mann Seile, Körbe und Kokosöl verkaufen ... will nicht Medizinmann.«
Ich erwiderte: »Mein Vater ist Arzt. Er ist nicht hier, um Geschäfte mit Kokosnüssen zu machen.«
»Du bringen Muscheln zu Riese«, sagte Cougabel und nickte weise, als halte sie es für sehr klug, wenn ich ihren Rat befolgen würde.
Ich gehorchte.
»Riese kann schrecklich wütend werden. Grollen ... grollen ... grollen ... spucken glühende Steine aus. Ich sehr böse, er sagen.«
»Es ist doch nur ein Vulkan«, erklärte ich ihr. »Davon gibt es noch mehr auf dieser Welt. Das ist eine ganz natürliche Erscheinung.«
Das Englisch von Cougaba und Cougabel war besser als das der meisten Eingeborenen, denn sie hatten beide lange bei Luke Carter im Haus gelebt. Trotzdem ließen ihre Sprachkenntnisse

viel zu wünschen übrig. Cougaba drückte sich jedoch meist mit sehr beredten Gebärden aus, die wir recht gut verstanden.
»Er warnen«, erzählte sie uns. »Er sagen, ich böse. Dann wir bringen Muscheln und Blumen. Als ich kleines Mädchen war wie Sie, Missie, haben sie Mann in Krater geworfen. War sehr schlechter Mann. Hat seinen Vater getötet. Deshalb haben sie ihn hineingeworfen ... aber Riese nicht zufrieden. Wollte nicht schlechten Mann als Opfer. Wollen guten Mann. Deshalb haben sie Heiligen Mann hineingeworfen. Aber alter Riese immer noch zornig. Sie achtgeben auf alten Riesen. Er eines Tages ganze Insel vernichten.«
Ich versuchte ihr zu erklären, daß es sich um eine ganz natürliche Erscheinung handle. Sie hörte ernsthaft nickend zu, aber ich wußte, sie verstand kein Wort von dem, was ich sagte – und selbst wenn, so hätte sie es nicht geglaubt.
Nach und nach lernte ich alle Legenden der Insel kennen, von meinen Eltern, von Cougaba und Cougabel und von dem Zauberer Wandalo, der nichts dagegen einzuwenden hatte, daß ich mich zu ihm unter den Banjanbaum hockte.
Wandalo war ein kleiner, magerer Mann, nur mit einem Lendenschurz bekleidet. Ich war von seinen vorstehenden Rippen fasziniert. Wenn man ihn anschaute, so war es, als betrachte man ein Skelett. Er bewohnte eine kleine Rundhütte am Rande einer Lichtung zwischen den Bäumen, und dort saß er den ganzen Tag und zeichnete mit seinem Zauberstock Linien in den Sand.
Das erste Mal sah ich ihn, kurz nachdem Luke Carter abgereist war. Die Besorgnis meiner Mutter hatte ein wenig nachgelassen, und ich durfte mich draußen umsehen, wenn ich mich nicht allzuweit vom Haus entfernte.
Ich stand am Rande der Lichtung und beobachtete fasziniert Wandalo. Er sah mich und winkte mich zu sich heran, gerade als ich fortlaufen wollte. Ich ging langsam zu ihm, gebannt und ängstlich zugleich.
»Setz dich, Kleine«, sagte er.

Ich setzte mich.
»Du spähst und guckst«, hielt er mir vor.
»Bloß ... Sie sind so anders ...«
Er verstand nicht, aber er nickte.
»Du bist weit übers Meer gekommen.«
»O ja.« Ich erzählte ihm von der Holzapfelhütte, und wie wir mit dem Schiff gefahren waren; er hörte aufmerksam zu und begriff wohl auch ein wenig.
»Medizinmann nicht wünschen ... Mann für Plantage ... du verstehen, Kleine?«
Ich bejahte und erklärte ihm, was ich zuvor schon Cougaba auseinandergesetzt hatte: daß mein Vater kein Geschäftsmann, sondern Arzt sei.
»Medizinmann nicht wünschen«, wiederholte er beharrlich. »Plantagenmann. Volk arm. Machen Volk reich. Nicht Medizinmann.«
»Die Menschen müssen das tun, was sie am besten können«, gab ich ihm zu verstehen.
Wandalo malte Kreise in den Sand.
»Kein Medizinmann.« Er berührte den Kreis, den er gemalt hatte, mit dem Stock und verwischte den Sand. »Bringen nichts Gutes ... Medizinmann gehen ... Plantagenmann kommen.«
Verwirrt und verängstigt lief ich heim, es hatte etwas Drohendes in Wandalos Handlungen und Worten gelegen.
Cougabel und ich spielten viel zusammen. Es war schön, eine Gefährtin zu haben. Sie kam zu den Unterrichtsstunden, die meine Mutter mir erteilte, und Cougaba war außer sich vor Freude, als sie ihre Tochter neben mir sitzen und mit einem Griffel Zeichen auf eine Schiefertafel malen sah. Cougabel war ein sehr intelligentes kleines Mädchen und unterschied sich durch ihre helle, kakaofarbene Haut von den anderen Inselbewohnern. Die meisten waren dunkelbraun, viele waren sogar ganz schwarz. Bald unternahmen wir alles zusammen; Cougabel

kannte sich überall aus und zeigte mir, welche Früchte eßbar waren; sie war ein fröhliches Kind, und ich war froh über ihre Gesellschaft. Sie zeigte mir, wie wir unsere Finger mit Muscheln einritzen und unser Blut vermischen mußten. »Wir jetzt richtige Schwestern«, sagte sie.

Leider waren meine Eltern nicht immer so glücklich, wie sie es sich erhofft hatten. Immer, wenn ein Schiff erwartet wurde, überkam sie eine große Unruhe, die sich erst wieder legte, wenn das Schiff abfuhr. Dann waren wir überaus fröhlich. Ich saß bei meinen Eltern und lauschte ihren Gesprächen. Dabei hockte ich auf einem Schemel, lehnte mich an die Knie meiner Mutter, und sie fuhr mir mit den Fingern durchs Haar.

Ich wußte, daß mein Vater hierhergekommen war, um Malaria, Wechselfieber, Sumpffieber und Dschungelfieber, die hier auftretenden Krankheiten, zu erforschen. Er wollte versuchen, die Inselbewohner davon zu befreien, und plante, demnächst ein Hospital zu bauen.

Einmal sagte er: »Ich möchte Leben *retten*, Anabel. Ich möchte wiedergutmachen ...«

Sie erwiderte rasch: »Du hast viele Menschenleben gerettet, Joel, und du wirst noch mehr retten. Du darfst nicht grübeln, es mußte sein.«

Und während ich ihrer Unterhaltung zuhörte, überlegte ich, auf welche Weise ich ihnen zeigen konnte, wie sehr ich sie liebte und wie dankbar ich war, daß sie mich aus der Holzapfelhütte geholt hatten.

Wir waren etwa seit sechs Monaten auf der Insel, als der Riese heftig zu grollen anfing.

Eine Frau hörte es als erste, als sie eine Opfergabe auf einen Berghang legen wollte. Es klang zornig. Offensichtlich war der Riese nicht zufrieden. Die Kunde verbreitete sich rasch, und ich sah die Angst in Cougabas Augen.

»Alter Riese grollen«, sagte sie zu mir. »Alter Riese nicht zufrieden.«

Ich lief zu Wandalo, der vor seiner Hütte hockte und mit seinem Stock in flinken Bewegungen Kreise in den Sand malte.
»Geh weg«, befahl er mir. »Keine Zeit. Riese grollen. Riese zornig. Medizinmann hier nicht wünschen, sagen Riese. Wünschen Plantagenmann.«
Ich rannte fort.
Cougaba war gerade dabei, den Fisch auszunehmen, den sie kochen wollte.
Sie schüttelte den Kopf. »Kleine Missie ... großer Ärger kommen. Riese grollen. Bald kommen Maskentanz.«
Nach und nach bekam ich heraus, was es mit diesem Maskentanz auf sich hatte – ein wenig erfuhr ich von Cougaba, etwas mehr von Cougabel, und dann hörte ich meine Eltern darüber sprechen, was sie erfahren hatten.
Seit Hunderten von Jahren, seit die Vulkaninsel von Menschen bewohnt war, wurden diese Maskentänze aufgeführt. Diesen Brauch gab es sonst nirgends auf der Welt, und der Tanz fand immer dann statt, wenn das Rumoren des Vulkans unheilvoll wurde und Muscheln und Blumen den Riesen nicht mehr zu besänftigen vermochten.
Der Heilige Mann – zur Zeit war es Wandalo – machte Zeichen mit seinem Zauberstock. Der Gott des Berges gab ihm Anweisungen, wann das Maskenfest abgehalten werden sollte. Es mußte immer bei Neumond stattfinden, weil der Riese wünschte, daß die Rituale bei Dunkelheit vollzogen wurden. Wenn die Nacht festgesetzt war, nahmen die Vorbereitungen ihren Lauf und währten die ganze Zeit, während der alte Mond abnahm. Die Masken waren aus dem verschiedensten Material gefertigt, doch meistens bestanden sie aus Lehm. Sie mußten das Gesicht des Trägers vollkommen verdecken, dessen Haare mit dem Saft des Drachenbaumes rot gefärbt wurden. Dann wurde das Festmahl vorbereitet. Es gab Fässer mit Kavabier und Arrak, dem gegorenen Saft aus Palmenmark. Auf großen Feuern auf der Lichtung, wo Wandalos Behausung stand, wurden Fische,

Schildkröten, Wildschweine und Hühner gebraten. Die Nacht wurde nur von den Sternen und von den Feuern, auf denen das Essen garte, erleuchtet.

Jeder, der an dem Tanz teilnahm, mußte jünger als dreißig Jahre sein, und alle mußten vollständig maskiert sein, so daß niemand sie erkennen konnte.

Während des ganzen Tages, der dem Fest vorausging, schlugen die Trommeln, anfangs ganz leise, später heftiger ... die ganze Nacht hindurch. Die Trommelschläger durften nicht schlafen, sonst würde der Riese böse werden. Noch während des Festmahls schlugen sie, und als das vorüber war, schwollen die Trommeln, die lauter und lauter geworden waren, zum Crescendo an, was das Zeichen zum Beginn des Tanzes war.

Ich durfte den Maskentanz zum erstenmal sehen, als ich schon viel älter war, und nie werde ich die Verrenkungen und Zuckungen dieser braunen, glänzenden, mit Kokosöl eingeriebenen Leiber vergessen. Die erotischen Bewegungen zielten darauf ab, die Teilnehmer in Ekstase zu versetzen. Dies war der Tribut an den Gott der Fruchtbarkeit, welcher ihr Gott war, der Gott des Berges.

Im Verlauf des Tanzes verschwanden die Teilnehmer paarweise im Wald. Einige sanken zu Boden, unfähig, weiterzugehen. Und in dieser Nacht lag jede Frau mit einem Liebhaber beisammen, und weder Mann noch Frau wußte, mit wem sie in dieser Nacht den Beischlaf vollzogen hatten.

Es war einfach, festzustellen, wer in dieser Nacht empfangen hatte, denn vorher war einen vollen Monat lang allen Männern und Frauen der Geschlechtsverkehr untersagt. Cougabel war deswegen so geachtet, weil sie in der Nacht der Masken empfangen worden war.

Die Leute glaubten, daß der Grollende Riese in den würdigsten unter den Männern eingegangen war und die Frau erwählt hatte, die sein Kind gebären sollte; daher galt jede Frau, die neun Monate nach der Nacht der Masken ein Kind zur Welt brachte, als vom Grollenden Riesen gesegnet. Der Riese war durchaus nicht immer verschwenderisch mit seiner Gunst. Wenn nicht ein einziges Kind empfangen wurde, so war das ein Zeichen, daß er zürnte. Es kam oft vor, daß aus solchen Nächten kein Kind hervorging. Einige Mädchen fürchteten sich, und die Angst machte sie unfruchtbar; denn, so erzählte mir Cougaba später, der Riese schenkte seine Gunst keinem Feigling. Wenn in dieser Nacht kein Kind gezeugt wurde, so mußte ein ganz besonderes Opfer gebracht werden.

Cougaba erinnerte sich, daß einmal ein Mann ganz dicht an den Rand des Kraters kletterte. Er wollte ein paar Muscheln hineinwerfen, doch der Riese hatte ihn gepackt. Der Mann wurde nie mehr gesehen.

Nie werde ich das erste Maskenfest nach unserer Ankunft vergessen. Die Eingeborenen führten sich höchst seltsam auf. Sie wendeten die Augen ab, wenn wir in der Nähe waren. Cougaba war besorgt. Sie schüttelte unentwegt den Kopf.

Cougabel wurde etwas deutlicher. »Riese böse mit euch«, sagte sie, und ihre strahlenden Augen weiteten sich vor Furcht. Sie legte ihre Arme um mich. »Ich nicht wollen, du sterben«, sagte sie.

Ich vergaß diese Bemerkung gleich wieder, doch als ich eines Nachts aufwachte, fiel sie mir wieder ein und dazu die Geschichten über Menschen, die zur Besänftigung des Riesen in den Krater geworfen worden waren. Cougabel hatte mich wissen lassen, daß wir uns in Gefahr befanden.

»Riese böse«, erklärte sie. »Maske kommen. Er zeigen in Nacht der Maske.«

»Du meinst, er wird euch sagen, warum er böse ist?«

»Er böse, weil er Medizinmann nicht wollen. Wandalo Medizinmann. Nicht weißer Mann.«

Ich erzählte es meinen Eltern.

Mein Vater tat meinen Bericht mit der Bemerkung ab, sie seien nur eine Horde Wilder, die ihm eher dankbar sein sollten. Er hatte gehört, daß erst an diesem Tag wieder eine Frau an einem Fieber gestorben war. »Wäre sie zu mir gekommen, statt zu diesem alten Hexenmeister zu gehen, könnte sie womöglich noch leben«, sagte er.

»Ich finde, du solltest die Plantage wieder in Schwung bringen«, schlug meine Mutter vor. »Das ist es, was sie wollen.«

»Sollen sie's doch selbst machen. Ich verstehe nichts von Kokosnüssen.«

Die Bambustrommeln setzten an. Sie dröhnten den ganzen Tag.

»Ich mag das Geräusch nicht«, sagte meine Mutter. »Es hört sich so bedrohlich an.«

Cougaba ging durchs Haus und blickte uns nicht an. Cougabel umarmte mich und brach dabei in Tränen aus.

Ich wußte, daß sie uns warnen wollten.

Stundenlang hörten wir die Trommeln; wir sahen den Feuerschein und rochen das Schweinefleisch. Meine Eltern saßen die ganze Nacht am Fenster. Mein Vater hielt sein Gewehr auf den Knien, und ich wachte mit ihnen. Zwischendurch schlummerte ich ein und träumte von furchterregenden Masken; dann wachte ich wieder auf und lauschte in die plötzlich eingetretene Stille; die Trommeln hatten zu schlagen aufgehört.

Bis zum nächsten Morgen blieb es ruhig. Doch dann geschah etwas Sonderbares. Eine Frau kam weinend zu unserem Haus. Einmal hatte sie mir angedeutet, daß sie einem Kind das Leben geschenkt hatte, das beim letzten Maskentanz empfangen worden war. Es war also ein besonderes Kind.

Dieser Junge war nun krank. Wandalo hatte ihr gesagt, er werde sterben, weil der Riese böse sei, und in letzter Not hatte die Mutter das Kind zu dem weißen Medizinmann gebracht.

Mein Vater ließ ein Zimmer im Haus für den Jungen herrichten. Er wurde zu Bett gebracht, und seine Mutter blieb bei ihm.

Bald verbreitete sich die Kunde, was geschehen war, und allmählich sammelten sich die Inselbewohner um unser Haus.

Mein Vater war ziemlich aufgeregt und erklärte, daß der Junge

an Sumpffieber leide. Falls es noch nicht zu spät sei, könne er ihn retten.
Es war uns bewußt, daß unser Schicksal vom Leben dieses Kindes abhing. Falls der Junge stürbe, würden sie uns vermutlich töten – bestenfalls aber von der Insel vertreiben. Schließlich wollten sie keinen Medizinmann; sie wollten, daß die Plantage wieder in Schwung kam.
Aber nach einigen Stunden sagte mein Vater triumphierend zu meiner Mutter: »Er spricht auf die Behandlung an. Wahrscheinlich kann ich ihn retten. Wenn mir das gelingt, Anabel, baue ich die Plantage wieder auf, ganz bestimmt. Ich verstehe nichts von dem Geschäft, aber das läßt sich ja lernen.«
Wir blieben die ganze Nacht auf. Ich blickte aus meinem Fenster und sah draußen die Leute dasitzen. Sie hatten Fackeln angezündet, und Cougaba sagte, wenn der Junge stürbe, würden sie unser Haus in Brand stecken.
Mein Vater war ein ungeheures Wagnis eingegangen, als er den Jungen ins Haus nahm. Aber das Risiko reizte ihn.
Am nächsten Morgen war das Fieber des Knaben gefallen. Im Verlauf des Tages besserte sich sein Zustand immer mehr, und am Abend stand fest, daß er gerettet war.
Seine Mutter kniete nieder und küßte meinem Vater die Füße, aber er hieß sie aufstehen und das Kind mitnehmen. Er gab ihr noch eine Medizin mit, die sie dankbar entgegennahm.
Diesen Augenblick werde ich nie vergessen. Sie kam aus dem Haus und hielt das Kind auf dem Arm, und niemand brauchte nach dem Erfolg zu fragen. Der stand ihr im Gesicht geschrieben. Die Leute scharten sich um sie. Sie berührten staunend das Kind, dann wandten sie sich um und starrten meinen Vater voller Ehrfurcht an.
Er hob seine Hand und sprach zu ihnen.
»Der Junge wird gesund und stark werden. Ich kann auch noch andere von euch heilen. Ich möchte, daß ihr zu mir kommt, wenn ihr krank seid. Vielleicht kann ich euch gesund machen,

vielleicht auch nicht. Das hängt davon ab, wie krank ihr seid, denn ich möchte euch allen helfen. Ich möchte das Fieber vertreiben. Und dann werde ich euch die Plantage wieder aufbauen. Wir werden hart arbeiten müssen, und ich muß eine Menge dabei lernen.«

Tiefe Stille trat ein. Dann wandten sich die Leute einander zu und rieben sich, einer am anderen, die Nasen, was wohl eine Art Gratulation bedeutete.

»Und das alles verdanken wir fünf Gran Kalomel, derselben Menge einer Verbindung aus Kolozynth und Skammoniumpulver und ein paar Tropfen Chinin«, grinste er, wieder ins Haus tretend.

In dieser Nacht der Masken war kein Kind empfangen worden. Damit will der Riese uns ein Zeichen geben, sagten die Inselbewohner. Er habe sie für unwürdig erachtet, denn er hatte ihnen seinen Freund, den weißen Medizinmann, gesandt, und sie hatten es versäumt, ihm die nötige Achtung zu erweisen.

Der weiße Mann hatte das Kind des Riesen gerettet, und darüber freute sich der Riese, und deshalb hatte er seinen Freund gebeten, nach dem Maskentanz den Plantagenbetrieb wieder aufzunehmen. Die Insel würde gedeihen, solange sie dem Riesen huldigten.

Jetzt beherrschte mein Vater die Insel. Er wurde Daddajo genannt, und meine Mutter war Mamabel. Ich wurde Kleine Missie gerufen oder Kleine Weiße. Endlich waren wir anerkannt.

Mein Vater stand zu seinem Wort und machte sich daran, die Landwirtschaft der Insel wieder in Gang zu bringen, was dank seines ungeheuren Tatendrangs nicht lange dauerte. Die Bewohner waren trunken vor Glück. Daddajo war zweifellos der Abgesandte des Grollenden Riesen und würde ihnen den dahingeschwundenen Wohlstand wieder zurückbringen.

Mein Vater legte eine neue Kokosnußpflanzung an. Luke Carter hatte seine Fachbücher im Haus zurückgelassen, und aus ihnen holte sich mein Vater die notwendigen Kenntnisse. Er wählte ein Stück Land aus und verteilte darauf vierhundert reife Kokosnüsse. Die Inselbewohner schwirrten aufgeregt umher und sagten ihm, was er tun solle, er aber hielt sich strikt an das Buch, und als sie das sahen, erstarrten sie vor Ehrfurcht, denn er tat genau das, was Luke Carter seinerzeit auch getan hatte. Die Nüsse wurden von einer zwei bis drei Zentimeter dicken Schicht aus Sand, Seetang und Schlamm bedeckt.

Mein Vater wies zwei Männer an, die Nüsse täglich zu bewässern. Das dürften sie unter keinen Umständen vergessen, sagte er mit einem Blick auf den Berg.

»Nein, nein, Daddajo«, beteuerten sie. »Nein ... nein ... wir nicht vergessen.«

»Das möchte ich euch auch geraten haben.« Mein Vater scheute sich nicht, den Berg als Drohmittel zu benutzen, und das klappte vorzüglich, seit die Leute überzeugt waren, daß er der Freund und Diener des Riesen sei.

Die Nüsse waren im April in die Erde gesteckt worden, und sie mußten umgepflanzt werden, bevor der September einsetzte. Alle Eingeborenen der Umgebung sahen bei dieser Arbeit zu, wobei mein Vater die Aufsicht führte; sie schwätzten und nickten mit dem Kopf und rieben ihre Nasen aneinander. Sie waren sichtlich begeistert.

Sodann wurden die Pflanzen im Abstand von sechs Metern in sechzig bis neunzig Zentimeter tiefe Löcher gesteckt, und ihre Wurzeln wurden in Schlamm und Seetang eingebettet. Mein Vater ermahnte die Bewässerer, während der nächsten zwei bis drei Jahre ihrer Aufgabe pünktlich nachzukommen. Die jungen Bäume wurden mit geflochtenen Palmenwedeln vor der sengenden Sonne geschützt, und es würde ungefähr fünf oder sechs Jahre dauern, bevor sie Früchte trügen. Doch in der Zwischenzeit gab es genug Arbeit, denn andere Palmen, die auf der Insel im Überfluß vorhanden waren, trugen bereits ausgereifte Früchte.

Die Baumschule war ein Quell reiner Freude. Sie galt als Anzeichen, daß der Wohlstand auf die Insel zurückkehren würde. Der Grollende Riese zürnte dem Volk nicht länger. Statt seinen Grimm an den Menschen auszulassen, hatte er Daddajo geschickt, um den Platz von Luke Carter einzunehmen, welcher alt und unachtsam geworden war, so daß jedermann seine Arbeit vernachlässigte und infolgedessen der Insel kein Gewinn mehr beschieden war.

Mein Vater machte sich mit großer Begeisterung ans Werk. Die Leute akzeptierten ihn zwar bereits als Arzt, doch er brauchte noch ein weiteres Feld für seinen ungeheuren Tatendrang, und das fand er in diesem Projekt. Heute ist mir klar, daß er und meine Mutter ständig von innerer Unruhe erfüllt waren. Ihre Gedanken weilten oft in England. Sie waren von der zivilisierten Welt abgeschnitten und kamen nur jeden zweiten Monat mit ihr in Berührung, wenn das Schiff vor der Insel ankerte. Anfangs hatten sie eine Zuflucht gesucht, wo sie sich verstecken und zusammensein konnten. Die hatten sie gefunden, und da sie sich nun einigermaßen sicher fühlten, war es eine verständliche menschliche Regung, daß sie vermißten, was sie aufgegeben hatten.

Daher bedeutete ihnen das Kokosnußprojekt sehr viel. Sie gingen ganz darin auf. Auf der Insel war mit der Zeit eine neue Stimmung eingekehrt. Bald schon konnten Kokosnußladungen nach Sydney geschickt werden. Ein Vertreter suchte meinen Vater auf und übernahm den Verkauf der Produkte. Mein Vater bezahlte die Eingeborenen mit Kaurimuscheln, der Inselwährung, und es war erstaunlich, wie zufrieden die Leute waren, seit sie etwas zu tun hatten. Als wir ankamen, hatten die Frauen in Gruppen unter einem Baum gesessen und lustlos an Körben geflochten; nun saßen sie auf an den Seiten offenen, durch ein Strohdach vor der Sonne geschützten Veranden, die mein Vater hatte errichten lassen, und fertigten außer den Körben noch Fächer, Seile und Bürsten aus Kokosfasern an. Dazu hatte mein

Vater etliche Rundhütten in eine Fabrik für Kokosöl umgewandelt.
Es war ein ganz anderes Leben als damals, als Luke Carter ein junger und tatkräftiger Mann gewesen war.
Mein Vater ernannte Aufseher für die verschiedenen Tätigkeiten, und diese fühlten sich als die stolzesten Männer der Insel. Es war amüsant zuzusehen, wie sie einherstolzierten, und jeder männliche Insulaner strebte danach, ebenfalls Aufseher zu werden.
Morgens wurden zu einer festgesetzten Stunde die Kranken zur Behandlung ins Haus gebracht, aber der Gesundheitszustand der Bevölkerung hatte sich seit unserer Ankunft sichtlich gebessert. Als den Leuten das klar wurde, brachten sie meinem Vater noch mehr Achtung und Ansehen entgegen. Auch meine Mutter hatten sie ins Herz geschlossen, und ich wurde von ihnen geradezu verwöhnt.
Innerhalb von zwei Jahren hatte sich mein Vater zum Herrn der Insel hinaufgearbeitet, und meine Mutter erzählte mir später, daß im Laufe der Zeit ihre Angst vor dem Schiff geschwunden sei, da es unwahrscheinlich war, daß jemand eintreffen würde, um meinen Vater abzuholen und wegen Mordes vor Gericht zu stellen. Vielmehr sahen sie jetzt der Ankunft des Schiffes freudig entgegen, weil es Bücher, Kleider, Nahrungsmittel, Wein und Medikamente brachte.
Es war wahrhaftig aufregend, wenn man aufwachte und das große Schiff vor der Insel vor Anker liegen sah. Noch ehe die Sonne aufging, fuhren die Kanus hinaus und kehrten mit den Waren, die mein Vater bestellt hatte, zurück. Wie schön sahen diese Kanus aus – wendig, schlank, spitz zulaufend. Einige waren etwa sechs Meter lang, andere hatten die stattliche Länge von achtzehn Metern. Die hochgezogenen Bugschnäbel und Hecks waren wunderschön geschnitzt und bildeten den Stolz ihrer Besitzer. Cougabel erklärte mir, daß Bug und Heck die Insassen der Kanus vor den Pfeilen ihrer Feinde schützten, denn

einstmals habe es heftige Kämpfe unter den Eingeborenen gegeben.
Wenn die Kanus etwa eine Meile vom Land entfernt waren, sahen sie wie aufs Meer gestreute Halbmonde aus. Sie schimmerten im Sonnenlicht, denn ihre Bug- und Heckteile waren oft mit Perlmutter verziert. Ich staunte, wie geschwind die schmalen, zugespitzten Paddel sie durchs Wasser bewegten.
Wir hatten uns also vortrefflich auf der Vulkaninsel eingelebt.

Ich wuchs heran. Die Jahre vergingen so schnell, daß ich sie nicht mehr zählte. Meine Mutter unterrichtete mich und bestand darauf, mir täglich Lektionen zu erteilen. Sie ließ immer neue Bücher aus Sydney kommen, und ich denke, ich war gewiß ebenso gebildet wie die meisten Mädchen in meinem Alter, die aufgrund ihres Standes von einer Gouvernante erzogen wurden.
Cougabel nahm nach wie vor an meinen Unterrichtsstunden teil. Sie entwickelte sich körperlich viel schneller als ich, denn die Mädchen auf der Insel waren mit vierzehn Jahren heiratsfähig, und viele waren in diesem Alter bereits Mütter.
Cougabel liebte meine Kleider und probierte sie gern an. Meine Muter und ich trugen lose Kittel – eine modische Erfindung meiner Mutter –, denn die auf dem Festland übliche Kleidung wäre in der Hitze unerträglich gewesen. Wir hatten große Hüte aus geflochtenem Bast, den meine Mutter vorher mit Öl tränkte, um ihn geschmeidig zu machen – ebenfalls eine Erfindung von ihr. Sie färbte die Fasern – hauptsächlich rot mit sogenanntem Drachenblut, dem Saft des Drachenbaumes. Doch sie fand auf der Insel auch andere Kräuter und Blüten, aus denen sie Farben bereiten konnte. Cougabel wünschte sich ebensolche Kittel und bunten Hüte, wie wir sie trugen, und sie und ich liefen oft ähnlich gekleidet auf der Insel herum. Doch manchmal besann sie sich auf ihre einheimische Tracht, und dann zog sie nichts weiter als einen Fransenschurz aus Muscheln und Federn an, der ihr über

die Schenkel fiel und den Oberkörper frei ließ. Um den Hals trug sie Muschelschnüre und aus Holz geschnitzten Schmuck. Sie sah dann ganz verändert aus, und in gewisser Weise veränderte sich auch ihre Persönlichkeit. Wenn sie in ihrem Kittel bei mir saß und ihre Lektionen lernte, konnte ich vergessen, daß wir nicht der gleichen Rasse angehörten. Abgesehen von ihrer Hautfarbe hätten wir zwei Schwestern in einem Landhaus sein können.

Cougabel aber wünschte keinesfalls, daß ich vergaß, daß sie ein Kind der Insel war, und zwar ein ganz besonderes.

Einmal wanderten wir zum Fuß des Berges, und sie erzählte mir, daß der Grollende Riese ihr Vater sei. Ich verstand nicht, wieso ein Berg ein Vater sein konnte, und verhöhnte sie deswegen, worauf sie sehr wütend wurde. Überhaupt konnte sie zuweilen sehr jähzornig werden. Ihre Stimmung änderte sich abrupt, und ihre großen dunklen Augen blitzten vor Zorn.

»Er ist mein Vater«, schrie sie. »Er ist mein Vater! Ich bin ein Kind der Maske.«

Ich merkte immer auf, wenn von den Masken die Rede war, und Cougabel fuhr fort: »Meine Mutter tanzen auf Fest der Maske, und der Riese kommen durch einen Mann zu ihr … einen unbekannten … so macht er immer auf Maskenfest. Er schießen mich in sie hinein, und ich wuchs und wuchs, bis ich ein Baby war und geboren wurde.«

»Das ist bloß eine Legende«, sagte ich. Ich hatte damals noch nicht gelernt, meinen Mund und meine Meinung für mich zu behalten.

Sie fuhr mich an: »Du hast keine Ahnung. Du bist noch zu klein. Du bist weiß … du machen Riese böse.«

»Mein Vater steht mit dem Riesen auf gutem Fuß«, sagte ich ein wenig spöttisch, denn ich hatte gehört, wie meine Eltern sich über den Riesen lustig machten.

»Riese schicken Daddajo. Er schicken dich, um mich zu lernen …«

»Zu lehren«, berichtigte ich. Es machte mir Spaß, Cougabel zu korrigieren.
»Er schicken dich, um mich zu lernen«, beharrte sie, und ihre Augen verengten sich. »Wenn ich groß bin, gehe ich zum Maskentanz, und dann komme ich zurück und habe Baby des Riesen in mir.«
Ich starrte sie erstaunt an. Ja, dachte ich, wir werden erwachsen. Bald ist Cougabel alt genug, um ein Baby zu bekommen.
Ich wurde nachdenklich. Die Zeit verging, und wir zählten die Jahre nicht mehr.

Inzwischen war ich dreizehn Jahre alt geworden. Seit sechs Jahren lebte ich auf der Insel. Während dieser Zeit hatte mein Vater die Landwirtschaft zu neuer Blüte gebracht, und wenn auch noch immer viele Leute an verschiedenen Fieberkrankheiten starben, so war die Todesrate doch erheblich gesunken.
Daneben stellte mein Vater ein Buch über Tropenkrankheiten zusammen, ferner beabsichtigte er, ein Hospital zu bauen. Er wollte alles, was er besaß, in dieses Vorhaben stecken. Alle seine Träume und Hoffnungen hingen an diesem Projekt.
Meine Mutter hingegen schien sich wegen irgend etwas Gedanken zu machen. Eines Nachmittags, als die größte Hitze nachgelassen hatte, saßen wir zusammen im Schatten einer Palme und sahen übers Wasser gleitenden fliegenden Fischen zu.
»Du wirst erwachsen, Suewellyn«, sagte sie. »Ist dir eigentlich klar, daß du die Insel noch nie verlassen hast, seit wir hergekommen sind?«
»Du und Vater aber auch nicht.«
»Wir müssen hierbleiben ... aber wir haben viel über dich gesprochen. Wir machen uns Sorgen um dich, Suewellyn.«
»Um mich?«
»Ja, wegen deiner Ausbildung und deiner Zukunft.«
»Aber wir sind doch zusammen, so, wie wir es uns gewünscht haben.«

»Eines Tages sind dein Vater und ich vielleicht nicht mehr da.«
»Wie meinst du das?«
»Ich sehe lediglich den Tatsachen ins Auge. Weißt du, das Leben währt nicht ewig. Suewellyn, du mußt auf eine Schule gehen.«
»Eine Schule! Hier gibt's doch keine Schule!«
»Aber in Sydney.«
»Was! Ich soll die Insel verlassen?«
»Das wäre doch nicht so schlimm. In den Ferien würdest du zu uns kommen; Weihnachten ... und im Sommer. Mit dem Schiff dauert es nur eine Woche von Sydney. Eine Woche hin ... eine Woche zurück. Du brauchst eine bessere Ausbildung, als ich sie dir ermöglichen kann.«
»Darüber habe ich noch nie nachgedacht.«
»Wir müssen dich einigermaßen auf die Zukunft vorbereiten.«
»Ich kann euch doch nicht verlassen.«
»Es wäre ja nur vorübergehend. Mit dem nächsten Schiff fahre ich mit dir nach Sydney. Wir schauen uns die verschiedenen Schulen an, und dann sehen wir weiter.«
Ich war verblüfft und weigerte mich zunächst, mich mit diesem Gedanken vertraut zu machen, doch nach einer Weile sprachen sie beide mit mir, und die in mir schlummernde Freude an Abenteuern erwachte. Ich war auf wunderliche Art aufgewachsen, hatte sechs Jahre in der Holzapfelhütte gelebt, wo ich nach strenger Sitte erzogen worden war; dann hatte man mich unversehens fortgeholt und auf eine primitive Insel gebracht. Die Welt draußen war mir fremd.
Die folgenden Wochen verbrachte ich mit gemischten Gefühlen. Ich wußte nicht, ob ich die Entscheidung meiner Eltern bedauern oder ob ich mich darüber freuen sollte. Doch ich sah ein, daß ihr auch positive Seiten abzugewinnen waren.
Als ich Cougabel erzählte, daß ich in eine Schule gehen sollte, wurde sie fuchsteufelswild. Sie starrte mich aus großen, blitzenden Augen haßerfüllt an.

»Ich mitkommen. Ich mitkommen«, sagte sie immer wieder. Ich versuchte ihr zu erklären, daß sie nicht mitkommen könne. Ich müsse allein gehen, denn meine Eltern schickten mich dorthin, weil weiße Menschen eine Ausbildung brauchten und daß die meisten von uns eine Schule besuchten, um diese Ausbildung zu erhalten.

Sie hörte mir nicht zu. Es war eine Angewohnheit von Cougabel, sich allem zu verschließen, was sie nicht hören wollte.

Eine Woche bevor das Schiff kommen sollte, hatten meine Mutter und ich alle Vorbereitungen für unsere Abreise getroffen. Es war August. Im September sollte ich mit der Schule beginnen und im Dezember zur Insel zurückkehren. Es sei keine lange Trennung, wiederholte meine Mutter immerzu.

Eines Morgens war Cougabel verschwunden. Ihr Bett war unberührt. Sie schlief in einem schmalen Bett in dem Zimmer neben meinem; denn als sie unsere Betten gesehen hatte, wollte sie auch in einem Bett schlafen. Sie wollte alles haben, was ich hatte, und ich war sicher, wenn ich ihr vorgeschlagen hätte, mit mir zur Schule zu gehen, so hätte sie freudig eingewilligt.

Cougaba war verzweifelt.

»Wohin sie gegangen? Sie hat Schmuck mitgenommen. Sehen hier, ihr Kittel. Sie gehen in Muscheln und Federn. Wohin sie gehen?«

Ihr Gejammer hörte sich mitleiderregend an.

Mein Vater erklärte ruhig, Cougabel müsse auf der Insel sein, es sei denn, sie hätte ein Kanu genommen, um auf eine der anderen Inseln zu fahren, daher sei es ratsam, die Insel abzusuchen.

»Sie gehen zu Riese«, sagte Cougaba. »Sie ihn bitten, er nicht lassen Kleine Missie fortgehen. Oh, es ist schlimm ... schlimm, Kleine Missie wegschicken. Kleine Missie gehören ... Kleine Missie nicht fortgehen.«

Sich vor- und zurückwiegend, wiederholte Cougaba in monotonem Singsang: »Kleine Missie nicht fortgehen.«

Mein Vater sagte ungeduldig, er bezweifle nicht, daß Cougabel zurückkommen werde. Sie habe ihre Mutter nur erschrecken wollen. Aber der Tag verging, und sie kam nicht wieder. Ich war verstimmt und zürnte ihr, weil sie die Zeit verkürzt hatte, die wir noch hätten zusammen verbringen können.

Doch als der zweite Tag auch verging, ohne daß sie erschien, waren wir alle sehr besorgt, und mein Vater schickte Suchtrupps auf den Berg.

Cougaba zitterte vor Angst und Kummer, und meine Mutter und ich versuchten, sie zu beruhigen.

»Ich mich fürchten«, sagte sie. »Mich sehr, sehr fürchten, Mabel.«

»Wir werden sie finden«, beschwichtigte meine Mutter sie.

»Ich sagen zu Master Luke«, jammerte Cougaba. »Ich sagen: ›Nicht schlafen in großem Bett von Master Luke einen ganzen Monat. Bei Neumond ist Maskentanz!‹ Und Master Luke lachen und sagen: ›Nicht für mich und dich. Tu, was ich sage, Cougaba.‹ Ich ihm erzählen vom Grollenden Riesen, und er lachen und lachen. Dann ich schlafen in Bett. Und in der Nacht der Maske ich bleiben in Master Lukes Bett, und dann ... ich bekommen Kind. Alle sagen: ›Ah, das Kind von Riese, Cougaba gesegnete Frau. Riese kommen zu ihr.‹ Aber es war nicht der Riese ... Es war Master Luke, und wenn sie wissen ... sie mich töten. Darum sagen Master Luke: ›Laß sie glauben, Riese ist Vater‹, und er lachen und lachen. Cougabel nicht Kind von Maske. Und jetzt ich fürchten. Ich glauben, Riese sehr böse mit mir.«

»Du brauchst keine Angst zu haben«, beruhigte sie meine Mutter.

»Der Riese weiß bestimmt, daß es nicht deine Schuld war.«

»Er sie nehmen. Ich weiß, er sie nehmen. Er strecken Hand aus und ziehen sie hinab ... hinab zu glühenden Steinen, und sie muß ewig brennen. Er sagen, Cougaba gesündigt. Deine Kind meins, er sagen. Jetzt sie meins.«

Wir vermochten Cougaba nicht zu trösten. Sie lamentierte

immerfort: »Alter Teufel nehmen mich am Ellbogen. Will mich verführen. Ich war böse. Ich gesündigt. Ich große Lüge gesagt, und nun Riese zornig.«
Meine Mutter schärfte ihr ein, keiner Menschenseele etwas davon zu sagen, was die bedauernswerte Cougaba erleichtert befolgte. Die Eingeborenen waren uns wohlgesinnt, seit sie meinen Vater als Abgesandten des großen Riesen anerkannten, doch ich fragte mich, was sie wohl mit uns anstellen würden, wenn sie sich gegen uns wandten. Und was Cougaba getan hatte, war in den Augen der Inselbewohner gewiß eine unverzeihliche Sünde.
In dieser Nacht wurde Cougabel gefunden. Mein Vater entdeckte sie auf dem Berg. Sie hatte sich ein Bein gebrochen und konnte nicht mehr gehen. Er trug sie zum Haus und schiente ihr Bein. Die Inselbewohner sahen staunend zu. Dann mußte Cougabel sich hinlegen und durfte sich nicht bewegen.
Ich setzte mich zu ihr und las ihr vor, während Cougaba ihr allerlei Heilgetränke aus Kräutern bereitete, denn in solchen Dingen besaß sie großes Geschick.
Cougabel erzählte mir, sie sei auf den Berg gegangen, um den Riesen zu bitten, daß er mich nicht fortgehen lassen möge, und dann sei sie gestürzt und habe sich verletzt. Sie nahm dies als Zeichen, daß der Riese wünschte, daß ich fortging; er habe sie bestraft, weil sie die Weisheit seiner Wünsche bezweifelt habe. Und mit dieser Erklärung waren wir alle einverstanden.
Cougaba sprach nicht mehr von der Täuschung, die sie hinsichtlich der Geburt ihrer Tochter begangen hatte. Der Riese könne ihr nicht sehr böse sein, meinte meine Mutter, da er Cougabel lediglich das Bein gebrochen habe, und mein Vater sagte, da sie jung sei und kräftige Knochen habe, könne er ihr Bein heilen, und niemand werde merken, daß es gebrochen gewesen war.
So verbrachte ich die Tage vor meiner Abreise überwiegend mit Cougabel, und als die Zeit kam, da ich fort mußte, war sie ruhig und gefaßt.

Mein Vater war sehr traurig, als meine Mutter und ich aufbrachen, doch er wußte, daß es das einzig Richtige für mich war.
Wir kamen nach Sydney, und der großartige Hafen, vor allem aber der Zauber der Großstadt – ich war ja nur an landschaftliche Schönheit gewöhnt – versöhnten mich mit einem neuen Lebensabschnitt. Ich fand die vielen Menschen ungeheuer aufregend, liebte die alten, winkligen Gassen, doch mehr noch liebte ich die breiten Straßen, und nach wenigen Tagen fühlte ich mich wie zu Hause. Ich ging mit meiner Mutter in den Geschäften einkaufen. Dergleichen hatte ich noch nie gesehen. Ich hatte nie geahnt, daß so viele Waren in so großen Häusern zum Kauf angeboten wurden.
Ich brauchte Kleider für die Schule, bestimmte meine Mutter im Hotelzimmer. »Doch zuerst«, fügte sie hinzu, »müssen wir eine Schule finden.«
Sie zog Erkundigungen ein, und wir besichtigten drei Schulen, ehe wir uns für eine entschieden. Sie lag mitten in der Stadt, nicht weit vom Hafen. Meine Mutter suchte die Vorsteherin auf und erklärte ihr, daß wir auf einer Insel im Pazifik gelebt hatten und daß sie mich bislang unterrichtet habe. Ich mußte eine Prüfung ablegen, die ich zu meiner Freude glänzend bestand; offensichtlich war meine Mutter eine gute Lehrerin gewesen. Zu Beginn des neuen Schuljahres sollte ich als Internatsschülerin aufgenommen werden; das ließ meiner Mutter genügend Zeit, um bis zum Schulbeginn zu bleiben und mit dem nächsten Schiff zur Vulkaninsel zurückzukehren.
Was waren das für Wochen! Wir waren wie von einem Rausch des Kaufens besessen.
Wir erstanden meine Schuluniform in der Elizabeth Street in einem Geschäft, das die Schulvorsteherin uns empfohlen hatte, kauften Kleider, Vorräte und Medikamente und ließen sie zu dem Schiff schicken, das die Vulkaninsel anlief; und als wir unsere Pflichten erledigt hatten, durchstreiften wir mit großem

Vergnügen die Stadt, beobachteten die Schiffe, die in den Hafen einliefen, besichtigten die Stelle, wo Captain Cook gelandet war, und mir war, als sei ich wieder das Kind, das von Miss Anabel aus der Holzapfelhütte abgeholt wurde und mit ihr einen Ausflug machte.

Dann kam der Tag, an dem mich Mutter zu meiner Schule brachte und wir uns Lebewohl sagten. Ich war schrecklich unglücklich und dachte, vor Heimweh nach meinen Eltern und der Insel sterben zu müssen.

Doch im Laufe der Wochen gewöhnte ich mich ein. Meine Fremdartigkeit stellte eine Attraktion dar. Die Mädchen hörten stundenlang zu, wenn ich von der Insel erzählte. Ich schien für sie ein Kuriosum darzustellen; da ich jedoch gescheit war und mich behaupten konnte, machte mir die Schule allmählich Spaß.

Als ich zu Weihnachten auf die Insel zurückkehrte, war ich eine andere geworden. Überhaupt – alles hatte sich verändert. Cougabel war inzwischen wieder wohlauf, und ihrem Bein war nicht anzusehen, daß es gebrochen gewesen war. Ein neuerlicher Triumph für meinen Vater!

Aber Cougabel war nun nicht mehr der richtige Umgang für mich. Schließlich war sie nur eine Inselbewohnerin, während ich hingegen draußen in der großen, weiten Welt gewesen war.

Alles erweckte nun mein Interesse, und ich stellte eine Menge Fragen. Was taten wir hier? Meine Mutter hatte hin und wieder auf die Vergangenheit angespielt, war aber unangenehmen Fragen immer ausgewichen. Das gelang ihr nun nicht mehr. Ich wurde neugierig. Ich wollte wissen, warum wir auf einer abgelegenen Insel leben mußten, wenn es doch Städte wie Sydney und eine ganze Welt zu erkunden gab.

Auch das Schloß kam mir in den Sinn, das ich vor Jahren gesehen hatte. Es hatte für mich immer eine magische Bedeutung gehabt, und jetzt war ich geradezu davon besessen. Es gab

so vieles, was ich wissen wollte. Die Schule hatte mich aus meiner trägen Gleichgültigkeit gegenüber der Vergangenheit gerissen, und ich wollte unbedingt erfahren, was es mit uns auf sich hatte.
Aus diesem Grund beschloß meine Mutter, das Vergangene für mich aufzuschreiben.
Als ich das nächste Mal zu den Ferien nach Hause kam, zeigte sie mir ihre Aufzeichnungen, die ich begierig las. Und nun begriff ich alles. Ich war weder darüber schockiert, daß ich ein uneheliches Kind noch daß mein Vater ein Mörder war. Aber ich überlegte mir, was nach der Flucht meines Vaters in England noch geschehen sein mochte, dachte an Esmond und Susannah, die mich beide sehr interessierten, und ich hätte sie zu gern kennengelernt. Von Stund an war ich nur noch von dem Wunsch beseelt, dieses Zauberschloß zu sehen und meine Familie zu besuchen.

Tanz der Masken

Seit zwei Jahren ging ich zur Schule, und meine Eltern hatten beschlossen, daß ich sie nach meinem sechzehnten Geburtstag verlassen und zur Insel zurückkehren sollte. Inzwischen hatte ich die Bekanntschaft der Halmers gemacht. Laura Halmer und ich hatten uns in der Schule angefreundet. Sie fühlte sich von Anfang an von meiner ungewöhnlichen Herkunft angezogen und lauschte begierig, wenn ich von meiner Insel erzählte. Ich hingegen war von Lauras sicherem Auftreten angetan. Sie kannte sich in Sydney aus und betrachtete die Läden und Geschäfte als ihre Jagdgründe. Ihre Familie lebte auf dem Land, wo sie eine große Farm besaßen, das »Gut«, wie sie zu sagen pflegten.

Dieses Gut lag etwa achtzig Kilometer nördlich von Sydney. Laura, das jüngste Kind und einzige Mädchen der Familie, war ziemlich verwöhnt, und während meines zweiten Schulhalbjahres schlug sie vor, ich sollte doch für die einwöchigen Zwischenferien, die ohnehin zu kurz waren, um auf die Insel zu fahren, zu ihr nach Hause kommen. Freudig nahm ich die Einladung an.

Bei den Halmers geriet ich zu meinem Erstaunen in eine ganz andere Welt. Als Lauras Freundin wurde ich von der Familie herzlich aufgenommen, und mir war, als kenne ich sie schon seit Jahren. Auf dem Gut wurde tüchtig gearbeitet. Die Leute standen bereits im Morgengrauen auf. Die Männer gingen noch vor dem Frühstück auf die Felder. Gegen acht Uhr kamen sie zurück, um sich reichlich an Steaks oder Koteletts, Brot und Milch zu laben. Es gab viele Arbeiter auf dem Gut, und jeder

hatte seine bestimmten Pflichten zu erfüllen. Es war schließlich ein sehr großes Anwesen.
Dort lernte ich Philip Halmer kennen. Er war der jüngste von Lauras drei Brüdern. Die beiden älteren waren große, sonnengebräunte Kerle, und anfangs konnte ich einen nicht vom anderen unterscheiden. Sie sprachen unentwegt von Schafen, denn Schafe waren der Haupterwerbszweig der Familie. Die beiden Brüder lachten und aßen sehr viel; und weil ich Lauras Freundin war, betrachteten sie mich als ihresgleichen.
Philip war anders. Er war damals ungefähr zwanzig. Er sei der klügste ihrer Söhne, erzählte mir seine Mutter. Er hatte weiches, blondes Haar, blaue Augen und ein empfindsames Gemüt, und als ich erfuhr, daß er Arzt werden wollte, fühlte ich mich sogleich zu ihm hingezogen. Ich erzählte ihm, daß mein Vater auf die Insel gegangen sei, um verschiedene Tropenkrankheiten zu erforschen, und daß er hoffte, dort ein Hospital errichten zu können. Ich schilderte die Arbeit meines Vaters in glühenden Farben und erweckte damit Philips Interesse. Dadurch waren wir häufig zusammen und sprachen von der Insel, und allmählich entwickelte sich zwischen uns ein inniges Verhältnis.
Während dieser Ferienwoche erfuhr ich eine Menge über das Leben im Busch. Laura, Philip und ich ritten oft hinaus; wir machten ein Lagerfeuer und kochten dann Tee. Dazu aßen wir in glühender Asche gebackene Fladenbrote und Maiskuchen. Selten hatte mir etwas so gut geschmeckt. Philip erweckte mein Interesse für Bäume und erzählte mir viel darüber. Ich war fasziniert von den hohen Eukalyptusbäumen, deren Äste plötzlich und lautlos aus großer Höhe herabfallen und einen Mann durchbohren konnten, weshalb sie im Volksmund auch Witwenmacher genannt wurden. Ich sah von verheerenden Waldbränden versengte Bäume und verbrannte Erde und erfuhr von all den Plagen, welche die Siedler in diesem zuweilen unwirtlichen Land heimsuchen konnten.
Viel Neues hatte ich so nach dieser Woche bei den Halmers

erfahren. Ich kehrte zur Schule zurück, und dann stand Weihnachten vor der Tür.
»Alle möchten, daß du Weihnachten bei uns verbringst«, sagte Laura.
Aber das ging natürlich nicht; schließlich wurde ich auf der Vulkaninsel erwartet.
Aber dort fühlte ich mich eingeengt und gefangen. Es war das erste Mal, daß ich bei meiner Familie nicht vollkommen glücklich war.
Meine Mutter wußte, was in mir vorging. »Ach, Suewellyn«, seufzte sie eines Tages, »du hast dich verändert. Du hast etwas von der Welt gesehen. Du weißt, daß ein abgesondertes Dasein auf einer kleinen Insel nicht alles ist, was das Leben zu bieten hat. Es war richtig, daß ich dich zur Schule geschickt habe.«
»Vorher bin ich so glücklich gewesen.«
»Aber Bildung und Wissen sind durchaus erstrebenswert. Du kannst nicht dein ganzes Leben auf dieser kleinen Insel verbringen. Du möchtest bestimmt nicht hierbleiben, wenn du einmal erwachsen bist.«
»Aber was ist mit dir und Vater?«
»Ich bezweifle, daß wir jemals von hier fortgehen werden.«
»Ich frage mich, was ... dort vorgeht«, grübelte ich laut.
Sie brauchte mich nicht zu fragen, wo ich mit meinen Gedanken war. Sie wußte, daß ich an das Schloß dachte. Ich hatte gelesen, was sich dort zugetragen hatte, und ihr Bericht hatte mir alles ganz deutlich vor Augen geführt.
»Nach all den Jahren ...«, fuhr ich fort.
»Wir würden uns niemals sicher fühlen, wenn wir von hier weggingen«, sagte meine Mutter. »Dein Vater ist ein guter Mensch, Suewellyn. Das mußt du immer bedenken. Er hat seinen Bruder in der Hitze der Leidenschaft getötet, und das kann er nie vergessen. Er spürt, daß er das Kainszeichen trägt.«
»Er hatte allen Grund, aufgebracht zu sein. David hatte den Tod verdient.«

»Das stimmt, doch viele würden sagen, daß kein Unrecht durch ein anderes wiedergutgemacht werden kann. Ich fühle mich in gewisser Weise ebenfalls schuldig. Es ist meinetwegen geschehen. Ach, Suewellyn, wie leicht wird man doch absichtslos in Unheil verstrickt.«

Ich schwieg und sollte mich später an ihre Worte erinnern. Wie recht sie doch hatte!

Sie fuhr fort: »Eines Tages kehrst du vielleicht nach England zurück. Du könntest das Schloß aufsuchen. Gegen *dich* liegt ja nichts vor.«

Und dann erzählte sie von dem Schloß, und ich hatte das Bild mit den zinnenbewehrten Türmen und den mächtigen Mauern so deutlich vor mir wie damals, als sie es mir gezeigt hatte.

Sie schilderte mir das Innere des Schlosses. Sie beschrieb die Räume, die Eingangshalle, die steinerne Krypta, die Bildergalerie, die Kapelle. Es war fast, als verfolge sie damit einen bestimmten Zweck. Im Geiste war ich dort ... ich nahm alles in mich auf, sah es durch ihre Augen. Es war, als sollte ich auf etwas vorbereitet werden. Vielleicht war ich inzwischen auch etwas abergläubisch geworden. Aber war das ein Wunder? Ich lebte schließlich auf der Insel im Schatten des Grollenden Riesen.

Meine Eltern hörten es gern, wenn ich von meinem Aufenthalt bei den Halmers erzählte. Sie waren begeistert. Das war genau das, was sie für mich erstrebten. Sie liebten mich zärtlich, und mir wurde immer wieder bewußt, daß ich den besten Vater und die beste Mutter auf der Welt hatte. Wir hingen mit inniger Liebe aneinander, weil wir anfangs so lang voneinander getrennt gewesen waren; und doch waren nun meine Eltern bereit, mich ziehen zu lassen, weil sie wußten, daß es zu meinem Besten war. Dies erfuhr ich von meinem Vater; denn seit ich in ihr Geheimnis eingeweiht war, bestand ein uneingeschränktes Vertrauen zwischen uns.

»Während all der Jahre«, sagte meine Mutter, »mußten wir die Wahrheit verschweigen. Jetzt gibt es keine Geheimnisse mehr. Wie froh bin ich, daß das vorbei ist.«
Sie sprach sehr offen zu mir. »Ich würde es wieder tun, Suewellyn. Ohne deinen Vater wäre mein Leben leer gewesen. Ich denke oft an Jessamy und Susannah. Sie ist so alt wie du ... ein bißchen älter, aber nicht viel ... nur ein paar Monate. Ich frage mich, wie es Esmond und Emerald ergehen mag, und Elizabeth ... und was wohl aus den beiden Jungen Garth und Malcolm geworden ist. Nach Davids Tod hat sich gewiß alles sehr verändert. Der alte Herr dürfte inzwischen gestorben sein. Das bedeutet, daß der Besitz nun Esmond gehört. Besonders an Jessamy habe ich viel gedacht. Sie ist die einzige, um die es mir ehrlich leid tut. Sie muß verzweifelt gewesen sein. Sie hat auf einen Schlag ihren Mann und ihre beste Freundin verloren. An sie denke ich am meisten. Ihretwegen ist es mir unmöglich, meinen Seelenfrieden zu finden, so, wie es deinem Vater wegen David unmöglich ist. Wir leben mit Kompromissen, wir beide. Wir sind zusammen, aber immer steht ein Schatten zwischen uns. Wenn wir einmal glücklich sind, kommt plötzlich die Erinnerung und wischt alles fort. Das Glück währte immer nur eine oder zwei Stunden ... manchmal auch einen ganzen Tag. Aber die Reue ist des Glückes ärgster Feind. Deshalb möchte dein Vater dieses Hospital bauen. Früher pflegten die Könige ihre Sünden durch die Stiftung von Kirchen und Klöstern zu tilgen. Dein Vater ist in einer Art auch ein König, Suewellyn. Er ist als Respektsperson zum Herrschen und Befehlen geboren. Wie ein König in alten Zeiten will er die Ermordung seines Bruders durch die Errichtung eines Hospitals sühnen, und ich werde ihn dabei unterstützen. Er steckt alles da hinein, was er besitzt. Er hat in England einen guten Freund, einen Bankier, der ihm schon manche Gefälligkeit erwiesen hat. Der verkauft alles, was dein Vater in England besitzt, und das Geld wird für das Hospital verwendet. Dein Vater will Ärzte und Krankenschwestern her-

kommen lassen. Oh, es ist ein großartiges Vorhaben. Auf diese Weise will er sein Verbrechen sühnen.«
Meine Mutter war sehr mitteilsam geworden; seitdem sie mich eingeweiht hatte, war es, als hätten sich Schleusentore geöffnet.
Seit jenen Tagen, als sie als Miss Anabel zur Holzapfelhütte kam, war sie schon der wichtigste Mensch in meinem Leben gewesen; doch nun, da sie so verwundbar schien, liebte ich sie mehr denn je. Ich wußte, daß ihr vor meinem Heranwachsen bangte, weil sie glaubte, ich müsse jede Chance erhalten, um ein anderes Leben zu führen, als es die Insel mir bieten konnte.
Die nächsten kurzen Ferien verbrachte ich wieder bei den Halmers. Ich war enttäuscht, weil Philip nicht da war. Er arbeitete in Sydney, wie man mir sagte, und stand kurz vor seinem Examen.
Ich wollte keinesfalls auf dem Gut müßig herumsitzen und bestand darauf, mich in der großen Küche nützlich zu machen. Es war die Zeit der Schafschur, und neben den ständigen Arbeitern waren eine Menge Aushilfskräfte zu verköstigen, dazu kamen noch die Gelegenheitsarbeiter, die als Lohn für ihre Dienste Brot und Unterkunft erhielten. Ich lernte, knuspriges Brot, Fladen und Maiskuchen zu backen, und bald kannte ich auch die verschiedenen Zubereitungsarten für Hammelfleisch, von dem auf dem Gut mehr als genug vorhanden war. Vor allem den großen Pasteten, die in die Öfen geschoben wurden, galt meine Bewunderung.
So glitten die Tage dahin. Ich plauderte mit den Viehtreibern und den Aborigines, die auf dem Gut arbeiteten, und genoß jede Minute meines Aufenthaltes. Besonders liebte ich die hohen Eukalyptusbäume, die gelben Akazien und die Passionsfrüchte, die in dem von Mrs. Halmers sorgsam gehegten Garten gediehen.
Ich hatte die Familie gern; mir gefiel die zwanglose Art, mit der sie mich aufnahmen, indem sie überhaupt kein Aufheben von

mir machten, was bedeutete, daß sie mich als eine der Ihren betrachteten.
Als Philip eigens wegen mir nach Hause kam, fühlte ich mich geradezu geehrt. Wir ritten weite Strecken zusammen aus. Das ganze Gebiet gehöre zum Gut, erklärte er mir, und dann erzählte er mir, wie sehr er sich darauf freue, bald als Arzt arbeiten zu können.
Er stellte mir eine Reihe Fragen über meinen Vater, und ich erzählte ihm wieder von dem geplanten Hospital. Mit jedem Gespräch wuchs sein Interesse mehr.
»Ein solches Projekt würde mich auch reizen«, sagte er. »Aus England hierherzukommen, um so etwas zu schaffen, das finde ich großartig.«
Ich erzählte ihm freilich nicht, warum wir gekommen waren, doch ich glühte vor Stolz auf meinen Vater und schilderte Philip, wie wir die Achtung der Eingeborenen errungen und sogar das Kokosnußgeschäft wieder in Gang gebracht hatten. »Mein Vater ist überzeugt, daß die Menschen nur gesund sind, wenn sie eine befriedigende Beschäftigung haben.«
»Darin stimme ich mit ihm überein«, sagte Philip. »Eines Tages möchte ich deinen Vater auf der Insel besuchen.«
Ich versicherte ihm, er sei gewiß willkommen.
»Und«, fuhr er fort, »wenn du mit der Schule fertig bist, kommst du uns doch ab und zu besuchen, nicht wahr?«
Dazu bedürfe es aber einer Einladung, erwiderte ich. Er beugte sich zu mir herüber und küßte mich flüchtig auf die Wange. »Sei nicht albern«, sagte er. »Du brauchst keine Einladung.«
Ich war sehr glücklich, denn mir wurde allmählich klar, daß Philip Halmer mir sehr viel bedeutete.
Als ich Weihnachten nach Hause kam, waren Arbeiter bereits mit der Errichtung des Hospitals beschäftigt. Das war eine kostspielige Angelegenheit, weil sämtliches Material zur Insel transportiert werden mußte und viele Leute zum Bau benötigt wurden. Mein Vater konnte sich an seinem Werk richtig berau-

schen, wohingegen meine Mutter weniger euphorisch war. Als wir einmal allein waren, sagte sie: »Ich habe so ein ungutes Gefühl. Wenn nun Leute herkommen, vielleicht sogar von zu Hause ... Ich weiß, was es bedeutet, ein Geheimnis hüten zu müssen. Angenommen, jemand deckt nach all den Jahren dieses Geheimnis auf.«
»Es ist inzwischen gewiß längst vergessen«, versuchte ich sie zu trösten, doch ich war selbst nicht so überzeugt davon.
Sie fuhr fort: »Irgend etwas wird passieren. Ich habe so ein unangenehmes Gefühl. Ich kann es mir nicht erklären. Mir bangt vor diesem Hospital. Es ist mir irgendwie unheimlich.«
»Du sprichst wie Cougaba ... zwar klingt dein Englisch anders, aber die Empfindungen sind dieselben. Meine liebe Anabel, ob wohl alle Menschen nach Warnzeichen und Omen suchen, wenn sie eine Zeitlang bei einem abergläubischen Volk gelebt haben?«
Mir war jedoch selbst ein wenig unbehaglich zumute, und zwar wegen Cougabel. Wir waren uns in letzter Zeit fremd geworden, und ich mochte nicht mehr so oft mit ihr beisammen sein wie einst. In einem Kanu zu paddeln war für mich kein Abenteuer mehr, auch wollte ich die Geschichten über die Inselbewohner nicht mehr hören. Meine Gedanken flogen hinaus in die weite Welt.
Cougabel folgte mir eine Weile auf Schritt und Tritt und blickte mich mit großen, vorwurfsvollen Augen an, und manchmal glaubte ich, einen unterschwelligen Haß darin zu entdecken. Ich versuchte, mit ihr zu reden, und erzählte ihr von Sydney, von der Schule und dem Gut der Halmers, aber sie hörte nur halb interessiert zu. Cougabel konnte sich einfach nicht vorstellen, daß es eine Welt gab, auf der es anders zuging als auf der Insel.
Und wieder kehrte ich zur Schule zurück und verbrachte die darauffolgenden kurzen Ferien bei den Halmers. Sie veranstalteten zu der Zeit gerade ein großes Fest, weil Philip sein Schlußexamen bestanden hatte.

»Suewellyn«, sagte er, »ich mache mein Vorhaben wahr. Ich komme auf die Vulkaninsel, um deinen Vater kennenzulernen und das Hospital zu besichtigen.«
Ich war begeistert, weil ich wußte, daß meine Eltern sich freuen würden. Sie hatten sich sehr über meine Bitte gefreut, meine Freunde mit nach Hause bringen zu dürfen.
Es war also abgemacht, und in den nächsten Ferien kamen Philip und Laura mit mir.
Es wurden wundervolle Ferien. Meine Eltern hatten die Halmers auf Anhieb gern, und mein Vater und Philip verstanden sich aufs beste. Philip war von dem noch unvollendeten Hospital begeistert. Immer noch kamen Material und Arbeiter vom Festland herüber, und die Inselbewohner sahen in ehrfürchtigem Staunen zu, wie das Haus wuchs. Der leuchtend weiße, moderne Bau hatte das Gesicht der Insel verändert und ihm das Gepräge einer zivilisierten Siedlung gegeben.
Mit verträumten Augen saß mein Vater bei Tisch und sprach noch lange, nachdem die Mahlzeit beendet war, daß er aus der Vulkaninsel ein zweites Singapur machen wollte. Dort hatte Stanford Raffles es geschafft. Warum sollte er, Joel Mateland, so etwas nicht hier vollbringen? Wir alle lauschten hingerissen, und keiner hörte ihm so eifrig zu wie Philip.
»Was war denn Singapur, bevor Raffles den Sultan von Jahor überredete, das Terrain an die Ostindische Gesellschaft abzutreten? Damals lebte dort kaum ein Mensch. Wer hätte es für möglich gehalten, daß es einmal zu dem werden könnte, was es heute ist? Das Gebiet wurde der Gesellschaft erst Anfang des Jahrhunderts überlassen. Raffles hat Singapur geschaffen ... Er hat die Zivilisation nach Singapur gebracht. Und genau das habe ich mit dieser Inselgruppe vor. Die Vulkaninsel soll das Zentrum werden. Hier machen wir mit unserem Hospital den Anfang. Ich werde ein blühendes Inselreich schaffen. Wir haben hier zwar nur einen einzigen Gewerbezweig, aber was ist das für ein produktives Gewerbe!« Er wies uns auf die Eigenschaften der

Kokosnuß hin. »Kein bißchen Abfall. Alles ist einfach und ohne große Kosten herzustellen. Ich habe bereits Pläne, auch auf anderen Inseln Palmenhaine anzulegen. Ich möchte den Anbau vergrößern ... und zwar rasch.«
Seine Hauptsorge galt jedoch dem Hospital. »Wir brauchen Ärzte«, sagte er. »Ob wohl viele bereit sind, hierherzukommen? Im Augenblick ist es noch hart, aber wenn wir uns entwickeln ... und es hier mehr Annehmlichkeiten gibt ...« So schwärmte er vor sich hin.
Laura und Philip Halmer fanden meine Familie zweifellos interessant, und ich war glücklich, weil meine Eltern die beiden so gern hatten.
Doch inzwischen kam eine gewisse Unruhe in der Bevölkerung der Insel auf. Ich hatte von Kind an hier gelebt und war deshalb mit den Empfindungen dieser Menschen vertraut. Ich spürte, daß etwas nicht stimmte. Ich merkte es an der verstohlenen Art, wie sie meinem Blick auszuweichen suchten, an der alten Cougaba, die unentwegt nickte und vor sich hin murmelte, und an den Blicken, die ich einige Leute auf das große, weiße, in der Sonne glitzernde Gebäude werfen sah.
Dann erhielt ich eines Tages eine deutliche Warnung. Ich lag, von meinem Moskitonetz umhüllt, im Bett. Leise hörte ich meine Tür aufgehen. Zuerst dachte ich, es sei meine Mutter, die gern abends zu mir hereinkam, um mit mir zu plaudern.
Eine Sekunde lang erschien niemand. Mein Herz fing plötzlich heftig zu klopfen an. Die Tür ging ganz langsam auf.
»Wer ist da?« rief ich.
Keine Antwort. Dann sah ich sie. Sie war leise ins Zimmer getreten. Um die Hüften trug sie einen Gürtel aus Muscheln, die wie Perlen an einer Schnur aufgereiht waren. Die Muscheln waren grün, rot und blau; um den Hals hingen mehrere Ketten aus ähnlichen Muscheln, die zwischen ihren Brüsten herabhingen. Von der Taille abwärts war sie nackt, wie es auf der Insel Brauch war. Es war Cougabel.

Ich richtete mich hastig auf. »Was willst du hier so spät am Abend, Cougabel?«
Sie trat an mein Bett und blickte mich vorwurfsvoll an. »Du Cougabel nicht mehr liebhaben.«
»Sei nicht albern«, sagte ich. »Natürlich hab' ich dich lieb.«
Sie schüttelte den Kopf. »Du haben ... Schulfreundin, und haben ihn. Ja, ich weiß. Die du liebhaben ... nicht mich. Ich arme Halbweiße. Sie ganz weiß.«
»So ein Unsinn«, sagte ich. »Ich hab' sie gern, das stimmt, aber das hat nichts mit dir zu tun. Wir waren doch immer Freundinnen.«
»Du lügen. Das nicht gut.«
»Du solltest zu Bett gehen, Cougabel«, sagte ich gähnend.
Sie schüttelte den Kopf. »Daddajo sollen sie fortschicken, sagen Riese. Daddajo dir nicht geben diesen Mann.«
»Was redest du da?« rief ich. Doch ich wußte, was sie meinte. Cougabel – und somit ihre Mutter und alle auf der Insel – nahmen an, Philip sei hierhergekommen, um mich zu heiraten.
»Schlimm, schlimm«, fuhr sie fort. »Riese mir sagen: ›Ich Kind von Riese.‹ Ich gehen zu Berg, und er mir sagen: ›Weißen Mann wegschicken. Wenn er nicht gehen, ich zorniger Riese.‹«
Sie war natürlich eifersüchtig, und das war meine Schuld. Ich hatte sie vernachlässigt, weil Laura und Philip hier waren. Das hätte ich nicht tun dürfen. Cougabel war mit Recht beleidigt, und das wollte sie mir auf diese Weise zu verstehen geben.
»Hör zu, Cougabel«, sagte ich. »Es sind unsere Gäste. Ich muß mich um sie kümmern. Deshalb kann ich nicht soviel mit dir zusammensein wie sonst. Das tut mir leid; aber zwischen uns ist alles beim alten geblieben. Ich bin deine Freundin, und du bist meine. Wir haben unser Blut getauscht, nicht wahr? Das bedeutet, wir sind auf ewig Freundinnen.«
»Und wer Freundschaft brechen, ist verflucht.«
»Niemand wird sie brechen. Glaub mir, Cougabel!«
Tränen liefen ihr über die Wangen. Sie wischte sie nicht ab,

sondern sah mich an. Ich sprang aus dem Bett und nahm sie in meine Arme.
»Cougabel ... kleine Cougabel ... du darfst nicht weinen. Wir bleiben zusammen. Ich erzähle dir alles über die große Stadt jenseits des Ozeans. Wir sind Freundinnen ... auf immer.«
Das schien sie zu trösten, und nach einer Weile ging sie hinaus.
Am nächsten Tag erzählte ich Laura und Philip von Cougabels nächtlichem Besuch und schilderte ihnen, wie wir als Kinder miteinander gespielt hatten.
»Bring sie doch mit uns zusammen«, schlug Philip vor. »Kann sie reiten?«
Ich bejahte, und ich war Laura und Philip dankbar, daß sie so nett zu ihr waren. Wir fuhren in einem Kanu am Ufer entlang. Cougabel und ich paddelten, und es gab viel zu lachen.
»Sie ist ein schönes Mädchen«, sagte Philip. »Durch ihre hellere Hautfarbe hebt sie sich von den anderen ab.«
Manchmal trug Cougabel ihre alten Kittel, doch in Muscheln und Federn kam ihre Schönheit erst richtig zur Geltung. Ich bemerkte, daß ihre Augen oft auf Philip ruhten, und sie richtete es stets so ein, daß sie ihm ganz nahe war. Galt es etwas anzubieten, so bediente sie ihn zuerst. Philip war über ihre Bemühungen amüsiert.
Doch dann fingen neue Unannehmlichkeiten an. Cougabel kam wieder mit einer Mahnung zu mir: »Riese grollen. Er sehr böse. Wandalo ihn fragen, warum. Riese will kein Hospital.«
Mein Vater war bereits von Wandalo davon unterrichtet worden, wenn auch nicht so deutlich. Vor einigen Tagen hatte man gehört, daß der Riese grollte. Eine Frau, die zum Berg gegangen war, um dem Riesen Muscheln zu bringen, hatte ein zorniges Grollen vernommen. Irgend etwas war nicht in Ordnung. Der Riese wollte jemanden nicht auf der Insel haben. Er war lange ruhig gewesen; während der ganzen Zeit, als das Hospital gebaut wurde und die Arbeit auf der Plantage gute Fortschritte machte, hatte er geschwiegen. Warum grollte er nun auf einmal?

Mein Vater war verärgert. »Nach all den Jahren«, rief er, »wollen sie uns nun Hindernisse in den Weg legen!«
»Aber sie erkennen doch gewiß den Nutzen des Hospitals und der Plantage«, meinte Philip.
»Das schon, aber sie sind derart abergläubisch, daß sie sich von dem alten Vulkan beherrschen lassen. Ich habe versucht, ihnen beizubringen, daß es davon Hunderte auf der Welt gibt und daß an einem erloschenen Vulkan, der, während er zur Ruhe kommt, hin und wieder ein bißchen ›grollt‹, wie sie es nennen, nichts Besonderes ist. Seit dreihundert Jahren hat es keinen richtigen Ausbruch mehr gegeben. Ich wollte, ich könnte ihnen das klarmachen.«
Ich hatte Philip von dem Maskentanz erzählt und ihm berichtet, daß Cougaba ihre Tochter als ein Kind des Riesen ausgegeben hatte. Philip war von den Legenden der Insel ungeheuer fasziniert und ließ sie sich gern von Cougabel erzählen. Sie tat es mit Begeisterung, und ich merkte, daß mit ihr alles wieder in Ordnung war.
»Natürlich«, sagte mein Vater, »ist es dieser alte Teufel Wandalo, der den ganzen Ärger macht. Er hat mich nie leiden können. Es zählt nicht, daß wir mit unseren modernen Behandlungsmethoden viele Menschen vor diesen tückischen Fieberkrankheiten, die in einem solchen Klima zur Seuche werden, gerettet haben. Nur daß ich den alten Hexenmeister von seinem Platz gedrängt habe, zählt, und er wartet jetzt auf eine Gelegenheit, das Hospital zu vernichten.«
»Was Sie natürlich niemals zulassen werden«, sagte Philip.
»Eher soll er tot umfallen«, erwiderte mein Vater.
Der alte Wandalo aber saß höchst lebendig unter dem Banjanbaum und kritzelte mit seinem alten Stock Zeichen in den Sand, während uns immer neue Berichte über das Grollen des Riesen zugetragen wurden.
Beim nächsten Neumond sollte wieder ein Maskentanz stattfinden. Philip und Laura waren begeistert. Daß sich dies ausge-

rechnet während ihres Besuches ereignen sollte, erschien ihnen als ausgesprochener Glücksfall.
Ich war mir der eigenartigen ekstatischen Stimmung, die sich auf der Insel ausgebreitet hatte, mehr denn je bewußt. Ich ahnte, daß die Leute alle Wohltaten, die mein Vater ihnen gebracht hatte und die sie auch eine Zeitlang zu schätzen schienen, innerhalb einer einzigen Nacht vergessen konnten, um zu ihren alten, wilden Gewohnheiten zurückzukehren. Es war meinem Vater nie gelungen, die Furcht vor dem Grollenden Riesen zu beseitigen, und er wie auch meine Mutter mußten einsehen, daß wir uns nur deshalb in diesem Glauben hatten wiegen können, weil der Riese so lange geschwiegen hatte.
Cougabel bebte vor Aufregung. Zum erstenmal würde sie auch zu den Tänzern gehören. Sie bereitete sich im geheimen darauf vor, und meine Mutter beschwor uns, besonders rücksichtsvoll zu ihr zu sein, da sie jetzt ein mannbares Mädchen sei.
Für sie als Tochter des Riesen – für die sie sich selbst und die Inselbewohner sie hielten – hatte diese Zeremonie eine besondere Bedeutung. Es konnte durchaus sein, daß der Riese seiner Tochter seine Gunst erwies. »Wäre das nicht ein Fall von Inzest?« fragte ich meine Mutter.
»Ich bin sicher, daß man in so erlauchten Kreisen über eine solche Kleinigkeit hinwegsieht«, erwiderte sie lächelnd. »Aber, Suewellyn, wir müssen so tun, als nähmen wir die Sache ernst. Der alte Wandalo mit seinen Andeutungen macht deinem Vater tatsächlich angst.«
»Glaubst du, er hat die Leute wirklich davon überzeugen können, daß der Riese das Hospital nicht will?«
»Es handelt sich im Grunde nur um einen Streit zwischen Wandalo und deinem Vater, und ich bezweifle nicht, daß dein Vater siegen wird. Aber er muß gegen das Vorurteil jahrhundertealten Aberglaubens kämpfen.«
Es waren spannungsgeladene Tage, und während Philip und

Laura alles überaus faszinierend fanden, spürte ich die Unruhe, die sich meiner Eltern bemächtigt hatte.
Cougabel suchte nach wie vor Philips Nähe. Sie saß vor der Haustür, und wenn er herauskam, lief sie hinter ihm her. Ich hatte die beiden unter Palmen sitzen sehen, wobei sie auf ihn einredete.
Er erzählte mir: »Ich sammle alle möglichen Legenden von der Vulkaninsel und bekomme sie direkt aus der Quelle.«
Inzwischen galt nun auch das Gesetz, daß einen vollen Monat lang kein Ehemann seine Hütte mit seiner Frau teilen durfte. Philip fand das höchst amüsant, war jedoch beeindruckt von dem Ernst und der Entschlossenheit der Inselbewohner, sich dieser Tradition zu beugen. Infolgedessen lebten die Frauen von den Männern getrennt in gesonderten Hütten. Cougaba und ihre Tochter wohnten weiterhin bei uns, und da wir keine männlichen Eingeborenen im Haus hatten, war nichts dagegen einzuwenden.
Wie die Spannung sich in diesen Wochen steigerte! Mein Vater wurde ungeduldig. Er sagte, die Leute vernachlässigten die Arbeit, sie hätten nur noch die Anfertigung ihrer Masken im Sinn.
Meine Mutter meinte: »Wenn alles vorbei ist, wird sich die Aufregung legen. Aber dein Vater ist zutiefst enttäuscht. Hatte er doch gehofft, sie würden sich von dem ganzen Zauber abwenden. Wie du weißt, hat er ein paar fähige Männer, die ihm zur Hand gehen, und er hoffte, sie für das Hospital ausbilden zu können, wenn er auch natürlich vor allem einen Arzt braucht, der ihn unterstützt; auch wollte er etliche Frauen zur Krankenpflege heranziehen. Doch nun ist es fraglich, ob ihm das je gelingen wird. Wenn sie um dieses kultischen Tanzes willen alles stehen- und liegenlassen, so beweist das, daß sie von ihrer Primitivität nichts eingebüßt haben. Aber dein Vater gibt die Hoffnung nicht auf, mit dieser albernen Riesenlegende aufzuräumen.«

»Dazu würde er wohl Jahre brauchen«, bemerkte ich.
»Da ist er aber anderer Meinung. Er glaubt, wenn sie die Wunder der modernen Medizin vor Augen haben, werden sie einsehen, daß sie von diesem Berg nichts weiter zu befürchten haben als einen Ausbruch ... und dabei ist der Vulkan höchstwahrscheinlich bereits seit Jahren erloschen. Ich glaube, sie erfinden das Grollen nur, um ein bißchen Aufregung in ihr Leben zu bringen. Übrigens, hat Philip dir schon erzählt, was dein Vater vorschlägt?«
»Nein«, sagte ich gespannt.
»Na so was! Nun ja, vermutlich will er erst noch einmal darüber nachdenken. Dein Vater sagt aber, Philip sei nicht abgeneigt. Er zeigt großes Interesse für das Experiment, und dein Vater braucht einen Arzt. Suewellyn, ich wäre so froh, wenn Philip sich entschließen würde, zu uns zu kommen.«
Ich fühlte, wie ich vor Aufregung errötete. Wenn Philip das tun würde, wäre ich überglücklich.
Ich brauchte nichts zu sagen. Meine Mutter nahm mich in ihre Arme und drückte mich fest an sich. »Es wäre eine wundervolle Lösung«, meinte sie. »Es würde bedeuten, daß du hierbleiben könntest ... du und Philip. Du hast ihn sehr lieb. Glaube nicht, daß mir das entgangen wäre. Wenn er sich entschließt, hierherzukommen, so hat das gewiß etwas mit dir zu tun. Natürlich ist er auch von dem Hospital begeistert. Er hält es für eine fabelhafte Idee und findet es großartig. Deinen Vater bewundert er. Und ist es nicht erstaunlich, daß er genau wie dieser von der Erforschung der Tropenkrankheiten besessen ist?«
»Glaubst du, daß Philip mich heiraten will? Er hat nie davon gesprochen.«
»Ach, Liebling, wir brauchen uns doch nichts vorzumachen. Ich weiß, daß er noch nichts gesagt hat. Schließlich ist das ein schwerwiegender Schritt ... Vielleicht will er zuerst mit seinen Eltern darüber sprechen. Er müßte hier leben ... Sicher, wir sind nur eine Woche vom Festland entfernt, trotzdem ist es ein

folgenschweres Unterfangen. Ich, für meine Person, wäre sehr glücklich darüber. Das Hospital und das Kokosgeschäft sind das Ergebnis von deines Vaters Arbeit. Eines Tages wird das alles dir gehören. Alles, was dein Vater besitzt, hat er in diese Insel gesteckt. In England ist ihm nichts geblieben. Wir haben jahrelang von seinem Vermögen gelebt, und nun hat das Hospital alles geschluckt. Ich meine, es ist dein Erbe ... und dein Vater und ich wünschen uns nichts sehnlicher, als seinen Nachfolger hier zu sehen, bevor ... bevor ... «
»Ihr beide werdet noch viele Jahre leben.«
»Sicher, aber es ist beruhigend, die Dinge geregelt zu wissen. Wenn wir uns nur von diesem widerwärtigen alten Wandalo und seinem Grollenden Riesen befreien und die Leute dazu bringen könnten, wie zivilisierte Menschen zu leben, dann wäre alles so einfach. Aber du wirst ja verlegen! Das sollst du nicht. Ich hätte vielleicht nicht davon sprechen sollen, aber ich wollte dir sagen, wie glücklich wir wären, wenn ... wenn alles klappte. Philip ist ein reizender Mensch; dein Vater mag ihn und ich auch. Und, mein liebes Kind, auch du hast ihn sehr gern.«
Das stimmte. Ich mochte ihn sehr. Ich sah die Zukunft vor mir: Wir lebten alle hier. Die Insel würde wachsen und gedeihen. Wir würden neue Annehmlichkeiten schaffen. Mein Vater besaß ein ungeheures Organisationstalent. Ich glaube, Philip war ihm nicht unähnlich. Sie würden gut zusammenarbeiten. Bereits heute schon hielt sich Philip oft während der Sprechstunden bei meinem Vater auf und ließ sich von ihm die Methoden zur Behandlung der auf der Insel heimischen Krankheiten demonstrieren.
Wenigstens zwölf Inseln gehörten zu der Gruppe um die Vulkaninsel. Mein Vater war überzeugt, daß die ganze Gruppe eines Tages zu großem Wohlstand gelangen würde. Das Kokosnußgewerbe würde man weiterentwickeln, und vielleicht konnte man auch noch andere Industrien aufbauen. Dann würden die Schiffe die Inseln möglicherweise öfter als alle zwei Monate

anlaufen; doch das eigentliche Ziel meines Vaters war es, den Ursprung und die Behandlung der Fieberkrankheiten zu erforschen.

Die Tage waren wie im Flug vergangen, und jäh hatte das Trommelschlagen eingesetzt. Cougabel hatte sich in ihrem Zimmer eingeschlossen. Ich wußte, daß sie, wie alle Mädchen und Männer, die an dem Ritual teilnahmen, sich in einen Zustand ekstatischer Erregung versetzte.

Überall, wohin wir auch gingen, konnten wir die Trommeln hören. Während der ersten Stunden schlugen sie leise, wie ein Flüstern, doch bald würde das Geräusch anschwellen.

Ich lag in meinem Bett und dachte daran, wie Cougabel zu mir gekommen war, um mir zu verstehen zu geben, daß sie eifersüchtig war. Etwas in ihrem Blick hatte mich erschreckt. Es hätte mich nicht gewundert, wenn sie einen dieser lanzettenförmigen Dolche, wie sie die Eingeborenen benutzten, hervorgezogen und mir ins Herz gestoßen hätte. Ja, sie hatte wahrhaftig mörderisch ausgesehen, als sinne sie auf Rache, weil ich sie vernachlässigt hatte.

Arme Cougabel! Als Kinder hatten wir kaum gemerkt, daß wir verschieden waren. Wir waren Freundinnen, Blutsschwestern, und waren miteinander glücklich gewesen. Doch die Veränderung war unausweichlich. Ich hätte sanfter, rücksichtsvoller zu ihr sein sollen.

Doch hatte ich nicht geahnt, daß sie mit so tiefer Zuneigung an mir hing. Allerdings hätte ich es wissen müssen; war sie doch auf den Gipfel des Berges gestiegen, als ich zur Schule gehen sollte.

Das Trommeln hielt uns die ganze Nacht wach, und uns war unbehaglich zumute: Mein Vater ärgerte sich, weil die Leute zu dieser primitiven Sitte zurückgekehrt waren; meine Mutter sorgte sich seinetwegen, und ich war bekümmert wegen Cougabel und gleichzeitig freudig erregt aufgrund der Andeutungen, die meine Mutter über Philip gemacht hatte.

In dieser Nacht träumte ich von meiner Zukunft, und mir erschien durchaus möglich, daß Philip zu uns ziehen würde. Dadurch würde sich alles verändern. War es denn wirklich wahr, daß er sich in mich verliebt hatte, daß er mich heiraten und mit uns auf der Insel leben wollte?
Das waren herrliche Aussichten, die jedoch für eine Weile aufgeschoben werden mußten. Ich mußte ja noch ein weiteres Schuljahr absolvieren.
Wenn sie doch nur mit dem Trommeln aufhören wollten!
Sie trommelten den ganzen folgenden Tag. Der Essensgeruch drang von der Lichtung, wo Wandalo seine Behausung hatte, zu uns herüber. Wir warteten auf die Dunkelheit und das plötzliche Schweigen der Trommeln, das ebenso erschreckend war wie das Schlagen.
Endlich war es totenstill.
Es war ganz dunkel. Ich konnte mir alles genau vorstellen, obwohl ich es nie gesehen hatte.
Wir sollten im Haus bleiben, hatte mein Vater gesagt. Er wisse nicht, wie die Leute reagieren würden, wenn sie einen Fremden in ihrer Mitte entdeckten; und ungeachtet der Tatsache, daß wir so lange unter ihnen gelebt hatten, waren wir in einer solchen Nacht doch Fremde für sie.
Wir versuchten, unseren üblichen Beschäftigungen nachzugehen, aber das fiel uns schwer.
Laura kam in mein Zimmer.
»Es ist so aufregend, Suewellyn«, sagte sie. »Solche Ferien habe ich noch nie erlebt.«
»Ihr habt mir auf eurem Gut aber auch herrliche Ferien beschert.«
»Ein Gut ist etwas ganz Normales«, sagte sie. »Hier ist alles so fremd ... so etwas habe ich noch nie gesehen. Philip ist ganz vernarrt in diese Insel.« Sie blickte mich lächelnd an. »Sie hat ja auch so viele Reize zu bieten. Du mußt mir etwas versprechen, Suewellyn.«

»Laß mich erst hören, was es ist.«
»Du lädst mich zu deiner Hochzeit ein und ich dich zu meiner, einerlei, was geschieht.«
»Das kann ich leicht versprechen«, meinte ich unbekümmert. Ich ahnte ja nicht, welch schwerwiegende Folgen dieses Versprechen haben sollte.
»Ich gehe nun nicht mehr zur Schule«, sagte Laura.
»Es wird tödlich ohne dich.«
»Nächstes Jahr um diese Zeit hast du die Schule auch hinter dir.«
»Welch ein Glück, daß ich dich getroffen habe! Nur schade, daß du nicht ein Jahr später geboren bist; dann könnten wir die Schule gemeinsam verlassen. Horch!«
Die Stille war vorüber. Die Trommeln hatten wieder zu schlagen angefangen.
»Das Festmahl ist beendet. Jetzt beginnt der Tanz.«
»Ich wollte, ich könnte zuschauen.«
»Lieber nicht. Mein Vater und meine Mutter haben ihn einmal gesehen. Es war gefährlich. Wären sie entdeckt worden – weiß der Himmel, was man mit ihnen angestellt hätte. Mein Vater ist überzeugt – der alte Wandalo hat so etwas auch einmal angedeutet –, daß die Leute sehr wütend würden. Sie würden feststellen, daß der Grollende Riese unzufrieden ist, und dann würde etwas Furchtbares geschehen. Der Grollende Riese würde es befehlen – natürlich durch Wandalo. – Wo ist übrigens Philip?«
»Ich weiß es nicht. Er wollte zum Hospital.«
»Was will er da? Es ist doch noch gar nicht fertig.«
»Er ist eben gern dort und macht alle möglichen Pläne.«
Furcht ergriff mich. Philip war sehr an alten Bräuchen interessiert. War es möglich, daß er hinausgegangen war, um den Tanz zu beobachten? Das war nicht gut. Er ahnte ja nicht, in welcher Gefahr er schwebte. Er hatte nicht lange genug unter diesen Menschen gelebt. Er kannte sie nur freundlich und entgegen-

kommend und wußte nichts von der anderen Seite ihrer Natur. Ich fragte mich, was die Eingeborenen wohl mit einem heimlichen Zuschauer bei ihrem Fest machen würden.

»Dort ist er bestimmt nicht hingegangen«, sagte Laura, als habe sie meine Gedanken erraten.

»Natürlich nicht«, pflichtete ich ihr bei. »Mein Vater hat erklärt, wie gefährlich das wäre.«

»Das würde ihn allerdings nicht zurückhalten«, sagte Laura. »Aber wenn er weiß, daß es deinem Vater mißfällt, ist er sicher nicht hingegangen.«

Damit gab ich mich zufrieden.

Wir blieben eine Weile zusammen sitzen. Wir hörten das Crescendo der Trommeln, und dann war es still. Das bedeutete, daß jetzt nur noch die alten Leute auf der Lichtung waren. Die jungen waren im Wald verschwunden. Die Stille verursachte eine noch größere Spannung als der Lärm. Ich ging zu Bett, aber ich konnte nicht schlafen.

Von einem inneren Gefühl getrieben, stand ich wieder auf und trat ans Fenster. Da sah ich Philip, der, leise und verstohlen, aus der Richtung des Hospitals kam.

Ich war überzeugt, daß er die Tanzenden beobachtet hatte. Also hatte er die Warnungen meines Vaters in den Wind geschlagen.

Am nächsten Morgen wurde ich von Cougabel geweckt. Sie trug ihren Lendenschurz und hatte sich Muscheln und Amulette um den Hals gehängt.

Sie wirkte irgendwie verändert; aber das mochte auf das gestrige Fest zurückzuführen sein.

Lachend kam sie ganz dicht an mich heran und flüsterte: »Ich habe Samen von Riese in mir. Ich habe Kind von Riese.«

»Nun, Cougabel«, sagte ich, »das müssen wir erst einmal abwarten.«

Sie hockte sich auf den Boden und sah mich an. Ich blieb im Bett

liegen. Sie lächelte, und ihr abwesender Blick verriet, daß sie an die vergangene Nacht dachte.
Cougabel war über Nacht zur Frau geworden. Sie hatte am Maskentanz teilgenommen und glaubte nun, wie wohl alle Frauen, bis ihnen das Gegenteil bewiesen wurde, daß sie den Samen des Riesen in sich trug.
Cougabel war sich ganz sicher. Sie blickte mich unentwegt mit siegesbewußter Miene an.
Als ich Philip später allein traf, sagte ich zu ihm: »Ich habe dich gestern abend gesehen.«
Er machte ein verlegenes Gesicht. »Dein Vater hat mich gewarnt.«
»Du bist aber trotzdem hingegangen.«
»Es wäre mir peinlich, wenn dein Vater es erführe.«
»Ich werde es ihm nicht verraten.«
»Ich konnte mir das einfach nicht entgehen lassen. Ich möchte dieses Volk verstehen. Und wann kann man die Leute besser kennenlernen als in einer solchen Nacht?«
Ich stimmte ihm zu. Schließlich hatten auch mein Vater und meine Mutter einmal beim Maskenfest zugeschaut. Sie hatten sich gut versteckt. Mein Vater hatte gemeint: »Die sind viel zu sehr mit sich selbst beschäftigt, um auf heimliche Zuschauer zu achten.«
Philip fuhr fort: »Weißt du, ich komme ganz bestimmt wieder.«
»O Philip, das freut mich«, sagte ich bewegt.
»Ja, ich habe mich entschieden. Ich werde mit deinem Vater arbeiten. Doch vorher muß ich ein Jahr in Sydney im Krankenhaus hospitieren. Bis dahin bist du mit der Schule fertig, Suewellyn.«
Ich nickte glücklich. Diese Bemerkung kam einem Versprechen gleich.

Ich vermißte Laura, als ich nach Sydney zurückkehrte. Ich machte einen Besuch auf dem Gut. Der Verwalter und Laura waren sich sehr nahegekommen. Ich hatte den Eindruck, daß sie verliebt waren, und als ich Laura auf den Zahn fühlte, stritt sie es nicht ab.
»Du wirst eher auf meiner Hochzeit tanzen als ich auf deiner«, sagte sie. »Denk an dein Versprechen.«
Ich hatte es nicht vergessen.
Philip war nicht da. Er absolvierte sein Hospitantenjahr und konnte nicht aus dem Krankenhaus weg.
Als ich in den Ferien auf die Insel zurückkehrte, stand Cougabels Niederkunft bald bevor. Es war eine ganz besondere Geburt, da sie neun Monate nach dem Maskenfest erwartet wurde; und nachdem Cougabel bis dahin Jungfrau gewesen war, wie sie mir stolz versicherte, konnte kein Zweifel bestehen, wessen Kind das war.
»Sie ist Maskenkind, und sie hat Maskenkind«, verkündete Cougaba stolz.
Es war bezeichnend, daß Cougaba auch jetzt noch annahm, es stehe für uns alle fest, daß Cougabel bei einem Maskentanz empfangen worden war, obwohl Cougaba uns doch selbst erzählt hatte, daß das Mädchen Luke Carters Tochter war. Dies war ein Wesenszug der Inselbewohner, der uns manchmal zur Verzweiflung trieb. Selbst angesichts des untrüglichen Beweises einer Unwahrheit bestanden sie felsenfest darauf, daß es eine Tatsache sei.
Ich hatte ein Geschenk für das Baby gekauft, denn mir war sehr daran gelegen, Cougabel dafür zu entschädigen, daß ich sie in jüngster Zeit so vernachlässigt hatte. Sie empfing mich nahezu huldvoll und nahm die goldene Kette mit dem Anhänger wie eine Königin entgegen. Ich hatte den Schmuck in Sydney gekauft, und meine Mutter konnte sich nicht enthalten, zu bemerken, daß Cougabel Weihrauch und Myrrhe ebenso willkommen gewesen wären wie Gold. Cougabel war ohne Zweifel eine

sehr bedeutende Persönlichkeit geworden. Sie wohnte noch bei uns im Haus, doch meine Mutter sagte, wir könnten sie nun nicht mehr lange behalten; denn sobald das Baby geboren sei, würde man einen Ehemann für sie auswählen. Und man würde sicher unter vielen Bewerbern wählen können. Ein Mädchen, das in der Nacht der Masken empfangen hatte und sich deshalb des besonderen Schutzes des Riesen erfreute, und das dazu noch selbst ein Kind der Maske war, galt als begehrenswerte Ehefrau. Und da Cougabel überdies zu den Schönheiten der Insel zählte, durfte sie eine Menge Angebote erwarten.
Ich sagte Cougabel, wie sehr ich mich für sie freute.
»Ich auch froh«, erwiderte sie und gab mir deutlich zu verstehen, daß sie auf meine Gesellschaft nun nicht mehr so erpicht war wie einst.
Eines Nachts erwachte ich von ungewohntem Lärm und Schritten vor meinem Zimmer. Ich zog einen Morgenmantel an und ging nachsehen. Meine Mutter erschien. Sie zog mich ins Schlafzimmer zurück und schloß die Tür.
»Bei Cougabel haben die Wehen eingesetzt«, sagte sie.
»So bald schon?«
»Einen Monat zu früh.«
Meine Mutter machte ein geheimnisvolles und zugleich besorgtes Gesicht.
»Du weißt, was das bedeutet, Suewellyn. Man wird behaupten, das Kind sei nicht in der Nacht der Masken gezeugt worden.«
»Könnte es denn keine Frühgeburt sein?«
»Das schon, aber du weißt doch, wie die Leute sind. Sie werden sagen, der alte Riese hätte es nicht zugelassen, daß es zu früh geboren wurde. Du liebe Güte, das kann Ärger geben. Cougaba ist ganz außer sich. Ich weiß nicht, was wir tun sollen.«
»Das ist doch alles purer Unsinn. Wie geht es Cougabel?«
»Gut, diese Naturvölker haben keine Schwierigkeiten beim Kinderkriegen.«

Es klopfte. Meine Mutter öffnete. Cougaba stand vor der Tür. Sie sah uns mit großen, verwirrten Augen an.
»Ist etwas nicht in Ordnung, Cougaba?« fragte meine Mutter erregt.
»Sie mitkommen«, sagte Cougaba.
»Ist etwas mit dem Kind?« erkundigte sich meine Mutter.
»Kind groß, kräftig – ein Junge.«
»Dann ist Cougabel ...«
Cougaba schüttelte den Kopf.
Wir gingen in das Zimmer, wo Cougabel ein wenig erschöpft, doch triumphierend auf dem Rücken lag. Meine Mutter hatte recht. Den Frauen auf dieser Insel bereitete Kinderkriegen keine Mühe.
Neben ihr lag das Kind. Es hatte dunkelbraunes, glattes Haar – nicht dicht und lockig, wie es bei den Babys der Vulkaninsel üblich war. Das Verblüffende war jedoch seine Haut. Sie war fast weiß und kündete zusammen mit dem glatten Haar von der Tatsache, daß dieses Kind das Blut Weißer in den Adern hatte. Ich sah Cougabel an. Ein merkwürdiges Lächeln umspielte ihre Lippen, als ihre Augen meinem Blick begegneten.

Wir waren alle sehr bestürzt. Meine Mutter sagte als erstes, niemand dürfe erfahren, daß das Kind geboren war. Sie ging sogleich zu meinem Vater, um sich mit ihm zu beraten.
»Ein fast weißes Kind!« rief er. »Mein Gott, das ist eine Katastrophe. Und noch vor der Zeit geboren!«
»Es könnte natürlich eine Frühgeburt sein«, meinte meine Mutter.
»Das werden sie niemals hinnehmen. Das könnte schlimm ausgehen für Cougabel ... und für uns. Sie werden sagen, sie war schon vor dem Maskentanz schwanger, und das ist, wie du weißt, in deren Augen eine Todsünde.«
»Und dazu ist das Kind auch noch fast weiß.«
»Cougabel hat schließlich weißes Blut ...«

»Ja, aber ...«
»Du glaubst doch nicht etwa, daß Philip ... nein, das ist absurd«, fuhr mein Vater fort. »Aber wer sonst? Sicher, Cougabels Vater war Weißer, und daher wäre es genetisch durchaus erklärlich, daß ihr Kind weißer ist als sie selbst. *Wir* wissen das, aber wie sollen wir das den Inselbewohnern begreiflich machen? Eines ist sicher. Außerhalb dieses Hauses darf niemand erfahren, daß das Kind geboren ist. Cougaba muß es geheimhalten. Nur einen Monat lang. Das mußt du ihr erklären. Es muß sein ... für uns alle.«
Gesagt, getan. Es war nicht einfach, denn die Geburt von Cougabels Kind wurde ungeduldig erwartet. Die Leute versammelten sich bereits in Gruppen vor unserem Haus. Sie legten Muscheln rings herum, und viele stiegen auf den Berg, um dem Riesen zu huldigen, dessen Kind nun bald geboren werden sollte.
Cougaba erzählte ihnen, daß Cougabel Ruhe brauchte. Der Riese sei ihr im Traum erschienen und habe ihr gesagt, daß es eine schwierige Geburt werde. Die Geburt dieses Kindes sei eben keine gewöhnliche Geburt.
Glücklicherweise gaben sich die Leute damit zufrieden.
Mein Vater, immer bestrebt, Unheil in Vorteil zu verkehren, wies Cougaba an, den Leuten zu erzählen, der Riese sei ihr abermals im Traum erschienen, und diesmal habe er gesagt, das Kind werde ihnen ein Zeichen bringen. Der Riese wolle sie wissen lassen, was er von den Veränderungen auf der Insel hielt.
Ich wußte, daß Cougabel Angst hatte, auch wenn sie sich noch so tapfer gab. Sie kannte ihr Volk besser als wir, und in den Augen der Leute war die Frühgeburt gewiß ebenso verwerflich wie die Hautfarbe des Kindes. Daher waren Cougabel und Cougaba durchaus bereit, die Anordnungen meines Vaters zu befolgen.
Also mußten wir die Geburt einen Monat lang geheimhalten. Dank der Leichtgläubigkeit der Inselbewohner war dies nicht

einmal so schwierig, wie wir befürchtet hatten. Cougaba brauchte nur zu sagen, der Riese habe dies oder jenes befohlen, und die Leute nahmen es hin.
Wie erleichtert waren wir aber, als wir der wartenden Menge das Baby zeigen konnten! All unsere Mühe hatte sich gelohnt. Selbst Wandalo mußte zugeben, daß die Farbe des Kindes bezeugte, daß der Riese mit den Vorgängen auf der Insel einverstanden war. Er war mit dem wachsenden Wohlstand zufrieden.
»Und er ist sogar so entgegenkommend«, frohlockte meine Mutter, »mit seinem scheußlichen Grollen aufzuhören. Das kommt mir wirklich sehr gelegen.«
So hatten wir diese heikle Situation denn einigermaßen heil überstanden. Doch trotz der Erklärung meines Vaters, daß es nichts Ungewöhnliches sei, wenn eine Farbige, die einen weißen Vater hatte, ein hellhäutiges Kind zur Welt brachte, mußte ich immerzu an Philip denken; und das Bild, wie er mit Cougabel gescherzt hatte, ging mir nicht aus dem Sinn.
Ich glaube, damals änderten sich meine Gefühle für Philip. Oder vielleicht änderte auch ich mich. Ich wurde erwachsen.

Susannah auf der Insel

Bald danach brach mein letztes Halbjahr in der Schule an, und als ich nach Hause zurückkehrte, hatte sich Philip bereits auf der Insel niedergelassen.

Das neuerliche Zusammensein mit ihm stärkte meine Überzeugung, daß mein Verdacht unbegründet war. Cougabels Verhalten hatte mich auf diesen Gedanken gebracht, und wahrscheinlich hatte sie es absichtlich getan. Ich erinnerte mich, daß Luke Carter gesagt hatte, die Inselbewohner seien nachtragend und versäumten es niemals, sich zu rächen. Ich war es, die Cougabel eifersüchtig gemacht hatte, und da sie meine Gefühle für Philip kannte, zahlte sie es mir mit gleicher Münze heim.

Dummes Ding! dachte ich. Aber noch dümmer war es, daß ich so etwas auch nur eine Minute lang hatte glauben können.

Das Baby gedieh prächtig. Die Inselbewohner brachten ihm Geschenke, und Cougabel war von ihrem Sohn entzückt. Sie trug ihn auf den Berg hinauf, um dem Riesen zu danken. Ich fand Cougabel ungeheuer mutig; erst hatte sie ihr Volk getäuscht, und nun wagte sie sich auch noch auf den Berg, um dem Riesen ihre Ergebenheit zu erweisen.

»Vielleicht hat sie ihm aber auch nur gedankt, weil sie aus ihrer mißlichen Lage befreit wurde«, meinte meine Mutter. »Eigentlich sollte sie uns dafür danken.«

Die folgenden Monate waren himmlisch. Philip war wie ein Mitglied der Familie. Ich hatte die Schule hinter mir, und meine Eltern waren glücklicher, als sie jemals zuvor gewesen waren. Endlich hatten sie ihren Frieden gefunden. Mit den Jahren verringerte sich die Gefahr, und nun brauchten sie sich auch

meinetwegen nicht mehr zu sorgen. Sie rechneten fest damit, daß ich Philip heiraten und den Rest meines Lebens hier auf der Insel verbringen würde, aber nicht so eingeengt, wie sie es gewesen waren – sondern ich würde ausgedehnte Reisen nach Australien und Neuseeland unternehmen und vielleicht auch zu einem längeren Aufenthalt in die Heimat fahren können. Die Inseln waren auf dem besten Weg, sich zu einem zivilisierten Gemeinwesen zu entwickeln. Das war der Traum meines Vaters: Er wollte viele Ärzte und Krankenschwestern herkommen lassen; die würden dann heiraten, sagte er, und Kinder haben ...
Ja, dies waren die Träume, die er und meine Mutter gemeinsam hegten; am meisten aber freute sie die Tatsache, meine Zukunft gesichert zu wissen.
Und noch eine Angelegenheit wendete sich zum Guten. Ich hatte bemerkt, daß der Plantagenaufseher, ein verhältnismäßig groß gewachsener, gutaussehender junger Mann, sich ständig in der Nähe des Hauses aufhielt, um einen Blick von Cougabel zu erhaschen. Es machte ihm Spaß, ihr das Baby abzunehmen und es in seinen Armen zu wiegen.
Ich sagte zu meiner Mutter: »Ich glaube, Fooca ist der Vater von Cougabels Baby.«
»Der Gedanke ist mir auch schon gekommen«, erwiderte sie und lachte. Sie lachte viel in diesen Tagen.
»Ich kann mir denken, wie es passiert ist«, fuhr sie fort. »Sie waren ein Liebespaar. Cougabel hat beim Maskenfest vermutlich schon gewußt, daß sie schwanger ist. So ein raffiniertes kleines Ding! Man kann sich wirklich nur wundern. Klug ist sie, das muß man ihr lassen. Luke Carter war ein geriebener Bursche, und seine Tochter hat wohl einige von seinen Eigenschaften geerbt. Es ist erstaunlich, wie sie es zustande gebracht hat, ihre peinliche Lage zum Vorteil zu wenden.«
So lachten wir über Cougabels List, und als Fooca bei Cougaba um ihre Tochter freite, waren wir alle frohgemut.
Weil sie bei uns im Haus gelebt hatte, durften wir der Hochzeits-

zeremonie beiwohnen. Cougabel verbrachte die Nacht zuvor in einer Hütte, zusammen mit vier auserwählten Mädchen – alles Jungfrauen –, die sie mit Kokosöl einrieben und ihr das Haar flochten. Fooca befand sich mit vier jungen Männern, die ihm aufwarteten, in einer anderen Hütte. Am späten Nachmittag fand dann auf der Lichtung die Trauungszeremonie statt. Die Mädchen führten Cougabel aus der Hütte, und die jungen Männer geleiteten Fooca heran. Cougaba stand etwas abseits mit dem Baby auf dem Arm; zwei Frauen nahmen es ihr feierlich ab und übergaben es Cougabel. Braut und Bräutigam hielten sich an den Händen, während Wandalo einen für uns unverständlichen Gesang anstimmte, und dann sprangen Cougabel und Fooca zusammen über einen Palmenstamm. Dieser Stamm wurde in Wandalos Hütte aufbewahrt, und es hieß, daß er vor vielen Jahren, als der Riese die Insel beinahe vernichtet hatte, aus dem Krater geschleudert wurde. Der Stamm war ein Symbol: So wie er sollte auch die Ehe Bestand haben.
Anschließend wurde auf der Lichtung gefeiert und getanzt, allerdings nicht so ekstatisch wie beim Tanz der Masken.
Nachdem wir die Zeremonie verfolgt und gesehen hatten, wie die beiden über den Stamm sprangen, wanderten Philip und ich zum Strand hinunter. Aus der Ferne hörten wir den Hochzeitsgesang. Wir setzten uns an das sandige Ufer und blickten aufs Meer. Es war eine wunderschöne Stimmung. Die Palmenblätter wogen leicht in der sanften Brise, die vom Wasser herüberwehte; die Sonne, die bald untergehen würde, hatte die Wolken blutrot gefärbt. Hinter uns ragte drohend der mächtige Riese empor.
Philip sagte: »Nie hätte ich mir träumen lassen, daß es einen solchen Ort auf der Erde gibt.«
»Bist du glücklich hier?« fragte ich.
»Mehr als das«, sagte er. Er drehte sich zur Seite, stützte sich auf einen Ellbogen und sah mich an. »Ich bin so froh«, fuhr er fort, »daß du dich mit Laura angefreundet hast. Nie wärst du

sonst auf das Gut gekommen, und wir könnten nicht hier zusammensein. Wenn man bedenkt ...«

»Was?«

»O Suewellyn«, murmelte er, »was für eine Tragödie wäre das gewesen!«

Ich lachte. Ich war so glücklich.

Unwillkürlich fragte ich: »Wie findest du Cougabel?«

Ein Rest von Mißtrauen lauerte noch immer in meinem Herzen, obwohl ich beinahe selbst glaubte, daß es Unsinn war. Jedoch, ich wollte darüber sprechen. Ich wollte Gewißheit.

»Oh, sie ist raffiniert«, sagte er. »Weißt du, es würde mich nicht wundern, wenn sie diesen – wie heißt er doch gleich? Fooco? – an der Nase herumführt.«

»Sie gilt als sehr attraktiv. Die Menschen hier sind oft sehr schön, aber sie sticht heraus, weil sie anders ist. Ihr weißes Blut ...«

»Ach ja, dein Vater hat mir erzählt, daß ihr Vater ein Weißer ist, der früher hier gelebt hat.«

»Ja. Wir waren ganz verblüfft, als das Baby geboren wurde. Es ist sogar noch heller als Cougabel selbst.«

»So etwas kommt zuweilen vor. Das nächste Baby kann ganz schwarz sein. Und dann bekommt sie vielleicht wieder eins von hellerer Farbe.«

»Nun, jetzt ist sie über den Stamm gesprungen.«

»Ich wünsche ihr viel Glück«, sagte Philip. »Und allen anderen auf der Insel auch.«

»Die Insel ist jetzt auch deine Zukunft.«

Er nahm meine Hand in die seine. »Ja«, sagte er. »Meine Zukunft ... unsere Zukunft.«

Die Sonne stand tief am Horizont. Wir sahen zu, wie sie versank. Sie verschwand immer ganz schnell, als falle ein großer, roter Ball ins Meer. Es wurde rasch dunkel. Hier gab es keine Dämmerung, wie sie mir von meiner Kindheit in England her verschwommen in Erinnerung war.

Philip sprang auf. Er reichte mir seine Hand, um mir aufzuhelfen.
Fürsorglich legte er seinen Arm um mich, und wir wanderten zum Haus.
Von fern hörte ich den Gesang der Hochzeitsfeier und hatte das Gefühl, daß alles auf der Welt in bester Ordnung war.
Eine Woche verging. Tatsächlich warteten wir auf das Schiff. Besonders mein Vater war ungeduldig. Es sollte von ihm bestellte, dringend benötigte Waren bringen.
Auch auf Post wurde gewartet. Wir unterhielten zwar keine umfangreiche Korrespondenz, doch Laura schrieb eifrig, und es war jedesmal ein Brief von ihr dabei.
Ich war neugierig, wie sich ihre Liebesaffäre entwickelt hatte und ob sie wirklich eher heiraten würde als ich. Ich war sicher, daß Philip mich liebte und um meine Hand anhalten würde, und ich fragte mich nur, warum er so lange zögerte. Schließlich war ich schon siebzehn, aber vielleicht hielt er mich noch immer für zu jung. Ich schien möglicherweise jünger, als ich war, weil ich so lange in dieser Abgeschiedenheit gelebt hatte. Aber wie dem auch sei – Philip hatte zwar vielsagende Anspielungen auf die Zukunft gemacht, jedoch hatte er mich noch nicht gefragt, ob ich seine Frau werden wollte.
So lagen die Dinge, als das Schiff ankam.
Eines Morgens wachte ich auf, und da lag es weiß und glänzend draußen in der Bucht, etwa eine Meile entfernt; das Wasser um die Insel war sehr flach, so daß es nicht näher herankommen konnte.
Es herrschte das übliche Gewimmel, nicht anders als sonst; und wenn ich später daran zurückdachte, so wunderte ich mich wieder einmal, daß uns das Schicksal keinen Wink gibt, bevor ein großes Ereignis über uns hereinbricht und unser ganzes Leben verändert.
Die Beiboote wurden herabgelassen, und die Kanus der Eingeborenen waren bereits unterwegs zum Schiff. Die Leute gerieten

jedesmal ganz aus dem Häuschen, wenn das Schiff vor Anker ging. Der Lärm und das Palaver waren so ungeheuer, daß wir unser eigenes Wort nicht verstehen konnten.
Meine Eltern und ich standen am Ufer, um die ankommenden Boote zu empfangen. Zu unserer Verwunderung sahen wir, daß jemand zu einem der Beiboote herabstieg. Es war eine Frau. Sie kletterte die schwankende Leiter hinunter und wurde von zwei Matrosen aufgefangen, die sie ans Ufer ruderten.
»Wer um alles in der Welt kann das sein?« fragte Anabel.
Unsere Augen starrten gebannt auf das näherkommende Boot. Jetzt konnten wir die Frau deutlich erkennen. Sie war jung und trug einen großen, mit Margeriten verzierten Hut, der ihr Gesicht beschattete. Es war ein sehr eleganter Hut.
Sie erblickte uns und erhob die Hand zum Gruß, als ob sie wüßte, wer wir waren.
Knirschend glitt das Boot auf den Sand. Ein Matrose sprang heraus. Er reichte der Frau seine Hand, und sie stand auf. Sie hatte ungefähr meine Statur, war also ziemlich groß, und trug ein weißes, enganliegendes Seidenkleid. Ich fand sie sehr attraktiv, und irgendwie kam sie mir bekannt vor.
Plötzlich fiel es mir wie Schuppen von den Augen. Mir war, als täte ich einen Blick in den Spiegel – in einen ungenauen Spiegel zwar, der einem ein schmeichelhaftes Abbild entgegenhält. Die Person, an die ich mich erinnert fühlte, war ich selbst.
Der Matrose hatte die Frau aus dem Boot gehoben. Er trug sie ans Ufer, damit sie keine nassen Füße bekam.
Und dann stand sie da und sah uns mit lächelnder Miene an.
»Ich bin Susannah«, sagte sie.

Wir glaubten wohl alle zu träumen – bis auf Susannah. Sie hatte die Lage vollkommen in der Hand.
Meine Eltern standen wie gelähmt. Anabel starrte Susannah unentwegt an, als könne sie es nicht fassen, daß sie wirklich vor ihr stand.

Unsere Verwirrung war Susannah nicht entgangen, und ich merkte bald, daß ihr kaum etwas entging. Offensichtlich fand sie die Situation sehr amüsant.
»Ich mußte einfach herkommen, um meinen Vater endlich einmal zu sehen«, sagte sie. »Sobald ich wußte, wo ich ihn finden würde, habe ich mich auf den Weg gemacht. Und Anabel ... ich kann mich noch gut an dich erinnern. Und wer ...«
»Das ist unsere Tochter«, sagte Anabel. »Suewellyn.«
»Deine Tochter und ...« Sie blickte meinen Vater an.
»Ja«, sagte er. »Unsere Tochter Suewellyn.«
Susannah nickte bedächtig und lächelte. Dann sah sie mir ins Gesicht.
»Dann sind wir ja Schwestern ... Halbschwestern! Ist das nicht aufregend? In meinem Alter zu entdecken, daß man eine Schwester hat!«
»Ich wußte schon länger von deiner Existenz«, sagte ich.
»Da bist du ungerechterweise im Vorteil!« Ihre Augen ließen mich nicht los. »Wir sehen uns ziemlich ähnlich, hm?« Sie nahm ihren Hut ab. Das Haar fiel ihr fransig geschnitten in die Stirn.
»Wir sind wahrhaftig Schwestern«, fuhr sie fort. »Und wir könnten uns noch ähnlicher sehen, wenn wir gleich angezogen wären. Oh, ist das aufregend. Gott, was bin ich froh, daß ich euch endlich gefunden habe!«
Die Matrosen stellten ihr Gepäck neben Susannah in den Strand.
»Es sieht so aus, als wolltest du länger bleiben«, sagte Anabel.
»Ich mache nur einen Besuch. Das heißt, wenn ich bleiben darf. Ich habe eine weite Reise hinter mir.«
»Laß uns ins Haus gehen«, sagte Anabel. »Es gibt viel zu besprechen.«
Susannah trat zu meinem Vater und schob ihren Arm unter den seinen.
»Freust du dich, daß ich hier bin?«
»Natürlich.«

»Ich bin so froh. Ich kann mich noch gut an dich erinnern ... und an Anabel.«
»Deine Mutter ...«, setzte er an.
»Sie ist gestorben ... vor ungefähr drei Jahren. An Lungenentzündung. O ja, ich habe dir viel zu erzählen.«
Ein paar Jungen und Mädchen waren herbeigekommen und starrten die Fremde an. Mein Vater rief ihnen zu: »Los, helft uns mal mit dem Gepäck.«
Sie griffen kichernd zu, beglückt, an dem unerwarteten Ereignis teilzuhaben.
Wir gingen zum Haus, verwirrt und betroffen.
Philip kam heraus, als er uns hörte. Als er Susannah erblickte, blieb er stehen und starrte sie an.
Anabel erklärte: »Das ist die Tochter meines Mannes. Sie ist aus England gekommen, um uns zu besuchen.«
»Sehr interessant«, meinte er und kam näher.
Susannah reichte ihm die Hand. »Guten Tag«, sagte sie.
»Das ist Doktor Halmer«, stellte mein Vater vor. »Doktor Halmer, Susannah Mateland.«
»Bleiben Sie länger hier?« fragte Philip.
»Eine Weile schon, hoffe ich. Die Reise ist zu weit, um nur für einen Tag zu kommen. Ich glaube, das Schiff fährt morgen schon wieder zurück, und ich hoffe nicht, meinen Verwandten so zu mißfallen, daß sie mich gleich wieder fortschikken.«
»Sie sehen genauso aus wie ...«
Sie wandte sich zu mir um und strahlte mich an. »Das ist ganz natürlich«, sagte sie, »haben wir doch denselben Vater.«
Wir gingen hinein. Cougaba kam uns entgegen, hinter ihr erschien Cougabel. Sie hatte gerade ihre Mutter besucht, und auf dem Arm trug sie das Baby, dessen vorzeitiger Eintritt in die Welt uns so viel zu schaffen gemacht hatte.
»Cougaba«, sagte Anabel. »Unsere Tochter ist aus England gekommen. Sieh zu, daß ein Zimmer für sie hergerichtet wird.«

»Ja, ja, ja«, stotterte Cougaba verlegen. »Cougabel, du kannst mir dabei helfen.«
Cougabel stand da mit dem Baby auf dem Arm und lächelte. Ihre Augen wanderten von mir zu Philip und blieben dann an Susannah hängen.
»Ein gemütliches Haus habt ihr«, meinte Susannah.
»Wir haben auch eine Menge daran verbessert, seit wir hierhergekommen sind«, erwiderte mein Vater.
»Das muß jetzt elf Jahre her sein. Ich war sieben, als ihr … fortgingt.«
»Ja, es ist elf Jahre her«, bestätigte Anabel. »Doch du bist gewiß durstig. Ich hole dir etwas zu trinken, während Cougaba dein Zimmer fertigmacht.«
»Cougaba! Ist das dieses Weibsbild, das mich so bösartig angeglotzt hat, als sei ich ein der Hölle entsprungener Teufel?«
»Cougaba ist die ältere«, sagte ich.
»Ach so. Ich meinte die Junge mit dem Baby. Das sind wohl eure Dienstboten. Oh, wie habe ich mich danach gesehnt, euch zu finden. Es kam alles so plötzlich damals … euer Verschwinden.«
Meine Mutter brachte eine Limonade, angereichert mit Kräutern, die dem Getränk ein besonders köstliches, erfrischendes Aroma verliehen.
»Wir essen in einer Stunde«, sagte sie. »Bist du sehr hungrig? Soll ich früher anrichten lassen?«
Susannah verneinte. Der Trunk sei erfrischend gewesen, meinte sie, und eine Stunde oder so könne sie schon noch aushalten.
Sie betrachtete meinen Vater mit einem schelmischen Blick.
»Du wunderst dich gewiß, wie ich euch gefunden habe. Der alte Simons, der deine Geschäfte abgewickelt hat, ist voriges Jahr gestorben. Sein Sohn Alain ist sein Nachfolger, und dem habe ich dein Geheimnis entlockt. Ich habe niemandem davon erzählt, aber ich wollte dich unbedingt wiedersehen.«
»Wie ist Jessamy gestorben?« fragte Anabel.
»Es war in dem kalten Winter vor drei Jahren. Wir waren

wochenlang im Schloß eingeschneit. Ihr wißt ja, wie der Wind durch die Flure pfeift. Es ist schrecklich zugig in dem alten Gemäuer. Nun, das war einfach zuviel für meine Mutter. Sie hatte ja immer schon schwache Bronchien. Elizabeth Larkham – ihr erinnert euch doch an Elizabeth? – starb ein paar Monate später an demselben Leiden. In jenem Winter wurden viele Leute krank.«

»Und wie erging es deiner Mutter, als ...«, begann Anabel.

Susannah lächelte auf diese verstohlene, etwas hintergründige Art, die mir bereits aufgefallen war. »Als ihr fortgingt?« fragte sie. »Ach, verheerend! Sie wurde furchtbar krank. Sie hatte Bronchitis und konnte vor lauter Atembeschwerden an nichts anderes mehr denken. Das habe sie davor bewahrt, an gebrochenem Herzen zu sterben, habe ich sie einmal sagen hören.«

Anabel schloß die Augen. Susannah hatte an eine alte Wunde gerührt.

»Aber das gehört schließlich der Vergangenheit an«, fuhr Susannah fort. »Im Schloß sieht jetzt alles ganz anders aus.«

Cougabel kam herunter und meldete, daß das Zimmer fertig sei.

»Brauchen nur Bett machen«, sagte sie, und mit einem Blick auf Susannah fuhr sie fort: »Zimmer immer sauber in diesem Haus. Mamabel wollen es so.«

»Wie lobenswert«, bemerkte Susannah.

Cougabel zog die Schultern hoch und kicherte.

»Komm, ich zeige dir dein Zimmer«, sagte ich. Ich dachte, meine Eltern wollten sich nach diesem Schock erst einmal eine Weile allein unterhalten. Philip würde das sicher auch begreifen. Er war ein sehr feinfühliger Mensch, und ich nahm an, daß er sich mit einer Entschuldigung entfernen würde.

Susannah erhob sich bereitwillig. Ich hatte den Eindruck, daß sie darauf brannte, mit mir allein zu sein.

Als wir in ihrem Zimmer anlangten, blickte sie sich nur flüchtig um und wandte sich dann mir zu. Ich interessierte sie offenbar viel mehr.

»Ist das nicht ... komisch«, sagte sie. »Ich hatte keine Ahnung, daß ich hier eine Schwester finden würde.«
Sie schüttelte ihr Haar und betrachtete sich im Spiegel. Lachend trat sie zu mir, ergriff meinen Arm und zog mich zum Spiegel, und so standen wir Seite an Seite davor.
»Eine verblüffende Ähnlichkeit«, konstatierte sie.
»Na ja, vielleicht.«
»Was soll das heißen ... vielleicht! Ich sage dir, Schwesterherz, mit einer Ponyfrisur ... und einem eleganten Kleid ... wenn du nur nicht gar so ernsthaft wärst ... verstehst du? Und du hast sogar einen Leberfleck an derselben Stelle wie ich!«
Verblüfft starrte ich auf den Fleck. Ich hatte ganz vergessen, wie bedeutend dieser Leberfleck vor langer Zeit gewesen war, als Anthony Felton mich deswegen so gequält hatte.
»Für mich ist es ein Schönheitsfleck«, erklärte Susannah.
»Deiner ist aber auch dunkler als meiner«, stellte ich fest.
»Liebe, ahnungslose Suewellyn! Ich will dir etwas verraten, aber nur dir allein. Mit einem Stift, den ich eigens zu diesem Zweck habe, frische ich ihn ein bißchen auf. Schau, ich habe tadellose Zähne ... genau wie du, Schwesterherz ... und ein Leberfleck an dieser Stelle lenkt den Blick auf die Zähne. Deswegen haben die Frauen früher auch Schönheitspflästerchen getragen. Schade, daß man das heute nicht mehr tut. Ulkig, daß du den Fleck genau an derselben Stelle hast. Oh, jetzt habe ich eine Idee. Ich betone den deinen ein bißchen, und dann tauschen wir die Kleider. Du meine Güte, es ist richtig aufregend, daß ich dich gefunden habe, Suewellyn.«
»Ja«, bestätigte ich.
»Später mußt du mir die Insel zeigen. Der Doktor gefällt mir. Wirst du ihn heiraten? Er sieht recht gut aus. Nicht so vornehm wie unser lieber Herr Papa, aber wer kann sich schon mit einem Mateland messen?«
»Ich finde Philip sehr nett«, sagte ich. »Verlobt sind wir aber nicht.«

»Das kommt noch«, meinte sie. Ich hatte das Gefühl, daß Susannah in mir lesen konnte wie in einem offenen Buch. Einesteils faszinierte sie mich, doch gleichzeitig war mir unbehaglich zumute. Meine Gedanken waren völlig verwirrt, und ich war von Susannahs Erscheinung zu gebannt, daß ich kaum erfaßte, was sie sagte. Sie war wie ich und doch ganz anders. Sie war so, wie ich möglicherweise geworden wäre, wenn ich in einer anderen Welt gelebt hätte ... in einer Welt, wo es Schlösser und kultivierten Luxus gab. Das war der grundlegende Unterschied zwischen uns. Susannah strahlte Selbstbewußtsein aus, und sie glaubte, daß sie anziehend und schön war – und weil sie dies glaubte, war sie es auch. Ihre Züge glichen den meinen so sehr, daß es nur diese Überzeugung sein konnte, die sie attraktiver machte als mich. Wie ein Schlag traf mich die plötzliche Erkenntnis, daß ich genau wie sie sein könnte.
Sie betrachtete mich im Spiegel, und wieder hatte ich dieses unangenehme Gefühl, daß sie meine Gedanken lesen konnte. Als hätte ich laut gedacht, führte sie meine Überlegungen fort: »Ja, wir sind uns ähnlich ... in den Grundzügen. Deine Nase ist nur eine Kleinigkeit länger als meine. Aber Nasen sind sehr wichtig. Wie war das noch mit Kleopatra? Wäre ihre Nase nur um eine Spur länger – oder war es kürzer? – gewesen, so hätte sie die Weltgeschichte verändert; so heißt es doch, nicht wahr? Nun, ich glaube nicht, daß der Unterschied bei *unseren* Nasen dermaßen ins Gewicht fällt. Ich sehe ein bißchen frecher aus als du ... übermütiger, dreister. Aber das mag an meiner Erziehung liegen. Unsere Münder sind auch verschieden. Deiner ist viel lieblicher als meiner – eine richtige Rosenknospe. Meiner ist breiter ... ein Zeichen, daß ich die Freuden des Lebens zu genießen weiß. Unsere Augen ... die gleiche Form, nur ein winziger Unterschied in der Farbe. Außerdem bist du ein bißchen blonder als ich. Wenn man so genau hinsieht, ist die Ähnlichkeit gar nicht so auffallend, aber wenn wir die Kleider tauschen würden ... wenn sich die eine für die andere aus-

gäbe … dann sähe die Sache schon anders aus. Das machen wir eines Tages, Suewellyn. Mal sehen, ob wir die Welt hinters Licht führen können. Ich bezweifle allerdings, daß uns das bei Anabel gelingt. Sie kennt doch gewiß jeden Zug in deinem Gesicht. Du bist ihr kleines Lämmchen, nicht wahr? Weißt du, ich hatte immer das Gefühl, daß Anabel ein Geheimnis hütete. Kannst du dich noch an früher erinnern, Suewellyn?«
»Ja, natürlich.«
»Du wurdest versteckt gehalten, nicht wahr? Und in der Nacht, als unser Vater Onkel David tötete, haben sie dich – mir nichts, dir nichts – geschnappt und auf diese gottverlassene Insel gebracht. Wir Matelands führen schon ein aufregendes Leben, nicht wahr?«
»Das unsere hier kann man wohl kaum als solches bezeichnen.«
»Arme Suewellyn, das müssen wir ändern. Wir müssen dein Leben amüsanter machen.«
»Ich nehme an, du gehörst zu den Menschen, die immer etwas Aufregendes erleben.«
»Aber nur, weil ich dem nachhelfe. Ich muß dir unbedingt beibringen, wie man das macht, kleine Schwester.«
»So klein bin ich gar nicht«, gab ich zurück.
»Aber jünger. Um wieviel? Weißt du das?«
Wir verglichen unsere Geburtsdaten. »Aha, ich bin die ältere«, stellte sie fest. »Daher darf ich dich mit Recht kleine Schwester nennen. Und dich hat man also versteckt, ja? Hat Anabel dich regelmäßig besucht? An jenem Abend damals muß es einen fürchterlichen Streit gegeben haben. Nie werde ich vergessen, wie ich am nächsten Morgen aufwachte und spürte, daß etwas passiert war. Ein entsetztes Schweigen herrschte im Schloß, und die Kinderfrauen wollten mir absolut keine Antwort auf meine Fragen geben. Ich fragte immer wieder nach meinem Vater. Was war mit Onkel David geschehen? Warum lag meine Mutter auf dem Bett, als wäre sie tot, genau wie mein Onkel? Es dauerte lange Zeit, bis ich erfuhr, was sich zugetragen hatte. Kindern

wird ja nie die Wahrheit gesagt, nicht wahr? Die Erwachsenen können sich nicht vorstellen, daß das, was man sich heimlich ausmalt, womöglich schlimmer sein kann als das, was wirklich passiert ist.«

»Es war eine Tragödie, wie sie nicht schlimmer hätte sein können.«

»Du hast es gewußt, nicht wahr? Sie haben es dir vermutlich erzählt. Ich nehme an, du weißt, warum es passiert ist.«

»Sie werden es dir erzählen, wenn sie der Meinung sind, daß du Bescheid wissen solltest«, sagte ich. Sie brach in lautes Lachen aus.

»Du bist sehr selbstgerecht, kleine Schwester. Du tust wohl immer nur, was recht und anständig ist, stimmt's?«

»Das will ich nicht unbedingt sagen.«

»Ich möchte es auch nicht annehmen ... wenn du eine Mateland bist. Aber stell dir das Gefühl vor, einen Mörder zum Vater zu haben! Das habe ich allerdings erst später erfahren. Ich mußte es auf eigene Faust herausfinden ... indem ich an den Türen horchte. Dienstboten schwätzen ja immer. ›Wo ist mein Vater? Warum ist er nicht mehr hier?‹ fragte ich ständig, und sie preßten die Lippen zusammen; doch ich sah es ihren Augen an, daß sie darauf brannten, es mir zu erzählen. Auch im Haus des Doktors war niemand mehr, die armen Patienten wurden weggeschickt. Und meine Mutter ... sie war von Stund an immer krank. Sie wollte mir nichts sagen. Wenn ich meinen Vater erwähnte, brach sie in Tränen aus. Aber schließlich erfuhr ich es von Garth. Er wußte alles, und er konnte es nicht für sich behalten. Eines Tages eröffnete er mir, daß ich die Tochter eines Mörders sei. Das habe ich nie vergessen. Ich glaube, er fand eine gewisse Befriedigung darin, mich darüber aufzuklären. Er sagte, seine Mutter würde mich hassen, weil mein Vater Onkel David ermordet hatte.«

Sie legte ihre Hand auf meinen Arm. »Ich rede und rede«, sagte sie. »Aber so bin ich immer. Uns bleibt noch genug Zeit zum

Schwatzen, nicht wahr? Ich habe dir noch so viel zu erzählen … und ich möchte so vieles von dir wissen. Wir essen ja erst in einer Stunde, wie Anabel sagte.«
»Soll ich dir beim Auspacken helfen?«
»Ach was, ich hole irgendwas aus dem Koffer und ziehe mich um. Ob mir das boshafte schwarze Weib wohl etwas heißes Wasser bringen kann?«
»Ich lasse es dir heraufschicken.«
»Sag ihr aber, sie soll es nicht verhexen. Sie sieht aus, als ob sie Zaubermixturen braut.«
»Eigentlich ist sie ganz gutmütig. Nur wenn man die Leute hier beleidigt, muß man sich vor ihnen in acht nehmen. Ich lasse dir heißes Wasser bringen. Soll ich dich abholen, wenn das Essen fertig ist?«
»Das wäre reizend, kleine Schwester.«
Ich verließ das Zimmer, und kurz darauf fiel mir ein, daß das Schiff mir einen Brief von Laura gebracht hatte.
Noch während ich den Umschlag aufschlitzte, dachte ich an Susannah.

Meine liebe Suewellyn!
Endlich ist es soweit. Die Hochzeit ist im September. Das trifft sich fabelhaft mit dem Fahrplan des Schiffes. Du kannst eine Woche früher kommen und bei den Vorbereitungen helfen. Alles ist schrecklich aufregend. Meine Mutter wünscht eine große Hochzeit. Meine Brüder tun so, als sei das purer Unsinn. Aber ich glaube, im Grunde sind sie ganz begeistert. Ich lasse mir ein weißes Hochzeitskleid nähen. Die Brautjungfernkleider werden blaßblau. Du sollst eine der Brautjungfern sein. Ich lasse dein Kleid fertigmachen, soweit es geht, und wenn du kommst, brauchst du nur noch eine kurze Anprobe. Ich schreibe auch an Philip. Ihr könnt zusammen fahren. O Suewellyn, ich bin so glücklich. Ich bin dir zuvorgekommen, siehst du …

Ich legte den Brief beiseite. Mit dem nächsten Schiff würden Philip und ich also fahren. Vielleicht käme er bei Lauras Hochzeit auf den Gedanken, daß ich fast so erwachsen war wie seine Schwester und daß es auch für mich Zeit zum Heiraten sei.
Ich lächelte vor mich hin. Alles fügte sich aufs beste, aber im Innern hatte ich das Gefühl, daß sich durch Susannahs Ankunft einiges ändern würde.

Ich behielt recht. Ihre Gegenwart veränderte die Insel; alles geriet ihretwegen in Aufregung. Die Frauen und Mädchen schwätzten über sie und kicherten, wenn wir vorübergingen. Die Männer verfolgten sie mit Blicken.
Susannah genoß diese Anteilnahme. Ihr Aufenthalt auf der Insel bereitete ihr sichtlich Vergnügen.
Sie war charmant, entgegenkommend, liebenswürdig, und dennoch wirkte ihre Anwesenheit auf uns ganz und gar nicht erquicklich ...
Ich wußte, daß sie Anabel an Jessamy erinnerte und ihren Seelenfrieden störte. Das Unrecht, das sie Jessamy zugefügt hatte, kam Anabel nun wieder ebenso stark zu Bewußtsein wie am Anfang unseres Inselaufenthaltes.
»Meine arme Mama«, sagte Susannah, »sie war immer so traurig. Janet ... du erinnerst dich doch an Janet? Janet meinte, Mama habe keinen Lebenswillen. Janet war sehr ungeduldig mit ihr. ›Was geschehen ist, ist geschehen‹, sagte sie immer. ›Es ist sinnlos, über verschüttete Milch zu jammern.‹ Als ob der Verlust des Ehemannes und der besten Freundin mit einem zerbrochenen Milchkrug zu vergleichen wäre!«
Susannah lachte schallend, wenn sie Janet so treffend nachahmte. Doch wenn es auch amüsant war, so rief es in Anabel bittere Erinnerungen herauf.
Und mein Vater? »Ein neuer Arzt kam nach Mateland. Die Leute haben noch jahrelang über euch geredet. Es war ja auch eine Sensation, nicht wahr? Armer Großvater Egmont! Er sagte im-

merfort: ›Ich habe meine beiden Söhne auf einen Streich verloren.‹ Und dann kümmerte er sich eingehend um Esmond und lud Malcolm ein, öfter zu kommen. Wir fragten uns, ob Malcolm wohl der nächste in der Erbfolge sei, aber sicher waren wir uns darüber nicht, weil Egmont immer einen tiefen Groll gegen Malcolms Großvater hegte. Mich hatte Egmont sehr gern, und manche Leute glaubten, ich würde die nächste, falls Esmond kinderlos bliebe. Großvater war schon immer in Mädchen vernarrt ... er mochte sie viel lieber als Jungen ...« Sie lachte. »Dieser Charakterzug der Männer hat sich durch die Jahrhunderte erhalten. Egmont hat anscheinend begriffen, daß Mädchen auch mit anderen Eigenschaften als gutem Aussehen und Charme aufwarten können. Er führte mich durch das Anwesen, zeigte mir alles und sprach mit mir darüber. Er meinte, es sei immer gut, mehrere Eisen im Feuer zu haben, woraufhin Garth uns, Esmond, Malcolm und mich, die ›Drei Eisen‹ nannte.«
Sie wußte genau, wie sie in scheinbar oberflächlicher Plauderei ihre heimlichen Stiche austeilen konnte, und dabei machte sie ein so unschuldiges Gesicht, daß niemand annehmen konnte, sie sei sich ihres Tuns bewußt.
An dem Hospital bekundete sie großes Interesse, brachte es jedoch irgendwie zuwege, es herabzusetzen. Es sei wundervoll, etwas Derartiges auf einer abgeschiedenen Insel zu haben, meinte sie. Es könne wahrhaftig eine Abteilung eines europäischen Krankenhauses sein, nicht wahr? Aber nun müsse man wohl diese Schwarzen zu Krankenschwestern ausbilden. Höchst faszinierend!
Sie bewegte sich und sprach immer so, als sei sie auf einer Bühne, und mir fiel auf, daß mit Philip eine Veränderung vorging. Sein Gesicht zeigte nicht mehr diese Begeisterung, wenn er von seinen und meines Vaters Plänen sprach.
Daneben fragte ich mich, ob selbst mein Vater sein Vorhaben inzwischen als irrwitzigen Traum betrachtete.
Einmal, Anabel und ich saßen gerade an unserem Lieblingsplatz

unter den Palmen im Schatten des Grollenden Riesen, und wir blickten über das blaugrün schimmernde Meer und lauschten auf die sich sanft am Ufer brechenden Wellen, sagte Anabel: »Ich wollte, Susannah wäre nicht gekommen.«

Ich schwieg. Ich konnte ihr nicht zustimmen, weil ich Susannah so aufregend fand. Seit sie hier war, hatte sich alles verändert, und wenn sich die Dinge auch nicht gerade angenehm für uns entwickelt hatten, so stand ich doch völlig im Bann meiner Halbschwester.

»Ich bin vermutlich ungerecht«, sagte Anabel. »Es ist ganz natürlich, daß sie Erinnerungen an Dinge weckt, die wir lieber vergessen möchten. Man darf ihr das nicht ankreiden. Aber sie bringt uns dazu, uns selbst Vorwürfe zu machen.«

Ich erwiderte: »Für mich ist das alles so eigenartig ... irgendwie aufregend. Manchmal habe ich das Gefühl, als sehe ich mich selbst.«

»Die Ähnlichkeit ist gar nicht so frappierend. Sicher, ihr gleicht euch. Aber ich weiß noch, wie sie als kleines Mädchen war: heimtückisch. Und dergleichen beobachtet man nicht oft bei Kindern. Oh, wie gesagt, ich bin ungerecht.«

»Sie ist zu uns allen sehr nett«, überlegte ich. »Ich glaube, sie wünscht, daß wir sie mögen.«

»Manche Menschen sind eben so. Vermutlich meint sie es nicht böse ... und eigentlich richtet sie auch keinen sichtbaren Schaden an, aber sie bringt – wie es scheint, unabsichtlich – andere Menschen aus ihrer Ruhe. Seit sie hier ist, haben wir uns alle verändert.«

Darüber dachte ich lange nach. In gewisser Weise stimmte es. Meine Mutter hatte ihre übersprudelnde gute Laune eingebüßt. Ihre Gedanken weilten oft bei Jessamy. Auch mein Vater lebte jetzt öfter in der Vergangenheit. Schon seit jeher lastete der Tod seines Bruders schwer auf ihm. Er brauchte niemals an seine Tat erinnert zu werden, und er wollte sie sühnen, indem er sich der Rettung von Menschenleben widmete. Aber jetzt erdrückte

ihn sein Schuldbewußtsein fast. Darüber hinaus war das Hospital von einer großartigen Unternehmung zu einem kindischen Spleen herabgewürdigt worden.
Philip war ebenfalls ein anderer geworden. Doch ich wollte nicht über Philip nachdenken. Anfangs hatte ich geglaubt, er würde sich in mich verlieben. Ich war viel und gern mit ihm zusammen. Doch vielleicht mußte er sich erst an den Gedanken gewöhnen, daß ich erwachsen wurde. Ich meinte, er hätte es gemerkt, als er auf die Insel kam, und hatte mir eingebildet, daß unter anderem auch ich ein Grund war, weshalb er überhaupt gekommen war. Auch meine Eltern dachten so. Wir waren alle so glücklich und sorglos gewesen. Der Alptraum von dem entsetzlichen Erlebnis früherer Jahre war verblaßt, wahrscheinlich würde er niemals gänzlich verschwinden. Und jetzt hatte Susannah alles wieder aufgerührt. Man konnte ihr das kaum zum Vorwurf machen; schlimm war nur, daß durch ihre Gegenwart alles wieder so bewußt wurde. Was aber war mit Philip? Wie hatte sie es zustande gebracht, auch ihn zu verändern? Sie hatte ihn wahrhaftig umgarnt.
Cougabel sagte eines Tages zu mir: »Nimm dich vor ihr in acht; sie ist Zauberin und machen großen Zauber für Phildo.«
Phildo war Philip. Es hatte ihn belustigt, als er den Namen zum erstenmal hörte. Er bedeutete Philip, der Doktor.
Cougabel legte ihre Hand auf meinen Arm und sah mich mit ihren klaren Augen bedeutungsvoll an. »Cougabel dich beschützen«, sagte sie.
Aha, dachte ich, jetzt sind wir also wieder Blutsschwestern.
Natürlich freute es mich, daß wir uns nun wieder besser verstanden, doch ihre Andeutungen beunruhigten mich – zumal ich wußte, daß sie wahr waren.
Es war natürlich, daß Philip sich zu Susannah hingezogen fühlte. Er hatte sich ja auch zu mir hingezogen gefühlt, und sie war wie ich, nur in einer prächtigeren Hülle. Ihre Kleider, ihre Redeweise, ihr Gang ... das alles war sehr reizvoll. Ich hätte sie leicht

nachahmen können, aber das widerstrebte mir. Es stimmte mich traurig, zuzusehen, wie Philips Interesse an mir schwand, während er sich mehr und mehr für Susannahs raffinierte Reize erwärmte.
Meine Mutter verhielt sich ihm gegenüber kühl, und mein Vater tat es ihr gleich. Sie hatten wohl über die Veränderung gesprochen, und es wurde ihnen allmählich klar, daß Susannah, obwohl sie nichts anderes tat, als äußerst charmant zu uns zu sein, unsere Zukunftspläne durchkreuzte.
Mit mir war sie ausgesprochen gern zusammen, und ich hinwiederum war von ihr fasziniert – aber gleichzeitig stieß sie mich auch ab.
Es war wie an jenem zauberhaften Tag, als ich das Schloß zum erstenmal erblickte und meine drei Wünsche ausgesprochen hatte. Auch Susannah war zweifellos von dem Schloß besessen. Sie beschrieb es mir in allen Einzelheiten ... soweit es das Innere betraf. Das Äußere hatte sich meinem Gedächtnis für immer eingeprägt.
»Es ist wundervoll«, sagte sie, »zu einer solchen Familie zu gehören. Wie gern saß ich in der großen Eingangshalle und betrachtete die hohe, gewölbte Decke und die herrlichen Schnitzereien an der Empore für die Musikanten, und dann stellte ich mir meine Vorfahren beim Tanz vor. Einmal war auch die Königin gekommen – Königin Elizabeth. Das steht alles in der Chronik. Ihr Besuch hatte die Matelands an den Rand des Ruins gebracht. Sie mußten etliche Eichen aus dem Park verkaufen, um die Kosten für die Bewirtung der Königin aufzubringen. Ein anderer Vorfahr hatte neue Bäume gepflanzt, als er von Charles nach der Restauration von 1660 für seine Loyalität belohnt wurde. Man kann sämtliche Matelands in der Galerie bewundern. O ja, es ist wirklich aufregend, zu einer solchen Familie zu gehören ... wenn es unter uns auch Räuber, Verräter und Mörder gibt. Oh, Verzeihung. Aber ihr solltet wegen Onkel David nicht so empfindlich sein. Er war kein besonders guter Mensch.

Ich gehe mit dir jede Wette ein, daß unser Vater seine Gründe für dieses Duell hatte. Außerdem ist ein Duell gar kein richtiger Mord. Beide sind mit dem Kampf einverstanden, und einer gewinnt, das ist alles. Ach, ich wollte, ihr würdet nicht immer so verdrießlich gucken, wenn ich Onkel David erwähne.«
»Die Schuld lastet unserem Vater seit Jahren auf dem Gewissen. Wie wäre dir wohl zumute, wenn du deinen Bruder getötet hättest?«
»Da ich keinen habe, ist das schwer zu sagen. Aber wenn ich meine Halbschwester umbrächte, so wäre ich mir selbst sehr gram, denn die mag ich, ehrlich gesagt, von Tag zu Tag lieber.«
Sie konnte so reizende Dinge sagen, und dann glaubte man, daß sie keinem weh tun könnte.
»Onkel David war ein typischer Mateland«, fuhr sie fort. »In früheren Jahren hätte er Reisenden aufgelauert und sie ins Schloß gebracht, um sein Spiel mit ihnen zu treiben, wie es einer unserer Ahnen in jenen bösen, finsteren Zeiten gemacht hat. Onkel David wäre auch hinter den Frauen hergewesen … O ja, er hatte viel für Frauen übrig. Er hielt sich seine Geliebte direkt unter Tante Esmeralds Nase. Wenn man bedenkt, daß sie Invalidin war, die Ärmste! Und heute ist sie eine schwierige alte Dame. Und dann Elizabeth … aber die ist ja jetzt tot.«
»Und Esmond?« fragte ich.
Ihre Miene veränderte sich. »Soll ich dir ein Geheimnis anvertrauen, Suewellyn? Ich werde Esmond heiraten.«
»Oh, das ist wundervoll.«
»Woher weißt du das?«
»Also, wenn du ihn liebst … und ihr seid zusammen aufgewachsen …«
»Das sind zwar triftige Gründe, aber es gibt noch einen anderen. Soll ich ihn dir verraten? Du müßtest es eigentlich ahnen, oder? Nein, natürlich nicht. Du bist zu gut. Du bist von der holden Anabel erzogen … die freilich nicht ›zu hold‹ war, um von dem Mann ihrer besten Freundin ein Kind zu bekommen …«

»Bitte sprich nicht so von meiner Mutter.«
»Tut mir leid, Schwesterherz. Aber schließlich war meine Mutter ihre beste Freundin, und ich war dabei, als sie erfuhr, was passiert war. Doch ich stimme dir zu. Es ist nicht recht, jetzt davon zu sprechen. Es ist eigentlich überhaupt nicht recht, über jemanden zu urteilen, nicht wahr? So etwas tun nur überhebliche Menschen, und woher wollen wir wissen, wie *wir* unter ähnlichen Umständen handeln würden?«
»Da bin ich ganz deiner Meinung«, sagte ich.
»Dann wirst du auch nicht zu streng mit mir ins Gericht gehen, wenn ich dir sage, daß ich Esmond nur aus dem Grund heirate, weil er eines Tages das Schloß besitzen wird.«
»Sonst würdest du ihn nicht heiraten?«
»Nein. Ich tu's nur, weil er Schloßherr wird. Ich würde jeden heiraten, der das Schloß besäße, denn dann würde ich es erben, wenn Esmond stürbe. Aber da er zuerst kommt, muß ich ihn heiraten oder umbringen – doch heiraten ist entschieden einfacher. So, nun bist du schockiert. Du denkst, die verkauft sich für einen Haufen Steine und redet über Mord, als sei das die natürlichste Sache der Welt.«
Ich schwieg und überlegte: Wenn sie Esmond heiraten will, geht sie fort, und alles wird wieder so sein wie früher. Philip und ich kommen wieder zusammen.
Aber natürlich würde es nicht mehr genauso sein wie vorher.
»Schon als Kind war ich von dem Schloß fasziniert«, fuhr sie fort. Sie merkte gar nicht, daß ich mit meinen Gedanken ganz woanders war.
»Ich habe mir ein Herz gefaßt und bin in die Verliese hinabgestiegen. Ich holte die Kinder vom nahegelegenen Gutshaus zum Spielen herüber und brachte sie dazu, mit mir in die unterirdischen Gewölbe und die Krypta zu gehen. Man steigt ein paar Stufen hinab, und dann wird es dunkel und kalt ... eisig kalt, Suewellyn. Du kannst dir nicht vorstellen, wie kalt es dort ist. Und dann die Gruften ... längst verblichene Matelands ruhen

unter diesen prachtvollen Grabmälern. Eines Tages werde ich auch dort liegen. Ich brauche meinen Namen nicht zu ändern, wenn ich heirate. Ich werde immer eine Mateland bleiben. Es ist ungemein praktisch, daß Esmond mein Cousin ist.«

»Weiß er von deiner Schwärmerei für das Schloß?«

»Das schon, aber er ist eitel, wie alle Männer. Er bildet sich ein, daß die Schwärmerei ihn einschließt, und ich lasse ihn in dem Glauben.«

»Das klingt sehr zynisch, Susannah.«

»Man muß realistisch sein, wenn man bekommen will, was man sich wünscht.«

»Wann wollt ihr heiraten?«

»Wenn ich zurückkomme, nehme ich an.«

»Und wann ist das?«

»Wenn ich die Welt gesehen habe. Ich war ein Jahr in Paris im Pensionat, und danach wollte ich meine Bildung vervollständigen, indem ich mir die Welt ansehe. Ich wollte eine Bildungsreise machen. Dann entdeckte ich, wo mein Vater lebte, und da habe ich natürlich meine Pläne geändert und bin hergekommen.«

»Der Mann, der dir das verriet, hat einen Vertrauensbruch begangen.«

»Ich mußte auch meinen ganzen Charme einsetzen! Ich kann sehr charmant sein, wenn ich will.«

»Dir scheint überhaupt alles recht mühelos zu gelingen.«

»Das sieht nur so aus. Darin zeigt sich ja gerade die Kunst ... alles mühelos erscheinen zu lassen. Aber weißt du, es steckt eine Menge Arbeit dahinter.«

»Manchmal glaube ich, du lachst heimlich über mich ... du lachst uns alle aus.«

»Lachen ist gesund, Suewellyn.«

»Aber nicht, wenn man auf Kosten anderer lacht.«

»Ich will keinem von euch weh tun. Ich habe euch doch alle lieb. Ihr seid meine lange verschollene Familie.«

Ihre Augen blitzten spöttisch. Ich gab mir die größte Mühe, Susannah zu verstehen.
Ihre Begeisterung für Schloß Mateland aber war zweifellos echt; allmählich wurde ich ebenso in seinen Bann gezogen wie sie. Mir war bei ihren Erzählungen, als streifte ich mit ihr durch die Räume mit den gewölbten Decken. Ich spürte die Kälte in den Gruften, die Schrecken der Verliese, das Gruseln in der Krypta; ich sah die prächtige große Halle vor mir. Mir war, als hätte ich wirklich die breite Treppe erklommen und vor den Portraits der lange verblichenen Matelands haltgemacht. Ich saß im Geiste mit der Familie im Speisezimmer mit den Wandteppichen und den Stuhlsitzen, deren Petit-point-Stickerei vor langer Zeit von einer längst verstorbenen Vorfahrin gefertigt worden war. Ich verweilte im Branganzazimmer, welches die Königin gleichen Namens bewohnt hatte, als sie sich auf dem Schloß aufhielt, und saß am Erkerfenster in der Bibliothek – neben mir ein Stapel Bücher aus den Regalen; ich hielt mich in der großen Halle auf und in dem kleinen Frühstückszimmer, in dem die Familie ihre Mahlzeiten einnahm, wenn sie unter sich war. Am Abend schlenderte ich durch die gespenstische Waffenkammer, wo die Rüstungen wie Wärter aufgestellt waren. Im Sonnenzimmer habe ich gesessen und die letzten Strahlen genossen, bevor die Dunkelheit hereinbrach. Es war geradezu unheimlich. Inzwischen kannte ich das Schloß so gut, als hätte ich dort gelebt. Ich war begierig, immer mehr zu hören, und überschüttete Susannah beständig mit Fragen.
Sie war amüsiert. »Du siehst, welche Macht dieses Schloß ausübt«, sagte sie. »Selbst du, die du nie einen Fuß über seine Schwelle gesetzt hast, sehnst dich dorthin. Du würdest es gern besitzen, nicht wahr? O ja, bestimmt. Stell dir vor, du wärst die Herrin von Mateland. Stell dir vor, du gehst jeden Morgen in die Küche, um mit den Köchen die Speisenfolge für den Tag zu besprechen; du streifst durch die Vorratskammer und zählst deine Bestände, arrangierst Bälle und all die Festlichkeiten, mit

denen man auf einem Schloß seine Gäste unterhält. Du gehörst nämlich dorthin. Du bist eine von uns. Das Blut der Matelands fließt in deinen Adern, auch wenn du unehelich geboren bist, nicht wahr? Das Schloß ist das Heim deiner Vorfahren, und auch deine Wurzeln reichen bis zu jenen uralten Mauern.«

Es war viel Wahres an dem, was sie sagte. Solange ich lebte, würde ich nicht vergessen, wie ich mit Anabel am Waldrand stand und das Schloß zum erstenmal sah, und wie ich die Reiter durch das Portal verschwinden sah: Susannah, Esmond, Malcolm und Garth.

Susannah und ich verbrachten viel Zeit miteinander. Ich erzählte ihr, daß ich zu Lauras Hochzeit eingeladen war und mit dem nächsten Schiff hinfahren würde. »Wirst du dann auch abreisen?« erkundigte ich mich.

»Ich werde es mir überlegen«, erwiderte sie. »Du bleibst zwei Monate fort. O ja, ich muß wohl mit dir kommen. Es wird allmählich Zeit, an die Heimreise zu denken. Wie wäre es, wenn du mitkämst? Ich würde dir schrecklich gern das Schloß zeigen.«

»Ich soll mit dir kommen? Wie würdest du Esmond, Emerald und den anderen meine Existenz erklären?«

»Ich würde sagen: ›Dies ist meine geliebte Schwester. Wir sind gute Freundinnen geworden. Sie wird eine Weile auf dem Schloß bleiben.‹«

»Sie würden erfahren, wer ich bin.«

»Warum auch nicht? Du bist eine Mateland ... eine von uns, nicht wahr?«

»Ich kann nicht mitkommen. Sie würden Fragen stellen und herausfinden, wo mein Vater ist ...«

Sie zuckte die Achseln. »Überleg's dir«, sagte sie, »während du auf dieser Hochzeit tanzt.«

»Ich reise in zwei Wochen ab.«

»Und Philip wird dich begleiten. Die Braut ist seine Schwester, nicht wahr? Ich denke, ich komme am besten auch mit.«

»Ich bin sicher, daß du bei den Halmers willkommen bist. Es ist ein großes Gut, und sie haben jede Menge Platz.«
Nachdenklich sah sie vor sich hin.
Ein paar Tage später sagte sie: »Warum trägst du nur immer diese Kittel, Suewellyn? Ich würde dich gern einmal in einem richtig schicken Kleid sehen. Komm, probiere eins von mir an. Vielleicht gelingt es uns, die anderen an der Nase herumzuführen. Wir verkleiden dich und tun so, als wärst du ich.«
»Dazu braucht es mehr als ein Kleid.«
Sie musterte mich prüfend. »Ich lasse es darauf ankommen«, sagte sie.
Sie holte das weiße Kleid hervor, das sie bei ihrer Ankunft getragen hatte. Es war frisch gewaschen.
»Komm, zieh's an. Laß sehen, wie es dir steht.«
Ich tat ihr den Gefallen. Das Kleid verwandelte mich. Es paßte nahezu perfekt. Ich war ein kleines bißchen größer – aber das merkte man nur, wenn wir dicht nebeneinander standen; und ich war eine Spur schlanker.
»Welch eine Verwandlung! Bloß weil du auf einer gottverlassenen Insel lebst, brauchst du doch nicht wie eine Eingeborene auszusehen«, sagte Susannah. »Na, wie gefällt es dir?«
Wir stellten uns nebeneinander vor den Spiegel. »Wir sind immer noch wir selbst«, fand ich.
»Komm. Laß dich frisieren.«
Ich setzte mich, und bevor ich merkte, was sie vorhatte, schnitt sie mir das Haar. Ich schrie abwehrend auf, doch da war es schon zu spät. Die Ponyfrisur war bereits zu erkennen.
Susannah lachte über meine Bestürzung.
»Ich versichere dir, es steht dir viel besser. Es wird dir bestimmt gefallen. Und außerdem kann ich jetzt nicht mehr aufhören. Bitte halt still, oder du verdirbst mein Werk.«
Wie gelähmt blieb ich sitzen. Aus dem Spiegel blickte mir nicht mehr das vertraute Bild entgegen.
Susannah trat zurück. »So! Ist das nicht fabelhaft?«

Sie lehnte ihr Gesicht dicht an das meine.
»Wir könnten Zwillinge sein. Du bist nur eine Spur blonder. Vielleicht bleicht mein Haar in diesem Klima ein wenig … falls ich mich ohne Hut hinauswage. Und jetzt wollen wir das Bild vervollständigen.«
Sie drehte mein Gesicht zu sich und machte sich mit einem schwarzen Stift an meinem Leberfleck zu schaffen.
»Fertig. Das Werk ist vollendet. Meinst du, du kannst die anderen täuschen?«
»Meine Mutter? Niemals!«
»Sie vielleicht nicht, aber die anderen, die dich nicht so gut kennen.«
Es machte ihr Spaß. Ihre Augen leuchteten. »Ich kann's gar nicht erwarten, bis wir zum Essen hinuntergehen. Bitte, behalte das Kleid, Suewellyn, und wenn wir in Sydney sind, kaufen wir dir ein paar Sachen zum Anziehen.« Ich blickte an dem weißen Kleid hinunter, und sie fuhr fort: »Laß es an. Es steht dir wirklich sehr gut. Ich habe dieses Kleid immer gern gemocht. Aber an dir gefällt es mir fast noch besser als an mir.«
Ich betrachtete mich im Spiegel. Nein, eigentlich sah ich nicht wie Susannah aus, aber mir blickte ein anderes Ich entgegen.
Als ich aus Susannahs Zimmer kam, stand mir Cougabel gegenüber. Sie warf mir einen kurzen Blick zu, stieß einen leisen Schrei aus und floh.
Ich rief ihr nach: »Komm zurück, Cougabel. Was ist mit dir?«
Sie blieb stehen und starrte mich über ihre Schulter an, als sei ich ein Gespenst.
»O nein … nein …«, schrie sie, »schlimm … schlimm …«
Und dann rannte sie davon.

Sie waren verblüfft, als ich zum Essen erschien.
»Suewellyn!« rief meine Mutter ehrlich bestürzt. »Was hast du mit deinem Haar gemacht?«
»Das war ich«, sagte Susannah fast trotzig.

Meine Mutter sah mich nur an.
»Gefällt es euch nicht?« fragte Susannah. »Sieht sie nicht süß aus in meinem weißen Kleid? Ich konnte es einfach nicht mehr mit ansehen, daß meine Schwester wie eine Eingeborene in diesen Kitteln herumlief.«
»Du siehst bezaubernd aus«, meinte Philip. »Fast wie Susannah.«
Das schmerzte ein wenig. Ich sah bezaubernd aus, weil ich Susannah ähnlicher geworden war. Aber wenigstens war er ehrlich.
Mein Vater wollte wissen: »Was hast du bloß aus dir gemacht?«
»Es war Susannah«, klärte meine Mutter ihn auf.
»Ach, Stiefmama ...« Susannah bezeichnete Anabel hin und wieder als Stiefmama; es klang leicht ironisch. Anabel konnte es nicht leiden, und das wußte Susannah.
»Du stellst dich an, als hätte ich ihr den Kopf abgeschnitten.«
»Du hast ihr schönes Haar abgeschnitten«, stellte Anabel fest.
»Es steht ihr viel besser so. Du mußt zugeben, daß sie hübsch ausschaut.«
»Es sieht ... adretter aus«, bemerkte mein Vater.
»Na so was!« rief Susannah. »Wenn das kein versteckter Tadel ist. Wer will denn schon adrett aussehen? Das ist etwas für altjüngferliche Tanten. Wir möchten modisch ausschauen, elegant, schick, nicht wahr, Suewellyn?«
»Ach«, sagte ich, »hört um Himmels willen auf, über meine Frisur zu streiten.«
»Mir gefällt sie«, warf Philip sanft ein.
Und dann setzten wir uns zum Essen nieder.
An diesem Abend besuchten mich zwei Frauen an meinem Bett. Zuerst kam meine Mutter. Sie setzte sich auf die Bettkante und sagte: »Warum hast du das zugelassen?«
»Ich habe es erst gemerkt, als sie schon angefangen hatte. Da mußte sie weitermachen. In gewisser Weise hat sie ja recht. Es steht mir viel besser. Mein Haar war wirklich liederlich.«

»Jetzt siehst du aus wie sie. Diese Frisur unterstreicht noch eure entfernte Ähnlichkeit.«
»Nimm's nicht so schwer. Es ist nicht mehr zu ändern. Ich kann's ja wieder wachsen lassen.«
»Bald gehst du zu Lauras Hochzeit. Ich vermute, Susannah wird dich begleiten.«
»Die Halmers sind sehr gastfreundlich. Ich bin sicher, Philip hat Susannah bereits eingeladen.«
Die Miene meiner Mutter wurde hart. Sie sagte: »Ach, ich wünschte, sie wäre nie hierhergekommen. Durch sie hat sich alles verändert ...«
»Wenn sich die Menschen verändert haben«, sagte ich ruhig, »so liegt es nicht nur an ihr. Wären sie ... standhafter gewesen, dann hätten sie sich auch nicht verändert.«
Anabel wußte, daß ich an Philip dachte.
»Sie gleicht einer Sirene«, fuhr meine Mutter zornig auf. »Sie war schon als Kind sehr eigenwillig. Sie war immer durchtrieben und sann stets auf Böses. Wir dachten, das würde sich verlieren, wenn sie größer würde.«
»Du darfst dir kein schlechtes Bild von ihr machen, Anabel.«
»Sie hat überhaupt nichts von Jessamy oder deinem Vater. Ich möchte wissen, wem sie diesen Hang zur Boshaftigkeit zu verdanken hat.«
»Das ist ein Matelandscher Zug, ganz bestimmt. Es gibt etliche niederträchtige Gesellen unter den Vorfahren. Im Grunde ist Susannah nicht schlecht. Sie kann zuweilen ganz bezaubernd sein.«
»Immer habe ich das Gefühl, daß es durch sie Scherereien gibt. Aber vermutlich mag ich sie nicht, weil sie die Tochter deines Vaters ist und ich den Gedanken nicht ertragen kann, daß eine andere außer mir ihm eine Tochter geschenkt hat.«
Anabel sprach immer ganz offen von ihren Gefühlen, und das liebte ich an ihr.
»Liebe, liebe Anabel«, sagte ich, »gräme dich nicht, nur weil ich

Fransen in der Stirn habe. Nichts vermag unser Zusammensein zu stören, nicht wahr? Was immer geschieht, du bist für mich da ... und ich für dich.«

Sie nahm mich in ihre Arme.

»Du hast recht, Suewellyn«, sagte sie. »Zuweilen komme ich mir wie ein albernes altes Weib vor.«

Sie küßte mich und ging hinaus.

Der nächste Besuch kam ungefähr eine halbe Stunde später, als ich gerade in den Schlaf sinken wollte. Diese Szene verlief weitaus dramatischer.

Die Tür ging langsam auf und eine schwarze Gestalt huschte herein. Ich konnte sie kaum erkennen, denn es war kein Licht im Zimmer außer dem schwachen Schein, der vom Halbmond und dem Sternenhimmel hereindrang.

Ich richtete mich ruckartig im Bett auf.

»Cougaba!«

»Ja, Kleine Missie. Cougaba.«

»Ist etwas passiert? Geht es Cougabel nicht gut?«

»Cougabel große Angst.«

»Was ist geschehen?«

Sie deutete mit dem Finger auf mich. »Was du machen. Was du sein. Zauber ist auf dir.«

Ich befühlte meine neue Ponyfrisur.

»Nicht gut ... nicht gut«, murmelte Cougaba. »Böser Zauber über dir.«

»O Cougaba, hast du mich etwa aufgeweckt, um mir zu sagen, daß dir mein Haarschnitt nicht gefällt?«

Sie trat einen Schritt näher. Ihre Augen waren kreisrund vor Entsetzen.

»Ich dir sagen«, fuhr sie fort, »schlimm ... schlimm ... Cougabel wissen ... alles wissen. Deine Blutsschwester. Sie fühlen. Sie fühlen hier ...« Cougaba berührte ihre Stirn und dann die Stelle, unter der ihr Herz schlug.

»Sie sagen: ›Schlimme Sachen kommen für Kleine Missie. Zauberin sie holen ... machen sie schlecht. Machen sie wie Zauberin.‹«

»Ach, liebe Cougaba, du mußt Cougabel sagen, sie soll sich keine Sorgen machen. Mir fehlt nichts. Nur ein paar Haare sind abgeschnitten.«

»Böse Hexe«, sagte sie. »Cougaba wissen. Cougabel sagen, Riese kann Hexe nicht leiden. Er grollen, weil Schlimmes gemacht.«

»Der Riese! Was hat der damit zu tun?«

»Er froh, Insel werden groß ... reich. Er lieben Daddajo und Mamabel und Kleine Missie. Er nicht lieben Zauberin ... und jetzt sie dich holen und machen wie sie.«

»Niemand holt mich und macht mich anders, als ich bin. Ich bin, wie ich bin, und gedenke es auch zu bleiben.«

Cougaba schüttelte bekümmert den Kopf.

»Du gehen fort. Du gehen auf großes Schiff.« Sie trat näher an mich heran. »Du nehmen Phildo mit. Nehmen ihn weg von ihr. Sie bringen Zauber über ihn. Du ... Phildo ... glücklich. Wir mögen. Haben kleine Babys ... Werden groß auf Insel. Mehr Babys ... viele kleine Babys ... und machen Insel reich. Aber Riese böse. Er nicht wollen. Du nehmen sie weg ... kommen zurück ... kommen zurück mit Phildo und haben Babys.«

»O Cougaba, es ist lieb von dir, daß du so besorgt bist.«

Ich streckte meine Arme aus, und sie kam zu mir und hielt mich einen Augenblick fest. Dann zog sie sich zurück und betrachtete stirnrunzelnd mein Haar.

»Nicht gut«, murmelte sie und schüttelte den Kopf. »Sie dich machen wie sie ... Cougabel sehr traurig. Sie fühlen im Blut. Sie sagen Riese böse. Riese ihr Vater ... und Vater von ihrem Kind. Sie und Riese sehr nahe.«

Es hatte keinen Sinn, Cougaba daran zu erinnern, daß dies nicht stimmte. Hatte sie doch in einem Augenblick der Schwäche zugegeben, daß Luke Carter Cougabels Vater war, und wir wußten auch, daß Cougabels Kind nicht in der Nacht der

Masken gezeugt worden war. Wie alle Menschen ihrer Rasse hielt Cougabel das für die Wahrheit, was sie wahrhaben wollte. Immerhin gelang es mir, sie zu besänftigen, und sie ließ sich trösten von dem Gedanken, daß Susannah bald fortgehen würde.

Eine Woche verging, ehe das Schiff kommen und mich mitnehmen sollte.
Wir saßen beim Essen, als Susannah sagte: »Ich habe beschlossen, nicht nach Sydney zu gehen. Ich möchte die Insel jetzt noch nicht verlassen. Wenn ich aufbreche, muß ich nach Hause, und wann werde ich wohl noch einmal die Chance haben, hierherzukommen und euch alle wiederzusehen?«
Wir schwiegen. Philip machte ein ganz verstörtes Gesicht.
Schließlich sagte ich: »Laura hätte sich gefreut, wenn du zu ihrer Hochzeit gekommen wärst. Und ich war schon so gespannt, was sie wohl sagen würde, wenn sie uns zusammen gesehen hätte.«
»Mit Ponyfransen und allem Drum und Dran«, rief Susannah schnippisch. »Nein. Mein Entschluß steht fest. Ihr werft mich doch nicht hinaus, oder?« Sie blickte meinen Vater und dann Anabel flehend an.
»Du kannst natürlich bleiben, solange du willst«, sagte mein Vater.
»Ich dachte nur, das Neue hätte sich inzwischen etwas abgeschliffen«, fügte Anabel hinzu.
»Da irrst du dich aber. Die Insel ist so faszinierend. Wenn man bedenkt, was ihr hier alles schafft. Wenn dieses Hospital erst unter Dach und Fach ist, wird es einfach großartig sein. Ich würde es gern fertig sehen. Doch es wird wohl noch Jahre dauern, bis der Betrieb richtig funktioniert. Vielleicht komme ich eines Tages zurück und besuche euch wieder. Aber im Augenblick mag ich einfach noch nicht fort. Das nimmst du mir doch nicht übel, Suewellyn?«
»Ich hätte dich Laura so gern vorgestellt. Sie hätte sich gefreut,

deine Bekanntschaft zu machen. Aber ich verstehe dich natürlich.«
»Du kommst in zwei Monaten zurück, und dann muß ich wohl abreisen. Doch vorher können wir noch einen Tag zusammen verbringen.«
»Das primitive Leben scheint dir sichtlich zu gefallen«, bemerkte Anabel kühl.
»Es gibt gewisse Dinge, die mich hier festhalten.« Ihr Blick wanderte um die Tischrunde und blieb auf Philip haften.
Aber er kommt mit mir, dachte ich, und fragte mich insgeheim, wie Susannah die Insel wohl ohne Philip gefallen würde, wenn niemand mehr da war, den sie umgarnen oder über den sie lachen konnte.
Die Antwort darauf ließ nicht lange auf sich warten.
Ich hatte das Haus verlassen und war auf dem Weg ans Ufer zu meinem Lieblingsplatz unter einer Palme, um dort eines der Bücher zu lesen, die mit dem letzten Schiff gekommen waren. Philip leistete mir Gesellschaft.
»Ich muß mit dir sprechen, Suewellyn.«
»Ja? Worüber?«
»Wollen wir uns unter diesen Baum setzen?« Er suchte offensichtlich nach den passenden Worten. Schließlich gestand er: »Ich habe schrecklich viel nachgedacht ...«
»Worüber?«
»Über Lauras Hochzeit.«
»Du läßt dir ja jedes Wort einzeln entlocken, Philip. Was ist mit Lauras Hochzeit?«
»Nun, auf der Insel grassiert ein schlimmes Fieber ...«
»Fieber gibt es hier doch immer.«
»Es ... es ist einfach zuviel. Dein Vater kann es nicht allein bewältigen.«
»Er ist auch damit fertig geworden, ehe du da warst.«
»Ich glaube, er braucht mich hier.«
»Oh.« Langsam sagte ich: »Du willst mir also zu verste-

hen geben, daß du nicht mit zu Lauras Hochzeit kommen willst.«
»Das hat nichts mit wollen zu tun, Suewellyn.«
»Nun ja, du ziehst es aber vor, hierzubleiben.«
»Vorziehen ist nicht das richtige Wort. Ich habe einfach das Gefühl, ich sollte ...«
Ich nickte und blickte über das Meer, das heute so ruhig war und wie Opal schillerte. Das Wasser war so klar, daß man den Sand auf dem Grund sehen konnte.
Am liebsten hätte ich mich in den Sand geworfen und geweint. Bis zu diesem Augenblick hatte ich nicht gewußt, wie sehr ich mich danach sehnte, hierzubleiben im Kreise meiner Lieben, bei meiner innig geliebten Mutter, meinem verehrten Vater ... und bei Philip. Ich hatte so weit voraus geplant, hatte das Hospital bereits voll und ganz in Betrieb gesehen. Ich hatte mir ausgemalt, wie aus der Insel eine blühende Gemeinde wurde, wo Philips und meine Kinder aufwachsen würden, und hörte mich sagen: »Du hast das Gefühl, daß ... daß ...«
»Ja«, erwiderte er ernst. »Ich könnte deinen Vater nicht mit gutem Gewissen hier allein lassen ... ausgerechnet jetzt ...«
Am liebsten hätte ich ihm ins Gesicht geschrien: »Du meinst, du willst Susannah nicht verlassen.«
Es war also alles aus. Und ich hatte mir die ganze Zeit eingeredet, daß sie fortgehen würde und wir nach und nach vergessen könnten, daß sie je hiergewesen war.
Armer Philip, dachte ich, sie wird dich nicht heiraten. Sie heiratet Esmond ... weil der das Schloß besitzt.

Der Grollende Riese

Also fuhr ich allein nach Sydney. Lauras Bruder Alain holte mich vom Schiff ab und brachte mich aufs Gut. Das Gepäck sollte am nächsten Tag mit einem Wagen nachkommen.
Ich mußte Alain erklären, daß Philip sich entschlossen hatte, auf der Insel zu bleiben, weil es dort soviel zu tun gab.
Alain zog eine Grimasse. »Laura wird ganz schön wütend sein, das kann ich dir sagen.«
Auf dem Gut wurde ich herzlich empfangen. Laura strahlte. Sie war zwar enttäuscht, daß Philip nicht mitgekommen war, aber ihr anfänglicher Verdruß verwandelte sich rasch wieder in gute Laune; Laura war zu glücklich, um sich länger aus ihrer überschwenglichen Seligkeit reißen zu lassen.
Ihr zukünftiger Ehemann gefiel mir gut. Sie beabsichtigten, nach Queensland zu ziehen, wo er ein Gut geerbt hatte, und gleich nach der Hochzeit wollten sie abreisen.
Ich probierte mein Brautjungfernkleid an, und Laura fand meine neue Frisur sehr schick. »Sie verändert dich, Suewellyn«, meinte sie. »Der unschuldige Ausdruck ist aus deinem Gesicht verschwunden. Jetzt siehst du aus wie eine Dame von Welt.«
»Vielleicht werde ich das auch noch.«
Sie kam in mein Zimmer, wie sie es immer seit unserer gemeinsamen Schulzeit tat; sie legte sich bäuchlings auf den Fußboden, streckte die Füße in die Luft, stützte das Kinn in die Hände und musterte mich, während ich im Sessel saß.
»Jetzt bist du also wieder hier«, sagte sie. »Und denk nur, ich heirate. Ich bin dir zuvorgekommen.«
»Du bist ja auch ein Jahr älter.«

»Ja, daran mag es wohl liegen. Aber meine Familie ist enttäuscht, Suewellyn.«
»Du meinst, weil Philip nicht mitgekommen ist?«
»Ja, und ich glaube, sie hatten gehofft ... du weißt ja, wie Eltern sind. Kaum findet eine Hochzeit in der Familie statt, da wollen sie auch schon die nächste. Vater meint, so etwas steckt an. Ehrlich gesagt, ich glaube, daß Alain als nächster dran ist, aber sie denken an Philip, und dich haben sie sehr gern, Suewellyn.«
»Deine Eltern waren immer so nett zu mir. Du glaubst nicht, wie ich das schätzte, als ich in den kleinen Ferien hierherkam. Da ich für die kurze Zeit nicht auf unsere Insel fahren konnte, hätte ich sonst in der Schule bleiben müssen.«
»Sie hatten dich gern hier. Außerdem meinten sie, deine Gegenwart sei gut für mich. Ich finde es gemein von Philip, nicht zu kommen. Ist dort denn so viel zu tun?«
Ich zögerte.
»Heraus mit der Sprache«, sagte sie, »da stimmt doch was nicht. Mir kannst du nichts vormachen. Was ist schiefgelaufen zwischen euch beiden?«
»Es ist nichts ...«
»Doch, da ist etwas. Mögt ihr euch nicht mehr?«
»Ich glaube, Philip liebt mich nicht genug, um mich zu heiraten.«
»Doch. Er hat sich in dich verliebt. Wir haben es alle gemerkt. Meine Mutter meinte, es sei nur noch eine Frage der Zeit. Jetzt sind sie furchtbar enttäuscht. Sie wollten doch auf meiner Hochzeit eure Verlobung bekanntgeben.«
»Nein. So standen wir ganz und gar nicht miteinander.« Laura musterte mich eindringlich, und da brach es aus mir heraus: »Meine Halbschwester ist zu uns auf die Insel gekommen. Er hat sich, wie man so sagt, Hals über Kopf in sie verguckt.«
»Oh, will er *sie* heiraten?«
»O nein. Sie heiratet einen anderen.«
»Ist das aber verzwickt! Und Philip ist ein Esel!«

»So etwas kommt eben vor. Man kann das Leben anderer Menschen nicht nach dem eigenen Willen formen.«
»Und bist du sehr ...«
»Ach, ich glaube nicht, daß es zwischen Philip und mir eine tiefe Zuneigung war. Vielleicht war ich noch nicht erwachsen genug. Meine Eltern hätten es zwar ideal gefunden, weil ich dann auf der Insel geblieben wäre und Philip mit meinem Vater dort gearbeitet hätte. Alles paßte eben einfach zu gut zusammen.«
»Wie schade! Irgendwie ist nun alles verdorben.«
»Für dich doch nicht. Bei dir ist alles vollkommen. Du bist gewiß überglücklich, Laura.«
»O ja. Du kommst uns doch in Queensland besuchen, nicht wahr?«
»Das könnte sein ... falls ich eingeladen werde.«
»Du bist eingeladen, jetzt und hier.«
»Also gut.«
Danach sprachen wir über die Hochzeitsvorbereitungen und die Flitterwochen, und ich ließ Laura in dem Glauben, daß Philip mir im Grunde nicht viel bedeutet hatte.

Laura feierte also ihre Hochzeit, und ich war ihre Brautjungfer; am Tag nach der Vermählung ging das Paar auf Hochzeitsreise. Ich blieb zurück, doch ehe mich das Schiff wieder zur Insel bringen sollte, wollte ich noch ein paar Tage in Sydney verbringen. Die Halmers redeten mir zwar zu, ich möge bis zum allerletzten Tag bleiben, doch ich gab vor, noch ein paar Einkäufe tätigen zu müssen. In Wirklichkeit wollte ich einfach fort. Alles auf dem Gut erinnerte mich so an die glücklichen Ferientage mit Philip und Laura. Ich hatte das Gefühl, nie wieder dorthin zurückkehren zu können. Inzwischen war ich auch neugierig geworden, wie es auf der Insel zugehen würde, wenn Susannah wieder fort war. Philip würde wohl bleiben, es sei denn, er fand irgendeine Ausflucht, um ihr nach England zu folgen, was ich durchaus für möglich hielt. Aber daran wollte ich nicht denken.

Es war richtig abenteuerlich, allein in der Stadt im Hotel zu wohnen, wenngleich die Besitzer mich schon kannten, da ich dort ein- oder zweimal mit den Halmers abgestiegen war, als sie mich zum Schiff brachten. Das Hotel war gut besetzt, überwiegend Viehzüchter aus dem Busch waren da, die in dem großen Foyer beisammensaßen und über Wollpreise diskutierten, um miteinander ins Geschäft zu kommen. Ich nahm meine Mahlzeiten in meinem Zimmer ein. Mir blieben nur zwei Tage in Sydney, trotzdem schien es eine lange Zeit, und mir wurde plötzlich bewußt, daß ich zum erstenmal in meinem Leben ganz allein war.

Ich sehnte mich nach der Insel, obwohl sie mir nicht mehr als das Paradies erschien, das sie bei früheren Heimreisen für mich gewesen war. Was würde ich dort wohl vorfinden? Philip durfte inzwischen wohl gemerkt haben, daß Susannah ihn überhaupt nicht ernst nahm.

Armer Philip!

Wie anders wäre alles gewesen, wenn Susannah die Insel niemals betreten hätte!

Am Morgen vor dem Tag, an dem das Schiff auslaufen sollte, wollte ich noch ein paar letzte Einkäufe erledigen. Ich hatte gerade in einem Geschäft in der Elizabeth Street ein paar Kleidungsstücke für Anabel erstanden, als ich in den Sonnenschein hinaustrat und eine Stimme sagte: »Guten Morgen, Miss Mateland.«

Ich wandte mich verblüfft um und erblickte einen jungen Mann, den ich noch nie gesehen hatte. Er lüftete seinen Hut und verbeugte sich.

»Sie erinnern sich wohl nicht an mich«, sagte er. »Ich bin Michael Roston von der Firma Roston Evans. Mein Vater, der die Geschäfte besorgte, ist vor drei Wochen gestorben, und jetzt bin ich sein Nachfolger.«

Da wurde mir plötzlich bewußt, daß er mich für Susannah hielt. Ich zögerte.

Leise murmelte ich: »Mein Beileid.«
»Es kam ganz plötzlich«, fuhr er fort. »Ein Schlaganfall. Übrigens, für Sie ist etwas angekommen. Ich wollte es zum Schiff bringen und zur Vulkaninsel schicken, denn ich vermutete, Sie seien noch dort.«
»Ich habe hier auf das Schiff gewartet«, sagte ich.
»Ah, Sie kehren also zurück. Könnten Sie wohl wegen der Post vorbeikommen? Sie wissen ja, unser Büro ist in der Hunter Street Nummer 33. Es ist ein bißchen anstrengend, die vier Etagen hinaufzusteigen. Aber die Firma hat ihren Sitz schon lange dort, und mein Vater hatte einen Umzug nie in Betracht gezogen.«
Mein Herz klopfte heftig. Den Namen hatte ich mir gut eingeprägt: Mr. Michael Roston von der Firma Roston Evans, Hunter Street Nr. 33, vierter Stock. Es würde amüsant sein, Susannahs Post abzuholen und sie zu ihr zu bringen.
»Schau«, würde ich sagen, »die Ähnlichkeit muß doch sehr frappant sein. Ich wurde von einem jungen Mann angesprochen, der mich mit dir verwechselte; ich ließ ihn in dem Glauben und habe dir somit deine Post mitgebracht.«
Laut sagte ich: »Ich werde die Post abholen.«
»Fein«, erwiderte der junge Mann.
»Vielleicht komme ich noch heute nachmittag vorbei.«
»Gut. Falls ich nicht da bin, wird jemand anders Ihnen die Post aushändigen. Ich sage Bescheid, daß Sie kommen.«
»Ich komme bestimmt ... und das mit Ihrem Vater tut mir ehrlich leid.«
»Er fehlt uns sehr. Er hatte alle Fäden in der Hand, und es ist nicht immer einfach, dort anzuknüpfen. Aber wir werden natürlich unsere alten Verbindungen aufrechterhalten, vor allem mit Ihren Leuten in England. Wir arbeiten seit über fünfzig Jahren mit Carruthers Gentle zusammen.«
Ich bedankte mich bei ihm und kehrte ins Hotel zurück. Diesmal nahm ich keine Notiz von den Schafzüchtern, die alle immer

noch damit beschäftigt waren, ihre Wolle an den Mann zu bringen.
Ich ging geradewegs in mein Zimmer. Die Begegnung hatte mich beschwingt. Ich riß meinen Hut herunter und stellte mich vor den Spiegel. Ja, ich sah wirklich aus wie Susannah. Mir war, als sei ich in ihre Haut geschlüpft. Ein aufregendes Dasein. Man empfing über einen australischen Agenten Briefe aus England!
Meine kleine Maskerade hatte meine Stimmung gehoben.
Am gleichen Nachmittag holte ich die Briefe ab. Dabei sah ich den jungen Mann wieder. Diesmal war ich auf meine Rolle vorbereitet. Ich wußte schließlich, daß der Mann Susannah nur einmal flüchtig gesehen hatte. Sein Vater hätte sicher sofort gemerkt, daß ich nicht die Richtige war.
Der junge Mann plauderte ein Weilchen mit mir. »Und wie gefällt es Ihnen auf der Vulkaninsel, Miss Mateland?«
»Es ist sehr interessant.«
»Ich vermute, Sie kehren noch vor Ende des Jahres nach England zurück.«
»Vielleicht.«
»Sie müssen auf der Insel doch gewiß eine Menge entbehren. Mein Vater hat mir von dem herrlichen Schloß erzählt, auf dem Sie zu Hause sind.«
»Es ist ein wunderschönes Anwesen.«
Er erkundigte sich nach der Insel. »Wie ich höre, hat sie sich verändert, und nachdem dieses Hospital errichtet wurde und die Geschäfte auch wieder florieren, entwickelt sie sich zu einer recht kultivierten Gemeinde.«
»Das stimmt«, bestätigte ich.
»Der Engländer, der vor einigen Jahren dort hinging, ist zu beglückwünschen, höre ich. Es soll ja anfangs nicht gerade vielversprechend ausgesehen haben. Ich glaube, die Insel wurde einmal durch einen Vulkanausbruch fast ganz zerstört.«
»Das ist dreihundert Jahre her.«

»Vermutlich ist der Vulkan inzwischen erloschen«, setzte er die Unterhaltung fort.
Ich verabschiedete mich mit der Ausrede, noch viel für den nächsten Tag erledigen zu müssen. Ich fürchtete, er könnte mir Fragen stellen, die für mich schwierig zu beantworten wären.
In meinem Zimmer verstaute ich die Post in meinem kleinen Handkoffer. Ich war neugierig, was Susannah sagen würde, wenn ich ihr erzählte, daß man mich in Sydney auf der Straße mit ihr verwechselt hatte.

An dem Tag, als wir ausliefen, war es sehr heiß. Ich stand an Deck und bewunderte den prachtvollen Hafen und blieb dort, bis wir die Molen passiert hatten und aufs offene Meer hinausfuhren.
Dann ging ich in meine Kabine.
Ich sehnte mich nach meinen Eltern, doch irgendwie fürchtete ich mich vor meiner Rückkehr auf die Insel. Susannah würde inzwischen zur Abreise bereit sein. Armer Philip, ob er wohl mit ihr gehen wollte?
Ach Susannah, dachte ich, warum bist du nur auf die Insel gekommen und hast unser Leben durcheinandergebracht!
Wir waren nun seit einigen Tagen auf See, und am folgenden Nachmittag erwarteten wir, Land zu sehen. In der Nacht wachte ich auf, weil das Schiff heftig schaukelte, was auf dieser See sehr ungewöhnlich war.
Als ich am nächsten Morgen zum Frühstück ging, spürte ich, daß etwas nicht stimmte. Die Menschen diskutierten miteinander – teils erregt, teils erschreckt. Irgend etwas Aufregendes war im Gange.
Ich erkundigte mich, was geschehen sei.
»Wir haben keine Ahnung. Das Schiff fing plötzlich zu schaukeln an. Wir haben die Fahrt gedrosselt, denn es wird immer schlimmer, je weiter wir fahren.«
Im Laufe des Vormittags nahmen wir einen eigenartigen beißen-

den, schwefeligen Geruch in der Luft wahr, und am Horizont hing eine Rauchwolke.
Gerüchte verbreiteten sich auf dem Schiff.
Ich sprach mit einer Frau, die an der Reling lehnte und aufs Meer hinausblickte.
»Es heißt, irgendwo ist ein Vulkan ausgebrochen«, sagte sie. »Auf einer Insel soll ...«
Panischer Schrecken ergriff mich.
»Auf welcher?« schrie ich. »Auf welcher Insel?«
Die Frau schüttelte den Kopf. »Das weiß ich auch nicht. Die Inseln in dieser Gegend sind ja alle vulkanisch.«
Mir wurde übel. Ich sah Cougabels große, klare, prophezeiende Augen vor mir. »Grollender Riese nicht zufrieden ...«
Eine fatalistische Gewißheit kam über mich. Ich wußte, daß der Riese zu grollen aufgehört und seinem Zorn Luft gemacht hatte.

Der Kapitän war unentschlossen. Er hatte Waren auf der Insel abzuliefern und war sich nicht ganz sicher, welche Insel nun betroffen war; als aber das Schiff zu schaukeln aufhörte, beschloß er, die Weiterfahrt zu wagen.
Ich stand an Deck, als ich die Trümmer meiner Heimat und die Flammen aus dem von Rauch verhangenen Gipfel des Berges emporschießen sah.
Ich ging zum Kapitän. »Das ist mein Zuhause«, sagte ich weinend. »Ich muß unbedingt hinüber und nachsehen.«
»Das kann ich nicht zulassen«, erwiderte er. »Es ist zu gefährlich.«
»Es ist aber mein Zuhause«, wiederholte ich hartnäckig.
»Gut. Ich schicke zwei Boote hinüber, um festzustellen, ob die Leute Hilfe brauchen.«
»Ich komme mit«, sagte ich entschlossen.
»Ich fürchte, das kann ich nicht gestatten.«
»Aber ich bin dort zu Hause«, flehte ich ihn an. Er wußte es

ohnehin, da er das Schiff schon mehrmals befehligt hatte, wenn ich zur Schule oder zurück zu meinen Eltern fuhr.
»Ich kann es nicht zulassen«, sagte er.
»Dann schwimme ich eben. Das können Sie nicht verhindern. Ich muß hinüber. Meine Mutter ist dort vielleicht ... mein Vater.«
Er sah, daß ich außer mir war vor Kummer und bösen Ahnungen. »Nun denn. Auf Ihr eigenes Risiko«, brummte er.

Dann stand ich auf der einst so schönen Insel und konnte kaum etwas wiedererkennen. Der Riese überragte nach wie vor alles groß und bedrohlich, seine Flanken waren verkohlt von den Feuerströmen, die er über das fruchtbare Land gespien hatte. Was von den Hütten übrig war, hatte die Asche zugedeckt. Ich sah Spuren von heißem Gestein und glühender Lava. Es war finster wie in der Nacht, doch ich konnte erkennen, daß von dem Hospital nichts als ein Haufen Steine geblieben war.
»Wo seid ihr?« flüsterte ich. »Anabel ... Joel ... Wo seid ihr? Philip, Susannah, Cougaba, Cougabel ... Wo seid ihr?«
Überall waren Rinnsale voll klebrigem Schlamm. Die aus dem Vulkan aufsteigenden Schwaden hatten sich offenbar zu Regen verdichtet und mit dem leicht vulkanischen Staub vermischt, und daraus war dieser Schlamm entstanden, der dann die Abhänge herabgeströmt war und die kleinen Häuschen der Inselbewohner unter sich begraben hatte.
Meilenweit auf der Insel herum lagen Staub und Steine verstreut, die der Krater herausgeschleudert hatte.
Ich konnte es einfach nicht fassen. Es war ein Alptraum. Ich wußte, daß kein Mensch eine solche Katastrophe überlebt haben konnte.
Alles war verloren. Mein ganzes früheres Leben war wie weggewischt. Warum hatte ich, warum hatten wir alle über den Grollenden Riesen gelacht? Warum hatten wir nicht auf die Warnungen der Eingeborenen gehört?

Jetzt hatte er uns vernichtet – meinen Vater mit seinen Hoffnungen und seinen Träumen, meine geliebte Mutter, Cougaba, Cougabel, Susannah, Philip …
Nur ich war wie durch ein Wunder verschont geblieben. Verschont wofür?
Ich war allein … verlassen.
Ich wünschte, ich wäre bei ihnen gewesen.

Der Kapitän sah mich mitleidsvoll an. »Sie können nichts tun. Niemand von uns kann etwas tun. Sie müssen mit dem Schiff nach Sydney zurückkehren.«
In meinem Kopf drehte sich alles. Meine Zukunft war mir egal. Ich wurde nur von dem einen Gedanken beherrscht, daß sie alle tot waren.
Nach Sydney wollte ich nicht zurück. Ich wollte dort bleiben, wo wir alle so glücklich gewesen waren, wollte mich durch den Schutt wühlen, wollte schauen und suchen. »Nur für den Fall, daß –«, sagte ich zu dem Kapitän.
Er schüttelte den Kopf. »Das hat keiner überlebt. Wohin hätten sie denn fliehen können? Haben Sie eine Vorstellung von dem, was sich hier abgespielt hat?«
Ich schüttelte den Kopf und schrie: »Sagen Sie's mir! Sagen Sie's mir!«
Er legte seinen Arm um mich und versuchte mich zu trösten. »Sie dürfen sich nicht so quälen«, sagte er.
»Mich nicht quälen! Mein Heim … alles, was mir lieb war … alles, was mir teuer war … fort … und ich soll mich nicht quälen!«
Er schwieg, und ich schluchzte: »Sagen Sie mir, was mit ihnen geschehen ist. Sagen Sie mir, was sie durchgemacht haben.«
»Es dürfte sehr schnell gegangen sein«, meinte er, »ohne Vorwarnung. Eine plötzliche Erschütterung … im Innern des Kraters …«
»Ein Grollen«, schrie ich hysterisch. »Es war der Grollende

Riese. Wir haben über ihn gelacht … gelacht. Oh, es war ein böses Grollen … und wir haben immer nur gelacht …«
»Meine liebe Miss Mateland, es hat keinen Sinn, sich darüber Gedanken zu machen«, sagte der Kapitän. »Sie haben bestimmt nicht gelitten, dazu dürfte es viel zu schnell gegangen sein.«
»Alles aus …«, weinte ich. »Jahre der Hoffnung und der Träume … alles vorbei.«
»Ich bringe Sie zum Schiff zurück«, sagte er. »Wir fahren nach Sydney, und dann können Sie sich überlegen, wie es weitergeht.«
»Wie es weitergeht?« murmelte ich verständnislos. »Wie es weitergeht?«
Mit keinem Gedanken hatte ich bisher an die Zukunft gedacht. Aber ich mußte ja weiterleben.
Meine Zukunft war mir gleichgültig. Ich wollte nicht an ein Leben ohne sie denken. Ich wollte nur wissen, wie es geschehen war, wollte wissen, wie es ihnen in ihren letzten Augenblicken ergangen war. Meine über alles geliebte Mutter, Miss Anabel, die vor vielen Jahren ein kleines Mädchen in einer freudlosen Hütte so glücklich gemacht hatte, Miss Anabel mit dem fröhlichsten Lachen, das ich je gehört hatte … sie war nicht mehr. Ich hatte erfahren, was es hieß, innig geliebt zu werden, und ich hatte diese Liebe erwidert. Und nun … und nun …
Eine Welt ohne sie konnte ich mir nicht vorstellen.
»Sagen Sie mir, sagen Sie mir, wie es passiert ist!« bedrängte ich ihn abermals.
»Der Vulkan muß ganz plötzlich ausgebrochen sein. Wir dachten, er sei erloschen. Seit dreihundert Jahren hat es keinen Ausbruch mehr gegeben, nur hin und wieder ein schwaches Rieseln.«
»Ein Grollen«, sagte ich. »Er grollte und grollte. Sie nannten ihn den Grollenden Riesen.«
»Ich weiß, die Leute waren abergläubisch. Das sind sie immer, wenn sie etwas nicht verstehen. Es ist vermutlich ganz finster

geworden. Das Meer war aufgewühlt. Wie Sie sehen, ist es vom Ufer zurückgewichen, denn es liegen eine Menge Meerestiere herum. Vermutlich hat es geblitzt, und dann schoß die Lava aus dem Krater und bedeckte die Insel.«
»Heißglühende Lava.«
»Ja, Lava und Vulkanstaub, aus dem der Schlamm entstand. Die Luft war von Dampf erfüllt. Aber Sie quälen sich, Miss Mateland. Kommen Sie, ich bringe Sie aufs Schiff zurück. Wir sollten uns beeilen. Ich mußte mich nur vergewissern, daß ich nichts tun konnte. Niemand hat überlebt, das sehen Sie ja selbst. Kommen Sie.«
»Ich will hierbleiben«, schrie ich unsinnigerweise. »Es ist mein Zuhause.«
»Nicht mehr«, sagte er traurig. »Kommen Sie. Wir müssen zurück. Es ist vielleicht gefährlich hier. Er könnte womöglich noch einmal ausbrechen.«
Er nahm entschlossen meinen Arm und schob mich in das kleine Boot.
Wir kehrten zum Schiff zurück.
Nie würde ich den Anblick der Insel vergessen ... noch schwelend, verwüstet. Das Hospital ... die Plantagen ... all die Träume ... alles, was mir lieb und teuer war ... alles dahin.

Ich war wie betäubt. Der Kapitän brachte mich ins Hotel. Er war ein überaus gütiger Mensch, und noch heute bin ihm für seine Anteilnahme dankbar.
Alle waren nett zu mir, wie die Leute eben zu sein pflegen, wenn jemandem ein großes Unglück zugestoßen ist. Der Geschäftsführer des Hotels gab mir mein altes Zimmer und ließ mich in Ruhe. Ich wollte allein sein.
Zwei Tage blieb ich dort – ich aß nicht, lag nur verzweifelt auf meinem Bett. Die einzige Linderung verschaffte mir der unruhige Schlaf, in den ich hin und wieder vor lauter Erschöpfung sank. Doch das Erwachen war jedesmal grausam, weil die Erin-

nerung mich von neuem überflutete. Nach diesen zwei Tagen riß mich Mrs. Halmer aus meiner Trauer. Sie war vom Gut gekommen, als sie gehört hatte, was geschehen war. Sie bat mich, mit ihr zu kommen, um mich von diesem entsetzlichen Schock zu erholen.

Ich wußte nicht, ob ich mit ihr fahren sollte oder nicht. Auch in ihrem Haus herrschte Trauer, denn ihr Sohn Philip war ja unter den Opfern.

Sie deutete an, wir könnten dann unseren Schmerz teilen und einander trösten.

Als sie merkte, daß ich noch zu verstört war, um eine Entscheidung zu treffen, schlug sie vor, in einer Woche wiederzukommen, und falls ich sie inzwischen doch aufsuchen wolle, so sei ich jederzeit willkommen.

»Dann kannst du darüber nachdenken, wie es weitergehen soll«, meinte sie. »Wir werden es zusammen überlegen. Auf dem Gut hast du deine Ruhe. Niemand wird dich belästigen.«

Ich mußte mich entscheiden.

Was sollte ich tun? Das Leben ging weiter, ich mußte mein Dasein gestalten. Ich hatte meine Familie und mein Heim verloren. Wohin sollte ich gehen? Was sollte ich tun?

Ich versuchte, diese Fragen beiseite zu schieben.

Es ist mir egal, redete ich mir ein. Es ist mir egal, was aus mir wird. Das war töricht. Ich war hier. Ich mußte weiterleben.

Aber wie?

Mit plötzlich aufwallender Sorge erinnerte ich mich, daß ich ja hier im Hotel war. Ich hatte zwar noch etwas von meinem Reisegeld übrig, aber das würde nicht mehr lange reichen.

Ich besaß so gut wie keinen Heller. Mein Vater hatte alles in das Hospital und in die Plantagen gesteckt. Die sollten mein Erbe sein. Meine Mutter hatte es immer wieder gesagt: »Dein Vater hat alles, was er besitzt, in das Hospital und die Plantagen investiert. Eines Tages wird dir das alles gehören, Suewellyn.«

Die Erinnerung an ihre Stimme und an ihre schönen blauen

Augen, aus denen ihre ganze Sorge um mich sprach, konnte ich kaum ertragen. Ich vergrub mein Gesicht in meinem Kissen.
»Es ist mir egal. Es ist mir egal, was aus mir wird«, murmelte ich.
Dann war mir, als hörte ich ihre Stimme wieder: »Das ist doch Unsinn, Liebes. Du mußt weiterleben. Du mußt einen Weg finden. Es ist nicht deine Art, aufzugeben. Das paßt nicht zu uns. Dein Vater ... du ... ich ... Wir lehnen uns auf, wenn uns das Leben übel mitspielt. Wir kämpfen, Suewellyn.«
Sie hatte recht. Das Leben ging weiter. Ich mußte mich aus diesem Strudel von Gram und Elend herauswinden. Ich mußte weiterleben.
Als erstes brauchte ich Geld, also mußte ich arbeiten. Was konnte ich tun? Was tat ein Mensch in meiner Lage? Ich hatte eine gute Schulbildung. Meine Mutter war eine ausgezeichnete Erzieherin gewesen. Hier bestanden Möglichkeiten für mich.
Aber ich wollte nicht. Ich wollte mit dem Schiff auf die Vulkaninsel zurückkehren, wollte den Berg zum Krater hinaufsteigen und dem Grollenden Riesen sagen, er möge mich töten, wie er die anderen getötet hatte.
Beinahe konnte ich die Hand meiner Mutter spüren, wie sie mir übers Haar strich. »Suewellyn, du bist eine Mateland. Die Matelands geben niemals auf.«
Ja, ich war eine Mateland. Ich dachte an meine Vorfahren in der Bildergalerie. Immer schon hatte ich mir gewünscht, das Schloß einmal zu besuchen. Das war mir sogar jetzt in meinem Kummer bewußt. Ich war verblüfft. Ein schwacher Lebenswillen mußte wohl in mir stecken, verspürte ich doch den Wunsch, das Schloß zu sehen.
Dann fiel mir die Post ein, die ich für Susannah abgeholt hatte. Die Briefe waren in meinem Handkoffer. Was sollte ich jetzt damit anfangen? Sie zu Roston Evans zurückbringen? Erklären, daß ich mich für Susannah ausgegeben hatte? Dazu war ich nicht in der Stimmung.

Ich nahm die Briefe heraus und hielt sie unentschlossen in der Hand. Es tat so gut, eine Weile nicht an die verwüstete Insel denken zu müssen.
Ich weiß nicht, wann es mir klar wurde: Ich durfte nicht unaufhörlich an meine Eltern und an Philip denken. Ich mußte etwas tun, das mich ablenkte, damit ich aufhörte, mich zu quälen.
Ich öffnete den ersten Brief und redete mir ein, da Susannah nun tot sei, müsse ich etwas über ihre Angelegenheiten erfahren.
Es war ein amtlich aussehendes Schreiben von einer Anwaltsfirma in Mateland, Carruthers Gentle, die Mr. Roston erwähnt hatte.

Liebe Miss Mateland!
Wir müssen Sie davon in Kenntnis setzen, daß Mr. Esmond Mateland letzten Donnerstag plötzlich verstorben ist. Entsprechend dem Letzten Willen Ihres Großvaters fällt Schloß Mateland mit allen Liegenschaften nun an Sie als die von Ihrem Großvater für den Fall, daß Ihr Cousin ohne Nachkommen sterben sollte, eingesetzte Erbin. Bitte nehmen Sie so bald wie möglich mit uns Verbindung auf. Wir werden die Firma Roston Evans u. Co. verständigen, an die wir dieses Schreiben senden. Sobald Sie es erhalten haben, wollen Sie bitte das Büro in Sydney, Hunter Street 33, aufsuchen.
Mit vorzüglicher Hochachtung
Carruthers, Gentle Ltd.

Die Unterschrift konnte ich nicht genau entziffern.
Ich lehnte mich zurück. Susannah wäre also jetzt die Besitzerin des Schlosses. Das war ihr Ziel gewesen, und aus diesem Grund hatte sie ihren Cousin Esmond heiraten wollen. Nun war Esmond tot, und Susannah hatte das Schloß … das hieß, sie hätte es, wenn sie noch lebte.
Wem aber gehörte das Schloß jetzt?
Ich glaube, das war der Moment, in dem mir eine Idee kam. Sie

war so irrwitzig, so abwegig, daß ich zunächst gar nicht weiter darüber nachdachte. Aber sie war da, wie ein keimendes Samenkorn, bereit, aufzugehen und meine Skrupel zu ersticken.
Ich mußte mich wahrhaftig in einem seltsamen Zustand befunden haben, denn ein paar Wochen früher wäre es mir nie in den Sinn gekommen, Briefe zu öffnen, die nicht für mich bestimmt waren.
Jetzt nahm ich den anderen Brief zur Hand – er war in zierlicher, schräger Schrift geschrieben – und schlitzte den Umschlag auf.

Liebe Susannah!
Du hast die furchtbare Nachricht gewiß schon vernommen. Du kannst Dir meine Verzweiflung vorstellen. Vor kurzem war er noch ganz gesund. Die Ärzte stehen vor einem Rätsel. Du kannst Dir denken, wie mir zumute ist. Ich bin zutiefst erschüttert. Du mußt umgehend nach Hause kommen. Ich weiß, daß Du Dich am anderen Ende der Welt befindest und einige Zeit brauchen wirst. Aber brich bitte sofort auf. Wir haben Dich so schrecklich lange nicht mehr gesehen, weil Du ja ein Jahr in diesem Pensionat in Frankreich warst und nur ganz kurz zu Hause gewesen bist, ehe du wieder fortgingst ... nach Australien. Ich habe schon fast vergessen, wie Du aussiehst. Es ist so lange her.
Ich weiß, daß Du traurig bist. Dein Leid ist ebenso schwer wie meines. Du warst schließlich das Mädchen, das er heiraten wollte, und ich war seine Mutter. Wie sollten wir uns da nicht nahestehen? Er hat ständig davon gesprochen, nach Australien zu gehen und Dich zurückzuholen. Und er war natürlich auch die ganze Zeit in Paris, als Du dort warst. Hier geht alles drunter und drüber. Die Leute von Carruthers Gentle sagen, Du mußt unbedingt kommen; denn erst wenn Du zurück bist, kann alles geregelt werden. Jetzt bist Du die Herrin von Mateland. O mein Gott, welche Tragödien kommen doch über unsere Familie! Daß Esmond so

sterben mußte ... so jung. Und sein Vater ... Auch ich habe mein Scherflein Leid zu tragen. Mein Augenlicht wird natürlich nicht besser. Es ist ein schleichender Prozeß, und ich muß darauf gefaßt sein, daß ich in fünf Jahren blind bin. Du mußt Anstalten treffen, sofort nach Hause zu kommen, Susannah. In Liebe

Deine Tante Emerald

Ich las die Briefe noch einmal durch und blieb danach noch lange Zeit sitzen und starrte ins Nichts.
Als ich wieder zu mir kam, stellte ich fest, daß eine halbe Stunde vergangen war. Meine Gedanken hatten mich entführt: Ich stand am Waldrand und betrachtete das Schloß, befand mich in seinem Innern und sah alles deutlich vor mir, so, wie es Susannah und meine Mutter mir geschildert hatten.
Es war erstaunlich. Während der ganzen Zeit hatte ich nicht an meine tragische Lage gedacht.

Der Betrug

Es ist ein weitverbreiteter menschlicher Charakterzug, daß jemand, der sich für eine unrechte, ehrlose, ja verbrecherische Laufbahn entscheidet, sogleich Gründe zur Rechtfertigung seines Tuns bereit hat. Ich war eine Mateland. Den Nachkommen meines Vaters gebührte selbstverständlich ein Platz in der Erbfolge. Ich war die zweite Tochter meines Vaters. Esmond war tot, und Susannah war tot. Wären meine Eltern verheiratet gewesen, so wäre ich die nächste in der Erbfolge.

Es half nichts, daß ich mir bewußt war, daß meine Eltern *nicht* verheiratet waren. Ich war, wie mir die Kinder in der Schule freiheraus gesagt hatten, ein Bastard, und Bastarde hatten keine Rechte.

Aber, so suchte ich mich zu beschwichtigen, mein Vater hatte niemanden so innig geliebt wie meine Mutter. In seinen Augen war sie seine Frau. Ich war eine Mateland. Ich hatte diesen Namen angenommen, als das Schicksal uns zusammenführte, und hatte ein Anrecht darauf, als eine Mateland anerkannt zu werden.

Meine Idee nahm Gestalt an.

Wäre Susannah nicht gewesen, so wäre Philip jetzt bei mir. Er hätte mich zur Hochzeit seiner Schwester begleitet, denn er war ebenso in mich verliebt gewesen wie ich in ihn.

Doch Susannah hatte mir meinen Liebsten geraubt. Warum sollte ich mir da nicht ihr Erbe aneignen? So! Jetzt war es heraus.

»Es ist phantastisch«, sagte ich laut zu mir selbst. »Es ist unmöglich. Es ist der reine Wahnwitz.«

Und die andere Möglichkeit?

Vor mir lag eine trostlose Zukunft. Ich könnte zu Roston Evans gehen und meine kleine Täuschung beichten. Es war ja im Grunde nichts von Belang. Dann könnte ich zu den Halmers gehen und dort bleiben, bis Mrs. Halmer und ich uns überlegt hatten, was ich tun sollte. Vielleicht könnte ich mir das Geld für die Reise nach England borgen und dort versuchen, eine Stellung als Gouvernante oder Gesellschafterin zu bekommen, was für eine einigermaßen gebildete Frau, die sich plötzlich gezwungen sieht, ihren Lebensunterhalt zu verdienen, der einzige Ausweg zu sein schien. Allerdings würde mir dabei höchst jämmerlich zumute sein.
Auf der anderen Seite stand dieser aberwitzige Plan, der sich in meinem Kopf eingenistet hatte und mir die unmöglichsten Ideen und Vorstellungen eingab.
Es ist unrecht, sagte ich mir immer wieder. Es ist Betrug. Es ist ein Verbrechen. Es ist undenkbar.
Diese Vorhaltungen wirkten in gewisser Weise wie ein Linderungsmittel. Sie lenkten mich von meinem Jammer ab. Ich werde es natürlich nicht tun, redete ich mir ein, aber es wäre doch interessant, zu sehen, wie es sich bewerkstelligen ließe … *ob* es sich bewerkstelligen ließe.
Eine Stunde verging. Ich dachte immer noch darüber nach.
Ich könnte zu Roston Evans gehen. Der junge Mann kannte mich nicht. Er hielt mich für Susannah. Er hatte mich auf der Straße angesprochen, und damit hatte alles angefangen. Ohne das wäre ich nie auf den Gedanken gekommen. Das Schicksal führte mich in Versuchung. Es war wie ein Köder. Den ersten Schritt den schlüpfrigen Abhang hinab hatte ich ja bereits getan, als ich Mr. Roston in dem Glauben ließ, ich sei Susannah. Was hatte mich dazu getrieben? Es war, als nehme das Schicksal allmählich Formen an.
Der erste Teil würde einfach sein. Ich könnte zu Mr. Roston gehen und mir das Geld für die Heimreise geben lassen. Ich könnte ihm erzählen, daß ich wegen des Vulkanausbruchs

nicht auf der Insel hatte landen können, was ja die reine Wahrheit war.
Dann könnte ich nach England gehen ... und nach Schloß Mateland. Damit würde der gefährliche Teil beginnen.
Ein Satz aus Emeralds Brief ging mir nicht aus dem Sinn: »Ich habe schon fast vergessen, wie Du aussiehst. Es ist so lange her.«
Wenn das kein Zeichen war!
Ich dachte immerzu an das Schloß. Aus Anabels und Susannahs Schilderungen glaubte ich einiges über Emerald zu wissen. Sie schrieb, daß wir uns lange nicht gesehen hatten; sie erwähnte ihr schwaches Augenlicht. Ihr Brief war wie ein lockender Wink mit dem Finger, als ob das Schicksal mir zurief: Komm. Es ist alles ganz einfach.
Esmond war der einzige, der Susannah so gut gekannt haben mußte, daß er eine Schwindlerin sogleich entlarvt hätte. Aber Esmond war tot.
So zu träumen und mir ein solch phantastisches Abenteuer auszumalen hatte mich abgelenkt und aus dieser entsetzlichen Depression befreit.
Hatte ich doch lediglich zugelassen, daß Roston mich für Susannah hielt, hatte ihre Post abgeholt und geöffnet, weiter nichts. Daran war eigentlich nichts Schlimmes.
Nun mußte ich es dabei bewenden lassen und anfangen, vernünftig zu denken.
Und wieder wurde ich von Jammer übermannt. Ständig sah ich Anabel vor mir, wie sie mich in der Holzapfelhütte besuchte und an jenem unvergeßlichen Abend mit sich nahm – am lebhaftesten aber sah ich sie, wie sie meine Hand hielt, als wir zusammen das Schloß betrachteten.
Das Leben hatte für mich keinen Sinn mehr, es sei denn ... es sei denn ...

Ich verbrachte eine unruhige Nacht. Im Eindösen träumte ich immer wieder, ich sei auf dem Schloß.
»Jetzt gehört es mir«, sagte ich im Traum.
Dann wachte ich auf, warf mich von einer Seite auf die andere, aber der Traum blieb gegenwärtig.
Am Morgen war mein erster Gedanke: Sicher ist Mr. Roston auf der Suche nach Susannah. Er wird annehmen, daß sie gar nicht bis zur Insel gekommen ist. Inzwischen wird er wissen, daß sie die Besitzerin des Schlosses ist und daß ihr dies in den Briefen mitgeteilt wurde, die er mir gegeben hatte. Er erwartete gewiß, daß sie ihn aufsuchte. Ich hatte bereits eine vollendete Tatsache geschaffen. Das hatte ich ganz vergessen. Ja, ich war tiefer in die Geschichte verstrickt, als ich zunächst gedacht hatte.
Statt mich zu entsetzen, regte dieser Gedanke mich eher an. Die Matelands lebten gefährlich, und ich war eine von ihnen. Ich wußte jetzt, daß ich das unerhörte Abenteuer wagen würde, und war im Begriff, das größte Täuschungsmanöver meines Lebens zu begehen. Sicher, es war unrecht, und ich begab mich in äußerste Gefahr. Aber ich wollte, *mußte* es tun. Es war der einzige Ausweg aus dem Meer der Verzweiflung.
Im Grunde war es mir einerlei, was aus mir wurde. Der Grollende Riese hatte mich mit einem Schlag all dessen beraubt, was ich geliebt hatte, und jetzt wollte ich diese Verzweiflungstat wagen, weil sie, abgesehen von einer Unmenge anderer Gründe, mir neuen Lebensmut gab.
Außerdem begehrte ich das Schloß. Von dem Augenblick an, als ich es erblickte, war ich von ihm fasziniert gewesen, und der Drang, es zu besitzen, wurde mit jeder Stunde stärker, weil nur dies allein den Wunsch zum Weiterleben in mir erwecken konnte.

Während ich die Hunter Street entlangging, überlegte ich mir, was ich Mr. Roston sagen sollte, und als ich das Gebäude betrat und die Treppen hinaufstieg, wußte ich es immer noch nicht

genau. Es hätte mich nicht gewundert, wenn ich mit der Wahrheit herausgeplatzt wäre und meinen Betrug gebeichtet hätte. Doch als Mr. Roston mich in seinem Büro empfing, tat ich nichts dergleichen. Er begrüßte mich mit den Worten:
»Miss Mateland, ich bin froh, daß Sie gekommen sind. Ich habe Sie bereits erwartet. Es ist schrecklich. Es bestand freilich immer die Möglichkeit, daß der Vulkan ausbrach, aber niemand hielt es für wahrscheinlich, sonst hätte mein Vater Ihnen von vornherein von der Reise dorthin abgeraten. Es muß ein schlimmer Schock für Sie gewesen sein. Und jetzt ... ein noch größerer Schock. Der Tod Ihres Cousins.«
»Ich ... ich kann es einfach noch nicht glauben. Es ist furchtbar.«
»Natürlich, natürlich. Wie ich höre, war es eine plötzliche Krankheit. Völlig unerwartet. Ein entsetzlicher Schlag für Sie.« Er sprach zwar freundlich und anteilnehmend, doch ich merkte, daß es ihn drängte, zur Sache zu kommen.
»Sie werden vermutlich nach England zurückkehren.«
»Ja, unbedingt. Ich habe aber nicht genug Geld für die Reise ...«
»Meine liebe Miss Mateland, das ist doch kein Problem. Wir haben Anweisungen von Carruthers Gentle. Ich kann Ihnen vorstrecken, soviel Sie brauchen. Natürlich können wir die Schiffspassage für Sie buchen. Wie ich höre, wartet Ihre Tante ungeduldig auf Ihre Rückkehr.«
Mein Vorsatz, ehrlich zu sein, wankte. »Der alte Satan«, die Abenteuerlust, hatte mich wahrhaftig am Schlafittchen gepackt.
Hier, in Mr. Rostons Büro, wußte ich plötzlich, daß ich weitermachen würde.

Nicht ganz drei Wochen später fuhr ich auf der »S. S. Victoria« nach England. Meine Gedanken wanderten in die Vergangenheit, zu jener Reise, die ich vor mehr als zehn Jahren mit meinen Eltern unternommen hatte. Welch ein Unterschied zu damals! Und doch waren beide Reisen von einem Gefühl von Abenteuer

und Erregung beherrscht. In beiden Fällen war ich unterwegs zu einem neuen Leben.
Irgend etwas geschah mit mir, etwas Unheimliches. Mein Charakter veränderte sich. Ich hatte zuweilen das Gefühl, daß ich mich immer mehr in Susannah verwandelte. Eine gewisse Skrupellosigkeit kam über mich. War es möglich, daß die Seele eines Verstorbenen sich eines anderen Körpers bemächtigte? So etwas sollte es geben. Manchmal war mir, als hätte Susannahs Seele von meinem Körper Besitz ergriffen.
Mr. Roston hatte mir einen Koffer mit Kleidern und Papieren ausgehändigt, den Susannah seiner Firma in Verwahrung gegeben hatte. Bevor ich Sydney verließ, hatte ich mir den Inhalt angesehen. Ich probierte die Kleider und die eleganten Hüte. Alles paßte vorzüglich.
Ich fing an, mich wie Susannah zu bewegen und wie sie zu sprechen. Das Mädchen, das ich gewesen war, hätte nie gewagt, was ich nun tat. Und was bezeichnend war: Ich hatte aufgehört, mich vor mir selbst zu rechtfertigen.
Ich war eine Mateland; ich war Susannahs Schwester, ich gehörte zum Schloß. Warum sollte ich nicht Susannahs Rolle übernehmen? Wem konnte das schaden? Susannah war tot. Ich brauchte nur meinen Vornamen zu ändern. Aus Suewellyn wurde Susannah. Sie klangen ohnehin ähnlich.
Die Koffer trugen die Initialen S. M. Mein eigenes Monogramm. Während der langen Seereise hatte ich genügend Zeit, mich mit meinem neuen Ich vertraut zu machen, und allmählich gewann ich an Selbstvertrauen. Ich war zu einer attraktiven jungen Frau geworden, und zwar zu einer, die weiß, wer sie ist und was sie will.
Die Tatsache, daß es kein Zurück mehr gab, steigerte noch mein Selbstbewußtsein. Ich war willens, weiterzumachen. Kein Mensch würde etwas bemerken. Von nun an war ich Susannah Mateland, Erbin eines Schlosses und eines Vermögens.
Dieses wahnwitzige Abenteuer tat meiner Niedergeschlagen-

heit ausgesprochen wohl. Alles war so irrsinnig, so gefährlich, und ich hatte so viel zu lernen, daß mir keine Zeit blieb, über mein Elend nachzugrübeln. Ich konnte sogar lächeln bei dem Gedanken, daß Susannah, die ihre Überlegenheit immer so genossen hatte, nun nicht mehr existierte und daß es nun an mir war, zu genießen, was ihr gehörte. Auf dem Schiff gab es allerlei Geselligkeiten. Der Kapitän widmete mir viel Zeit. Er wußte, daß ich meine Verwandten auf der Vulkaninsel verloren hatte, und war voller Anteilnahme. Er beglückwünschte mich, weil ich durch Zufall verschont geblieben war.

»Wäre es eine Woche später passiert, so wäre ich dort gewesen«, berichtete ich. »Ich wollte ihnen einen letzten Besuch abstatten, bevor ich nach England zurückkehrte.«

»Sie haben großen Glück gehabt, Miss Mateland.«

Ich schaute traurig aufs Meer hinaus. Es gab Augenblicke, da ich mich alles andere als glücklich fühlte und wünschte, ich wäre dort bei den anderen gewesen.

Der Kapitän tätschelte meine Hand. »Sie dürfen sich nicht grämen, Miss Mateland; sicher, es ist eine Tragödie, daß die Insel so verwüstet wurde.«

Er spürte, daß mich das Thema schmerzlich berührte, und sprach fortan nicht mehr davon. Er war überaus liebenswürdig zu mir, und ich erzählte ihm, daß ich nach Hause reiste, um mein Erbe anzutreten.

»Durch den Tod meines Cousins ist Schloß Mateland an mich gefallen«, erklärte ich ihm.

»Aha, da erwartet Sie ja bei der Rückkehr einiges. Kennen Sie das Schloß denn, Miss Mateland?«

»O ja ... ja ... ich bin dort zu Hause.«

Er nickte. »Sie werden sich gewiß besser fühlen, wenn Sie heimkommen.«

Wir plauderten weiter über das Schloß, und ich glühte dabei vor Stolz. Fast meinte ich zu spüren, wie Susannah in meinem

Innern mich anfeuerte und mir Beifall zollte. Und ich dachte: Genau das würde Susannah auch tun. Ich werde Susannah.
Das war der einfache Teil.
Es war April, als wir in Southampton anlegten und ich den nächsten Zug nach Mateland nahm. Es war gleichsam die Umkehr von jener Reise vor langer Zeit, als ich Anabels Hand umklammert hielt und in einem Meer von Glückseligkeit schwamm, weil meine drei Wünsche in Erfüllung gegangen waren.
Welche Zuversicht hatte Anabel ausgestrahlt, und wie himmlisch war dieses neue Gefühl der Geborgenheit gewesen. Jetzt war von diesem Gefühl nichts zu spüren; vielmehr wurde ich von Minute zu Minute nervöser.
Der Bahnhof von Mateland. Wie beklemmend vertraut er wirkte! Ich stieg aus dem Zug, und ein Mann mit einer Schirmmütze trat auf mich zu.
»Na so was, Miss Susannah!« rief er. »Willkommen daheim. Sie werden sehnlichst erwartet. Wie schön, Sie wiederzusehen. Eine schreckliche Tragödie, nicht wahr ... daß Mr. Esmond so plötzlich sterben mußte.«
»Ja«, stammelte ich, »schrecklich ... schrecklich ...«
»Ich hab' ihn noch kurz vor seinem Tod gesehen. Er war gerade von einer Reise zurückgekommen. Ich sehe ihn noch hier aus dem Zug steigen, lächelnd ... auf seine ruhige Art. ›Bin wieder daheim, Joe‹, hat er gesagt. ›Wirst es nicht erleben, daß ich lange von Mateland fortbleibe.‹ Nicht so wie Sie, Miss Susannah.«
»Nein, Joe, nicht so wie ich.«
»Sie haben sich aber verändert.«
Mein Herz klopfte schneller in plötzlich aufwallender Furcht. »Oh ... nicht zum Schlechten, hoffe ich.«
»Nein ... nein, das nicht, Miss Susannah. Mrs. Tomkin wird sich freuen, daß Sie wieder da sind. Erst neulich hat sie zu mir gesagt: ›Es wird Zeit, daß Miss Susannah zurückkommt, Joe. Dann wird sich oben im Schloß einiges ändern.‹«

»Grüßen Sie Mrs. Tomkin von mir, Joe.«
»Mach' ich, Miss. Kann's gar nicht erwarten, bis ich heimkomme, um's ihr zu erzählen. Werden Sie abgeholt?«
»Ich wußte nicht genau, wann ich ankomme ...«
»Dann hole ich die Droschke und bringe Sie zum Schloß, soll ich?« Ich nickte dankbar.
Als ich in der Droschke über die Feldwege rumpelte, wußte ich, daß dies meine erste Probe wäre. Ständig mußte ich nun Augen und Ohren offenhalten. Ich durfte mir nicht die geringste Kleinigkeit entgehen lassen, sondern mußte immerfort dazulernen. Schon während dieser kurzen Begegnung hatte ich erfahren, wie der Stationsvorsteher hieß, daß er eine Frau hatte und daß Esmond ihm gegenüber ziemlich zurückhaltend gewesen war. Es war beängstigend, schauerlich und gleichzeitig ungeheuer aufregend.
Und auf einmal lag das Schloß in seiner ganzen Pracht vor mir. Ich war tief bewegt, als ich die hoch aufragenden Mauern und die mächtigen Türme an den vier Ecken erblickte, das zinnenbewehrte Pförtnerhaus, die gewaltigen, uneinnehmbaren grauen Quadern und die schmalen Fensterschlitze.
Voller Liebe betrachtete ich das Gebäude: Mateland. Mein Eigentum.
Die Droschke trug uns durch das Fallgatter in einen Innenhof. Zwei Diener kamen herbeigelaufen und waren mir beim Aussteigen behilflich. Ich wußte nicht, ob ich sie kennen mußte oder nicht. Der ältere sagte: »Miss Susannah ...«
»Ja«, erwiderte ich, »ich bin zurück.«
»Wie schön, Miss Susannah.«
»Danke«, sagte ich.
»Sie waren lange fort, Miss Mateland, und inzwischen ist eine Menge passiert. Das hier ist Thomas, der neue Stallbursche. Er ist seit ungefähr einem Monat bei uns.«
»Guten Tag, Thomas.«
Thomas tippte an seinen Mützenrand und murmelte etwas.

»Ich lasse Ihr Gepäck in Ihr Zimmer hinaufbringen, Miss Susannah. Und Sie wollen gewiß gleich zu Mrs. Mateland. Sie hat bereits ungeduldig auf Sie gewartet.«
»Ja«, nickte ich. »Ja.«
Ich betrat das Schloß. Ich kannte die große Halle aus Anabels und Susannahs Beschreibungen. Alles war so, wie ich es mir vorgestellt hatte, die prachtvoll getäfelte Decke und die steinernen Wände, an denen Teppiche neben Speeren und Lanzen hingen. Ich wußte auch, daß hoch oben in der Wand ein Guckloch war, von unten kaum wahrnehmbar, wenn man die genaue Stelle nicht kannte. Dahinter befand sich ein kleiner Alkoven, von dem aus die Damen des Hauses auf die Festlichkeiten in der Halle herabzublicken pflegten, wenn sie noch zu jung waren, um daran teilzunehmen, oder wenn die Gelage zu wüst für sie waren. Ich wußte, daß dieses Guckloch heute dazu diente, festzustellen, wer zu Besuch gekommen war, und wenn man ihn nicht zu empfangen wünschte, so konnte man sich verleugnen lassen.
Ich hatte das unangenehme Gefühl, daß ich beobachtet wurde, und auf einmal packte mich das Entsetzen. War ich nicht allzu leichtfertig gewesen? Ich hatte nicht bedacht, wohin mich das führen konnte. Ich war eine Hochstaplerin, eine Betrügerin. Ich hatte unrechtmäßig von diesem herrlichen Anwesen Besitz ergriffen.
Es half jetzt nichts mehr, daß ich mir einredete, ich hätte ein moralisches Recht dazu, wie ich es mir seit Beginn dieses wahnsinnigen Abenteuers immer wieder gesagt hatte.
Ich war hergekommen, weil ich das Schloß haben wollte. Es war, als handelte ich wie unter einem geheimnisvollen Zwang. Jetzt hatte ich das Gefühl, als ob hundert Augen mich beobachteten, lauernd, spöttisch, und mich aufforderten, es doch nur zu versuchen, das Schloß in meine Gewalt zu bringen.
In diesem allerersten Augenblick saß ich in der Falle. Hier stand ich nun mitten in der riesigen Halle und wußte nicht, wohin ich

mich wenden sollte. Susannah hätte sich geradewegs in ihr Zimmer oder zu Esmerald begeben. Susannah hätte Bescheid gewußt.

Am Ende der Halle befand sich eine Treppe, die, wie ich wußte, zur Bildergalerie hinaufführte. Sowohl Anabel wie Susannah hatten sie häufig erwähnt. Ich stieg hinauf und sah zu meiner Erleichterung eine Frau auf dem Absatz stehen.

Sie war in mittlerem Alter und machte einen recht selbstzufriedenen Eindruck. Sie hatte braunes, streng aus der Stirn gekämmtes Haar und durchdringende braune Augen.

»Miss Susannah«, sagte sie. »Meiner Treu, das wurde aber auch höchste Zeit.«

»Hallo«, tastete ich mich vor.

»Lassen Sie sich anschauen. Hm. Sie haben sich verändert. Das Ausland hat Ihnen gutgetan. Aber ein bißchen dürr sind Sie. Das kommt wohl von all der Aufregung.«

»Ja, vermutlich.«

Wer ist das? fragte ich mich. Irgend jemand vom Personal, aber in bevorrechtigter Stellung. Ein erschreckender Gedanke schoß mir durch den Kopf. Sie war womöglich eine Amme, die das Kind von Geburt an gekannt hatte. Wenn ja, so würde sie mich bald entlarven. »Das war ein schwerer Schlag ... Mr. Esmond ... und so plötzlich. Möchten Sie zuerst in Ihr Zimmer oder gleich zu Mrs. Mateland?«

»Ich denke, ich suche sie lieber gleich auf.«

»Soll ich mit Ihnen hinaufgehen und ihr Bescheid sagen?«

Ich nickte erleichtert. »Wie steht es mit ihren Augen?« fragte ich. »Es ist viel schlimmer geworden. Sind beide vom grauen Star befallen. Sie kann noch etwas sehen ... aber es wird immer schlechter.«

»Das tut mir leid.«

Sie musterte mich eindringlich. »Nun, Sie wissen ja, sie hat nie viel Aufhebens um ihre Beschwerden gemacht ... aber als Mr. Esmond starb ...«

»Verstehe«, murmelte ich.
Die Frau stieg die Treppe hinauf, und ich ging erleichtert neben ihr her.
»Ich melde Sie lieber an, bevor Sie hereinplatzen«, meinte sie.
Wir schritten die Galerie entlang. Ich kannte sie ja so gut. Hier hingen alle meine Ahnen. Demnächst würde ich sie mir mit Muße betrachten.
Wir stiegen weiter hinauf. Oben blieb die Frau stehen. Sie blickte mich an, und mir war, als müsse mein Herz zerspringen.
Sie fragte: »Haben Sie Ihren Vater gesehen?«
Ich nickte.
»Und Miss ... Anabel ...« Ihre Stimme zitterte bei diesen Worten, und da wußte ich plötzlich, wer sie war; sie war mir gleich irgendwie bekannt vorgekommen. Sie war die Frau, die damals bei dem Picknick das Essen aufgedeckt und den Einspänner kutschiert hatte und die, wie Anabel mir erzählte, immer sagte, was sie meinte, keine Lüge über die Lippen brachte und kaum ein gutes Haar an irgend etwas ließ. Ein paar Sekunden lang suchte ich in den Tiefen meines Gedächtnisses nach ihrem Namen. Janet! Sie mußte Janet sein, doch ich ließ mich nicht dazu verleiten, ihren Namen auszusprechen, bevor ich nicht ganz sicher war.
»Ja«, erwiderte ich, »ich habe beide gesehen.«
»Waren sie ...«
Ich unterbrach heftig: »Sie waren glücklich. Mein Vater hat auf der Insel großartige Arbeit geleistet.«
»Wir haben gerade erst die Nachricht bekommen von dieser Explosion oder was das war.«
»Es war ein Vulkanausbruch.«
»Was es auch war, sie sind beide dabei umgekommen. Miss Anabel ... eigensinnig war sie ... aber sie hatte ein gutes Herz ...«
»Das stimmt«, sagte ich.

Janet bedachte mich abermals mit diesem eindringlichen Blick. Dann zuckte sie die Achseln. »Sie hätte es nicht tun sollen.«
Wir gingen weiter. Vor einer Tür blieb sie stehen, klopfte an, und eine Stimme rief »Herein.« Die Frau legte den Finger an die Lippen.
Ich hörte eine Stimme fragen: »Bist du's, Janet?«
Also hatte ich recht gehabt. Die Frau war Janet. Wieder war ich einen Schritt weitergekommen.
»Miss Susannah ist zurück, Mrs. Mateland.«
Ich trat in das Zimmer.
Dies war also Emerald, die Gattin von David, den mein Vater im Duell getötet hatte. Sie saß, vom Licht abgewandt, in einem Sessel. Sie war offenbar groß und sehr schlank; ihre Miene zeugte von Entsagung; ihr Gesicht war bleich, ihr Haar von grauen Strähnen durchzogen. »Susannah ...«, begann sie.
Ich hörte mich sagen: »Ach, Tante Emerald, es tut so wohl, dich zu sehen.«
»Ich dachte schon, du würdest gar nicht mehr kommen.« Ihre Stimme hatte einen mürrischen Klang.
»Es gab noch verschiedene Angelegenheiten zu regeln«, entschuldigte ich mich und küßte sie auf die welke Wange.
»Es ist so schrecklich«, ließ sie sich wieder vernehmen. »Esmond ...«
»Ich weiß«, murmelte ich.
»Es kam ganz plötzlich. Diese furchtbare Krankheit. Eine Woche zuvor war er noch gesund, dann wurde er auf einmal krank, und eine Woche später war er tot.«
»Was war das für eine Krankheit?«
»Irgendein Fieber ... das gastrische Fieber. Wenn doch Elizabeth noch lebte! Sie wäre mir wahrlich ein Trost. Malcolm ist überaus praktisch. Er hat alles arrangiert. Ach, meine liebe Susannah, wir müssen gemeinsam trauern. Ihr wolltet heiraten, und er war mein Sohn ... mein einziger Sohn. Alles, was ich hatte. Jetzt habe ich niemanden mehr.«

»Wir müssen uns gegenseitig trösten«, sagte ich.
Sie stieß ein seltsames leises Schnauben aus. »Das ist doch wohl etwas unpassend, nicht wahr?«
Verlegen tätschelte ich ihre Hand, weil ich nichts zu erwidern wußte.
»Nun«, fuhr sie fort, »wir müssen versuchen, zurechtzukommen. Ich nehme nicht an, daß du mich aus meinem Heim zu vertreiben gedenkst.«
»Aber Tante Emerald! Wie kannst du nur so etwas annehmen!«
»Nun, da Esmond tot ist, habe ich vermutlich nicht mehr dieselben Rechte. Als seine Mutter stand es mir selbstverständlich zu ... ach, laß gut sein. Alles kommt, wie es kommen muß. Es ist schrecklich.«
»Aber ich habe nicht die Absicht, irgend jemanden in seinen Rechten zu beschneiden. Alles soll bleiben, wie es war.«
»Das Reisen hat dir gutgetan, Susannah.«
»Oh, du meinst, ich habe mich verändert?«
»Ich weiß nicht. Es liegt wohl daran, daß ich dich so lange nicht gesehen habe. Du kommst mir irgendwie anders vor. Vielleicht stimmt es wirklich, daß Reisen den Menschen verändert.«
»Inwiefern, Tante Emerald?« fragte ich gespannt.
»Es ist nur so ein Gefühl. Ich finde, du bist nicht mehr so ... nun ja, ich hatte immer den Eindruck, daß du hart wärst, Susannah. Ich weiß nicht ...«
»Sag mir, wie steht es mit deinen Augen, Tante Emerald?«
»Sie werden zusehends schlechter.«
»Kann man nichts dagegen tun?«
»Nein. Es ist ein chronisches Leiden. Es ist sehr verbreitet. Ich muß es eben ertragen.«
»Das tut mir leid.«
»Siehst du, das meine ich. Du bist sanfter geworden. Deine Anteilnahme hört sich echt an, dabei hätte ich nie gedacht, daß du auch nur einen Gedanken an meine Augen verschwenden würdest.«

Ich wandte mich ab. Sie glaubte, meine Besorgnis um ihr Augenlicht sei völlig selbstlos. Sicher, sie tat mir leid, aber ich konnte nicht umhin, in ihrem Leiden einen Vorteil für mich zu sehen.
Sie fuhr fort: »Möchtest du Tee? Oder möchtest du zuerst in dein Zimmer gehen?«
Wie ein Schlag traf mich der Gedanke, daß ich herausfinden mußte, welches mein Zimmer war. Wenn ich wartete, bis man mein Gepäck hineingestellt hatte, könnte ich es daran erkennen.
Ich sagte: »Ich möchte wissen, ob mein Gepäck schon da ist.«
»Zieh an der Klingelschnur«, erwiderte sie. »Ich lasse Tee kommen, und wir erkundigen uns, wann dein Gepäck gebracht wird.«
Janet erschien. »Laß Tee für uns heraufbringen, Janet«, befahl Emerald.
Janet nickte und verschwand.
»Janet bleibt immer die alte«, meinte ich.
»Janet ... oh. Sie ist etwas vorwitzig, wenn du mich fragst. Sie hält sich offenbar für etwas Besonderes. Ich war überrascht, daß sie hierblieb, nachdem dein Vater damals fortgegangen war. Sie ist mit Anabel hierhergekommen. Du hast doch Anabel und deinen Vater besucht?«
»Ja.«
»Auf dieser komischen Insel? Manchmal glaube ich, die Matelands sind alle wahnsinnig.«
»Das kann man wohl sagen«, erwiderte ich mit einem leisen Lachen.
»Eine schreckliche Affäre. Zwei Brüder ... ich werde nie darüber hinwegkommen. Ich war froh, daß Esmond zu jung war, um zu begreifen, was vorgefallen war. Und dann geht Joel auf diese Insel und führt dort ein Leben wie ein Provinzgouverneur. Dein Vater war immer exzentrisch und David nicht minder. In eine seltsame Familie habe ich eingeheiratet.«
»Nun, das war vor langer Zeit, Tante Emerald.«

»Viele qualvolle Jahre liegen hinter mir. Du hast mir gewiß eine Menge zu erzählen ... von ihnen ... und auch sonst.«
»Bei Gelegenheit werde ich dir alles berichten«, versprach ich.
Der Tee wurde hereingebracht.
»Susannah, würdest du bitte einschenken?« bat sie. »Ich sehe so schlecht. Ich lasse den Tee womöglich auf die Untertasse schwappen.«
Ich setzte mich, schenkte ein und reichte ihr eine Tasse. Auf einem Teller lagen Kekse sowie Brot und Butter.
»Esmond war sehr beunruhigt, als du weg warst«, sprach sie weiter. »Wirklich, Susannah, mußtest du denn so lange fortbleiben?«
»Es war so weit weg, und nachdem ich diese weite Reise unternommen hatte, wollte ich natürlich auch eine Weile bleiben.«
»Das sieht dir ähnlich, das Versteck deines Vaters zu entdecken! Und als du nach Sydney zurückgekehrt warst, ist also die ganze Chose in die Luft geflogen. Welch ein Höhepunkt für das geheime Melodram. Irgendwie passend.«
»Es war ... entsetzlich«, unterbrach ich sie heftig.
»Aber du bist heil davongekommen, Susannah.«
»Manchmal wünsche ich ...«
Sie wartete. Ich mußte auf der Hut sein. Ich durfte meine Gefühle nicht zu stark zum Ausdruck bringen. Ich hatte den Eindruck, daß Susannah sich kaum etwas aus Dingen gemacht hatte, die nicht sie selbst betrafen.
»Ich wünsche«, endete ich stockend, »sie hätten mich nach Sydney begleitet. Erzähl mir von Esmond.«
Nach kurzem Schweigen sagte sie: »Es war ein Rückfall in diese mysteriöse Krankheit, die er hatte, bevor du fortgingst. Erinnerst du dich?«
Ich nickte.
»Damals war er furchtbar krank. Wie du weißt, dachten wir, das sei das Ende ... aber er ist genesen. Wir glaubten, er würde es

auch beim zweitenmal überstehen. Es war ein schwerer Schlag. Malcolm hat inzwischen die Gutsgeschäfte in die Hand genommen. Er ist eng mit Jeff Carleton befreundet.«

»So?«

»Ja. Ich glaube, Jeff ist der Meinung, der Besitz hätte nach Esmond an Malcolm fallen sollen. Ich hatte eigentlich auch damit gerechnet. Aber dein Großvater hatte immer ein Vorurteil gegen Malcolm wegen *seines* Großvaters. Sie haben sich gehaßt, diese zwei Brüder. Es ist weiß Gott eine streitsüchtige Familie.«

Mir wurde unbehaglich zumute. Eigentlich sollte ich all diese Leute kennen. Ich bewegte mich auf sehr dünnem Eis und mußte zwangsläufig irgendwann an eine Stelle geraten, wo es gefährlich wurde – und dann käme es zur Katastrophe.

»Ich nehme an, Jeff Carleton möchte dich so bald wie möglich sprechen. Er ist ein bißchen besorgt, aber das ist ja verständlich.«

»Natürlich«, erwiderte ich und suchte verzweifelt in meinem Gedächtnis nach einem Hinweis, wer denn dieser Jeff Carleton sein könnte.

»Er hofft, daß alles so weiterläuft wie bisher. Ich nehme nicht an, daß du etwas zu ändern gedenkst, obwohl nach meiner Meinung der liebe Esmond eine Spur zu großzügig war.«

Ich nickte. Langsam machte ich mir ein Bild von Esmond. Zurückhaltend. Großzügig.

»Ich glaube, er hat Jeff ziemlich freie Hand gelassen, und Jeff hofft natürlich, daß es so weitergeht.«

»Das kann ich mir denken«, sagte ich.

»Es wurde immer soviel Aufwand mit den Gütern getrieben, und ich glaube, nach Davids Tod hat Jeff sich Autorität verschafft. Er fand Geschmack daran, und Esmond war ja noch so jung.«

»Und großzügig«, fügte ich hinzu.

Sie nickte.
Ich trank etwas von dem heißen Tee. Er wirkte belebend, aber essen konnte ich nichts. Ich war zu aufgeregt.
Emerald plauderte weiter, und ich bemühte mich fieberhaft, vernünftige Zwischenbemerkungen zu machen. Das war überaus anstrengend, und als es an der Tür klopfte und Janet erschien, um zu melden, daß mein Gepäck jetzt in meinem Zimmer sei, erhob ich mich eilends. Ich sehnte mich danach, ein paar Stunden allein zu sein, um das, was ich erfahren hatte, zu verarbeiten.
Ich sagte, ich wolle mich in mein Zimmer zurückziehen.
»Wir sehen uns dann beim Abendessen«, meinte Emerald, und ich verließ den Raum.
Jetzt war der Augenblick gekommen, da ich mein Zimmer finden mußte. Ich vermutete, daß es ein Stockwerk höher lag. Verstohlen blickte ich über die Schulter – ich durfte auf keinen Fall gesehen werden – und eilte die Treppe hinauf. Als ich oben ankam, tauchte am anderen Ende des Flurs eine Gestalt auf. Es war Janet.
»Sie sind wohl gerade auf dem Weg in Ihr Zimmer, Miss Susannah?«
»Hm ... ja«, erwiderte ich.
»Ihr Gepäck ist da. Ich bin mit hinaufgegangen, um mich zu vergewissern, daß alles in Ordnung ist.«
»Vielen Dank.« Geh weg, hätte ich am liebsten geschrien. Was lungerst du hier herum? Fast war es, als ahne sie, in welcher Zwickmühle ich steckte, und als wolle sie die Falle zuschnappen lassen.
Ich schritt hinter ihr her. Sie ging auf die Treppe zu. Der Flur hatte ein Fenster. Ich blieb davor stehen und tat so, als betrachte ich die Landschaft dort unten ... die grünen Wiesen und in der Ferne die Wälder.
Als ich dachte, Janet sei gegangen, wandte ich mich der ersten Tür zu. Gerade wollte ich sie hastig öffnen, als ich Janets Stimme

vernahm. »Nein … nein … nicht, Miss Susannah. Das würde ich an Ihrer Stelle nicht tun.«
Sie war zurückgekommen und stand hinter mir, eine Hand auf meinem Arm.
»Das wäre zu schmerzlich für Sie. Es ist noch genauso, wie er es verlassen hat. Seine Mutter wollte nicht, daß wir etwas verändern. Ich glaube, sie kommt manchmal hierher, obwohl sie sich so schlecht bewegen kann. Die meiste Zeit sitzt sie nur da und grübelt und grämt sich über seinen Tod.«
Esmonds Zimmer! dachte ich. Welch glückliche Fügung. Janet glaubte, ich wollte hineingehen, um mich meinem Kummer hinzugeben.
Doch ich wollte sie loswerden, und mit beherrschter Stimme sagte ich: »Ich muß hineingehen, Janet.«
Sie seufzte und trat mit mir in das Zimmer. Es war sehr ordentlich. Es enthielt ein Bett und eine Reihe Bücherregale an der einen Wand, in der Ecke einen Schreibtisch, ein paar Lehnstühle und bronzefarbene Vorhänge mit Chrysanthemenmuster.
Janet stand dicht hinter mir. »In diesem Bett ist er gestorben«, bemerkte sie. »Seine Mutter wollte nichts verändert haben. Aber ich würde Ihnen nicht raten, hierzubleiben, Miss Susannah. Ich weiß nicht. Es ist unheimlich. Tut Ihnen nicht gut.«
»Ich möchte dennoch ein Weilchen hierbleiben, Janet. Ich möchte allein sein.«
»Na gut. Tun Sie, was Sie nicht lassen können.«
Sie ging langsam hinaus und schloß die Tür. Ich setzte mich auf einen Stuhl und sann nicht über Esmond nach, sondern über Janet und wie ich mein Zimmer finden könnte, ohne daß sie merkte, daß ich es suchte.
Nach einer Weile öffnete ich vorsichtig die Tür und spähte in den Flur. Alles war ruhig und verlassen. Ich schlich verstohlen den Gang entlang, öffnete eine Tür nach der anderen und hielt Ausschau nach meinem Gepäck.
Es waren lauter Schlafzimmer. Vorsichtig öffnete ich dann die

Tür ganz am Ende des Flurs, und endlich hatte ich das Zimmer gefunden, in dem meine Koffer standen.
Überreizt und nervös trat ich ein und ließ mich aufs Bett sinken. Und dabei hatte ich erst ein paar Stunden hinter mir!

Während ich auspackte, klopfte es an der Tür. »Herein«, rief ich, und mein Herz fing wie immer, wenn ich mich einer neuen Prüfung gegenüber wähnte, zu hämmern an.
Es war Janet.
»Kann ich Ihnen behilflich sein?«
»Nein danke. Ich komme schon zurecht.«
»Brauchen Sie noch irgend etwas?«
»Ich glaube nicht.«
»Grace, das neue Hausmädchen ... sie fürchtet sich ein bißchen vor Ihnen.«
»Warum denn?«
»Ach, sie hat von Ihren Wutausbrüchen gehört. Und jetzt sind Sie ja hier die Herrin, wenn man so sagen darf.«
Ich lachte verlegen.
»Ah, Sie räumen die Sachen in die Schublade. Alles säuberlich zusammengelegt. Das sieht Ihnen aber gar nicht ähnlich, Miss Susannah. Ein so liederlicher Mensch wie Sie war mir noch nie vorgekommen. Immer alles auf dem Fußboden verstreut. Und nun sind Sie ordentlich geworden. Haben Sie das auf der Reise gelernt?«
»Kann schon sein. Wenn man dauernd ein- und auspackt, sieht man ein, daß man seine Sachen ein bißchen beieinanderhalten muß.«
Sie nickte. »Ich möchte mit Ihnen sprechen.« Sie senkte die Stimme. »Über Anabel.«
»Ja?« fragte ich beklommen.
»Sie haben sie ja auf der Insel gesehen. Wie ist es ihr ergangen?«
»Es ging ihr gut. Sie war glücklich und schien mit ihrem Leben zufrieden.«

Janet schüttelte den Kopf. »Es war ein furchtbarer Schlag für mich, als sie fortging. Sie war wie mein eigenes Fleisch und Blut. Sie hätte mich nicht einfach so verlassen sollen.«
»Sie hätte Sie schwerlich mitnehmen können.«
»Wieso nicht? Ich bin ja auch mit ihr vom Pfarrhaus hierhergekommen. Ich gehörte zu ihr … nicht hierher.«
»Aber Sie sind hiergeblieben.«
»Ich hatte sie sehr gern«, sagte Janet nachdenklich. »Sie hatte es wohl faustdick hinter den Ohren … man wußte nie, was ihr als nächstes einfallen würde … aber sie hatte ein gutes Herz.«
Ich konnte nicht sprechen, aus lauter Angst, meine Bewegung zu verraten.
»Und sie waren glücklich dort … sie und dieser Mr. Joel?« fuhr Janet fort. »Nie werde ich diese Nacht vergessen. Dieses hastige Hin und Her … der Lärm und das Geschwätz … und dann hat man ihn da draußen gefunden. Auf einer Bahre haben sie ihn hereingetragen. Irgendwie schien das alles so unwirklich. Aber so ist es nun mal im Leben. Ach, meine arme Miss Anabel!«
Ich dachte: Da steckt eine Absicht dahinter. Sie ist mißtrauisch. Sie will mich auf die Probe stellen. Das hat doch etwas zu bedeuten.
»Sie hatte eine kleine Tochter«, fuhr Janet fort. »Ich habe sie einmal gesehen. Ein niedliches kleines Ding. Ich wüßte gern, was aus ihr geworden ist.«
»Sie war dort … bei ihnen«, sagte ich.
»Ach du meine Güte! Aber das hätte ich mir denken können, Miss Anabel wäre nicht fortgegangen, ohne sie mitzunehmen.«
»Nein, gewiß nicht.«
»Sie haben sie also auf der Insel gesehen, Miss Susannah?«
»Ja. Suewellyn hieß sie.«
»Stimmt. Sie haben einmal ein Picknick gemacht, da war ich dabei.«
»O ja?« Mein Herz raste. Ich fürchtete, es würde meine Ergriffenheit verraten.

»Ja, ein niedliches, schüchternes kleines Ding. Was ist aus ihr geworden?«
Janets Augen ließen nicht von mir ab, und ich erwiderte schnell: »Sie war auf der Insel ... als es passierte.«
»Das arme Würmchen. Sie hatte eine gewisse Ähnlichkeit mit Ihnen. Ungefähr im gleichen Alter ... dieselbe Statur ... und dieses gewisse Etwas, an dem man sozusagen roch, aus welchem Stall sie stammte! Eine schreckliche Tragödie – und was haben Sie für ein Glück gehabt, daß Sie nicht dort waren. Wieso waren Sie eigentlich just zur rechten Zeit in Sydney?«
»Sie scheinen ja genau Bescheid zu wissen, Janet.«
»Ja, wissen Sie, Mrs. Mateland erhielt die Nachricht von diesen Anwälten. Eigentlich wäre ja Mr. Joel nach Esmond der Erbe gewesen, wenn er nicht enterbt worden wäre. Trotzdem hat es die Sache erleichtert, daß er sozusagen aus dem Weg war. Der alte Mr. Egmont hat mächtig getobt, als er mit einem Schlag beide Söhne verlor, das kann ich Ihnen sagen. Aber schließlich war Mr. Esmond ja noch da. Wer hätte gedacht, daß er so mir nichts, dir nichts sterben würde. Bin ich froh, daß das kleine Mädchen bei Miss Anabel war. Ich war ja nur ein kleines Weilchen mit den beiden zusammen, aber es war ergreifend, die beiden zusammen zu sehen ... wenn es auch nicht recht war. Meine arme Miss Anabel. Sie hätte was Besseres verdient.«
»Ja«, sagte ich bewegt, »das stimmt.«
Janet sah mich durchdringend an, und ich fuhr rasch fort: »Aber nun ist alles vorbei.«
»Und so viele Menschen mußten sterben«, fügte Janet hinzu. »Dieser Vulkan ... nun, das ist Gottes Werk. Und dann der arme Mr. Esmond. Ich möchte bloß wissen, wie lange sein Zimmer noch so bleiben soll. Seine Mutter wünscht nicht, daß irgendwas angerührt wird. Werden Sie sich daran halten, Miss Susannah? Die Papiere auf seinem Schreibtisch ... seine Bücher ... nichts darf angerührt werden ... alles muß genauso bleiben, wie es bei seinem Tod war ... nun ja, wenn seine Mutter es so will.«

»Wir werden sehen, Janet«, sagte ich.
Sie blickte mich bekümmert an und ging hinaus. Ich setzte mich aufs Bett und starrte ins Leere.
Ob sie etwas ahnt? fragte ich mich.
Den Abend überstand ich ganz leidlich. Mit Emerald kam ich gut zurecht, weil sie fast blind war und keinen Unterschied zwischen Susannah und mir feststellen konnte. Außerdem hatte sie genug mit sich selbst zu tun, und das war mir in meiner Lage eine große Hilfe. Wenn ihr doch ein Unterschied auffiel, so machte sie sich darüber wenig Gedanken und schrieb die Veränderung dem Einfluß der Reise zu.
Anders die Dienstboten. Einige hatten Susannah schon seit ihrer Kindheit gekannt, doch ich glaube, obwohl sie mich verändert fanden, hielten sie mich für Susannah.
Einzig von Janet hatte ich etwas zu befürchten. Sie wußte zuviel. Sie wußte von Suewellyns Existenz. Sie konnte zwei und zwei zusammenzählen. Und was dann?
Gleich am ersten Abend erkannte ich, wie leicht ich mich verraten konnte. Wer hätte gedacht, daß mir ein simpler Pudding beinah zum Verhängnis werden könnte?
An diesem Abend gab es Ingwerpudding zum Dessert. Ich hatte wenig Appetit und nahm nach dem Hauptgericht etwas Käse und Biskuits. Den Pudding lehnte ich höflich ab. Chaston, der Butler, muß dies in der Küche berichtet haben, denn als ich Emerald gute Nacht gewünscht hatte und gerade die Treppe zu meinem Zimmer hinaufgehen wollte, kam eine aufgeregte Frau mit gerötetem Gesicht hinter der Trennwand hervor und pflanzte sich zwischen mich und die Treppe.
»Ist etwas nicht in Ordnung?« fragte ich.
»Ja, Miss Susannah, das kann man wohl sagen.«
»Was ist es denn?«
»Ich möchte wissen, Miss, ob Sie der Meinung sind, daß ich nicht mehr würdig bin, für dieses Haus zu kochen.«
Eine solche wortreiche Äußerung, vorgebracht auf eine Art und

Weise, die ich nur als anmaßend bezeichnen konnte, zeugte davon, daß der Zorn dieser Dame über Gebühr herausgefordert worden war.
Ich überlegte kurz, warum man mich dermaßen zur Rede stellte, bis mir einfiel, daß man mich ja für Susannah hielt, die Herrin dieses weitläufigen Hauswesens.
»Aber nein«, erwiderte ich. »Das Essen war vorzüglich.«
»Und was war mit meinem Ingwerpudding, daß er unangetastet zurückgeschickt wurde?«
»Nichts, gar nichts.«
»Aber wegen irgendwas müssen Sie doch die Nase gerümpft haben. Ich habe ihn eigens für Sie gemacht, weil Sie doch immer eine Vorliebe für Inwerpudding hatten. Da mach' ich mir die Arbeit gleich an Ihrem ersten Abend ... wie immer, wenn Sie von irgendwo nach Hause kamen ... und jedesmal ist kaum was übriggeblieben, wenn die Schüssel wieder zu mir in die Küche kam. Und heute ... nicht mal ein kleines Löffelchen haben Sie probiert.«
»Oh, Mrs. ...« Ich kannte ja ihren Namen nicht. »Es tut mir leid. Ich bin heute abend einfach zu müde, um hungrig zu sein.«
»Nein«, fuhr sie fort, ohne auf meine Unterbrechung einzugehen, »er ist zurückgekommen, wie er aufgetragen wurde. Ich sagte zu mir, als ich den unberührten Pudding sah: ›Also, Mrs. Bates, es scheint, deine Kochkunst ist bei Weltreisenden nicht mehr gefragt.‹ Ich kann Ihnen sagen, Miss, gar nicht weit von hier gibt es Leute, die würden jemanden, der einen so guten Ingwerpudding machen kann wie ich, mit offenen Armen aufnehmen.«
»Es ist doch nur, weil ich so müde bin, Mrs. Bates.«
»Sie und müde! Sie waren nie müde. Und wenn das Reisen so auf Sie wirkt, dann wären Sie besser zu Hause geblieben.«
»Möchten Sie morgen abend einen Ingwerpudding machen, Mrs. Bates?« schmeichelte ich.

Sie schnaubte leise, doch ich sah, daß sie sich beschwichtigen ließ. »Sicher, wenn man es mir aufträgt.«
»Ich werde ihn gewiß mit Genuß verzehren. Jetzt bin ich einfach zu erschöpft ... ich hatte wirklich zu wenig Appetit, um Ihren Pudding heute abend recht zu würdigen.«
»Sie haben Käse genommen, hat Chaston mir erzählt«, entgegnete sie vorwurfsvoll. »Wegen Käse haben Sie meinen Ingwerpudding stehenlassen. Wenn ich daran denke, wie Sie auf einem Schemel standen, die Finger in der Schüssel, und naschten, wenn ich nicht hinguckte ...« Ihr Gesicht verzog sich zu einem Schmunzeln. »Sie sagten zu mir: ›Es ist der Ingwer, Mrs. Bates. Der Teufel hat mich verführt.‹ Sie waren 'ne ulkige Nummer, und Ingwerpudding war Ihr Leibgericht. Und nun, scheint mir ...«
»O nein, nein, Mrs. Bates, ich esse ihn immer noch gern. *Bitte* machen Sie ihn morgen.«
Sie blinzelte. »Ich konnte mir keinen Reim darauf machen«, sagte sie, »als ich sah, daß mein Pudding genauso herauskam, wie er hineingetragen wurde. Das hätte jeder Köchin das Herz gebrochen.«
Sie war besänftigt. Sie nahm meine Entschuldigung an. Was für ein Getue um einen Pudding! Ich mußte weiß Gott aufpassen.
Erschöpft erreichte ich mein Schlafzimmer. Ich war um viele Erfahrungen reicher geworden; vor allem um die, wie leicht ich mich verraten konnte.

Ich schlief gut, denn ich war körperlich und seelisch erschöpft, und erwachte mit jenem Gefühl, das mir inzwischen schon zur Gewohnheit geworden war – einer Mischung aus Beklommenheit und Erregung. Jede Stunde konnte meinen Betrug ans Licht bringen. Ich hatte Glück, wenn ich das ein paar Wochen durchhielt.
Ich stand auf, kleidete mich an und ging zum Frühstück hinunter. Ich wußte, daß man es zwischen acht und zehn Uhr einnahm

und sich vom Buffet bediente. Als ich in das Zimmer trat, wo wir abends zuvor gegessen hatten, war der Frühstückstisch gedeckt, und die Speisen brutzelten in Silberschüsseln auf dem Buffet.

Ich bediente mich und setzte mich hin, froh, allein zu sein. Trotz meiner inneren Unruhe war ich hungrig.

Während ich aß, schaute Janet herein. »Oh, so früh«, sagte sie auf ihre unverblümte Art. »Sieht Ihnen gar nicht ähnlich, Miss Susannah, daß Sie um diese Stunde schon auf den Beinen sind. Was ist nur in Sie gefahren? Haben Sie im Ausland Ihre alten Gewohnheiten abgelegt? Aus Fräulein Faulenzerin ist wahrhaftig ein Fräulein Frühaufsteherin geworden.«

Schon wieder ein Fehler! Das mußte ich mir merken.

»Ich nehme an, Jeff Carleton wird nicht vor zehn Uhr hiersein«, fuhr Janet fort. »Er erwartet bestimmt nicht, daß Sie zu dieser Stunde mit ihm einen Rundgang über das Gut machen wollen. Er war mächtig froh, als er hörte, daß Sie zurück sind, denn, so sagt er, es ist eine große Verantwortung für ihn, wenn er die nötigen Vollmachten nicht bekommt. Aber Sie müssen wissen, Mr. Esmond hat ihm mehr oder weniger freie Hand gelassen. Er sagt, er nimmt nicht an, daß Sie es genauso machen.«

Ich merkte auf. Heute früh sollte ich also mit Jeff Carleton, dem Verwalter, einen Rundgang durch die Güter machen. Ich war Janet dankbar, daß sie mich so ausführlich unterrichtete, und fühlte mich leicht beflügelt, weil ich so viel erfahren hatte. Allmählich lernte ich, Augen und Ohren offenzuhalten.

»Ich bin bereit, wenn er kommt«, sagte ich. »Um zehn Uhr, nicht wahr?«

»Sicher. Um die Zeit sind Sie und Mr. Esmond doch immer mit ihm gegangen, oder?«

»O ja«, erwiderte ich.

»Er hat Jim aufgetragen, Blackfriar für Sie zu satteln. Jeff ist felsenfest davon überzeugt, daß Sie auf der Stelle die Güter besichtigen wollen.«

Wieder sagte ich: »O ja.«
»Ich nehme nicht an, daß Blackfriar Sie vergessen hat. Pferde haben ein gutes Gedächtnis, sagt man. Sie haben sich ja immer gut mit ihm verstanden.«
Das war eine Warnung. Übelkeit stieg in mir auf. Wenn das Pferd mich nun zurückwies? Janets Worte ließen darauf schließen, daß Blackfriar zwar sanft zu Susannah war, aber dazu neigte, sich Fremden gegenüber weniger gutmütig zu verhalten.
»Jetzt frühstücken Sie aber erst mal zu Ende«, sagte Janet.
Nach dem Frühstück ging ich in mein Zimmer hinauf und zog ein Reitkostüm an, während ich ein Dankgebet zu meinem Vater schickte, weil er ein paar Pferde auf die Insel geholt hatte, und ein zweites zu den Halmers, weil ich auf ihrem Gut soviel Gelegenheit zum Reiten hatte. Sie waren alle ausgezeichnete Reiter, und als ich mit ihnen durch den Busch galoppierte, hatte ich gelernt, Schritt zu halten, und damit Selbstvertrauen gewonnen und eine gewisse Fertigkeit im Umgang mit Pferden erlangt.
Kurz nach zehn Uhr kam Jeff Carleton. Ich ging zu ihm hinunter.
»Tag, Miss Susannah«, sagte er und drückte mir die Hand. »Gut, daß Sie zurück sind. Wir hatten gehofft, Sie würden schon früher kommen. Eine schreckliche Tragödie ist das.«
»Ja«, erwiderte ich, »schrecklich.«
»Es kam alles so plötzlich. Noch eine Woche vorher bin ich mit ihm und Mr. Malcolm hier durch die Gegend geritten, und dann ... nun ist er tot.«
Ich schüttelte den Kopf.
»Verzeihen Sie, daß ich darüber spreche. Wir müssen weitermachen, nicht wahr, Miss Susannah, und ich muß natürlich wissen, ob Sie irgendeine Vorstellung haben, wie das mit dem Gut jetzt laufen soll.«
»Nun, ich möchte mir zuerst einmal alles ansehen ...« Ich hatte keine Ahnung, ob ich ihn Jeff, Carleton oder Mr. Carleton nennen sollte – daher sprach ich ihn lieber gar nicht an.

»Sie wollen die Sache bestimmt selbst in die Hand nehmen, darauf gehe ich jede Wette ein«, meinte er lachend.
»O ja, gewiß.«
Wir kamen zu den Stallungen. Der Stallbursche begrüßte mich: »Guten Tag, Miss Susannah. Ich habe Blackfriar für Sie gesattelt.«
»Danke.« Hätte ich doch nur die Namen von all den Leuten gewußt! Ich tappte völlig im dunkeln.
Gut, daß ich wenigstens das Pferd gleich erkannte. Es war ein schönes Tier mit schwarzem Fell und ein paar weißen Flecken am Hals. Der Name paßte zu ihm.
»Da freut sich aber einer, daß er Sie wiederhat, Miss Susannah! War ja immer Ihr Pferd, der Blackfriar. Ich möchte schwören, er hatte Sehnsucht nach Ihnen, als Sie weggingen. Aber auch er mußte sich an Ihre Abwesenheit gewöhnen, als Sie so lange in Frankreich waren.«
»Ja, sicher«, sagte ich.
Ich war heilfroh, daß ich den Umgang mit Pferden gewohnt war. Zuversichtlich trat ich zu Blackfriar und klopfte ihn vorsichtig aufs Fell. Er spitzte die Ohren. Er war auf der Hut.
»Blackfriar«, flüsterte ich, »ich bin's Susannah ... ich bin wieder bei dir.«
Gespannt beobachtete ich den Hengst, da ich nicht wußte, ob er mich zurückweisen würde. Ich tätschelte ihn und sprach mit sanfter Stimme auf ihn ein: »Du hast mich nicht vergessen. Du kennst mich doch.« Ich holte ein Zuckerstückchen aus meiner Tasche, denn so hatte es Susannah mit unseren Pferden auch immer gemacht. Mit Pferden war sie wirklich liebevoll umgegangen.
»Na also«, sagte der Stallbursche, »er erinnert sich.«
Ich schwang mich in den Sattel, und indem ich Blackfriar abermals tätschelte, murmelte ich: »Guter, alter Blackfriar.«
Ich war nicht sicher, ob das Tier merkte, daß ich nicht seine Herrin war, aber jedenfalls litt es mich auf seinem Rük-

ken, und ich war sehr erleichtert, als wir aus dem Stall hinausritten.
»Wohin möchten Sie zuerst?« fragte Jeff Carleton.
»Das überlasse ich Ihnen.«
»Ich denke, wir schauen mal bei den Cringles vorbei.«
»Ja«, erwiderte ich, »wenn Sie meinen.«
Ich ließ ihn voranreiten. Als wir auf die Straße kamen, die hinter dem Wald vorbeiführte, ließen wir unsere Pferde Seite an Seite im Schritt gehen.
»Sie werden etliche Veränderungen vorfinden, Miss Susannah.«
»Damit habe ich gerechnet.«
»Es ist ziemlich lange her, seit Sie das letzte Mal hier waren.«
»Ja, wenn man die kurze Zeit nicht rechnet, als ich aus Frankreich zurückkam.«
»Da sind Sie ja gleich wieder weggefahren. Möglicherweise wollen Sie hier einiges ändern.«
»Wir werden sehen.«
»Sie hatten ja immer Ihre eigenen Vorstellungen.«
Ich nickte und fragte mich, was für Vorstellungen Susannah wohl hatte.
»Wir haben natürlich nie angenommen, daß ...«
»Natürlich nicht. Aber so etwas kann eben passieren.«
»Mr. Malcolm war sehr aufgeschlossen. Er war vor ungefähr einem Monat hier.«
»Ach ja?«
»Ich glaube, er hatte so seine Ideen ... schließlich ist er ein Mann. Als Mr. Esmond starb ... da nahm er wohl an, Sie würden sich nicht um das Gut kümmern wollen. Ich dachte bei mir, da kennen Sie Miss Susannah aber schlecht!«
Ich stieß ein kurzes Lachen aus.
»Natürlich«, fuhr Jeff Carleton fort, »bei einem solchen Besitz denken die Leute vielleicht, wenn ein Mann in der Familie ist, sollte der sich besser um alles kümmern.«
»Und Sie denken, Malcolm ist auch dieser Meinung?«

»Na klar. Er dachte, er wäre nach Esmonds Tod der nächste, weil Sie ja eine Dame sind, auch wenn er wußte, genau wie wir alle, daß Ihr Großvater wegen dieses alten Streits ihn nicht zum Erben einsetzen wollte.«

»Ja«, sagte ich.

»Der jüngere Bruder Ihres Großvaters hätte sozusagen einen Anspruch auf den Besitz gehabt, und dieser Anspruch wäre auf seinen Sohn und seinen Enkel übergegangen. Das ist ganz plausibel. Manche Familien setzen keine Damen zu Erben ein. Bei den Matelands ist das anders.«

»Ja, bei den Matelands ist das anders.«

Ich mußte einsehen, daß Malcolms Anspruch begründet war. Er war der Enkel von Großvater Egmonts jüngerem Bruder. Ein eindeutiger Anspruch. Und ich betrog ihn nun um sein Erbe. Mir lief es kalt über den Rücken. Aber der Tag war so herrlich; die Wiesen waren mit Butterblumen und Gänseblümchen übersät, und die Vögel zwischerten fröhlich, die Sonne stand hoch am Himmel und kündete den kommenden Sommer an. Wie sollte ich da nicht heiter gestimmt sein!

»Die Pachthöfe werfen gute Gewinne ab«, fuhr Jeff Carleton fort. »Alle bis auf den von den Cringles. Ich weiß nicht, was Sie davon halten; vielleicht haben Sie einen Vorschlag.«

»Die Cringles«, wiederholte ich gedehnt, als erwöge ich die Angelegenheit.

»Die Tragödie hat ihnen den Garaus gemacht.«

»Oh ... ja.«

Was war das nun wieder für eine Tragödie? Ich mußte mich behutsam vorwärtstasten.

»Der alte Mann ist seitdem nicht mehr ganz bei sich. Aber am schlimmsten von allen scheint es Jacob getroffen zu haben. Klar, weil Saul sein Bruder war. Ich glaube, sie waren Zwillinge ... haben sehr aneinander gehangen. Jacob hat sich immer auf Saul verlassen. Es war ein schwerer Schlag für ihn.«

»Das kann ich mir denken.«

»Und der Hof hat natürlich darunter gelitten. Ich habe schon überlegt, ob ich ihnen den wegnehmen soll. Sie holen nicht genug aus dem Land heraus. Aber Esmond wollte nichts davon hören. Er hatte ein gutes Herz, unser Mr. Esmond. Die wußten alle, daß sie mit ihren Sorgen zu ihm kommen konnten. Ich weiß, Sie waren manchmal ein bißchen ungehalten über ihn.«
»Ja«, murmelte ich.
»Nun … ich glaube, alle erwarten, daß sich etwas ändert. Bei Oma Bell muß das Hüttendach repariert werden. Wenn wir es nicht abdichten, regnet's bald bei ihr rein. Sie wollte Esmond darum bitten, aber just an dem Tag, an dem ich's ihm sagen wollte, ist er krank geworden. Deshalb ist bis jetzt nichts gemacht worden. Möchten Sie sich das Dach mal anschauen?«
»Nein«, sagte ich, »erledigen Sie das.«
»Es wäre wirklich ratsam. Aber um auf die Cringles zurückzukommen …« Ich blickte mich um. Ich sah Weizenfelder und in der Ferne weidende Schafe. In einem Tal lag ein Bauernhaus. »Sie kümmern sich nicht genug um den Hof. Saul war da anders. Er war einer unserer besten Arbeiter. Es ist ein Jammer. Niemand hat die Sache richtig durchschaut.«
»Nein«, bestätigte ich vage.
»Nun, das ist alles längst vorbei. Ein Jahr oder noch länger … höchste Zeit, daß es vergessen wird. Wenn jemand sich das Leben nimmt … der wird schon seine Gründe haben; und ich sage immer, man soll sein eigenes Leben leben, und es steht uns nicht zu, über andere zu richten. Möchten Sie bei den Cringles hereinschauen?«
Ich zögerte. Dann stimmte ich zu: »Ja, ich denke doch.«
Wir schlugen eine andere Richtung ein und ritten zwischen Roggen- und Weizenfeldern zu dem Bauernhaus hinüber.
Wir stiegen ab, und Jeff Carleton band unsere Pferde fest. Dann führte er mich über einen Hof, wo Hühner im Sand scharrten. Jeff Carleton stieß eine angelehnte Tür auf.

»Ist jemand zu Hause?« rief er.
»Ach, du bist es«, ertönte eine mürrische Stimme. »Du kannst reinkommen.«
Wir traten in eine Küche mit Steinboden. Es war heiß. Im Herd wurde irgend etwas gebacken. Am Tisch stand eine Frau. Sie hatte die Hände in einer Schüssel und knetete Teig. In der Ecke beim Kamin saß ein alter Mann.
»Tag, Moses«, grüßte Jeff Carleton. »Tag, Mrs. Cringle. Miss Susannah ist hier.«
Die Frau machte widerwillig einen Knicks. Der alte Mann brummte.
»Wie geht's?« fragte ich freundlich.
»Wie immer«, sagte Moses mürrisch. »Bei uns herrscht Trauer im Haus.«
»Ich weiß«, erwiderte ich. »Es tut mir leid. Aber wie steht es mit dem Hof?«
»Jacob schuftet wie ein Sklave«, schnaubte der alte Mann. »Morgens, mittags, abends, wie ein Sklave.«
»Und die Kinder gehen ihm zur Hand«, fügte die Frau hinzu.
»Trotzdem läuft nicht alles so, wie es sollte«, bemerkte Jeff Carleton.
»Saul fehlt uns eben«, brummte der alte Mann verdrießlich.
»Ich weiß«, sagte ich.
»Die Kinder wachsen schnell heran«, meinte Jeff begütigend. »Ich hab' mir überlegt, ob es nicht ratsam wäre, die drei Morgen bei Gravel nächstes Jahr brachliegen zu lassen. Das Land hat in den letzten zwei Jahren keinen guten Ertrag abgeworfen.«
»Alles wegen Saul«, warf Moses ein.
»Nun«, erwiderte Jeff bedachtsam, »Saul hätte da auch nicht mehr rausholen können. Das Feld sollte wirklich ein Jahr brachliegen.«
»Ich werd's Jacob ausrichten«, sagte die Frau.

»Tun Sie das, Mrs. Cringle, und wenn er meinen Rat braucht, ich bin jederzeit erreichbar. So, wir müssen jetzt weiter.«
»Das war aber kein freundlicher Empfang«, bemerkte ich, als wir draußen waren und Jeff die Pferde losband.
»Haben Sie von den Cringles etwas anderes erwartet? Die Sache mit Saul läßt sie nicht los. Es ist furchtbar, wenn ein Mensch sich das Leben nimmt. Sie betrachten es als eine Schande für die Familie. Er ist an der Weggabelung begraben. Der Pfarrer wollte ihn nicht in geweihter Erde beisetzen. Das geht Leuten wie den Cringles natürlich an die Nieren.«
»Das kann ich mir denken.«
Es drängte mich, das Bauernhaus so schnell wie möglich hinter mir zu lassen.
Wir waren auf die Straße geritten und kamen an einem Waldstück vorüber, als etwas an meinem Kopf vorbeischwirrte und, mich um wenige Zentimeter verfehlend, auf die Straße polterte.
»Was war das?« fragte ich erschrocken.
Jeff Carleton sprang vom Pferd und bückte sich. Er hielt einen Stein in die Höhe. »Spielende Kinder, schätze ich.«
»Ein gefährliches Spiel«, gab ich zurück. »Wenn der mich getroffen hätte ... oder Sie ... das hätte eine böse Verletzung geben können.«
Er rief: »Wer hat den Stein geworfen?«
Keine Antwort.
Jeff sah mich achselzuckend an und warf den Stein auf die Straße. Dann flitzte er zwischen die Bäume und rief: »Wer ist da?«
Ich war sicher, daß ich jemanden durch das Farnkraut laufen hörte. Jeff kam zurück, und stieg auf sein Pferd. »Niemand da«, sagte er. »Wollen wir weiter?«
Ich nickte.
Wir ritten über die Güter, und ich lernte noch einige Höfe und ihre Pächter kennen. Ich überstand es, ohne ernsthafte Schnit-

zer gemacht zu haben, nur der Stein gab mir zu denken. Ich hatte das sichere Gefühl, daß ihn jemand von der mysteriösen Familie Cringle nach mir geworfen hatte.

Als ich zurückkam, begegnete mir Janet in der Halle. Ich wurde den Gedanken nicht los, daß sie mich ständig beobachtete. Offensichtlich schien sie erleichtert, mich zu sehen.
»Nun, Sie hatten gewiß einen schönen Vormittag, Miss«, sagte sie.
»Ja danke, Janet.«
»Ich möchte mit Ihnen sprechen. Es geht um Mr. Esmonds Zimmer. Natürlich haben Sie zu bestimmen, was getan werden soll, aber ich dachte, wenn Sie ohnehin beabsichtigen, sich das Zimmer vorzunehmen ... zum Beispiel die Papiere auf seinem Schreibtisch ... Irgendwann muß es ja mal gemacht werden, und Mrs. Emerald bringt es nicht übers Herz ... und sie hat ja auch so schlechte Augen. Ich dachte, wenn Sie es ohnehin vorhaben ... dann sollten Sie's vielleicht bald tun.«
»Danke«, sagte ich. »Ich werde mir seine Sachen demnächst ansehen.«
Eine heimliche Erregung befiel mich. Wer weiß, vielleicht konnte ich aus den Unterlagen in Esmonds Schreibtisch einiges über das Gut in Erfahrung bringen. Ja, das war eine fabelhafte Idee. Die Papiere konnten für mich von unschätzbarem Wert sein und mir alle für meine Rolle entscheidenden Auskünfte verschaffen.
Ich wusch mich rasch und aß mit Emerald zu Mittag. Mit ihr hatte ich es leicht, und ihre Gesellschaft war für mich ausgesprochen erholsam. Ihre zunehmende Erblindung kam mir sehr gelegen – das war zwar herzlos gedacht, dennoch mußte ich mir eingestehen, daß es mir das Zusammensein mit ihr erleichterte; darüber hinaus war es ein Segen, daß Emerald fast ausschließlich mit sich selbst beschäftigt war. Sie erkundigte sich, wie ich den Vormittag verbracht habe, und ich erzählte ihr, daß ich mit

Jeff Carleton über die Güter geritten sei. »Du machst dich ja gleich richtig an die Arbeit«, sagte sie. »Du hast Esmond ja ständig gedrängt, er möge mehr Interesse an den Tag legen. Ich habe immer gesagt, du bist mehr in das Schloß verliebt als in Esmond.«
»Aber Tante Emerald«, widersprach ich, »wie kannst du nur so etwas sagen. Allerdings, das Schloß habe ich immer geliebt.«
»Das brauchst du mir nicht zu erzählen ... Du bist also mit Jeff über die Güter geritten. Ein Glück für dich, daß du dich ungehindert bewegen kannst. Ich wollte, ich könnte ...«
Damit waren wir bei ihrem Lieblingsthema, und ich war für den Rest der Mahlzeit gerettet.
Ich beschloß, Janets Vorschlag so bald wie möglich in die Tat umzusetzen, und als Emerald sich zur Mittagsruhe zurückgezogen hatte und Stille im Haus herrschte, begab ich mich in Esmonds Zimmer. Sorgsam schloß ich die Tür hinter mir und sah mich um. Es war ein ganz gewöhnliches Zimmer – soweit man das von einem Raum in Schloß Mateland überhaupt sagen konnte. Allein schon durch das Bogenfenster und die steinerne, in die Wand eingelassene Sitzbank darunter unterschied es sich von den Zimmern, die ich bis dahin gekannt hatte; die Einrichtung aber war von herkömmlicher Art. Ein Sofa, zwei Sessel, ein Stuhl, ein kleiner Tisch mit einer Öllampe und der Sekretär in der Ecke. Das Zimmer verriet nichts von Esmonds Persönlichkeit.
Ich ging geradewegs zu dem Sekretär, wo sich die von Janet erwähnten Unterlagen befinden mußten.
In einer Schublade fand ich mehrere Notizbücher. Ich nahm eines heraus und schlug es auf. Es enthielt ein säuberlich eingetragenes Namensverzeichnis. Seite um Seite blätterte ich um und entdeckte viele Informationen über die Leute hier; ich erkannte sogleich, daß es sich um Leute handelte, die auf den Matelandschen Gütern lebten.
Diese Eintragungen konnten mir sehr nützlich sein. Wenn ich

das Heft sorgfältig durcharbeitete, konnte ich einiges über die Menschen, die auf dem Besitz lebten, erfahren.
Am liebten hätte ich lauf herausgerufen: »Danke, Janet, für den Hinweis.«
»Emma Bell«, las ich oben auf der Liste. Ich schlug die Seite auf, die im Verzeichnis angegeben war. »Um die siebzig. Bewohnt die Hütte, seit sie vor fünfzig Jahren heiratete. Ist jetzt allein. Lebt von dem, was sie als Näherin verdient.«
Das war also die Emma Bell, deren Dach dringend repariert werden mußte.
»Tom Camber. Achtzig. Kam mit zwölf Jahren nach Mateland. Behält Hütte bis zu seinem Tod. Danach bekommt sie eventuell Tom Gelder, wenn er das Hausmädchen Jessie Gill heiratet.«
Das war ja wunderbar. Ich konnte aus diesem Heft alles über die Leute erfahren, bevor ich sie kennenlernte. Damit konnte ich meine Position erheblich festigen.
Ich las mit wachsender Genugtuung weiter und beschloß, das Heft mitzunehmen, um es gründlich zu studieren. Ich fühlte mich unendlich beschwingt bei dem Gedanken, über die Güter zu reiten, dabei vielleicht Tom Gelder zu begegnen und ihm sagen zu können, daß er die Hütte bekommen würde, sobald sie leer stünde.
Die Menschen wurden vor meinen Augen richtig lebendig, und ich hatte nur den einen Wunsch, sie glücklich zu machen, so daß sie sich freuten, daß ich nun die Schloßherrin war. Das würde mein Gewissen beträchtlich erleichtern, und während ich die Aufzeichnungen las und mir überlegte, was ich für die Leute tun könnte, wich ein Teil meines überwältigenden Schuldgefühls von mir.
Noch war ich ganz in das Buch vertieft, als ich hörte, wie die Tür aufging. Ich fuhr erschrocken auf und fühlte, wie mir die Röte ins Gesicht schoß.
Janet stand in der Tür.
»Ah, ich dachte, ich hätte hier jemanden gehört«, sagte sie.

»Aber ich war mir nicht sicher. Sie sichten also die Papiere, wie ich's Ihnen geraten habe.« Sie blickte mich scharf an, und ich hatte das ungute Gefühl, daß sie mir mißtraute.
»Ich habe Ihren Rat befolgt«, gestand ich.
»O ja, einige von den Papieren müssen unbedingt durchgesehen werden«, erwiderte Janet. »Ich bin froh, daß Sie es tun. Wir möchten nicht, daß Mrs. Emerald sie sich vornimmt und sich dabei mit Sicherheit aufregt.«
»Hier müssen sich doch auch Unterlagen über die Güter befinden.«
»Das ist anzunehmen. Vielleicht im Sekretär.«
»Der Sekretär ist abgeschlossen.«
»Da muß doch irgendwo ein Schlüssel sein. Wo hat Mr. Esmond den nur aufbewahrt?«
Sie musterte mich mit einem merkwürdigen Ausdruck – halb belustigt, halb empört. Mir wurde Janet immer rätselhafter.
Sie schnippte mit den Fingern und fuhr fort: »Ich glaube, hier in dieser Vase. Richtig. Ich hab' ihn mal beim Staubwischen gefunden. Ich dachte, hier drin mach' ich lieber selber sauber. Sie wissen ja, wie die Dienstmädchen sind, wenn's um die Sachen von Verstorbenen geht. Sobald jemand stirbt, glauben sie, er verwandelt sich in einen Poltergeist – dabei war Mr. Esmond die Güte selbst, zu keinem hat er ein ungutes Wort gesagt. Ah, da ist er ja. In dieser Vase. Probieren Sie mal, der müßte passen.«
»Und Sie meinen, es ist nichts Schlimmes dabei?«
»Wie bitte?«
»Ich meine ... persönliche Papiere durchzusehen.«
Ihr Blick ließ mein Gesicht nicht los, und ihr Mund kräuselte sich zu einem Lächeln. Einen angstvollen Moment lang dachte ich: Sie weiß Bescheid, sie macht sich über mich lustig. Dieses Lächeln bedeutet, daß sie es lachhaft findet, daß ich, die ich diesen großen Schwindel begehe, überhaupt noch zu Skrupeln fähig bin.

Doch ihr Gesicht nahm augenblicklich wieder seinen üblichen gleichmütigen Ausdruck an.
»Je nun, irgendwer muß es ja mal tun. Sie sind doch sozusagen an seine Stelle gerückt, nicht wahr?«
»Ja, so kann man's sehen.«
Ich nahm den Schlüssel entgegen.
»Also, Miss«, sagte sie, »dann will ich Sie mal allein lassen.«
»Danke, Janet.«
»Wenn Sie fertig sind, schließen Sie den Sekretär am besten wieder ab und legen den Schlüssel in die Vase zurück.«
»Ist gut.«
Die Tür schloß sich hinter ihr. Janet war mir wirklich eine große Hilfe, und doch war mir irgendwie bange vor ihr. Sie tauchte immer so unvermittelt auf, und ich hatte den Eindruck, daß sie etwas wußte.
Vielleicht rührte dieses Gefühl aber auch nur von meinem schlechten Gewissen her.
Ich schloß den Sekretär auf. Alle Papiere waren säuberlich in kleine Fächer gestapelt. Ich sichtete quittierte Rechnungen, verschiedene Aufstellungen von den Erträgen der einzelnen Pachthöfe und ein Verzeichnis der Reparaturen, die am Schloß vorgenommen worden waren.
All dies waren Dinge, über die ich Bescheid wissen mußte. Als ich ein Bündel Rechnungen zurücklegte, stieß meine Hand an einen Stapel kleiner, ledergebundener Bücher. Ich nahm sie heraus. Sie waren mit rotem Zwirn zusammengehalten. Es waren Notizkalender, nach Jahren geordnet. Den obersten blätterte ich kurz durch. Er war vom letzten Jahr, und die Eintragungen brachen im November ab. Ich wußte, warum. Im November war Esmond gestorben.
Dies waren Esmonds Tagebücher, und wenn ich sie las, würde ich etwas über sein Leben erfahren.
Ich saß da und hielt die Bücher in meinen Händen. Mir war, als sei ich im Begriff, eine Grabschändung zu begehen. Mein bes-

seres Ich wollte mich vor meinem Tun zurückhalten. Daß dieses Ich überhaupt noch existierte, mochte zwar verwunderlich sein, aber es war wahrhaftig noch vorhanden.
Der Trieb zum Überleben war jedoch stärker; ich erkannte, daß dies ein ergiebiger Tag werden konnte. Ein Glück, daß ich in der Lage war, mich schon so bald in diesem Zimmer umzusehen, und das hatte ich Janet zu verdanken. Was ich hier erfahren konnte, war für mich von allergrößtem Wert.
Ich nahm mir das unterste Tagebuch vor. Die Eintragungen waren kurz. Zum Beispiel: »Tantalus hat heute morgen ein Hufeisen verloren. Zu Jolly gebracht. Gewartet, während er sie beschlug. Erzählte von seiner Tochter, die in diesem Jahr heiratet. Zur Verabredung mit S. zu spät gekommen. Sie war wütend. Hat den ganzen Tag nicht mit mir gesprochen.«
Ich blätterte die Seiten flüchtig durch. »Mit S. nach Bray Woods. Schöner Tag. S. gutgelaunt, ich auch. Mit Jeff draußen gewesen. Jeff will mich unbedingt für die Geschäfte interessieren. War ganz vergnüglich.«
Dann nahm ich eines der neueren Bücher. Es enthielt eine Menge über Susannah, und der Stil der Eintragungen hatte sich etwas geändert. Sie waren gefühlvoller und bestanden nicht mehr ausschließlich aus kurzen Angaben von Tatsachen; ich las zwischen den Zeilen, daß dies an Susannah lag.
Jetzt griff ich nach dem Buch, das die Aufzeichnungen aus der Zeit kurz vor Susannahs Reise nach Australien enthalten mußte. Ich hoffte, hier mehr über die jüngeren Ereignisse zu finden, denn ich mußte soviel wie möglich über Susannah erfahren.
»S. macht mich ganz verwirrt: Ich werde überhaupt nicht klug aus ihr. Manchmal ist sie zauberhaft. Dann wieder glaube ich, es macht ihr Spaß, mir weh zu tun. Wie dem auch sei, es ist nicht zu ändern. Heute morgen war sie abscheulich. Hat die ganze Zeit gestritten. Sie war unverschämt zu dem armen Saul Cringle. Er hat ein ganz unglückliches Gesicht gemacht. Als ich ihr vorhielt, daß sie mit ihren Äußerungen die Gefühle der Leute

verletzt und deren Stolz und Selbstachtung vernichtet, hat sie mich ausgelacht. Sie meinte, ich sei zu weichherzig und verstünde nicht, mit dem Schloß umzugehen. Sie sagte: ›Ich muß dich wohl heiraten, oder die ganze Chose geht zugrunde.‹ Da konnte ich mich nicht mehr zurückhalten. Ich fragte sie: ›Ist das dein Ernst, Susannah?‹, und sie sagte: ›Natürlich ist es mein Ernst.‹ Dann nahm sie mein Gesicht in ihre Hände und küßte mich auf eine sonderbare Art. Ich war ganz benommen.«

In diesem Tagebuch ging es nur noch um Susannah. Kein Zweifel, sie hatte Esmond vollkommen in ihren Bann gezogen. Sie hatten sich verlobt. Er wollte sie auf der Stelle heiraten, aber sie hatte ihre Schulausbildung noch nicht beendet.

Langsam nahm die Geschichte Gestalt an. Ich konnte mir Susannah vorstellen mit ihrer Arroganz, die dem sicheren Bewußtsein entsprang, daß sie eine ungeheure Anziehungskraft besaß. Sie hatte etwas Unwiderstehliches. Sie konnte grausam sein, doch ihre Grausamkeit wurde ihr verziehen. Ich glaube, sie verfügte über eine außerordentliche körperliche Anziehungskraft.

Ich legte das Buch auf den Schreibtisch, als mich die Erkenntnis traf, was für eine Dummheit ich begangen hatte. Wie hatte ich nur annehmen können, daß ich wie Susannah werden könnte!

Aber dann griff ich erneut danach.

»Gestern ist Garth angekommen. Er bleibt eine Zeitlang hier. Wir drei sind zusammen ausgeritten. S. hat eine Abneigung gegen Garth. Schade, er gibt sich solche Mühe. ›Er ist aufdringlich‹, sagt sie. Sie war sehr grob zu ihm und gab ihm zu verstehen, er sei ja nur der Sohn einer Gesellschafterin, eines besseren Dienstmädchens. Elizabeth wäre wütend gewesen.«

»Heute ausgeritten. Bei den Cringles vorbeigekommen. Saul Cringle war mit einer Sichel beim Heckenschneiden. Wir haben angehalten. S. meinte, ein paar Zäune müßten repariert werden. Saul wurde ganz rot im Gesicht. Er sah aus wie ein Schuljunge, der sich vor den Hausaufgaben gedrückt hat. Und gerade weil er so groß ist – er mißt gewiß mehr als 1,90 m –, tat er mir erst recht leid. Er stammelte Entschuldigungen. Susannah sagte mit einer Stimme, die ich an ihr überhaupt nicht leiden kann, weil sie die Leute ängstigt, die darauf angewiesen sind, beim Schloß ihren Lebensunterhalt zu verdienen: ›Wenn ich Sie wäre, Saul Cringle, so würde ich mich um die Zäune kümmern.‹ Die Sichel entglitt ihm, und er hat sich ziemlich böse geschnitten. Augenblicklich war Susannah wie ausgewechselt. Sie sprang vom Pferd, warf mir die Zügel zu und lief zu ihm, um festzustellen, wie schlimm die Verletzung war. Sie schob Saul in die Hütte und hat ihn eigenhändig verbunden. Ich sah diese Veränderung mit Freuden. Aber so ist Susannah eben. Als wir fortritten, sagte sie: ›Es war nichts. Bloß ein kleiner Schnitt. Er hat es schlimmer gemacht, als es war. Er wollte, daß ich Mitleid mit ihm hatte.‹ ›Ach, das glaube ich nicht‹, erwiderte ich. Darauf warf sie mir vor, ich sei wieder einmal zu weichherzig und ich würde sie brauchen, um den Besitz zu verwalten. Sie wüßte, wie man mit Leuten wie Saul Cringle umgehen müsse. Dann brach sie in lautes Lachen aus. Nein, ich werde nicht klug aus Susannah.«

»Mir scheint, sie will Saul Cringle schikanieren. An allem auf dem Hof findet sie etwas auszusetzen. Sie benimmt sich sehr merkwürdig. Eines Abends sah ich sie spät nach Hause kommen. Es regnete, und sie war völlig durchnäßt. Ich ging ihr entgegen, und da wurde sie wütend. ›Hör zu, Esmond Mateland‹, sagte sie, ›wenn du mir nachspionieren willst, heirate ich dich bestimmt nicht. Ich heirate keinen Mann, der mich bespitzelt.‹«

»Den ganzen Tag hat Susannah kaum ein Wort mit mir gesprochen. Gestern abend kam sie zu mir ins Zimmer. Sie hatte einen Morgenmantel an und sonst nichts. Sie zog ihn aus und kroch in mein Bett. Sie lachte und lachte. Sie sagte: ›Wenn du mich heiraten willst, mußt du dich daran gewöhnen.‹ Ach, Susannah …«

Ich konnte fast nicht mehr weiterlesen. Er ist tot, sagte ich mir

immer wieder. Ich schnüffle in Dingen herum, die nur ihn allein etwas angehen.
Es überraschte mich nicht, daß Susannah so in sein Zimmer gekommen war. Ihre Sinnlichkeit war der wesentliche Kern ihrer Anziehungskraft. Verheißung hatte in den Blicken gelegen, die sie denen zuwarf, die sie zu umgarnen trachtete, und ich war überzeugt, daß sie nicht gezögert hätte, diese Verheißung wahrzumachen, wenn ihr danach zumute war.
Ich fragte mich, was wohl zwischen ihr und Philip vorgegangen war, wo sie doch fest entschlossen war, Esmond zu heiraten.
Eigentlich mochte ich nicht mehr weiterlesen. Und doch wurde ich dazu getrieben. Wenn ich meine Rolle perfekt spielen wollte, so mußte ich genau wissen, wie Susannah gewesen war. Ihr Einfluß auf Esmond lehrte mich eine ganze Menge; außerdem hatte ich erlebt, wie sie mit Philip umgegangen war.
Wie konnte ich nur jemals annehmen, daß ich Susannah werden könnte!
Ich packte die Geschäftspapiere und die Tagebücher zusammen. Ich mußte sie mit in mein Zimmer nehmen, um sie gründlich zu studieren.
Sorgfältig schloß ich den Sekretär ab, legte den Schlüssel in die Vase zurück und machte die Tür von Esmonds Zimmer leise hinter mir zu.

Am Abend las ich im Bett die geschäftlichen Unterlagen durch. Ich war überzeugt, daß ich nun in der Lage war, auf einem Rundritt über die Güter mit den Leuten zu reden, als seien sie alte Bekannte. Neues Selbstvertrauen erfüllte mich. Ich erprobte meine neuerworbenen Kenntnisse in einer Unterhaltung mit Emerald, und es klappte sehr gut. Freilich, mit ihr war es einfach; sie kümmerte sich kaum um die Leute, außer daß sie ihnen zu Weihnachten Kohlen und Decken, zu Ostern knusprige süße Brötchen (ein drolliger Brauch, den eine wohlmeinende Witwe vor mehr als hundert Jahren auf Mateland eingeführt

hatte) und zu Michaelis eine Gans zukommen ließ. Emerald besorgte diesen Liebesdienst jedoch nicht selbst, sondern ordnete an, daß die Gaben verteilt wurden. Ich nahm an, daß dies von nun an meine Aufgabe sein werde.
In den Plaudereien mit Janet brachte ich meine Kenntnisse an, wobei sie zustimmend mit dem Kopf nickte und ich mir wie ein Kind vorkam, das seine Lektionen gut gelernt hat.
Die nächsten Tage verliefen reibungslos, und ich ritt jeden Morgen über den Besitz. Ich suchte einige Leute auf und vertraute dabei auf mein neuerworbenes Wissen. Die alte Mrs. Bell staubte extra einen Stuhl für mich ab, als ich bei ihr eintrat, und klagte über das Dach.
»Es ist alles in die Wege geleitet, Mrs. Bell«, konnte ich ihr berichten. »Der Dachdecker wird in Kürze an die Arbeit gehen.«
»Ach, Miss Susannah«, rief sie aus, »da bin ich aber froh. Es ist wahrhaftig kein angenehmes Gefühl, wenn man im Bett liegt und nicht weiß, ob's bald auf einen draufregnet oder nicht.«
Ich beruhigte sie, daß es nicht so weit kommen werde, nur müsse sie mich oder Mr. Carleton immer verständigen, wenn etwas zu erledigen sei.
»Gott segne Sie, Miss Susannah«, sagte sie.
»Wir lassen Sie nicht im Stich, Mrs. Bell«, versicherte ich ihr.
»Das tut wohl. Sie sind anders geworden, Miss Susannah; nehmen Sie's mir nicht übel, wenn ich das so rundheraus sage ... irgendwie gütiger. Mr. Esmond war so ein gütiger Herr; hat alles versprochen, wenn er's auch nicht immer eingelöst hat ... Sie wissen schon, was ich meine. Gottlob wird nun alles anders ...«
»Ich werde mein Bestes tun, um jedermann zufriedenzustellen«, versprach ich. »Es ist ein Jammer, wenn die Leute sich in einer so hübschen Umgebung nicht wohl fühlen.«
»Oh, es ist wirklich schön hier, Miss. Das habe ich gleich zu Bell gesagt, als wir hierherkamen ... fünfzig Jahre sind seitdem vergangen, Miss.«
Nach meiner Bemerkung, Mrs. Bell werde noch weitere fünfzig

Jahre in ihrer Hütte verbringen, mußte sie lachen. »Sie waren schon immer 'ne ulkige Pflanze, aber nehmen Sie's mir nicht übel – seit Sie zurück sind, sind Sie 'ne nettere ulkige Pflanze.« In gehobener Stimmung verließ ich sie. Ich war jedenfalls besser gelitten als Susannah.
Anschließend besuchte ich die Thorns, eine bettlägerige Frau mit ihrer Tochter Emily, einem mageren, knochigen, mäuschenhaften Geschöpf Ende Vierzig, mit flinken Bewegungen, ergrauendem Haar und kleinen, dunklen, erschreckten Augen, die ängstlich hin und her huschten, als wittere es Gefahr. Ihre Verhältnisse waren mir aus Esmonds Aufzeichnungen bekannt. Emily hatte als Zofe eine gute Stellung gehabt, bis ihr Vater starb und sie nach Hause kommen mußte, um ihre vom Rheumatismus verkrüppelte Mutter zu pflegen. Sie verdiente ihren Lebensunterhalt durch Stickereien und die Fertigung von Kleidern für ein Geschäft in Mateland. Das war praktischer für sie, weil sie da die Arbeit mit nach Hause nehmen konnte. Die arme Miss Thorn tat mir von Herzen leid.
Sie war sehr nervös und sah mich an, als sei ich ein Unglücksbote.
»Ich besichtige gerade die Güter, Miss Thorn«, sagte ich, »und möchte mich erkundigen, wie es allen ergeht.«
Sie nickte und fuhr sich mehrmals mit der Zunge über die Lippen. Sie war total verängstigt, und ich hätte gern gewußt, warum. Ohne sie allzu auffällig auszufragen, mußte ich versuchen, dahinterzukommen. Arme Miss Thorn – sie war wirklich eine verschreckte Maus.
Während ich mit ihr redete, ertönte ein Klopfen an der Zimmerdecke. Ich blickte erschrocken auf.
»Das ist meine Mutter«, erklärte sie. »Sie wünscht irgendwas. Würden Sie mich einen Moment entschuldigen, Miss Susannah? Ich sage ihr, daß Sie da sind.«
Ich blieb sitzen und sah mich in dem kleinen Zimmer mit der offenen Feuerstelle um. Auf der abgeschabten, aber sauberen

Tischdecke lag etwas in Seidenpapier eingewickelt, vermutlich eine Handarbeit. Von oben vernahm ich das eintönige Jammern einer Stimme.

Fünf Minuten später erschien Miss Thorn wieder. »Tut mir leid«, sagte sie. »Ich habe meiner Mutter erklärt, daß Sie hier sind.«

»Kann ich zu ihr?«

»Gern, wenn Sie möchten ...«

Das hätte ich nicht sagen sollen. Im gleichen Moment wußte ich, daß Susannah ein solches Ansinnen niemals gestellt hätte. Miss Thorns verwunderte Miene bestätigte meine Vermutung. Sie stand auf, und ich folgte ihr die Stiege hinauf. Die Hütten waren alle mehr oder weniger gleich. Unten befanden sich zwei Räume mit einer Stiege, die vom Hinterzimmer zu den beiden oberen Kammern führte.

Hier lag Mrs. Thorn, die genau die gleichen Gesichtszüge wie ihre Tochter hatte, aber damit war es mit der Ähnlichkeit auch schon zu Ende. Ich erkannte auf Anhieb, daß Mrs. Thorn eine recht eigensinnige Person war. Daher also die eingeschüchterte Miene ihrer Tochter. Es war leicht auszumachen, daß Mrs. Thorn das Zepter fest in der Hand hatte.

Sie starrte mich an, und einen Moment lang dachte ich, sie werde mich entlarven.

»Wie nett von Ihnen, daß Sie sich die Mühe machen, Miss Susannah«, sagte sie. »Das hatte ich nicht erwartet. Es ist das erste Mal, daß jemand vom Schloß mich besuchen kommt.« Sie stieß ein verächtliches Schnauben aus. »Bin ja zu nichts mehr nütze, so vom Rheumatismus verkrüppelt. Seit Jack Thorn von mir gegangen ist, hab' ich eigentlich gar kein Recht mehr, hierzusein.«

»Aber, Mrs. Thorn, das dürfen Sie nicht sagen. Es ist Miss Thorn gewiß nicht recht, daß Sie so denken.«

»Ach die ...« Mrs. Thorn warf ihrer Tochter einen finsteren Blick zu. »Hat ihre Stellung aufgegeben, um sich um ihre alte

Mutter zu kümmern, na ja. Das dürfen wir wohl nicht so schnell vergessen.«

»Sie hält die Hütte gut in Schuß«, lobte ich, da ich das Gefühl hatte, die kleine, mäuschenhafte Tochter vor ihrer grimmigen, wenn auch verkrüppelten Mutter beschützen zu müssen.

»'ne Zierpuppe ist sie ... 'ne richtige Zierpuppe ... hat in Herrschaftshäusern gelebt, jawohl ... hochwohlgeborenen Damen hat sie gedient.«

Mein Mitleid mit der Maus wuchs von Minute zu Minute.

»Es steht schlimm um mich, Miss Susannah. Hier liege ich tagein, tagaus. Keinen Muskel kann ich rühren, ohne daß es weh tut. Ich komme nie raus. Ich weiß nicht, was sich tut. Mr. Esmond war schon eine Woche tot, als ich davon hörte. Und das ganze Gerede über seine erste Krankheit, und was Saul Cringle sich angetan hat ... davon hab' ich auch nichts mitgekriegt. Da kommt man sich richtig eingeschlossen vor ... Sie verstehen.«

Ich versicherte ihr, daß mir das alles sehr leid täte, aber ich sei gekommen, um zu sehen, ob die Hütten alle in Ordnung seien.

»Hier ist alles in Ordnung«, warf Miss Thorn hastig ein. »Ich tue, was ich kann ...«

»Das weiß ich«, erwiderte ich. »Alles sieht sehr sauber und adrett aus.«

Miss Thorn fragte ängstlich: »Es heißt, es wird sich einiges ändern, da Sie nun wieder da sind, Miss Susannah.«

»Zum Besseren, hoffe ich«, gab ich zurück.

»Mr. Esmond war ein sehr gütiger Herr.«

»Ja, ich weiß.«

Ich erhob mich und verabschiedete mich von Mrs. Thorn. Miss Thorn geleitete mich die Stiege hinab und blieb mit flehendem Blick an der Tür stehen. »Es ist wirklich für alles gut gesorgt. Ich tue mein Bestes«, wiederholte sie.

Ich hätte gern gewußt, was sie bedrückte, und nahm mir vor, es im Laufe der Zeit zu ergründen.

Ich ritt weiter und stellte fest, daß ich mich in der Nähe der Cringles befand. Der Hof und seine Bewohner hatten es mir angetan. Dieser Saul ging mir nicht aus dem Kopf. Ich konnte mir seinen betrübten Blick vorstellen, als er die Hecke stutzte und von Susannah verhöhnt wurde. Sie hatte eine Abneigung gegen ihn, wollte ihn verspotten, wohl um ihm zu zeigen, daß er dem Schloß sein Auskommen verdankte.
Wieder stieg ich ab und band mein Pferd fest. Ein Junge kam herbeigelaufen. Er blieb stehen und starrte mich an.
»Hallo«, begrüßte ich ihn.
Er machte kehrt und rannte davon.
Während ich den Pfad zum Haus entlangging, überkam es mich: Ich hätte nicht herkommen sollen, war ich doch erst neulich mit Jeff Carleton hiergewesen. Krampfhaft überlegte ich mir einen Vorwand. Ich würde fragen, was Jacob davon hielt, die drei Morgen brachliegen zu lassen.
An der Tür angekommen, klopfte ich an. Der alte Mann saß in seinem Sessel, Mrs. Cringle scheuerte den Tisch, und ein junges Mädchen bündelte Zwiebeln und legte sie auf ein Brett.
»Ah, Miss Susannah, Sie sind's wieder«, sagte die Frau.
Das Mädchen sah mich aus wunderschönen braunen Augen an, aber ihr Blick wirkte gequält.
»Ich bin nur gekommen«, erklärte ich, »um mich zu erkundigen, ob Sie sich wegen des Feldes entschieden haben.«
»Es ist nicht an uns, Entscheidungen zu treffen«, stellte die Frau fest. »Wir hören zu und tun, was man von uns verlangt.«
»Ich möchte aber nicht, daß es so ist«, wandte ich ein. »Sie verstehen doch viel mehr von dem Hof als ich.«
»Jacob sagt, wenn es brachliegt, verlieren wir eine Ernte; und wenn sie auch nicht so gut ist, wie sie sein könnte, so ist es doch immerhin eine Ernte.«
»Da haben Sie recht«, stimmte ich zu. »Ich denke, Jacob und Mr. Carleton sollten sich das gemeinsam überlegen und eine Entscheidung treffen.«

»Biete Miss Susannah einen Schluck von deinem Apfelmost an, Carrie«, sagte der alte Mann.
»Ach, der ist für ihresgleichen bestimmt nicht gut genug.«
»Früher war unsereins gut genug«, bemerkte der alte Mann bitter, und ich fragte mich, wie er das meinte. »Hol's schon, Mädchen«, fuhr er das junge Mädchen an, das die Zwiebeln bündelte.
»Geh schon, Leah«, sagte die Frau.
Das Mädchen stand gehorsam auf und ging zu dem Faß, das in der Ecke stand. Ich wollte keinen Apfelmost, doch ich fand es unhöflich, abzulehnen, denn die Leute waren weiß Gott schon genug gereizt. »Sie hat ihn selbst gebraut«, sagte der Mann mit einem Kopfnicken zu der Frau hinüber. »Und es ist ein guter Tropfen. Er wird Ihnen schmecken, Miss Susannah. Das heißt, wenn Sie nicht zu stolz sind, mit unsereins zu trinken.«
»Unsinn!« rief ich. »Warum sollte ich?«
»Man braucht nicht immer einen Grund«, bemerkte der alte Mann. »Beeil dich, Leah.«
Leah drehte den Zapfhahn auf und ließ eine goldgelbe Flüssigkeit in einen Krug laufen. Man reichte mir einen Zinnbecher. Ich kostete. Es schmeckte mir nicht besonders, aber ich mußte trinken, wenn ich die Cringles nicht beleidigen wollte – und sie schienen schon genug gekränkt worden zu sein –, also setzte ich den Zinnbecher an die Lippen und trank. Das Zeug hatte es in sich. Alle beobachteten mich gespannt.
»Ich seh' Sie noch als kleines Mädchen«, sprach der alte Mann mich an. »Das ist Jahre her ... damals lebte Ihr Onkel noch, und Ihr Vater war noch hier ... das war, bevor er sich aus dem Staub machte, nachdem er seinen Bruder umgebracht hatte.«
Ich schwieg. Mir war sehr unbehaglich zumute. Ich spürte den Haß des Mannes und der Frau. Das Mädchen allerdings schien ihren eigenen Gedanken nachzuhängen. Sie war ein zierliches, hübsches Geschöpf, und ihre flehenden, wachsamen großen

Rehaugen erinnerten mich an die stets Gefahr witternde Miss Thorn.

Instinktiv ahnte ich, daß das Mädchen schwanger war – ich erkannte es weniger an der noch kaum sichtbaren Wölbung unterhalb ihrer Taille als an ihrem Gesichtsausdruck. Ich hätte schwören mögen, daß ich recht hatte.

Ich fragte: »Wohnen Sie mit Ihrem Mann hier?«

Auf die Wirkung meiner Worte war ich nicht gefaßt. Das Mädchen wurde puterrot und starrte mich an, als sei ich eine Hexe, die dank übernatürlicher Kräfte ihre Gedanken las.

»Unsere Leah ... mit einem Mann! Sie hat keinen Mann!«

»Nein ... ich ... ich bin nicht verheiratet.« Es hörte sich an, als sei das eine ungeheure Katastrophe.

In diesem Augenblick gewahrte ich einen Schatten am Fenster. Ich drehte mich heftig um. Ich sah etwas Dunkles vorbeiflitzen, und schon war, wer immer hereingespäht hatte, verschwunden.

Mein Unbehagen wuchs. Jemand hatte am Fenster gestanden und mich beobachtet. Ein scheußliches Gefühl.

»Da war jemand«, sagte ich.

Die Frau schüttelte den Kopf. »Eine Krähe ist am Fenster vorbeigeflogen.«

Zwar glaubte ich nicht, daß es eine Krähe war, aber ich sagte nichts.

»Nein«, fuhr die Frau fort, »unsere Leah ist nicht verheiratet. Sie ist erst sechzehn. Sie muß noch ein Jährchen oder so warten, und wenn sie heiratet, bleibt sie nicht hier wohnen. Soviel gibt der Hof nicht her. Sie meinen ja ohnehin schon, daß er nicht genug einbringt.«

»Der Meinung bin ich nicht. Mrs. Cringle.«

»Aber Sie sind doch wegen irgendwas hergekommen, Miss Susannah. Es wäre uns wirklich lieber, wenn Sie's uns rundheraus sagen würden.«

»Ich möchte alle Leute auf den Gütern kennenlernen.«

»Aber Miss Susannah! Sie kennen uns doch schon unser Leben lang! Freilich, Sie waren eine Zeitlang weg, als es Mr. Esmond so schlechtging und er dem Tode nahe war, und als unser Saul …«
»Halt den Mund, Weib«, schnauzte der alte Mann sie an. »Davon will Miss Susannah nichts hören. Das ist bestimmt das letzte, das sie hören will.«
»Ich denke, wir sollten uns lieber der Zukunft zuwenden«, begütigte ich ihn.
Der alte Mann stieß ein heiseres Glucksen aus. »Das ist 'ne feine Art, Miss, wenn man's nicht erträgt, in die Vergangenheit zu gucken.«
Der Apfelmost war wirklich stark, und sie hatten mir einen großen Becher voll gegeben. Konnte ich ihn stehenlassen, ohne unhöflich zu sein? Nein, befand ich, die Leute waren ohnehin schon gereizt genug.
Rasch leerte ich den Becher und erhob mich. Der Apfelmost tat seine Wirkung. Die Küche verschwamm vor meinen Augen. Ich spürte, wie sie mich mit kaum verhohlenem Triumph beobachteten. Das Mädchen allerdings hatte zuviel eigene Probleme, um sich über meine Schwäche zu freuen. Das konnte ich verstehen, falls sie tatsächlich schwanger war. Ich ahnte, was ein uneheliches Kind in einer solchen Familie bedeutete.
Als ich das Pferd losband, kam der Junge, den ich bei meiner Ankunft gesehen hatte, herbeigelaufen.
»Helfen Sie mir, Miss«, bat er. »Meine Katze hat sich in der Scheune verfangen. Ich kann nicht an sie heran. Aber Sie könnten es versuchen. Sie schreit. Helfen Sie mir.«
»Zeig mir den Weg«, sagte ich.
Er strahlte übers ganze Gesicht. »Ich zeig' Ihnen, wo 's langgeht, Miss. Holen Sie mir meine Katze herunter?«
»Wenn ich kann.«
Er machte kehrte und schritt rasch voran. Ich folgte ihm. Wir kamen zu einer Scheune, deren Tor weit offen stand.

»Die Katze ... sie ist da drin ... ganz oben ... und sie kann nicht herunter. Sie könnten sie holen, Miss.«
»Ich will's versuchen«, sagte ich.
»Hier geht's rein, Miss.«
Er trat zur Seite, um mich vorbeizulassen. Kaum war ich drinnen, wurde das Tor hinter mir zugeschlagen, und ich stand plötzlich im Dunkeln. Nach der Helligkeit draußen konnte ich zunächst kaum etwas erkennen.
Ich stieß einen empörten Schrei aus, doch der Junge war verschwunden, und ich hörte nur noch, wie ein Riegel vorgeschoben wurde. Ich war allein.
Ich sah mich um, und plötzlich überlief mich eine Gänsehaut. Oft hatte ich Leute davon reden hören, daß sich ihnen die Haare sträubten, und nun erlebte ich es am eigenen Leibe. Denn dort an einem Balken hing ein Toter. Er baumelte an einem Seil und drehte sich langsam hin und her.
Erschrocken schrie ich auf: »O nein ... nein!« und wollte kehrtmachen und davonlaufen.
Die ersten Sekunden waren grauenhaft. Der Junge hatte mich hier mit einem Toten eingeschlossen ... mit einem Mann, der sich aufgehängt hatte oder erhängt worden war.
Entsetzen packte mich. Es war so finster und unheimlich in der Scheune. Einfach unerträglich. Das hatte der Junge absichtlich getan. Hier war gar keine Katze ... nur eine Leiche an einem Seil.
Ich zitterte am ganzen Leibe. Absichtlich hatte mich der Junge hierhergelockt. Er mußte gewußt haben, daß der Tote hier hing. Warum hatte er das mit mir gemacht?
Panik ergriff mich. Ich wußte nicht, was ich tun sollte. Die Scheune war ein gutes Stück vom Wohnhaus entfernt. Wenn ich rief – würde man mich hören? ... Und wenn, würden die Cringles mir zu Hilfe kommen?
Das wäre das letzte, was sie tun würden. Ich hatte die Wellen des Hasses gespürt, die mir dort in der Küche entgegenschlu-

gen … allerdings nicht von Leah. Die Kleine hatte zuviel mit ihren eigenen Problemen zu tun. Eine entsetzte Ratlosigkeit überfiel mich. Was sollte ich tun? Angenommen, der Mann war gar nicht tot. Ich mußte versuchen, ihn da herunterzuholen, mußte versuchen, ihn zu retten. Doch mein erster Impuls war, wegzulaufen, jemanden zu rufen, Hilfe zu holen. Vergeblich versuchte ich, das Tor aufzustoßen; es war von außen verriegelt. Ich rüttelte und hämmerte, daß die baufällige Scheune in ihren Fugen erzitterte.

Ich mußte feststellen, ob der Mann noch lebte; ich sollte ihn herunterholen.

Allein der Gedanke daran verursachte mir Übelkeit, und ich kam mir so hilflos vor. Ich sehnte mich hinaus in den Sonnenschein, fort von diesem Ort des Grauens.

Wieder blickte ich auf das schauerliche Bild. Jetzt sah ich, daß die Gestalt schlaff und leblos an einem Seil hing.

Voller Entsetzen starrte ich sie an, denn sie hatte sich gedreht und wandte mir eine groteske Fratze zu … das war kein menschliches Gesicht. Es war weiß … weiß wie frischgefallener Schnee, mit einem grinsenden, weit aufgerissenen blutroten Mund.

Das war kein Mann! Das war kein menschliches Wesen, wenn es auch mit den Cordhosen und der Tweedkappe eines Landarbeiters bekleidet war.

Zaghaft trat ich einen Schritt vorwärts, doch alle meine Instinkte sträubten sich dagegen, daß ich mich dem Ding näherte.

Ich hielt es hier keine Sekunde länger aus. Wieder hämmerte ich gegen das Tor und schrie: »Laßt mich raus! Hilfe!«

Verzweifelt kehrte ich dem baumelnden Ding den Rücken zu, hatte ich doch das unheimliche Gefühl, es könnte lebendig werden und das Seil von seinem Hals abstreifen, und dann würde es zu mir kommen und … nicht auszudenken!

Der Apfelmost hatte mich ein wenig benommen gemacht. Das war kein gewöhnlicher Apfelmost gewesen. Die hatten mir absichtlich zuviel von ihrem stärksten Gebräu aufgetischt. Sie haßten mich, diese Cringles. Wer war der Junge, der mich in diese Scheune eingeschlossen hatte? Ein Cringle, davon war ich überzeugt. Ich wußte, daß sie zwei Söhne und eine Tochter hatten.

Wieder hämmerte ich gegen das Tor und schrie unentwegt um Hilfe. Meine Augen schweiften umher. Da hing es ... das grauenhaft grinsende Etwas.

Ich mußte versuchen, mich zu beherrschen. Doch pausenlos fragte ich mich, was das bedeuten konnte. Die Cringles hatten mich erschrecken wollen. Hatten sie deshalb dem Jungen gesagt, er solle mich hierherlocken und einschließen? Aber warum? Wollten sie mich hierbehalten? Vielleicht, um mich umzubringen?

Das war absurd, doch in meiner Furcht hielt ich alles für möglich. Ich mußte hier heraus. Ich hielt es nicht mehr aus in dieser Scheune mit dem entsetzlichen grinsenden Ding, das an einem Seil baumelte und mich anstarrte.

Wieder rief ich und bearbeitete dabei das Tor, bis es unter meinen Schlägen erzitterte. Was erhoffte ich mir davon? Wer würde hier schon vorbeikommen? Wer würde mich hören? Wie lange mußte ich mit dieser Gestalt hier eingesperrt bleiben?

Erschöpft lehnte ich mich gegen das Tor. Ich mußte versuchen, ruhig und vernünftig zu überlegen. Ein ungezogener Junge hatte mich hier eingeschlossen. Aber was sollte dieses baumelnde Gespenst bedeuten? Warum hatte der Junge mich mit der Geschichte von der Katze hierhergelockt? Jungen waren eben von Natur aus ungezogen. Die meisten hatten Vergnügen an schlimmen Streichen. Vielleicht fand der Junge es lustig, mich mit diesem Ding hier einzuschließen. Er war der Junge, den ich bei meiner Ankunft auf der Farm gesehen hatte. Er mußte ein Cringle sein. Nur er konnte die Figur aufgehängt und dann auf mich gewartet haben. Aber warum? Das hatte etwas zu bedeuten, dessen war ich sicher.

Ewig konnte ich nicht hierbleiben. Man würde mich vermissen. Aber wer wußte schon, wo man mich suchen sollte?
Wenn ich dieses Ding näher in Augenschein nähme … Aber ich konnte mich nicht dazu überwinden. Es war so unheimlich, so grauenhaft in dem Halbdunkel. Wie die Puppe eines Bauchredners. Aber die hier hatte etwas besonders Erschreckendes an sich … sie schien lebendig.
Wieder hämmerte ich gegen das Tor. Meine Hände waren wund. Ich rief, so laut ich konnte, um Hilfe.
Angestrengt lauschte ich, und mein Herz tat einen freudigen Sprung, als ich eine Stimme hörte.
»Hallo … was ist passiert? Wer ist da?«
Wieder schlug ich mit aller Kraft gegen das Tor. Die ganze Scheune schien zu wackeln.
Dann vernahm ich Pferdegetrappel und eine Stimme. »Einen Augenblick. Ich komme.« Das Pferd war stehengeblieben. Kurze Zeit war es still. Dann war die Stimme wieder da, näher diesmal. »Einen Augenblick.« Der Riegel wurde zurückgezogen. Ich hörte, wie er quietschend aus der Halterung glitt. Ein Lichtstrahl fiel in die Scheune, und fast wäre ich dem Mann, der hereinkam, in die Arme gesunken. »Guter Gott!« rief er. »Was machst du denn hier, Susannah?«
Wer war das? Ich hatte keine Ahnung. Ich konnte in diesem Augenblick vor lauter Erleichterung über nichts anderes nachdenken.
Er hielt mich einen Moment fest und sagte: »Ich dachte schon, die ganze Scheune bricht zusammen.«
Heiser stammelte ich: »Ein Junge hat mich hier hereingelockt und das Tor verriegelt. Und als ich aufblickte, sah ich – das da.«
Der Mann starrte auf das baumelnde Ding.
Langsam sagte er: »Mein Gott! So ein gemeiner Streich … was für ein dämlicher Scherz.«
»Ich dachte zuerst, es sei ein Mann. Das Gesicht war auf der anderen Seite.«

»Vergessen die denn nie ...« Ich wußte nicht, wovon er sprach, aber mir wurde mit einemmal klar, daß ich vom Regen in die Traufe geraten war.
Der Mann war zu der Gestalt gegangen und untersuchte sie.
»Eine Vogelscheuche«, stellte er fest. »Warum haben sie die bloß so aufgehängt?«
»Der Junge sagte, seine Katze habe sich hier drin verfangen.«
»War es einer von den Cringles?«
Jetzt mußte ich ein Risiko eingehen. Ich entnahm der Frage, daß ich die Cringle-Söhne kennen mußte, und nickte.
»Das geht zu weit. Manch einer hätte einen Herzschlag bekommen. Aber du bist aus härterem Holz geschnitzt, Susannah. Laß uns machen, daß wir hier herauskommen. Hast du dein Pferd in der Nähe?«
»Ja, am Eingang zum Hof.«
»Gut. Wir reiten zurück. Ich bin heute morgen gekommen. Als ich hörte, daß du auf den Gütern unterwegs warst, hab' ich mich gleich auf die Suche nach dir gemacht.«
Wir traten in den Sonnenschein hinaus. Ich zitterte noch immer, aber ich hatte mich so weit von meinem Schrecken erholt, daß ich mir den Mann genauer ansehen konnte. Er war groß und strahlte eine gewisse Autorität aus, die mich beeindruckte. Einst hatte ich sie bei meinem Vater bewundert, und schlagartig wurde mir klar, daß ich sie an Philip vermißt hatte. Der Mann hatte dunkles Haar, und sein durchdringender Blick hätte mir gewiß zu denken gegeben, wenn ich nicht gerade einen solchen Schock erlitten hätte. Als er gewahr wurde, daß ich ihn prüfend musterte, meinte er: »Laß dich anschauen, Susannah. Hast du dich seit deiner Weltumsegelung sehr verändert?«
Ich wich seinem Blick aus und bemühte mich, mir meine Verlegenheit nicht anmerken zu lassen.
»Ein bißchen schon ... jedenfalls scheinen manche Leute das festzustellen«, sagte ich.
Er betrachtete mich eingehend, und ich nahm meinen Hut ab

und schüttelte mein Haar, weil ich mir einbildete, daß ich aufgrund der Ponyfrisur ohne Hut Susannah ähnlicher sah.

»Ja«, stellte er fest, »du bist reifer geworden. Das macht das Reisen. Besonders, wenn man solche Reisen macht wie du.«

»Du meinst, ich bin älter geworden?«

»Das werden wir doch alle, nicht wahr? Es ist fast ein Jahr her ... sogar länger. Ich habe dich ja nicht mehr gesehen, seit du aus der Schule zurückkamst. Wie lange warst du danach eigentlich hier?«

»Ungefähr zwei Monate.«

»Und dann hattest du diese verrückte Idee, nach Australien zu gehen. Du wolltest deinen Vater finden. Und das ist dir gelungen, soviel ich weiß.«

»Ja.«

»Laß uns die Pferde holen und zurückkehren. Meine Güte, du siehst wirklich mitgenommen aus. Diese ekelhafte Vogelscheuche! Das ist doch eine rachsüchtige Bande, diese Cringles. Ich habe sie noch nie leiden können. Warum geben sie dir die Schuld an Sauls Tod? Ich weiß, du bist oft mit ihm aneinandergeraten. Leider standest du auf der falschen Seite. Dieser ganze religiöse Fanatismus. Der alte Moses ist ein selbstgerechter alter Teufel, und wenn er sich noch so sehr für einen Engel hält. Ich glaube, er hat seinen Söhnen in ihrer Jugend das Leben zur Hölle gemacht. Und wohin hat es sie geführt? Saul an einen Strick in der Scheune, und Jacob ... der wird genau wie sein Vater. Ein Narr ist er, wenn er bei diesem Streich seine Hand im Spiel hatte. Er sollte sich lieber vorsehen, nachdem du jetzt hier das Sagen hast. Er muß damit rechnen, den Hof zu verlieren. Alle haben Angst vor den Änderungen, die du vornehmen wirst. Sieh dir nur mal seine Tochter an. Leah heißt sie, glaube ich.«

»Ja, so heißt sie. Ich habe sie heute morgen gesehen.«

»Ich wette, sie hat es sehr schwer. Sie sieht ja völlig verschreckt aus.« Meine Verwirrung wuchs. Saul Cringle hatte sich also in

einer Scheune erhängt! Und deshalb war ich mit dieser vom Dachbalken baumelnden Vogelscheuche eingesperrt worden. Es gab ein Geheimnis in der Familie Cringle, und Susannah war darin verwickelt.
Ich verspürte auf einmal große Angst.
Doch zunächst mußte ich entdecken, wer mein Retter war.
Wir ritten zum Schloß zurück. Er redete die ganze Zeit, und ich bemühte mich verzweifelt, mich nicht zu verraten.
Als wir zu den Stallungen kamen, hatte ich zum erstenmal an diesem Morgen Glück.
Ein Stallbursche rief: »Ah, Sie haben Miss Susannah gefunden, Mr. Malcolm.«
Nun wußte ich, daß mein Begleiter der Mann war, den ich um sein Erbe betrogen hatte.
Janet war in der Halle. »Guten Tag, Miss Susannah«, sagte sie, »'n Tag, Mr. Malcolm.«
Wir erwiderten ihren Gruß, und ich bemerkte, daß sie mich prüfend musterte.
»Das Essen wird in einer Stunde serviert«, bemerkte sie.
»Danke, Janet«, erwiderte Malcolm.
Ich ging in mein Zimmer, und es dauerte nicht lange, bis Janet an meine Tür klopfte.
»Herein«, rief ich. Sie kam, und wieder fiel mir dieser wachsame Blick auf, den ich schon in der Halle bemerkt hatte.
»Haben Sie eine Ahnung, wie lange Mr. Malcolm zu bleiben gedenkt, Miss Susannah?« fragte sie. »Mrs. Bates möchte es gern wissen. Er hat es immer so gern gemocht, wenn sie die Speisen mit Safran würzte, und der ist ihr ausgegangen. Er ist gar nicht so leicht zu bekommen.«
»Ich habe keine Ahnung, wie lange Mr. Malcolm bleiben will.«
»Das sieht ihm ähnlich, einfach unangemeldet aufzukreuzen. Das macht er neuerdings immer ... seit Ihr Großvater ihn nach den ganzen Scherereien mit der Familie unter seine Fittiche nahm.«

»O ja«, murmelte ich, »bei Malcolm kann man nie wissen ...«
»Sie sind nie besonders gut mit ihm ausgekommen, nicht wahr?«
»Nein.«
»Sie sind sich zu ähnlich, Sie beide, das ist es. Jeder wollte für alles die Verantwortung übernehmen ... Sie alle zwei. Ich hab' immer gedacht, der arme Mr. Esmond wird zwischen Ihnen beiden zerquetscht.«
»Na, dann wird das wohl auch stimmen.«
»Sie beide sind sich gegenseitig fast an die Gurgel gesprungen ... ich hab' mich immer richtig auf Mr. Malcolms Besuche gefreut. Ich fand, das tat Ihnen gut.« Sie sah mich spöttisch an. »Sie konnten zuweilen ein rechter kleiner Quälgeist sein.«
»Ich habe mich wohl ziemlich kindisch aufgeführt.«
»Ich hätte nie gedacht, daß ich mal solche Einsichten von Ihnen zu hören bekäme. Ich hab' immer gesagt: ›Miss Susannah kennt nur eine Meinung, und das ist ihre eigene.‹ Mit Mr. Malcolm war es dasselbe. Er hängt sehr an dem Schloß, daran ist nicht zu zweifeln. Und die Pächter mögen ihn. Sicher, Mr. Esmond mochten sie auch. Aber er war immer ein bißchen zu gutmütig, und dann hatte er diese Angewohnheit, Versprechungen zu machen und sie nicht einzuhalten. Er hatte immer nachgegeben, weil er die Leute zufriedenstellen wollte. Er konnte einfach nicht nein sagen. Es hieß ja, ja, ja, ob er es wahrmachen konnte oder nicht.«
»Das war ein Fehler.«
»Da stimme ich Ihnen voll und ganz zu, Miss Susannah. Aber er war beliebt. Es war ein Schock für uns alle, als er so plötzlich von uns ging, und die Leute auf dem Gut haben um ihn ehrlich getrauert.«
Es war sicher nicht weiter gefährlich für mich, wenn ich mich nach Esmonds Tod erkundigte, denn Susannah war ja nicht hiergewesen, als er starb.

Ich sagte: »Ich wüßte gern mehr über Esmonds letzte Krankheit.«
»Es war genau wie beim erstenmal. Damals sind Sie ja hiergewesen. Dieselben Symptome ... diese plötzliche Schwäche. Sie wissen ja, in welchem Zustand er war, als Sie aus dem Pensionat zurückkamen. Mr. Garth war damals ja auch hier. Und zur gleichen Zeit hat Saul Cringle sich das Leben genommen. Danach schien es Mr. Esmond besserzugehen. Alles war ziemlich dramatisch, nicht wahr? Dann haben Sie sich plötzlich entschlossen, sich auf die Suche nach Ihrem Vater zu machen. Ich weiß, wie Ihnen zumute war. Nie werde ich den Tag vergessen, als man Saul in der Scheune erhängt fand. Niemand konnte sagen, warum er es getan hatte. Womöglich hing es mit dem alten Moses zusammen. Der macht allen das Leben schwer, erst Saul und Jacob, und jetzt den Enkelkindern. Leah, Reuben und Amos haben bei ihm bestimmt nichts zu lachen. Aber irgendwie haben sie die fixe Idee, Sie hätten etwas mit Sauls Selbstmord zu tun. Sie hätten ihn schikaniert, behaupten sie ... hätten ständig was an ihm auszusetzen gehabt ... Sie haben sich ja schon immer mit den Cringles angelegt.«
»Ich habe nur dafür gesorgt, daß auf dem Hof alles seine Ordnung hatte.«
Warum sieht sie mich so verschlagen an? dachte ich. »Nun, das war Mr. Esmonds Sache, nicht wahr? Es hieß, Saul sei so streng erzogen, daß er glaubte, er sei zur Hölle verdammt, wenn er nur das geringste Unrecht beging.«
»Na und?« fragte ich. »Wenn er glaubte, er sei zur Hölle verdammt, so sollte man annehmen, er hätte seine Ankunft dort möglichst weit hinausgeschoben.«
»So etwas können auch nur Sie sagen, Miss Susannah. Sie haben vor nichts Respekt. Wie ich immer zu Mrs. Bates gesagt habe: ›Miss Susannah schert sich weder um Gott noch um die Menschen.‹ Ihre Mutter ist fast vergangen vor Angst um Sie.«
»Ach, meine Mutter«, murmelte ich.

»Die arme, gute Lady! Sie hat's nie verwunden, daß man sie so im Stich gelassen hat ... daß er mit ihrer besten Freundin auf und davon ging.«
»Sie hatten wohl ihre Gründe.«
»Na, die hat doch jeder, oder?« Janet ging zur Tür; dort blieb sie stehen, die Hand auf der Klinke. »Jedenfalls«, fuhr sie fort, »freue ich mich, daß Sie und Mr. Malcolm jetzt besser miteinander auskommen. Allerdings, noch ist nicht aller Tage Abend. Aber früher haben Sie sich ja angefaucht wie Hund und Katze. Das hatte wohl was mit dem Schloß zu tun. Einst haben die Leute um Schlösser gekämpft ... siedendes Öl haben sie von den Zinnen geschüttet und Pfeile aus den Schießscharten abgeschossen, wenn ein Feind das Schloß erobern wollte. Heutzutage gibt es andere Methoden.«
»Das ist doch jetzt alles geregelt«, sagte ich.
Sie machte ein argwöhnisches Gesicht. »Sie waren immer darauf aus, Herrin von Mateland zu werden. Ich bin sicher, daß Sie aus diesem Grund auch Mr. Esmond heiraten wollten. Und dann haben Sie 's freilich bekommen, ohne ihn zu heiraten. Jetzt sind Sie die Herrin; wenn Esmond noch lebte, müßten Sie 's mit ihm teilen. Doch jetzt gehört es Ihnen ganz allein.«
»Ja«, sagte ich beklommen. Ich fand es sehr merkwürdig, daß sie mich ständig aufsuchte und das Gespräch auf all diese Dinge brachte. Doch ich wagte nicht, sie abzuweisen. Von Janet hatte ich mehr erfahren als von irgend jemandem sonst, und ich hatte ihre Aufklärungen bitter nötig.
Sie öffnete die Tür. »Ich muß machen, daß ich weiterkomme, und Sie möchten sich sicher zum Mittagessen umziehen.«
Ich war ihr wirklich dankbar. Malcolm und ich waren also alte Gegner. Er wollte das Schloß. Und er hatte geglaubt, er würde es möglicherweise nach Esmonds Tod erben. Es muß ein schwerer Schlag für ihn gewesen sein, als er erfuhr, daß ich – oder vielmehr Susannah – vor ihm an der Reihe war.
Jetzt mußte ich besonders vorsichtig sein. Malcolm hatte Su-

sannah gekannt. Glücklicherweise hatten sie sich nicht besonders nahegestanden; ja, sie konnten einander nicht ausstehen. Aber noch gab es für ihn eine Chance, und es würde ihm ein Vergnügen sein, meinen Betrug aufzudecken.
Dies war ein Prüfstein für mich. Mit den anderen war es, verglichen mit ihm, recht einfach gewesen. Emerald hätte womöglich Schwierigkeiten gemacht, wenn sie nicht halb blind gewesen wäre. Malcolm aber war schlau; nichts würde ihn mehr freuen als die Entdeckung, daß ich eine Schwindlerin war; denn da Susannah tot war, war er der echte Erbe. Nur eine betrügerische Erbin stand zwischen ihm und dem Schloß.
Emerald sah vom Kopfende des Tisches zu ihm hinüber. »Ich hatte schon mit deiner baldigen Ankunft gerechnet«, sagte sie.
»Ich wußte nicht, daß Susannah hier ist, und dachte, ich werfe mal einen Blick auf die Güter und sehe nach, ob irgend etwas zu tun ist.«
»Jeff Carleton war gewiß froh, daß du gekommen bist.«
»Ich habe ihn noch nicht gesprochen. Er war außerhalb, deswegen habe ich mich auf die Suche nach Susannah gemacht.«
»Und wie habe ich mich gefreut, dich zu sehen!« versicherte ich ihm.
»Na, das hättest du von Susannah gewiß nicht erwartet, Malcolm«, meinte Emerald.
»Normalerweise nicht. Aber unter diesen Umständen! Ich finde, man muß mal ein ernstes Wort mit den Cringles reden. Das ging ja wohl ein bißchen zu weit.«
»Hoffentlich gibt es keinen Ärger«, meinte Emerald. »Wenn ich daran denke, wird mir ganz übel. Wir hatten weiß Gott genug Scherereien.«
»Ich nehme an, es war einer von den Cringle-Söhnen«, sagte Malcolm.
Ich fand, daß ich lange genug geschwiegen hatte, deshalb mischte ich mich ein: »Ich war bei den Cringles, und ein Junge sagte, seine Katze hätte sich in der Scheune verfangen, und er

bat mich, ihm zu helfen, sie zu befreien. Er führte mich zur Scheune, und da ...«

»Es war eine Vogelscheuche in Sauls Kleidern«, erklärte Malcolm rasch.

»Wie entsetzlich!« rief Emerald aus.

»Sie hing da ...«, warf ich ein.

»Und sie hatte eine alte Kappe von Saul auf«, fügte Malcolm hinzu. »Ich muß schon sagen, sie sah ganz echt aus, bis sich das Ding herumdrehte und man das Gesicht sah. Es war ein tüchtiger Schock.«

»Das kann ich mir denken. Deshalb warst du also so still, Susannah.«

»Die Cringles müssen ein für allemal damit Schluß machen«, fuhr Malcolm fort. »Sie müssen aufhören, dich – uns – dafür verantwortlich zu machen. Saul war nicht ganz richtig im Kopf, wenn ihr mich fragt.« Er sah mich unverwandt an. »Manch einer mag vielleicht wissen, warum Saul es getan hat ... aber ich finde, man soll die Sache auf sich beruhen lassen.«

»Ja«, stimmte Emerald zu, »man soll sie ruhen lassen. Ich bekomme Kopfweh davon.«

Dann erzählte sie von einem neuen Mittel gegen Kopfschmerzen, das sie für sehr wirkungsvoll hielt. »Es enthält Rosmarin. Hättest du gedacht, daß das beruhigend wirkt?«

Daraufhin plauderten wir angeregt über Kräuter, und während der ganzen Zeit war ich besessen von dem Gedanken: Ich muß herausfinden, was Susannah gemacht hat, als Saul Cringle starb. Sicher hatte sie etwas mit seinem Tod zu tun.

Nach dem Essen zog sich Emerald in ihr Zimmer zurück. Ich fragte Malcolm nicht, was er vorhatte, sondern ging mit dem Vorsatz, einige von Esmonds Unterlagen durchzusehen, in mein Zimmer.

Ich wünschte, ich hätte das Bild dieser grauenhaften baumelnden Gestalt aus meinem Gedächtnis löschen können.

Bisher hatte ich es vermieden, auch Esmonds private Tagebücher zu lesen. Irgend etwas in mir hatte sich dagegen gesträubt, doch nun überwand ich meine Skrupel, die so unvereinbar schienen mit diesem Betrug, der sich mehr und mehr zu einem richtigen Verbrechen auswuchs.
Zuweilen überkam mich der heftige Wunsch, meine Sachen zu packen und zu verschwinden und einen Abschiedsbrief – an wen? – an Malcolm zu hinterlassen, um ihm zu erklären, daß Susannah tot und ich an ihre Stelle getreten sei; daß ich kein Recht hätte, hierzusein, und daß ich nun fortginge.
Aber wohin? Was sollte ich anfangen? Ich würde bald keine Mittel mehr haben, um meinen Lebensunterhalt zu bestreiten. Vielleicht konnte ich das tun, was ich von Anfang an hätte tun sollen: bei den Halmers wohnen, bis ich eine Stellung fand.
Bei diesen Gedanken hielt ich es in meinem Zimmer nicht mehr aus. Mir war, als müsse ich ersticken. Ich verließ das Haus und lief über die Felder bis hin zum Wald. Dort legte ich mich an der Stelle nieder, wo ich vor langer Zeit mit Anabel gestanden und das Schloß bewundert hatte.
Die Heftigkeit meiner Empfindungen erstaunte und erschreckte mich. Ich war vom Zauber des Schlosses wie gebannt. Niemals würde ich es freiwillig aufgeben, und wenn, dann würde ich mich ewig danach sehnen.
Es war wie ein geheimnisvoller Zwang. Gewiß hatte es auf Susannah die gleiche Wirkung gehabt. Sie war bereit gewesen, Esmond zu heiraten, nur um das Schloß zu bekommen; und nach allem, was ich über Esmond gehört hatte, war mir klar, daß sie ihn nicht geliebt haben konnte. Sie hatte höchstens dieselbe oberflächliche Zuneigung für ihn empfunden, die ich auch zwischen ihr und Philip beobachtet hatte.
Immer wieder stellte ich mir vor, wie sie, nackt unter ihrem Morgenmantel, in Esmonds Zimmer geschlichen war, wie sie ihn verwirrt und entzückt hatte. Armer Esmond!
Und Susannah? Sie wollte bewundert und verehrt werden. Das

hatte ich gleich gemerkt, als ich sie zum erstenmal sah, und ich fragte mich, warum sie so lange auf der Insel geblieben war. Wegen Philip natürlich.
Im Schatten des Waldes fühlte ich mich geborgen. Mir war, als würde mich der Geist meiner Eltern umgeben. Meine Gedanken wanderten zurück zu dem allerersten Augenblick der Versuchung. Wie hatte ich, die ich bis dahin so gesetzestreu lebte, mich auf dieses Gaunerstück einlassen können? Ich suchte vergebens nach Ausflüchten. Alle Menschen, die ich liebte, hatte ich verloren. Das Leben hatte mir grausam mitgespielt, und dann hatte sich mir diese Gelegenheit geboten. Dieses Abenteuer hatte mich von meiner Niedergeschlagenheit abgelenkt, von der ich mich sonst nie hätte erholen können. Es ließ mich zeitweilig meine Eltern und alles, was ich verloren hatte, vergessen. Und doch gab es keine Entschuldigung dafür, sagte ich mir.
Dennoch – als ich dort im Schatten der Bäume lag, wußte ich, daß ich, wenn ich mich noch einmal entscheiden könnte, alles wieder genauso machen würde.
Ich erschrak, als es im Unterholz knackte. Jemand war in der Nähe. Mein Herz fing ängstlich zu klopfen an, als Malcolm zwischen den Bäumen hervortrat.
»Hallo«, sagte er. »Ich habe dich herkommen sehen.« Er ließ sich neben mir auf die Erde fallen. »Du bist noch ganz durcheinander, wie?« fuhr er fort und sah mich prüfend an.
»Nun«, meinte ich gedehnt, »es war ja auch aufregend.«
Er blickte mich zweifelnd an. »Früher ...«, begann er und brach gleich wieder ab. Ich wartete beklommen, was nun kommen würde.
»Ja?« Obgleich mir unbehaglich zumute war, wollte ich, daß er weitersprach.
»Ach komm, Susannah, du weißt doch selbst, wie du früher warst. Ziemlich herzlos. Und zynisch. Ich hätte gedacht, das Ganze wäre für dich nichts weiter als ein großer Schabernack.«

»Was? Das soll ein Schabernack gewesen sein?«
»Nun ja, vielleicht war es sogar für dich gruselig. Aber ich hätte nie erwartet, daß du Hirngespinste siehst.«
»Ich hab' keine Hirngespinste gesehen.«
Er lachte. »Aber du hast es jedenfalls übertrieben. Dabei hat Garth immer gesagt: ›Susannah ist durch und durch gepanzert. Die Püffe und Pfeile eines widrigen Schicksals können ihr nichts anhaben.‹ Erinnerst du dich?«
»Ach ja, Garth«, sagte ich ausweichend.
»Ich war durchaus derselben Meinung. Aber jetzt sieht es so aus, als hätte das Ding in der Scheune eine dünne Stelle in deinem Panzer gefunden.«
Ich gähnte. »Ich glaube, ich gehe jetzt lieber zurück.«
»Je nun, du hast dir ja nie viel aus meiner Gesellschaft gemacht, nicht wahr?«
»Mußt du denn immer auf der Vergangenheit herumreiten?«
»Ich fühle mich dazu veranlaßt, weil du mir irgendwie verändert vorkommst.«
»Wenn man jemanden lange nicht gesehen hat, wirkt er auf andere eben verändert.«
»Ich auch?«
»Das verrate ich dir, sobald ich mir darüber klargeworden bin.«
Ich stand auf.
»Geh noch nicht, Susannah«, bat er.
Ich blieb abwartend stehen, und er sah mich so zweifelnd und bittend an, daß es um meinen Seelenfrieden geschehen war.
»Ich muß mit dir reden«, fügte er hinzu.
»Worüber?«
»Über das Gut natürlich. Du mußt jetzt einmal ernst sein.«
»Ich bin ganz ernst.«
»Ich war während deiner Abwesenheit viel mit Jeff zusammen ... und mit Esmond. Esmond hatte mich gebeten, ihm zu helfen. Der Besitz erfordert viel Umsicht und Pflege ... Umsicht vor allem, falls du verstehst, was ich meine. Man hat mit Men-

schen zu tun ... man muß sich um sie und ihre Sorgen kümmern.«
»Das weiß ich.«
»Ich hätte nie gedacht, daß du das einsiehst.«
»Mir scheint, du hattest eine recht merkwürdige Meinung von mir.«
Er war aufgesprungen und stand ganz dicht vor mir. Seine Nähe wirkte ziemlich beunruhigend auf mich.
»Möchtest du, daß ich gehe?« fragte er.
Ich weiß nicht, was über mich kam. Wahrscheinlich gewann die Abenteuerlust bei mir wieder die Oberhand. Ich wußte genau, daß Malcolms Erscheinen für mich höchst gefährlich war. Aber er machte mir Herzklopfen. Vielleicht war ich eine echte Abenteurerin, und der Gedanke an Gefahr verlieh meinem Leben erst die rechte Würze. Wie dem auch sei, ich hörte mich jedenfalls sagen: »N ... nein. Ich möchte nicht, daß du gehst ... jetzt noch nicht.«
Er ergriff meine Hand und hielt sie eine Sekunde lang fest.
»Fein, Susannah«, sagte er. »Ich bleibe. Ich will hierbleiben, obwohl du zurück bist.«
Ich wandte mich ab und bemühte mich, meine heimliche Freude zu verbergen. Merkwürdig, welche Wirkung dieser Mann auf mich ausübte.
Wir kehrten zusammen zum Schloß zurück und sprachen über das Gut.
Malcolm erschien an diesem Abend nicht bei Tisch. Er ließ ausrichten, daß er bei Jeff Carleton aß. Ich war enttäuscht und gleichzeitig erleichtert. Es war viel erholsamer, mit Emerald allein zu sein, da sie keine Anforderungen an mich stellte.
Sie sprach ein wenig verächtlich von Malcolm. »Er horcht Jeff über alles aus«, sagte sie. »Als es meinem armen Esmond so schlechtging, hat er gerade so getan, als gehörte ihm das Schloß.«

»Armer Esmond«, nahm ich den Faden auf, »er hat sich von der ersten Krankheit nie richtig erholt.«
Emerald nickte zustimmend. »Ich werde nie vergessen, wie krank mein armer Junge damals war. Aber das weißt du ja genauso gut wie ich.«
»O ja …«
»Er war so krank, daß ich dachte, er würde es nicht überleben. Es war ein Jammer, ihn anzuschauen. Ich war bei ihm, sooft es meine Gesundheit zuließ. Und dann die Genesung … und die schreckliche Geschichte mit Saul Cringle, die uns alle so erschüttert hat. Und du bist einfach abgereist, nur um deinen Vater ausfindig zu machen.«
»Du bringst mir alles so lebhaft in Erinnerung«, warf ich ein.
»Es ist mir unvergeßlich. Ich bin überzeugt, daß Malcolm sich Hoffnungen machte, als Esmond damals so krank war. Er hatte wirklich damit gerechnet, daß er der nächste in der Erbfolge wäre. Dein Großvater war ja ein hinterlistiger Mensch. Er hat seinen Bruder verabscheut, und einmal hat er gesagt, Malcolm sei sein Ebenbild. Ich hätte gern gewußt, was er Malcolm eingeflüstert hat. Es würde mich nicht wundern, wenn er in ihm Hoffnungen erweckt hätte … und als Esmond krank wurde, dachte Malcolm natürlich …«
»Das lag auf der Hand«, stimmte ich zu.
»Er war während deiner Abwesenheit ziemlich häufig hier. Er hat sich mehr um den Besitz gekümmert als Esmond. Esmond war froh, daß er ihm die Angelegenheiten überlassen konnte. Der Ärmste, er muß sich schon damals sehr schwach gefühlt haben.«
»Armer Esmond«, wiederholte ich.
»Du hättest ihn nicht so lange allein lassen sollen, Susannah.«
»Nein«, erwiderte ich.
Ich wechselte das Thema, indem ich mich nach ihren Rückenschmerzen erkundigte, und wie gewöhnlich gelang es mir, sie

abzulenken. Als ich mich in mein Zimmer zurückzog, war ich trotz des späten Abends noch hellwach.
Jetzt wußte ich, was ich zu tun hatte. Ich mußte meine restlichen Skrupel überwinden und lesen, was Esmond in der Zeit aufgeschrieben hatte, als er krank war, als Saul Cringle starb und als Susannah das Schloß verließ, um sich auf die Suche nach ihrem Vater zu begeben.
Ich zog mich aus, legte mich ins Bett und begann in den Tagebüchern zu lesen. Dasjenige, das ich suchte, datierte zwei Jahre zurück.
»Eine schlaflose Nacht«, las ich. »Habe auf S. gewartet. Sie ist nicht gekommen. Ich wollte, sie würde unserer Heirat zustimmen. Immer sagt sie ›Noch nicht‹. Garth ist hier. Er und S. liegen sich ständig in den Haaren. Ich habe ihr Vorhaltungen gemacht; sie nennt ihn einen Emporkömmling. S. macht mich ganz verwirrt. Sie hegt so heftige Abneigungen ... z. B. gegen Garth und natürlich gegen Saul C.«
»Malcolm ist gekommen. Er und S. scheinen sich überhaupt nicht zu mögen. Sie behandelt ihn herablassend, und er beachtet sie gar nicht, oder er tut wenigstens so. Ich glaube, S. kann niemandem wirklich gleichgültig sein.«
»S. war den ganzen Nachmittag fort. Möchte wissen, wo. Fragen ist sinnlos. Sie haßt es, wenn man ihr nachspioniert, wie sie es nennt. Habe sie später hereinreiten sehen. Sie kam aus dem Stall und traf Garth. Sie haben sich eine Weile unterhalten. Ich habe sie von meinem Fenster beobachtet. Ich habe immer ein ungutes Gefühl, wenn sie zusammen sind. Ich fürchte jedesmal, sie sagt etwas Unverzeihliches zu ihm, und dann gibt es Ärger. Aber sie schienen sich etwas besser zu verstehen. Dann kam sie ins Haus, und ich ging hinunter, um sie zu begrüßen. Sie sah erhitzt aus. Als ich das erwähnte, sagte sie bissig: ›Je nun, wir sind schließlich nicht mitten im Winter‹, und ihre Stimme klang spitz, wie immer, wenn sie wütend ist. ›Du hast mich beobachtet?‹ fragte sie. ›Ja‹, erwiderte ich, ›ich habe dich mit Garth gesehen.

Ich war froh, daß du ihm offenbar nicht ganz so feindlich gesinnt warst wie sonst.‹ – ›So, meinst du?‹ gab sie zurück. ›Ja‹, sagte ich, ›du warst recht liebenswürdig.‹ – ›Liebenswürdig!‹ fuhr sie mich an. ›Zu diesem Kerl würde ich niemals liebenswürdig sein.‹ Dann hat sie gelacht und mich geküßt. Wenn S. mich küßt, vergeht mir Hören und Sehen. Ich wollte, es wäre immer so.«
»S. ist gestern abend gekommen. Ich weiß nie, wann ich mit ihr rechnen kann. Sie führt sich recht merkwürdig auf. Sie brachte eine Flasche Apfelmost mit, die Carrie Cringle ihr geschenkt hatte. ›Armer Esmond, ich glaube gar, du findest es schrecklich, wenn ich so in dein Zimmer komme. Ich tu's nie mehr, wenn du es nicht willst.‹ Das ist bezeichnend für S. Sie weiß, daß ich sie mehr begehre als alles auf der Welt, und das scheint ihr manchmal zu gefallen, dann wieder ärgert es sie. Sie sagte: ›Das hier wird deine Leidenschaft anstacheln. Es wird deine Skrupel unterdrücken. Komm, laß uns trinken.‹ Sie goß zwei Gläser voll, die sie mitgebracht hatte. Sie hielt mir meines an den Mund, so daß ich trinken mußte, und dann nahm sie selbst einen kleinen Schluck aus meinem Glas. Es war berauschend. Als ich am nächsten Morgen aufwachte, war sie fort. Es gibt ein Gedicht von Keats, das mich an S. erinnert. *La bella dame sans merci.* S. hat mich ganz in ihrer Gewalt.«
»Am nächsten Morgen war mir nicht wohl. Ich dachte, das war der Apfelmost. S. kam zu mir herein und wunderte sich. ›Das kann nicht am Apfelmost liegen‹, sagte sie. ›Ich verspüre keine üblen Nachwirkungen.‹ Ich erinnerte sie, daß sie ja nur an meinem Glas genippt hatte. ›Du irrst dich!‹ widersprach sie heftig. ›Ich habe ein ganzes Glas geleert.‹«
Ein ganzer Monat war vergangen, bevor Esmond wieder in sein Tagebuch schrieb.
»Heute besser. Nicht mehr so schwach. S. reist bald ab. Sie muß ihren Vater finden, sagt sie. Ich glaube, sie ist außer sich wegen Saul Cringle, den man, kurz nachdem ich krank wurde, in der Scheune erhängt fand. Es gab eine Menge Klatsch, und einige

Leute haben angedeutet, daß S. ihm das Leben verleidet und ihm gedroht hat, sie werde mich veranlassen, ihm den Hof wegzunehmen. Das ist nicht wahr. So etwas hat sie nie zu mir gesagt. Aber sie war oft auf dem Cringle-Hof. Die Leute haben sie dorthin reiten sehen. Das war alles sehr unerfreulich. Ich kann verstehen, warum sie fort will; und sie hat ja auch das Verschwinden ihres Vaters nie verwunden.«

Die nächsten Eintragungen waren spärlich.

»Heute ein Brief von S. Durch jemanden im Anwaltsbüro hat sie den Aufenthaltsort ihres Vaters herausgefunden. Er lebt auf einer abgelegenen Inseln, schreibt sie, wo er eine Art großer weißer Häuptling ist. Sie will unbedingt dorthin. Garth war heute hier. Malcolm gestern. Es war nett, sie um mich zu haben.«

»Habe mich heute ein wenig unwohl gefühlt. Wie bei der Krankheit vor ein paar Monaten. Derselbe Schwindel und diese Krämpfe. Malcolm ist an meiner Stelle mit Jeff herumgeritten.«

»Heute tagsüber leichte Besserung, aber abends gar nicht gut. Ich glaube, wir müssen den Arzt kommen lassen.«

»Ich wünsche immerfort, S. wäre hier. Ich bin gespannt, wann sie nach Hause kommt. Malcolm sagt, er würde ins Schloß ziehen, falls ich seine Hilfe brauche. Er hält mich wohl für einen Schwächling. Ich dankte ihm für sein Angebot. Er bleibt eine Weile hier. Wenn S zurückkommt, heiraten wir. Sie will Malcolm bestimmt nicht hierhaben. Ich muß aufpassen, daß ich keine falschen Abmachungen treffe.«

Der nächste Eintrag erfolgte eine Woche später.

»War bisher zu krank zum Schreiben. Bin jetzt zu müde, um viel zu schreiben. Denke die ganze Zeit an S. Malcolm und Garth sind beide sehr nett. Ich wollte, ich könnte diese Lustlosigkeit abschütteln.«

Das war der letzte Eintrag. Ich sah am Datum, daß er bald danach gestorben war.

Nachdenklich klappte ich das Buch zu und blieb still liegen. Die Aufzeichnungen erklärten mir wenig, und ich war der Lösung

des Cringle-Rätsels nicht einen Schritt näher gekommen; doch ich hatte ein vollständigeres Bild von Esmond und Susannah gewonnen.
Ich erinnerte mich, was Cougabel von Susannah gesagt hatte. Sie sei eine Hexe. Sie sei eine Zauberin. Vielleicht hatte Cougabel recht.
Viele Stunden konnte ich nicht schlafen. Immerzu dachte ich, in was für eine gefährliche Rolle ich geschlüpft war.
»Wo wird das enden?« fragte ich mich.

Briefe aus der Vergangenheit

Am nächsten Morgen kam Jeff Carleton zum Schloß. Er bewohnte etwa einen Kilometer entfernt ein eigenes Haus, das seit Generationen den Gutsverwaltern als Wohnsitz diente und wo Jeff ein äußerst komfortables Leben führte. Er war Junggeselle, und ein tüchtiges Ehepaar sorgte für sein leibliches Wohl. Janet behauptete, er hätte es dort besser als wir im Schloß, weil es in seinem Haus nicht so fürchterlich zog.

Jeff war mit sich und dem Leben zufrieden. Er hing am Schloß, ohne ihm jedoch bedingungslos ergeben zu sein. Hätte er auf einem anderen ähnlichen Besitz eine Stellung angenommen, so würde er dort binnen kurzem mit dem gleichen Eifer arbeiten wie auf Mateland. Jeff war einfach ein ganz normaler Mensch, dem es beliebte, sein Dasein nach seinem eigenen Geschmack zu gestalten. Es war ein Glück für uns, einen so fähigen Verwalter zu haben.

Er kam, um zu melden, daß er den Dachdecker für den nächsten Morgen zu Mrs. Bell bestellt hatte, und ich erbot mich, zu ihr hinüberzureiten, um ihr Bescheid zu sagen.

»Da wird sie sich aber freuen«, meinte Jeff. »Sie wird es zu schätzen wissen, wenn Sie persönlich kommen. Es tut den Leuten gut, wenn sie merken, daß jemand sich um sie kümmert.«

Diese Bemerkung machte mich beinahe glücklich. Ich wollte für diese Leute mein Bestes tun, um ihnen das Leben zu erleichtern. Ich wollte zu mir sagen können: Zwar gebe ich mich für eine andere aus, aber ich tue wenigstens mehr Gutes, als jene tun würde.

Das war zwar keine Entschuldigung, aber es sprach immerhin zu meinen Gunsten.
So ritt ich denn frohgestimmt hinaus, und als ich die Hecken und die grünen Felder um mich herum sah und die sanfte Brise auf meinen Wangen spürte, hätte ich am liebsten laut gesungen.
Als ich an Oma Bells Hütte anlangte, band ich mein Pferd fest und klopfte an. Nichts rührte sich. Und nachdem die Tür nicht verschlossen war, ging ich hinein.
Ich trat in das Wohnzimmer. Hier war es ganz still. Auf dem Tisch lag eine wollene Decke; die Uhr auf dem Kaminsims tickte schwerfällig.
»Mrs. Bell«, rief ich. »Sind Sie da?«
Das Schlafzimmer war nebenan. Ich kannte den Grundriß der Hütte unterdessen und wußte, daß Oma Bell das Hinterzimmer im Erdgeschoß als Schlafraum benutzte, weil ihr das Treppensteigen solche Mühe machte.
Ich klopfte an die Zwischentür und lauschte. Ich meinte, ein leises Geräusch zu hören, und stieß die Tür auf. Oma Bell lag auf dem Bett; sie war leichenblaß und preßte die Hände auf die Brust.
»Mrs. Bell«, rief ich erschrocken, »was fehlt Ihnen?«
Sie blickte mich hilfeflehend an, und ich sah ihr an, daß sie starke Schmerzen hatte.
»Ich hole den Arzt«, sagte ich schnell, und schon war ich zur Tür hinaus.
Ich ritt, so rasch ich konnte, zu Dr. Cleghorn. Ich wußte, wo seine Praxis lag, denn ich war oft genug daran vorbeigekommen. Anabel und mein Vater hatten von dem Haus erzählt, denn es war das nämliche, wo Joel vor Jahren seine Sprechstunden abgehalten hatte. Zum Glück war Dr. Cleghorn zu Hause. Wir ritten gemeinsam zur Hütte zurück.
Oma Bells Schmerzen waren inzwischen zurückgegangen, dennoch verordnete ihr der Arzt absolute Bettruhe. Er werde ihr die Krankenschwester schicken, sagte er.

»Kann ich irgend etwas tun?« fragte ich.
»Eigentlich nicht. Sorgen Sie nur dafür, daß sie nicht aufsteht. Sie darf sich nicht bewegen. Die Schwester wird sich um sie kümmern. Mehr kann man nicht tun.«
Draußen sagte er: »Ich fürchte, sie wird sich nicht mehr erholen. Sie ist schon lange herzleidend, und außerdem ist sie eine alte Frau. Ich gebe ihr allerhöchstens noch ein paar Monate. Das Bett wird sie wohl nie mehr verlassen.«
»Die Ärmste«, seufzte ich. »Wir müssen dafür sorgen, daß es ihr an nichts fehlt.«
Der Doktor schaute mich befremdet an. »Das ist lieb von Ihnen, Miss Mateland«, sagte er. »Es wird ihr guttun, wenn jemand sie besucht. Sie braucht Pflege. Wir wünschen uns dringend ein Krankenhaus. Das nächste ist dreißig Kilometer entfernt. Früher war einmal die Rede davon, daß hier eins gebaut werden sollte.«
Ja, dachte ich, das weiß ich. Aber dann wurde dieses Krankenhaus auf einer meilenweit entfernten Insel gebaut und vom Grollenden Riesen zerstört.
Ich kehrte in die Hütte zurück und wartete auf die Krankenschwester. Als sie endlich kam, ritt ich zum Mittagessen aufs Schloß zurück. Malcolm war da, aber diesmal war ich keineswegs nervös. Wir unterhielten uns über Oma Bell.
»Cleghorn hat mir erzählt, daß du ihn glücklicherweise geholt hast«, sagte Malcolm. »Sie wäre sonst gestorben.«
Ich verspürte eine ungeheure Befriedigung.
»Ich gehe heute nachmittag wieder zu ihr«, sagte ich. »Das Dach muß jetzt wohl warten, bis es ihr etwas bessergeht. Wir können die Handwerker nicht ins Haus lassen, wenn sie so krank ist und nicht aufstehen darf.«
»Ich gebe Jeff Bescheid, daß er den Auftrag rückgängig machen soll«, sagte Malcolm.
Als ich am Nachmittag auf dem Weg zu Mrs. Bell war, gesellte Malcolm sich zu mir.

»Ich bin unterwegs zu Oma Bell«, erklärte ich ihm.
»Ich komme mit.«
»Wie du willst«, erwiderte ich und bemühte mich, ihn nicht allzu beglückt anzulächeln.
»Du hast dir das, was ich gesagt habe, offensichtlich zu Herzen genommen«, meinte er.
»Was hast du mir gesagt?«
»Daß die Leute persönliche Zuwendung brauchen. Sie müssen merken, daß sie als Menschen anerkannt sind.«
»Das war mir schon immer klar«, gab ich zurück.
»Bevor du weggingst, war davon aber nichts zu spüren.«
»Wir werden erwachsen, nicht wahr? Selbst du warst ein bißchen leichtfertig, als du jünger warst.«
Er blickte mich prüfend an. »Ich wüßte zu gern, was man mit dir gemacht hat, während du fort warst«, sagte er.
»Ich habe einiges von der Welt gesehen. Reisen erweitert den Horizont, heißt es.«
»Und verändert den Charakter, wie es scheint.«
»Du bist schrecklich nachtragend.«
»Nicht im geringsten. Ich bin bereit, der neuen Susannah sämtliche Sünden der alten zu verzeihen.«
Er ist mißtrauisch, dachte ich, er *muß* einfach mißtrauisch sein.
Eindringlich sah er mir ins Gesicht, und ich errötete unter seinem prüfenden Blick.
Rasch sagte ich: »Wir müssen wegen Oma Bell etwas unternehmen.«
»Keine Bange«, sagte er lächelnd, »uns wird schon etwas einfallen.«
Wir kamen zur Hütte. Oma Bell war zu krank, um von uns weiter Notiz zu nehmen, dennoch schien unsere Gegenwart sie zu trösten. Die Krankenschwester, die inzwischen gekommen war, erklärte uns, daß unbedingt jemand den ganzen Tag in der Hütte sein müßte. »Vielleicht können die Cringles Leah entbehren«, meinte sie.

»O ja, das ist eine gute Idee«, rief ich begeistert aus. Ich merkte, wie mich Malcolm scharf ansah. »Findest du das nicht?« fragte ich, um meine Verlegenheit zu verbergen.
»Eine ausgezeichnete Idee«, stimmte er zu.
»Falls die Cringles Schwierigkeiten machen, sagen Sie ihnen, daß Leah für ihre Dienste bezahlt wird«, fuhr ich fort. »Sie kann sich das Geld im Schloß abholen.«
»Das wäre eine große Erleichterung«, sagte die Krankenschwester.
»Ich kann wohl zweimal täglich hier vorbeischauen, aber in ihrem Zustand braucht Mrs. Bell jemanden, der wenigstens tagsüber hierbleibt. Danke, Miss Mateland, vielen Dank. Ich gehe jetzt gleich zu Leah.«
»Ich warte hier, bis Sie mit ihr zurückkommen«, rief ich ihr nach.
»*Wir* warten hier«, berichtigte Malcolm.
Als die Schwester fort war, sagte ich: »Du brauchst nicht hierzubleiben.«
»Ich will aber«, gab er zurück.
Ich platzte heraus: »Guck mich doch nicht immer so an, als hättest du ein Ungeheuer vor dir.«
»Kein Ungeheuer«, erwiderte er. »Ich komme bloß nicht über diese wunderbare Verwandlung hinweg. Sie gefällt mir allerdings. Sie gefällt mir sogar sehr, aber sie ist mir ein Rätsel.«
Ich zog in gespieltem Unwillen die Schultern hoch. »Ich habe eben jetzt eine Verantwortung zu tragen«, erklärte ich.
Leah kam schüchtern in die Hütte. Ich mochte das Mädchen. Sie war anders als die übrigen Cringles. Ich hatte schon früher gespürt, daß sie, wie man so sagte, in der »Klemme« steckte, und jetzt war ich dessen ganz sicher.
Ich sagte: »Komm herein, Leah. Du weißt, warum wir nach dir geschickt haben?«
Sie blickte von mir zu Malcolm, und ich bemerkte, daß sie vor ihm mehr Respekt hatte als vor mir, und das freute mich insgeheim.

»Die Schwester hat's mir gesagt«, erwiderte sie.
»Dann weißt du also, daß du auf unseren Wunsch hin hierbleiben sollst und Mrs. Bell die Medizin gibst, die Dr. Cleghorn verordnet hat. Wenn es ihr schlechter geht, kannst du rasch Hilfe holen. Hast du eine Handarbeit dabei, damit du dich beschäftigen kannst?«
Sie nickte, und ich legte ihr eine Hand auf die Schulter. Am liebsten hätte ich sie aufgefordert, sich mir anzuvertrauen. Aber natürlich war mir inzwischen klargeworden, daß kaum jemand sich Susannah anvertraut hätte, und bisweilen vergaß ich, für wen man mich hielt. Das war töricht von mir. Auch Malcolm wurde von Tag zu Tag mißtrauischer. Das merkte ich an der Art, wie er mich ansah. Bald würde er mir Fragen stellen, die ich unmöglich beantworten konnte. Manchmal hatte ich den Eindruck, daß er meinen Betrug bereits durchschaut hatte und nur noch abwartete, bis ich mich endlich auf irgendeine Weise verriet.
»Nun«, meinte er, als wir aus der Hütte traten, »das hast du ja bestens arrangiert. Man könnte meinen, du hättest dein Leben lang einen Gutsbesitz verwaltet.«
»Es freut mich, daß du so denkst.«
Er nahm meinen Arm, als wir zu den Pferden gingen. Ich machte mich ganz steif und hätte ihm meinen Arm am liebsten entzogen, doch ich dachte, das würde dem Vorgang allzuviel Bedeutung beimessen.
»Der Boden ist holperig«, sagte Malcolm, um die ritterliche Geste zu erklären. »Da kann man leicht stolpern.«
Ich erwiderte nichts. Bei den Pferden angelangt, drückte er ganz leicht meinen Arm, und als er mir beim Aufsteigen half, lächelte er mich innig an, doch in seinen Augen konnte ich eine gewisse Ratlosigkeit erkennen.
An diesem Abend aßen Malcolm und Jeff Carleton mit uns. Die Unterhaltung drehte sich um Gutsangelegenheiten, die Emerald langweilten. Sie versuchte, uns in ein Gespräch über ihre

interessanten Krankheiten und Dr. Cleghorns Behandlung zu verwickeln, doch keiner hörte ihr so richtig zu.

»Dr. Cleghorn meint, daß Mrs. Bell ihre Krankheit nicht überleben wird«, sagte Jeff. »Sie wäre schon tot, wenn Sie nicht rechtzeitig zur Hütte gekommen wären und den Doktor geholt hätten, Miss Mateland. Aber trotzdem, auch mit der besten Pflege der Welt hält sie höchstens noch ein paar Monate durch. Ihre Hütte wird frei. Es fragt sich, wer sie übernehmen soll.«

»Was meinen Sie, wer sie am ehesten verdient, Jeff?« erkundigte sich Malcolm.

»Die Baddocks. Sie wollen aus Mrs. Baddocks Elternhaus aussehen. Dort ist nicht genug Platz für sie. Die Hütte käme ihnen sehr gelegen, und Tom Baddock ist ein tüchtiger Arbeiter.«

»Haben Sie schon mit ihm darüber gesprochen?« fragte Malcolm.

»Nein, aber ich weiß, daß er die Hütte gern hätte. Man kann schließlich nicht darüber reden, solange Oma Bell noch lebt.«

»Ganz recht«, sagte ich. »Das sähe ja so aus, als wollten wir die alte Frau aus dem Weg haben.«

»Die Hütten sind ja eigentlich für die Arbeiter bestimmt«, gab mir Jeff zu verstehen.

»Nun, Mrs. Bells Mann hat für uns gearbeitet. Es scheint mir doch recht hart, wenn die Frauen nach dem schon schweren Verlust ihrer Männer auch noch ihr Heim aufgeben müßten.«

»Das ist eine rein geschäftliche Angelegenheit«, erklärte Jeff. »Die Hütte ist ein Teil des Lohnes. Mr. Esmond hat erlaubt, daß Mrs. Bell sie behielt, und so blieb sie dort wohnen.«

»Das war ja auch ganz richtig«, rief ich heftig.

»Natürlich«, sprang Malcolm mir bei.

»Schon gut«, versetzte Jeff, »aber es wäre nicht gerade einträglich für das Gut, wenn alle Hütten von Frauen bewohnt würden, die ihre Männer verloren haben.«

»Nun, wie der Doktor sagt, wird die arme Mrs. Bell nicht mehr

lange unter uns weilen«, bemerkte Malcolm, »und die Frage ist, ob die Baddocks die Hütte bekommen sollen.«
»Wir wollen die Angelegenheit ruhen lassen, bis die Hütte wirklich frei ist«, sagte ich entschlossen. »Ich mag dieses Gerede nicht – als ob Mrs. Bell schon tot wäre.«
Ich war rot geworden und sprach etwas heftiger als sonst, denn ich stellte mir vor, wie einem zumute sein mochte, wenn man arm und alt und allen eine Last war.
»Und«, fuhr ich fort, »sagen Sie den Baddocks nichts davon. Sonst gibt es nur Redereien, und das will ich nicht. Wir wollen die Angelegenheit aufschieben, bis es wirklich soweit ist und wir die Hütte vergeben können.«
Wir sprachen über andere Dinge. Ein- oder zweimal fing ich Malcolms Blick auf. Er lächelte, und einen kurzen Augenblick lang war ich richtig glücklich.
Am nächsten Tag besuchte ich Oma Bell. Leah war bei ihr und nähte. Sie versteckte ihre Arbeit hastig unter einer Flickarbeit auf ihrem Schoß, als ich eintrat. Dabei war sie puterrot geworden, und ich fand, daß sie sehr hübsch aussah.
»Wie geht es ihr?« fragte ich.
»Sie tut gar nichts, Miss. Liegt bloß da.«
»Ich setze mich eine Weile zu ihr«, sagte ich. »Leg deine Handarbeit weg, und geh zu eurem Hof rüber. Du kannst etwas Milch mitbringen. Sag, sie sollen sie dem Schloß in Rechnung stellen. So kannst du dir ein bißchen die Beine vertreten.«
Leah stand gehorsam auf und legte ihr Nähzeug auf den Tisch. Sie huschte geschwind und leise hinaus. Sie erinnerte mich an ein Rehkitz.
Die alte Mrs. Bell lag still mit geschlossenen Augen in ihrem Bett. Ich blickte mich in der Hütte um und stellte mir vor, wie sie jungvermählt mit Mr. Bell hierhergekommen war, um ein neues Leben zu beginnen, wie sie zwei Kinder großgezogen hatte, die später heirateten und fortzogen. Die Uhr tickte vernehmlich, und die alte Frau atmete schwer. Ich stand auf und

ging zu dem Tisch, auf den Leah ihre Handarbeit gelegt hatte. Ich fand, was ich erwartet hatte. Leah hatte das Babyjäckchen, an dem sie nähte, versteckt, als ich hereinkam.
Armes Kind! dachte ich. Erst sechzehn Jahre und wird schon Mutter. Hat keinen Ehemann, nur eine schreckliche, selbstgerechte Familie.
Arme kleine Leah! Wenn ich ihr doch nur beistehen könnte! Ich werde ihr helfen, gelobte ich mir.
Leise trat ich wieder ans Bett; die alte Frau öffnete die Augen und sah mich an. Ein Funken des Wiedererkennens flackerte in ihrem Blick auf.
»Miss Su … Su …«, murmelte sie.
»Ja«, sagte ich, »ich bin hier. Sie dürfen nicht sprechen. Wir kümmern uns um Sie.«
Sie starrte mich an, und aus ihren Augen sprach die Verwunderung, die sie mit Worten nicht ausdrücken konnte.
»G … Gott …«, murmelte sie.
»Nicht sprechen«, bat ich.
»Gott … segne Sie.«
Ich ergriff ihre Hand und drückte einen Kuß darauf, und der Anflug eines Lächelns huschte über ihre Lippen.
»Nein … nicht M … Miss …«
Nicht Miss Susannah. Das wollte sie sagen. Susannah hatte sich nicht um kranke Frauen gekümmert. Sie hatte nicht an ihren Betten gesessen. Ich wußte, daß ich mich anders verhielt, als es Susannahs Charakter entsprach, aber es war mir einerlei. Ich hatte nur das eine Verlangen, die Frau zu trösten. Ich wollte ihr sagen, daß der Dachdecker bestellt war, daß für alles gesorgt sei und daß sie ihre letzten Lebensjahre ungetrübt verbringen könne. Ich sprach es zwar nicht aus, aber ich glaube, daß ich es ihr durch meine Gegenwart zu verstehen gab. Sie hielt meine Hand, und so saßen wir, bis Leah mit der Milch zurückkehrte.
»Du könntest sie warm machen«, sagte ich. »Mal sehen, ob Mrs. Bell ein bißchen davon trinkt.«

Leah ging in die Küche und zündete die Petroleumlampe an. Oma Bell war eingeschlafen, und ich folgte Leah hinaus.

»So ist's recht, Leah«, lobte ich.

Sie blickte mir mit ihren großen, furchtsamen Rehaugen ins Gesicht.

»Sie sind ein guter Mensch, Miss Susannah«, sagte sie, »da können die anderen sagen, was sie wollen. Sie sind nicht wie früher ... Sie sind nicht mehr dieselbe ...«

Sie ahnte nicht, wie sehr ihre Worte mich berührten.

»Danke, Leah«, sagte ich. »Ich möchte, daß du mir erzählst, wenn dir etwas fehlt. Wenn du Hilfe brauchst ... Ich möchte allen Leuten auf dem Gut helfen ... verstehst du?«

Sie nickte.

»Also, Leah, stimmt etwas nicht? Hast du Kummer?«

Sie schüttelte den Kopf. »Es ist alles in Ordnung.«

Ich überließ es ihr, die Milch zu Oma Bell hineinzubringen, und ritt zum Schloß zurück.

Die neue Susannah war verändert. Sie kümmerte sich um Leute. Die frühere Susannah hatte sich ausschließlich um sich selbst gekümmert. Und dieser Unterschied fiel den Leuten auf.

Beim Abendessen sagte Emerald, sie müsse Garth schreiben. Sie habe lange nichts von ihm gehört.

Ich war neugierig auf Garth. Er war in den Unterlagen ein paarmal erwähnt, doch im Grunde wußte ich von ihm nur, daß er der Sohn von Elizabeth Larkham, Emeralds früherer Gesellschafterin, war. Elizabeth war Witwe, und Garth war ihr einziger Sohn.

Dann dachte ich nicht mehr an ihn. Ich war zu sehr mit Oma Bell und ihrer Hütte, mit Leah und ihren Problemen beschäftigt. Insgeheim fürchtete ich, Leah könnte sich etwas antun. Wie sollte sie vor ihrer strengen Familie bestehen? Leah schien mir nicht fähig, sich gegen ihre Angehörigen aufzulehnen, und ich malte mir aus, wie sie sich in dem Fluß, der die Waldungen des Schlosses durchzog, ertränkte – mit Blumen im Haar wie Ophelia – oder ihrem Leben auf andere Weise ein Ende machte. Mehrmals hatte ich versucht, mit ihr zu reden, aber ich kam bei ihr nicht an. Sie behauptete jedesmal, daß ihr nichts fehle.

Als ich zwei Tage später zu der Hütte kam, war Mrs. Bell tot. Tagelang wurde von nichts anderem gesprochen als von Oma Bell. Die Krankenschwester bahrte sie auf, und Jack, der Totengräber, schaufelte ihr ein Grab. Ich ging zur Beerdigung, und Malcolm begleitete mich. Wieder merkte ich, daß alle von mir überrascht waren. Susannah war nie zu einem Begräbnis gegangen, nur Esmond hatte sich hin und wieder dabei sehen lassen. Er hatte es häufig versprochen, und wenn er nicht erschien, machte er hinterher einen Besuch bei den trauernden Hinterbliebenen und erklärte ihnen, warum er verhindert gewesen war. Das war zwar vielleicht nicht immer die Wahrheit, aber es besänftigte die Leute, weil es bewies, daß er wußte, was er den Toten schuldig war.

Daher verursachte mein Erscheinen einiges Aufsehen, doch ich war froh, weil meine und Malcolms Gegenwart der Trauerfeier eine gewisse Würde verlieh.

Tränen traten mir in die Augen, als ich die Erdklumpen auf den Sarg fallen hörte. Jetzt hatte die arme alte Frau wenigstens ihren Frieden. Malcolm ergriff meinen Arm, als wir uns zum Gehen wandten.

»Du bist ja wirklich ergriffen«, sagte er.

»Warum auch nicht?« gab ich zurück. »Der Tod hat etwas Ehrfurchterregendes.«

»Ich kenne so manchen, den der Tod von jemandem, mit dem er nicht persönlich verbunden war, gänzlich ungerührt ließe. Du gehörtest früher auch dazu, Susannah.«

Er umklammerte meinen Arm mit festem Griff und drehte mich herum, so daß ich ihm ins Gesicht sah. Solche Augenblicke machten mir angst, denn ich fürchtete, jetzt sei es soweit, jetzt

werde er mir auf den Kopf zusagen, daß ich eine Betrügerin und Hochstaplerin sei.
»Ich möchte bloß wissen ...«, begann er.
»Was?« fragte ich furchtsam.
»Susannah, wodurch hast du dich so verändert? Du bist so ... menschlich geworden.«
»Ich gehörte schon immer zur menschlichen Rasse.«
»Übermut bringt uns nicht weiter.«
»Nun, laß dir gesagt sein, daß ich dieselbe bin, die ich immer war.«
»Dann hast du dich aber verflixt gut verstellt.«
»Ach, ich war einfach jung und leichtfertig, weiter nichts.«
»Das hatte nichts mit Jungsein und Leichtfertigkeit zu tun. Du warst ... ein Ungeheuer.«
Ich hielt es für besser, das zu überhören, und plauderte weiter: »Die arme Mrs. Bell! Sie war eine gute Seele. Sie hat immer ihre Pflicht getan und war so dankbar, daß sie in der finsteren, kleinen Hütte leben konnte und ihr Auskommen hatte.«
Malcolm schwieg, offenbar tief in Gedanken versunken – und das war beunruhigend.
Auf dem Rückweg zum Schloß waren wir beide nicht sehr gesprächig.
Am nächsten Morgen erhielt ich Besuch von einem jungen Mann namens Jack Chivers. Er war Gelegenheitsarbeiter und half auf den verschiedenen Höfen im Umkreis aus, wenn er gebraucht wurde.
Ich empfing ihn in dem kleinen Salon, der an die Eingangshalle angrenzte. Nervös drehte der Mann seine Mütze zwischen den Händen.
»Ich muß Sie unbedingt sprechen, Miss Susannah«, sagte er. »Ich möchte wissen, ob es möglich ist, daß ich Mrs. Bells Hütte bekomme.«
»Hm, aber ...«, begann ich. »Darüber ist überhaupt noch nichts entschieden.«

Er zog ein langes Gesicht. »Dann tut es mir leid, daß ich Sie belästigt habe, Miss«, sagte er und wandte sich zum Gehen.
Es lag etwas so Verzweifeltes in der Art, wie er die Schultern hängen ließ, daß ich ihn zurückhielt. Er war ungefähr achtzehn Jahre alt und sah recht gut aus.
»Einen Augenblick. Gehen Sie noch nicht. Warum sind Sie so erpicht auf die Hütte?«
»Ich möchte heiraten, Miss.«
»Na«, meinte ich, »damit können Sie doch noch eine Weile warten, oder? Bis dahin werden andere Hütten frei sein.«
»Wir können nicht warten«, murmelte er. »Danke, Miss. Ich dachte bloß, es könnte vielleicht klappen.«
»Sie können also nicht warten«, sagte ich. Und dann fragte ich ihn: »Und wen wollen Sie heiraten?«
»Leah Cringle, Miss.«
»Oh«, sagte ich. »Nehmen Sie doch einen Augenblick Platz.«
Er setzte sich, und ich blickte ihn scharf an. »Leah bekommt ein Baby, nicht wahr?« fragte ich.
Er errötete bis unter die Haarwurzeln. Dann verzog er das Gesicht zu einem Grinsen, das aber nicht väterlichen Stolz, sondern eher Verlegenheit und Bestürzung ausdrückte.
»Ja, Miss, das stimmt. Wenn wir wüßten, wo wir hin sollen, dann könnten wir heiraten.«
»Könnten Sie nicht heiraten, ohne die Hütte zu bekommen?«
»Leah weiß doch nicht, wohin ... sie müßte auf dem Cringle-Hof bleiben. Da wäre ihr Leben keinen Pfifferling wert. Wir wissen keinen anderen Ausweg, als heimlich zu heiraten ... und dann zusammen in eine Hütte zu ziehen.«
»Ja«, sagte ich, »ich verstehe. Aber das Haus muß repariert werden. Sie möchten doch sicher, daß die Hütte ein wenig hergerichtet wird.«
Er starrte mich ungläubig an.
Ich fuhr fort: »Ich kann mir vorstellen, wie schwierig es für Leah

auf dem Cringle-Hof ist. Allerdings muß ich sagen, daß Sie sich das hätten vorher überlegen sollen ...«
»Ich weiß, Miss. Das sollte man immer ... aber dann tut man's doch nicht. Leah ist so süß und hübsch, und eines Tages hab' ich sie getröstet, weil sie so geweint hat. Irgendwas war passiert. Bei den Cringles passiert ja immer was ... es heißt dauernd: beten und Gutes tun, und dabei machen sie sich alle unglücklich. Und dann ... ehe ich's mich versah ... und als es einmal angefangen hatte, ging's eben weiter. Ich liebe Leah, Miss, und Leah liebt mich, und wir wünschen uns nichts sehnlicher als unser kleines Baby ...«
Ich spürte einen dicken Klumpen in meiner Kehle. Es ist mir egal, was Jeff sagt, dachte ich. Es ist mir egal, was Malcolm sagt. Ich bin die Herrin des Schlosses.
»Also gut«, sagte ich. »Sie sollen die Hütte haben. Es hat keinen Sinn, noch zu warten. Heiratet und zieht ein. Sie können die Hütte doch selbst in Ordnung bringen, nicht wahr? Am besten halten Sie den Mund, bis Sie verheiratet sind. Die Cringles sind eigenartige Leute.«
»O Miss, ist das Ihr Ernst?«
»Ja. Die Hütte gehört Ihnen. Sagen Sie Leah Bescheid. Und nicht vergessen, es ist ein Geheimnis ... vorläufig.«
»O Miss, ich weiß nicht, was ich sagen soll.«
»Dann sagen Sie am besten gar nichts. Ich weiß auch so, wie Ihnen zumute ist.«
Kaum war er gegangen, ritt ich unverzüglich zu Jeff. Malcolm saß bei ihm. Überhaupt waren die beiden oft zusammen. Man hätte meinen können, Malcolm sei der Eigentümer des Schlosses, so eifrig kümmerte er sich um alles.
Ich platzte gleich mit meiner Neuigkeit heraus: »Ich habe wegen Mrs. Bells Hütte alles geregelt. Jack Chivers bekommt sie.«
»Jack Chivers!« rief Jeff aus. »Der ist ja fast noch ein Kind. Die Baddocks sind vor ihm an der Reihe.«

»Die Baddocks müssen eben warten. Jack Chivers bekommt die Hütte.«
»Warum?« wollte Malcolm wissen.
»Das Schloß gehört mir«, erklärte ich rechthaberisch. »Ich treffe hier die Entscheidungen. Ich habe Jack Chivers bereits zugesagt, daß er die Hütte haben kann.«
»Aber das scheint mir recht unvernünftig«, meinte Jeff beschwichtigend.
»Es gibt einen durchaus vernünftigen Grund. Leah Cringle bekommt ein Kind von Jack. Sie wollen auf der Stelle heiraten. Sie brauchen die Hütte.«
Die beiden Männer starrten mich fassungslos an.
»Stellt euch doch bloß einmal Leah Cringles Leben bei ihren schrecklichen Eltern vor«, fuhr ich heftig fort. »Von dem alten Großvater gar nicht zu reden. Sie kann dort unmöglich bleiben. Ich habe das Gefühl, daß sie sich etwas antut, wenn wir nichts unternehmen. Es ist meine Aufgabe, mich um die Leute zu kümmern. Leah und Jack Chivers bekommen die Hütte, und damit basta.«
Ich konnte den beiden Männern vom Gesicht ablesen, daß sie es für töricht hielten, eine Frau Entscheidungen treffen zu lassen. Sie gab dem Drang ihrer Gefühle nach, während sie als erfahrene Geschäftsleute immer den Verstand walten ließen.
Heimlich machte mir die Situation Spaß. Sie sollten ja nicht vergessen, daß ich diejenige war, die hier zu bestimmen hatte.
Am nächsten Tag ging ich in die Hütte, und als ich oben im Schlafzimmer stand, hörte ich, wie die Tür leise aufging. Ich stieg die Treppe hinunter. Unten standen Jack Chivers und Leah. Sie blickten sich in maßlosem Staunen um. Mit Leah war eine wundersame Veränderung vorgegangen. Nie hatte ich ein glücklicheres Gesicht gesehen. Und das war mein Werk!
Und dann erlebte ich einen dieser unsäglich glücklichen Augenblicke, wie sie einem nur selten zuteil werden und die meist von kurzer Dauer sind.

»Na, ihr wollt wohl euer neues Heim besichtigen?« fragte ich. Leah lief auf mich zu. Dann tat sie etwas Seltsames. Sie kniete nieder, ergriff meinen Rocksaum, hob ihn an die Lippen und küßte ihn andächtig.
»Leah«, sagte ich, meine Rührung zurückdrängend, »steh sofort auf. Hört mal, wollt ihr die Tapeten erneuern?«

Während der folgenden Wochen war ich wirklich glücklich. Es passierte sogar, daß ich mehrere Stunden hintereinander verbrachte, ohne an den Anblick der verwüsteten Insel und an den schrecklichen Verlust meiner Lieben denken zu müssen und ohne darüber nachzugrübeln, wie ich meine Maskerade eines Tages ablegen könnte. Die Belange des Schlosses und der Güter nahmen mein ganzes Sinnen und Trachten ein. Ich genoß diese Aufgabe und das Gefühl, dafür geboren zu sein. Wäre ich wirklich Susannah gewesen, ich hätte ja so zufrieden sein können!
Mit Freuden nahm ich Leahs Verwandlung wahr. Sie war ein hübsches Mädchen, und das Glück förderte noch ihre Schönheit. Leah und Jack Chivers waren selig. Sie verbrachten jede freie Minute in der Hütte, um sie herzurichten. Das Dach war ausgebessert worden, und die Behausung bekam allmählich ein ganz anderes Gesicht als vordem, da sie von Mrs. Bell bewohnt worden war. Dazu fand ich im Schloß ein paar Vorhänge, die man für die Hüttenfenster zuschneiden konnte. Als ich sie Leah gab, strahlte sie vor Dankbarkeit.
Es gab natürlich auch Widerstand, vor allem seitens der Baddocks. Es schien, so wurde gemunkelt, daß manche Leute für ihre Sünden belohnt würden, während die Gerechten leer ausgingen.
Auch Jeff Carleton war dieser Meinung; Malcolm jedoch nicht, wie ich im stillen hoffte. Wie dem auch sei, ich hatte es so bestimmt, und mochten die Leute darüber denken, wie sie wollten, es war nicht mehr zu ändern.
Es gelang mir, die Baddocks wenigstens einigermaßen zu be-

schwichtigen, indem ich ihnen die nächste frei werdende Hütte versprach. Ich entdeckte ganz neue Fähigkeiten an mir. Mit Menschen hatte ich mich schon immer gern befaßt, und ich verstand sie, weil ich mich an ihre Stelle versetzen konnte. Allmählich gewann ich das Vertrauen der Leute, und das war fürwahr eine große Leistung, denn Susannah hatte mir ein schweres Erbe hinterlassen. Sie war höchst unberechenbar gewesen – an einem Tag gab sie sich freundschaftlich, und tags darauf schienen die Menschen für sie Luft zu sein. Doch mich achteten sie. Das spürte ich an der Art, wie sie mit der Zeit ihre Probleme mit mir besprachen, und immer mehr verwischte sich das Bild, das sie von Susannah hatten.

Für mich war es beglückend, wenn ich den Menschen helfen konnte. Dabei hatte ich stets den Hintergedanken: Wiegt mein Betrug so schwer, wenn ich für die Leute hier Gutes tun kann? Wenn ich sie glücklicher machen kann, als sie es mit Susannah gewesen wären? Susannah konnte sich nicht mehr an ihrem Besitz erfreuen, und schließlich nahm ich ihr nichts fort. Aber Malcolm!

Malcolm! Er beherrschte meine Gedanken. Seit dem Tag, als ich bestimmt hatte, daß Jack Chivers die Hütte bekommen sollte, waren Malcolm und ich häufig beisammen.

Jack Chivers und Leah Cringle heirateten. Ich ging zur Trauung, und Malcolm kam zu meiner Überraschung auch dazu.

Die Kirche war fast leer. Von der Familie Cringle war niemand gekommen. Sie zeigten deutlich, daß sie die Umstände zutiefst mißbilligten.

»Sie sollen ruhig wegbleiben«, flüsterte ich Malcolm zu. »Ohne sie ist die Hochzeit viel fröhlicher.«

»Du hast recht, wie immer«, erwiderte er.

Ich war ganz entzückt, als ich Leah an Jacks Arm den Mittelgang entlangschreiten sah; ihre Rehaugen strahlten vor Glück, und als sie mich erblickte, füllten sich ihre Augen mit Tränen. Ich dachte schon, sie würde stehenbleiben, um wieder meinen

Rocksaum zu küssen. Draußen vor der Kirche gratulierten wir ihnen.

»O Miss Susannah«, seufzte Leah selig, »ohne Sie wäre das nicht möglich gewesen. Ich werde immer alles für Sie tun.«

»Nun denn, Leah. Jetzt bist du Mrs. Chivers. Von nun an sollst du immer glücklich sein.«

»Das ist ein Befehl«, warf Malcolm ein. »Ein Befehl von Miss Susannah, und du weißt, ihr muß man immer gehorchen.«

Leah schaute ihn kaum an. Sie war so schüchtern. Ihre großen Augen waren nur auf mich gerichtet.

Als sie Arm in Arm mit Jack zur Hütte ging, blickte ich ihnen versonnen nach. Plötzlich merkte ich, daß Malcolm mich beobachtete.

»Susannah«, sagte er sanft.

Ich wollte ihn nicht ansehen, weil ich fürchtete, meine Ergriffenheit zu verraten.

»Die Sache der beiden geht dir wirklich zu Herzen, nicht wahr?« fuhr Malcolm fort. »Ich bin überzeugt, daß sie dich bitten werden, die Patenschaft für ihr Kind zu übernehmen.«

Ich gab keine Antwort.

Er trat näher an mich heran. »Die beiden scheinen Gefallen am Leben zu haben«, sinnierte er. »Es spricht eine ganze Menge für die Ehe, findest du nicht auch, Susannah?«

»O ja ... sicher.«

»Du hattest ja auch mal Heiratsabsichten ... mit Esmond.«

Ich schwieg. Jetzt wurde die Sache gefährlich.

»Susannah«, begann Malcolm wieder, »es gibt ein paar Dinge, die ich gern wissen möchte.«

»Ich denke, wir sollten zum Schloß zurückkehren«, unterbrach ich ihn schnell.

Er hatte meinen Arm ergriffen. »Was ist mit dir, Susannah? Wovor hast du Angst?«

»Angst!« Ich lachte und hoffte, es klang überzeugend. »Was redest du da? Komm jetzt. Ich muß zurück.«

»Ich werde schon noch dahinterkommen«, brummte er.
Jetzt war ich ganz sicher, daß er etwas ahnte. Ich ging schneller, doch er hielt sich dicht an meiner Seite, sagte aber nichts mehr.

Als ich an diesem Nachmittag zu meinem Rundritt aufbrechen wollte, wartete Malcolm auf mich.
»Was dagegen, wenn ich dich begleite?« fragte er.
»Natürlich nicht ... wenn du willst.«
»Und ob ich will«, gab er zurück.
Zum Glück bedrängte er mich nicht weiter mit Fragen, und es wurde ein schöner Nachmittag. Es machte mir Spaß, im Sonnenschein neben Malcolm durch die Gegend zu reiten, und ich versuchte zu vergessen, daß ich mich unter falschem Namen hier eingeschlichen hatte. Ich versuchte mir einzureden, ich sei wirklich Susannah, eine Susannah, die ihr Glück darin fand, anderen Menschen zu helfen. Wir kamen an der Hütte der Thorns vorbei, schauten aber nicht hinein.
»Miss Thorn hat viele Jahre geopfert, um ihre griesgrämige alte Mutter zu pflegen«, sagte ich.
»Ein Schicksal, das zahllosen Frauen beschieden ist.«
»Das ist nicht gerecht«, widersprach ich. »Ich werde etwas für sie tun, wenn ich kann.«
»Und was?«
»Ich habe entdeckt, daß Miss Thorn schrecklich verängstigt ist. Denk doch nur, was für ein Leben sie führt! Ach, ich wollte, ich könnte sie glücklich machen.«
Wir waren um die verschiedenen Anwesen herumgeritten und kamen nun in den Wald, der wegen jener Episode in meiner Kindheit für mich immer ein Zauberwald blieb.
»Laß uns hier eine Weile rasten«, schlug Malcolm vor. »Das hier war immer mein Lieblingsplatz.«
»Meiner auch«, sagte ich.
»Von hier aus hat man einen herrlichen Blick auf das Schloß. Es wirkt wie ein Gemälde.«

Wir banden unsere Pferde fest und streckten uns im Gras aus. Seit dem Tod meiner Eltern hatte ich nie wieder eine solche Zufriedenheit verspürt wie jetzt, und plötzlich überkam mich die Erkenntnis, daß ich vielleicht doch noch ein neues Glück finden könnte. Dieses Glück hing nicht allein davon ab, was ich auf dem Gut zu leisten vermochte. Es hatte etwas mit Malcolm zu tun. Er erinnerte mich an meinen Vater. Schließlich war er ein entfernter Verwandter und hatte durchaus Matelandsche Züge. Ich wußte, daß ich Malcolms Freundschaft brauchte, um die schreckliche Lücke in meinem Leben zu füllen.
Malcolm sagte plötzlich: »Wie schön es hier ist! Weißt du, Susannah, für mich ist dies der schönste Ort der Welt.«
»Du liebst das Schloß.«
»Ja. Du aber auch.«
»Ein Schloß hat etwas Faszinierendes«, fuhr ich fort. »Wenn man bedenkt, was sich dort alles abgespielt hat. Man braucht es nur anzuschauen, und schon fühlt man sich in die Zeit der ersten Matelands im 12. und 13. Jahrhundert versetzt.«
»Du kennst dich in der Familiengeschichte gut aus.«
»Du nicht?«
»Doch. Aber du ... Susannah ... du warst früher ganz anders.«
Dieser Satz erfüllte mich jedesmal mit Beklommenheit. »So?« fragte ich matt.
»Als Kind habe ich dich richtig gehaßt. Du warst ein selbstsüchtiges kleines Gör.«
»Manche Kinder sind eben so.«
»Du warst besonders schlimm. Du hast geglaubt, die ganze Welt sei nur dazu da, Susannahs Marotten nachzugeben.«
»War ich wirklich so schlimm?«
»Noch viel schlimmer«, behauptete er. »Und später ...«
»Ja?« hakte ich nach, und mein Herz schlug schneller.
»Seit du aus Australien zurück bist, kann ich nur noch staunen. Diese ganze Aufregung wegen Oma Bells Hütte und der armen kleinen Leah.«

»Daran ist doch nichts Ungewöhnliches«, sagte ich. »Eine traurige Geschichte, die sich ständig wiederholt.«
»Das Ungewöhnliche daran ist die Rolle, die Susannah dabei spielt. Die Sache ist dir wirklich nahegegangen, nicht wahr? Die ewige Dankbarkeit der kleinen Leah ist dir gewiß.«
»Dabei habe ich so wenig getan.«
»Du hast Jeff Carleton gezeigt, daß du der Herr im Haus bist.«
»Bin ich ja auch, nicht wahr? Und er weiß das.«
»Jetzt weiß er es allerdings.«
»Du denkst wohl, eine solche Verantwortung ist nichts für eine Frau.«
Er schwieg eine Weile, dann sagte er: »Das kommt auf die Frau an.«
»Und du meinst, *diese* verdient Vertrauen?«
»Voll und ganz«, erwiderte er ernst.
Wir schwiegen ein Zeitlang, und dann sagte ich: »Malcolm … als Esmond starb, dachtest du, du würdest dies alles erben …«
»Ja«, erwiderte er, »ich hatte damit gerechnet.«
»Und du hast es dir gewünscht. Du hast es dir sehnlichst gewünscht.«
»Ja.«
»Es tut mir leid, Malcolm.«
Er lachte. »Es braucht dir wirklich nicht leid zu tun. So etwas nennt man Schicksal. Ich hätte nie gedacht, daß dein Großvater die Verwaltung des Besitzes einer Frau übertragen würde. Er muß dich sehr gern gehabt haben.«
»Du hast viel für das Schloß getan. Ich wollte …«
»Ja? Was wolltest du?«
Ich gab keine Antwort. Ich konnte ihm nicht anvertrauen, was in meinem Kopf vorging. Deshalb sagte ich: »Ich nehme an, du wirst fortgehen. Wir werden dich vermissen … Jeff und ich.«
Er beugte sich zu mir herüber und legte seine Hand auf die meine. »Danke, Susannah. Ich würde mich möglicherweise zum Bleiben überreden lassen.«

Mein Herz klopfte schneller. Worauf spielte er an? Meinte er womöglich, daß wir heiraten würden ... so wie Susannah und Esmond es einst vorhatten?
Er beobachtete mich eindringlich, und ich dachte: Jetzt ist es soweit. Und was würde er wohl denken, wenn er erführe, daß ich eine Schwindlerin bin, eine Hochstaplerin?
Ich hörte mich sagen: »Aber du hast dein eigenes Leben. Was tust du, wenn du nicht hier bist?«
Er blickte mich verwundert an, und da wurde mir klar, daß ich einen Fehler gemacht hatte. Susannah hätte natürlich gewußt, was er tat. Nach einer Pause erwiderte er: »Du weißt doch, ich habe auf Stockley allerhand zu tun. Gottlob ist Tom Rexon ein ausgezeichneter Verwalter. Deshalb kann ich mich in allem auf ihn verlassen. Wenn eine wichtige Entscheidung zu treffen ist, kann er sich mit mir in Verbindung setzen. Ansonsten ist er höchst zuverlässig.«
Stockley war also sein Zuhause. Ich hatte keine Ahnung, wo das lag. Aber nun mußte ich mich vorsehen, damit ich mich nicht noch mehr verriet. Ich hatte ihn unterbrochen. Was hatte Malcolm mir sagen wollen? Was immer es war, er wollte den Faden nicht wieder aufnehmen.
Er erzählte statt dessen von Stockley und schilderte mir den Unterschied zwischen seinem Besitz und den zum Schloß gehörenden Gütern. »Stockley ist nicht so großartig wie Mateland, aber ich hänge an dem alten Anwesen. Es ist immerhin mein Eigentum.«
Während ich so dalag und Malcolm zuhörte, erkannte ich, daß meine Lage immer verzwickter wurde, denn ich begann mich in Malcolm zu verlieben.
Wir waren viel zusammen. Jeden Morgen ritten wir zusammen aus. Einmal verlor meine Stute ein Hufeisen, und sie mußte zu einem Schmied gebracht werden. Während wir darauf warteten, daß das Pferd beschlagen wurde, gingen wir in ein nahegelegenes Gasthaus, tranken Apfelmost und aßen warmes Brot mit

Käse. Selten hatte mir eine Mahlzeit so gut geschmeckt, und wieder einmal wurde ich heftig an den Tag erinnert, als ich mit meinen Eltern das Picknick im Wald machte und drei Wünsche frei hatte. Wenn ich doch jetzt drei Wünsche hätte! Ich würde mir wünschen, daß ... nein, nicht daß ich Susannah wäre, aber daß ich die rechtmäßige Erbin des Schlosses sein könnte und daß Malcolm sich in mich verlieben würde; und der dritte Wunsch wäre, daß ich die Tragödie auf der Vulkaninsel vergessen könnte.

Aber warum sollte ich mir das alles wünschen? Ich hatte es nicht verdient. Ich hatte die Menschen hier hintergangen und durfte nicht klagen, wenn ich für meine Unverfrorenheit büßen mußte.

Wie glücklich hätte ich sein können, wenn alles anders gewesen wäre!

An diesem Nachmittag sprachen wir über Emily Thorn.

Ich hatte es schließlich erreicht, daß sie ihre Zurückhaltung aufgab und mir von ihren Ängsten erzählte. Erst tags zuvor hatte ich sie in ihrer Küche zum Sprechen gebracht. Sie war furchtbar nervös und bot mir eine Tasse Tee an, während ich in der Küche saß und mich mit ihr unterhielt. Gerade als sie die Teebüchse geöffnet hatte, ertönte von oben das Klopfzeichen. Vollkommen verwirrt, aufgeregt und verängstigt ließ sie die Büchse fallen, und die Teeblätter rieselten über den ganzen Tisch.

»Ach du meine Güte«, stotterte Miss Thorn zitternd. »Ich bin wirklich ungeschickt. Mutter hat ganz recht.«

»Das macht doch nichts«, beruhigte ich sie und schaufelte die verstreuten Teeblätter wieder in die Dose.

»Sehen Sie nach, was Ihre Mutter wünscht. Ich mache inzwischen den Tee.«

Sie ging, und als sie zurückkam, war der Tee fertig.

»Fehlt ihr etwas?« fragte ich.

»Nein, sie wollte nur ihre Limonade. Sie muß gehört haben, daß jemand hier unten ist, Miss Susannah.«

Das glaubte ich gern. Wenn Mrs. Thorn annahm, daß ihre Tochter Besuch hatte, wollte sie natürlich wissen, wer es war. Nur weil Miss Thorn so aufgeregt war, bekam ich an diesem Morgen bei einer Tasse Tee mehr aus ihr heraus als bisher.
Sie war einstmals Zofe bei einer Dame gewesen. Das hatte ihr Freude gemacht.
»Ich hatte eine gütige Herrin«, erzählte sie. »Sie hatte wundervolles Haar, und ich wußte genau, wie es am besten zu frisieren war. Sie war immer zufrieden mit mir und schenkte mir Kleider und Bänder und dergleichen. Dann heiratete sie. Ich hätte bei ihr bleiben können, doch Mutter brauchte jemanden, der sich um sie kümmerte, und deshalb mußte ich nach Hause.«
Arme Miss Thorn, deren einzige Freude darin bestanden hatte, eine andere Frau zu frisieren und deren abgelegte Kleider geschenkt zu bekommen.
Und dann entdeckte ich die eigentliche Ursache ihrer Angst. Daß ihre Mutter ihr das Leben vergällte, war offensichtlich, ebenso wie die Tatsache, daß es ihr Los war, sich bis zum Tod ihrer Mutter um sie zu kümmern. Damit hatte sie sich abgefunden. Doch wo sollte sie hin, wenn ihre Mutter starb? Sie müßte sich eine Stellung und eine Unterkunft suchen. Aber wie? Sie würde ja selbst allmählich alt.
Ich versicherte ihr: »Sie brauchen sich keine Sorgen zu machen. Solange Ihre Mutter lebt, muß alles beim alten bleiben, aber Sie brauchen nicht zu befürchten, daß Sie aus der Hütte ausziehen müssen, bevor wir eine andere Bleibe für Sie gefunden haben. Wer weiß, vielleicht hätte ich selbst ganz gern eine Zofe.«
Als wir in dem Gasthaus saßen, erzählte ich Malcolm, was ich mit Miss Thorn gesprochen hatte, und er sah mich lange forschend an.
»So kann man einen Gutsbesitz aber nicht erfolgreich verwalten, Susannah«, meinte er.
»Erfolgreich vielleicht nicht, aber glücklicher«, gab ich zurück. »Es ist erstaunlich, wie Miss Thorn sich verändert hat.«

»Du benimmst dich wie eine gute Märchenfee.«
»Was hast du gegen gute Märchenfeen?«
»Nichts, wenn sie Zauberhände haben.«
»Die habe ich ... gewissermaßen. Wenn man kann, muß man doch diesen Leuten bei der Lösung ihrer Probleme helfen.«
Er beugte sich vor und küßte mich auf die Nasenspitze.
Ich fuhr zurück, worauf er die Augenbrauen hochzog und grinste: »Ich konnte nicht widerstehen. Du sahst so reizend aus, wie du vor lauter Tugendhaftigkeit förmlich geglüht hast.« Er stützte die Ellbogen auf den Tisch und sah mich fragend an. »Sag mir, Susannah, was ist in Australien passiert?«
»Warum fragst du?«
»Es muß etwas Erschütterndes gewesen sein. Wie bei Paulus auf dem Weg nach Damaskus. Du hast dich verändert. Du hast dich vollkommen verändert.«
»Tut mir leid, aber ...«
»Na hör mal! Das ist doch kein Grund zur Klage. Im Gegenteil, es ist zum Frohlocken. Du bist eine neue Susannah geworden. Du bist empfindsam geworden ... und verwundbar. Ich dachte immer, du hättest ein dickes Fell. Du wolltest stets nur deinen Willen haben. Aber in Australien muß irgendwas vorgefallen sein ...«
»Sicher, ich habe meinen Vater gefunden.«
Malcolm sah mich unverwandt an, und mir wurde immer unbehaglicher zumute.
»Wenn ich es recht bedenke – du siehst sogar anders aus. Ich könnte beinahe glauben ... Aber nein, ich glaube nicht an Märchen. Du etwa?«
Ich dachte an die drei Wünsche im Zauberwald und zögerte.
»Du glaubst daran!« rief er aus. »Eine alte Hexe ist zu dir gekommen, hm? Sie hat gesagt: ›Ich verwandle dich, in was du willst, wenn du mir deine Seele dafür gibst.‹ O Susannah, du hast doch nicht etwa deine Seele verschachert?«

Ich hielt seinen Blick nicht aus und dachte bei mir: Ja, vielleicht habe ich wirklich meine Seele verkauft.
»Laß dich nicht wieder zurückverwandeln, Susannah. Bitte bleib, wie du bist.«
Ich blickte ihm voll ins Gesicht und wußte plötzlich, daß ich Malcolm Mateland liebte. Eine beglückende Seligkeit kam über mich, doch bei dem Gedanken an die Ausweglosigkeit meiner Lage packte mich die Verzweiflung.
Ich war eine Betrügerin, und ich hatte Angst.
Alles war nur eine Maskerade. Ich durfte nicht zu weit gehen.
Doch jedes vernünftige Argument war sinnlos. Ich hatte mich ja schon viel zu tief verstrickt.
Malcolm und ich trafen uns täglich. Janet merkte etwas. Meine Gefühle für ihn waren wohl zu offensichtlich. Ich bildete mir ein, daß Janet mich ständig beobachtete, und deshalb war mir zuweilen unbehaglich zumute; doch ich mußte zugeben, daß sie mir mit ihrer Geschwätzigkeit mehr als einmal geholfen hatte.
Janet war in keiner Weise unterwürfig. Sie nahm sich einfach das Recht, ihre Meinung unverblümt zu äußern. Eines Tages stellte sie fest: »Sie haben sich ja eng mit Mr. Malcolm angefreundet. Wenn Sie mich fragen, ich halte das für eine gute Sache.«
»Ich habe Sie aber nicht gefragt, Janet«, erwiderte ich. »Jedoch meine ich, jede Freundschaft ist eine gute Sache.«
»Sie erinnern mich an eine, die ich gut gekannt habe. Die hatte auch auf alles eine Antwort parat. Nun ja, Freundschaft ist wirklich eine gute Sache, aber eine Freundschaft zwischen Ihnen und Mr. Malcolm ist noch ein bißchen besser.«
»So?«
»Nun ja, ich meine, Sie *haben* das Schloß, und er *wollte* das Schloß, und er könnte Ihnen bei der Verwaltung eine große Hilfe sein ... es hat den Anschein, Sie beide haben sich sehr gern ...«
»Janet, Sie denken zuviel«, sagte ich.
»Schon gut, schon gut«, lenkte sie ein. »Vielleicht rede ich

dummes Zeug. Aber die Verbindung wäre gar nicht schlecht, das kann man ruhig offen sagen. Auf diese Weise würden viele Probleme gelöst, und das wäre doch eine feine Sache.«

Es war Janet also aufgefallen, und ich fragte mich, ob auch andere etwas gemerkt hatten.

Es war nur natürlich, daß ich mich an die Hoffnung klammerte, daß alles gut würde, und ich dachte mir, wenn Malcolm mich liebte, wenn ich ihn heiraten und das Schloß mit ihm teilen würde, wem sollte das schaden? Ich könnte ihm die Verwaltung übertragen. Schließlich durfte ich nicht vergessen, daß er der rechtmäßige Besitzer war. Könnte ich mich unter diesen Umständen von meiner Schuld befreien und mein Unrecht wiedergutmachen? Ich könnte Malcolm zur Seite stehen und ihm zur Hand gehen. Alles würde so, wie es nach Susannahs Tod hätte sein sollen. Der Erbe des Schlosses würde mich heiraten und mich so zur Herrin machen.

Es schien, als würden die Glücksgötter mir endlich geneigt sein, und das war für mich ein tröstlicher Gedanke. Und in zehn Jahren, wenn wir so lange eine Ehe voller Liebe und Vertrauen geführt hätten und unsere Kinder geboren wären, würde ich ihm alles beichten. Er würde Verständnis zeigen und mir bereitwilligst verzeihen.

Ja, das schien mir eine glückliche Lösung, die sich durchaus verwirklichen ließe.

Wir lachten zusammen; wir arbeiteten zusammen, und ich war glücklich. Ständig sprachen wir vom Schloß – was getan werden mußte und wie wir es anstellen wollten. Es war fast, als seien wir Partner.

Eines Tages fragte er mich: »Hast du nach Esmonds Tod schon mal ans Heiraten gedacht?«

Ich wandte mich ab, denn ich wagte nicht, ihn anzusehen. Ich wußte, daß er für mich ganz andere Gefühle hatte als für Susannah, doch jedesmal, wenn wir an einen Punkt gelangten, da es zu einem innigeren Verständnis hätte kommen können, wurde er von dem Geheimnis, das zwischen uns lag, zurückgehalten. Er konnte die Verwandlung, die offenbar mit Susannah vorgegangen war, nicht glauben, und während er sich gefühlsmäßig für mich erwärmte, wurde er von seinem Verstand vor mir gewarnt. Ich glaube, er fürchtete manchmal, ich könnte wieder in meine alten Gewohnheiten zurückfallen, nachdem ich mein falsches Spiel mit ihm getrieben hatte. Im Grunde hatte er ja recht! Wie oft dachte ich daran, ihm alles zu gestehen. Aber ich hatte Angst, ihn zu verlieren. Ich wollte ihn so fest an mich binden, daß er sich nicht mehr von mir trennen wollte, selbst wenn das, was ich getan hatte, ihn mit Abscheu erfüllte. Ich liebte ihn sehr, und ich glaubte, daß es ihm ebenso erging, doch meine Schuld und sein Mißtrauen lagen zwischen uns wie ein zweischneidiges Schwert.

Verlegen murmelte ich: »Die Ehe ist ein Wagnis, das man nicht leichtfertig eingehen sollte. Meinst du nicht auch?«

»Gewiß. Ich war immer der Meinung, daß man nicht überstürzt heiraten sollte. Esmonds Tod war ein schwerer Schlag für dich, nicht wahr?«

Ich drehte meinen Kopf zur Seite und tat, als kämen mir die Tränen.

»Du hast ihn richtig betört«, fuhr Malcolm fort. »Er hat mir immer leid getan. Du warst damals ganz anders, gleichsam eine andere Persönlichkeit. Heute wäre ich neidisch auf ihn.«

Ich blickte ihm ins Gesicht und wünschte so sehr, er würde mich in die Arme nehmen und mir sagen, daß er mich liebte.

Doch er packte mich an den Schultern und schüttelte mich.

»Was ist bloß geschehen, Susannah!« rief er. »Was? Um Gottes willen, sag's mir!«

Wie gern hätte ich ihm alles gestanden, aber ich wagte es nicht. Ich war seiner nicht sicher, sowenig wie er meiner sicher war.

»Mein Vater ist gestorben«, erwiderte ich gefaßt. »Das war ein schlimmer Schock ...«

Er ließ seine Arme sinken. Er glaubte mir nicht, und bitter enttäuscht wandte er sich von mir ab.
Er sprach nicht mehr davon, aber insgeheim versicherte ich mir, daß eines Tages ... schon bald werde er ... Vielleicht würde er mir einen Heiratsantrag machen, und was sollte ich dann tun? Würde ich es wagen, ihm zu bekennen, was ich getan hatte?
Ich begann, mir Ausreden auszudenken. War es denn überhaupt nötig, daß ich ihm alles gestand? Wenn er mich heiratete, würde er automatisch Mitbesitzer des Schlosses. War das nicht die Lösung? Das Schicksal würde mir schon einen Ausweg weisen.

Doch ich hätte wissen müssen, daß Wünsche im Leben selten in Erfüllung gehen.
Es waren Briefe, die alles durchkreuzten.
Ich fand sie in Susannahs Zimmer in einem Sekretär. Das Möbel war ein schönes Stück aus dem 18. Jahrhundert, das ich vom ersten Augenblick an bewundert hatte. In den Schubladen bewahrte ich die Papiere und Tagebücher aus Esmonds Zimmer auf.
An jenem Tag war ich fast ausnahmslos mit Malcolm zusammengewesen und war ausgesprochen heiter gestimmt. Die Chivers hatte ich in ihrer Hütte besucht und festgestellt, daß dort alles in bester Ordnung war. Die Vorhänge vom Schloß sahen sehr vornehm aus, und Leah war sehr stolz auf sie; doch ich wußte, daß sie sich am meisten über meine Anteilnahme freute. Sie betrachtete mich als eine Art gute Fee, und das rührte mich zutiefst.
Bevor ich nun zu Bett ging, wollte ich noch weitere Papiere aus der Schublade holen, um sie im Bett durchzusehen, wie es mir inzwischen zur Gewohnheit geworden war. Ich zog die Schublade auf, und als ich die Unterlagen herausnahm, merkte ich, daß ein paar Papiere eingeklemmt waren. Ich zerrte daran, bekam sie aber nicht frei, deshalb kniete ich mich hin, um zu untersuchen, wo sie festklemmten.

Ich zog sacht, aber ohne Erfolg, also zog ich die ganze Schublade heraus. Und da entdeckte ich, daß sich dahinter eine Geheimlade befand. Ich zog sie hervor. Sie enthielt eine schmale, mit rotem Band umwickelte Papierrolle. Vorsichtig löste ich das Band und entfaltete die Papiere. Mein Herz begann zu hämmern, denn es handelte sich um Briefe an Susannah.

Ich kniete ein paar Sekunden wie benommen da und hielt die Briefe in der Hand. Es entsprach eigentlich nicht meiner Natur, an Türen zu horchen oder die Korrespondenz anderer Leute zu lesen, und ich zögerte jetzt genauso wie vordem bei Esmonds Tagebüchern.

Aber eine innere Stimme flüsterte mir zu, daß diese Briefe womöglich wesentliche Informationen enthielten und ich mich nicht so zimperlich anstellen dürfe. Energisch schob ich die beiden Schubladen wieder an ihren Platz, schalt mich töricht wegen meines Zögerns und nahm die Briefe mit ins Bett.

Nachdem ich sie gelesen hatte, lag ich noch lange wach und dachte über ihren Inhalt nach. Diese Briefe hatten mich erschüttert. Ich konnte nur ahnen, wer der Absender war – doch für mich gab es nur einen Menschen, der dafür in Frage kam.

Die Briefe waren mit Daten versehen, daher wußte ich, daß sie an Susannah geschrieben worden waren, kurz bevor sie England verlassen hatte, um nach Australien aufzubrechen. Der erste lautete:

Liebste, höchst Verehrte (im folgenden LHV genannt)!
Welche Wonne, mit Dir zusammenzusein wie gestern nacht. Ich hätte mir nie träumen lassen, daß es so etwas geben kann. Und das Beste kommt erst noch. Du mußt Deinen Teil dazu beitragen, und bald ist es soweit. Hochzeitsglocken und wir zwei – König und Königin auf dem Schloß. Du weißt, wie Du mit S. C. fertig wirst. Er wird alles tun, was Du von ihm verlangst. Er ist in Dich vernarrt. Wie geschickt von Dir, daß Du ihn so weit gebracht hast. Halte ihn in diesem

Zustand. Ich frage nicht, wie Du das anstellst, und ich will versuchen, auf Deinen bäuerlichen Liebhaber nicht eifersüchtig zu sein. Wir brauchen seine Hilfe, um das Gewünschte zu bekommen, denn es muß aus einer Quelle stammen, die unentdeckt bleibt … für alle Fälle. Wenn er es uns verschafft, kann er mit hineingezogen werden. So weit wird es jedoch nicht kommen. Wir wollen dafür sorgen, daß alles glattgeht.
LHV, ich werde Dir schreiben müssen, denn es wäre nicht gut, wenn ich im Augenblick in Deiner Nähe wäre. Man kann nie wissen. Wir würden uns womöglich verraten. Verbrenne also alle meine Briefe, sobald Du sie gelesen hast. Auf diese Weise kann ich offen schreiben. Laß mich wissen, wenn S. C. Dir gibt, was wir brauchen. Schade, daß er mit im Spiel sein muß, aber damit werden wir hinterher schon fertig werden. Der König und die Königin werden handeln.
Bis bald, Liebste,

Dein ergebener Sklave und Dich ewig Liebender
(von nun an DES)

Ich nahm mir den nächsten Brief vor.

LHV!
S. C. hält uns also hin. Er hat es nicht, behauptet er. Du mußt es von ihm bekommen. Sag ihm, Du benötigst es zur Gesichtsreinigung. Sie haben es bestimmt auf dem Hof, weil es dort immer mal gebraucht wird. Du mußt es ihm abschmeicheln. Ich werde allmählich eifersüchtig. Ich glaube, Du hast ihn sehr gern. Ich bin sicher, daß Du Deine Rolle gut spielst, aber wir wollen es hinter uns bringen, und dann ist's aus und vorbei, ja? Ich wollte, wir könnten heiraten, aber ich vermute, Du willst nicht, bevor die Luft rein ist. Du warst immer ein Teufel, LHV. Du willst mit einem Fuß in jedem Lager stehen, nicht wahr? Du läßt Cousin E. nicht

fallen, bis er zur ewigen Ruhe gebettet ist. Du willst die Allergrößte sein. Vergiß nicht, ich bin vom gleichen Blut. Du weißt, wir sind eine verwegene, intrigante, ehrgeizige Sippe. Mateland auf Mateland. Verbrenne diesen Brief und alle meine anderen Briefe. Besorge das Zeug von S. C., und mach Gebrauch davon. Ich verzehre mich nach Dir. Ich sehne den Tag herbei, da wir – Du weißt, wo – zusammensein werden, Du, meine LHV, und

Dein DES

Und dies war der letzte Brief:

LHV,
Ich habe verzweifelt auf Deine Nachricht gewartet. Was ist schiefgegangen? Deine Mixtur war nicht stark genug. Ich weiß, Du durftest keinen Verdacht erregen. Dem Tode nahe ... das reicht nicht ganz, nicht wahr? Und S. C. nimmt sich auf so melodramatische Weise das Leben. Bedauerlich, daß wir ihn gebraucht haben. Aber Du hast natürlich recht. Wir dürfen es vorläufig nicht noch einmal versuchen. Ja, sagen wir, ein Jahr lang. Dann kann er dieselbe Krankheit wieder bekommen. Das klingt ganz plausibel. Wer hätte gedacht, daß S. C. so ein Esel ist. Hoffen wir, daß er nichts ausgeplaudert hat. Solche Kerle reden manchmal zuviel. Sie machen Geständnisse. Ich wollte, wir hätten ohne ihn an das Zeug herankommen können. Aber es wäre zu gefährlich gewesen, es zu kaufen oder aus anderer Quelle zu besorgen. Wir hatten unsere Spuren so gut verwischt, und dann geht dieser Esel hin und macht auf diese Weise von sich reden! Jetzt gib acht, LHV. Dein Plan gefällt mir. Du gehst fort, irgendwohin. Du suchst Deinen Vater auf, nachdem Du herausgefunden hast, wo er sich aufhält. Das ist prima. Du darfst nicht anwesend sein, wenn es wieder passiert. Ausgezeichnet. Aber ich kann Dich unmöglich die ganze Zeit entbehren. Ich komme mit

Dir, und dann kehre ich zurück, und ... in einem Jahr ist alles erledigt. Wir müssen Geduld haben. Wir müssen daran denken, was der Lohn dafür sein wird ... Du und ich zusammen dort, wo wir hingehören.
Es ist wirklich töricht, dies alles zu Papier zu bringen, aber ich bin nun einmal töricht, wenn Du beteiligt bist ... und umgekehrt. Wir haben alle zum Narren gehalten. Wir werden sie weiterhin zum Narren halten. Wenn Du erfährst, daß es vorbei ist, kommst Du heim, und dann entdecken wir, daß unsere gegenseitige Abneigung ein Irrtum war, daß wir uns immer geliebt haben. Hochzeitsglocken, und das Schloß gehört uns. Mateland immerdar.
Verbrenne diesen Brief wie die anderen. Ist Dir klar, daß er uns ins Verderben stürzen könnte? Aber ich vertraue Dir. Es würde in jedem Fall uns beide treffen. Ich komme bald aufs Schloß, und Du wirst wohl unterdessen Vorkehrungen für Deine Abreise treffen. Sei sehr lieb zu Esmond. Aber geh fort. Die C.s könnten gefährlich werden. Auf bald,

Dein DES

Ich war erschüttert. Diese Briefe klärten mich über so vieles auf. Esmond war also ermordet worden. Er war das Opfer von Susannah und ihrem Liebhaber. Susannah hatte versucht, Esmond umzubringen, und ihrem Liebhaber war es dann schließlich gelungen, er hatte sie somit zur Herrin des Schlosses gemacht. Susannah hatte Saul Cringle verführt, damit er ihr das Gift verschaffte, an dem Esmond gestorben war – vermutlich Arsen, weil von einem kosmetischen Mittel die Rede war. Dabei war sie so leichtfertig gewesen, diese diskriminierenden Briefe in der Geheimschublade ihres Sekretärs zu verwahren, trotz der eindringlichen Mahnung ihres Liebhabers, sie zu vernichten. Und jetzt hatte ich sie gefunden! Wie leichtsinnig von ihr. Aber vielleicht hatte sie die Briefe aus bestimmten Gründen aufgehoben? Ich versuchte, die Gedanken über die ungeheuren Konse-

quenzen, die sich daraus ergaben, zurückzudrängen. Ich wagte nicht, gründlich darüber nachzudenken.
Ich erinnere mich, wie ich in der Scheune eingeschlossen war und das grauenhafte Ding vom Balken herabhängen sah. Eines war klar. Die Cringles wußten, daß Susannah sich mit Saul eingelassen hatte, und nachdem sie mich für Susannah hielten, hatten sie mir diesen Schrecken eingejagt.
Ich befand mich in einer gefährlichen Situation, und namenlose Angst stieg in mir auf. Der eine Satz tanzte mir immerfort vor den Augen: »Vergiß nicht, wir sind vom gleichen Blut ...«
Es gab nur einen Menschen, der das geschrieben haben konnte. Malcolm!
Folglich mußte er wissen, daß ich eine Schwindlerin war, denn seine Briefe hatten enthüllt, wie nahe er und Susannah sich gestanden hatten. Er konnte unmöglich auf meine Verkleidung hereingefallen sein, denn angesichts ihrer Beziehung mußte er eindeutig wissen, daß ich mich für Susannah ausgab. Doch warum entlarvte er mich nicht? Dann gehörte ihm doch gleich das Schloß. Warum ließ er mich gewähren? Was hatte das zu bedeuten? In was war ich da hineingeraten? Sicher, ich war eine Betrügerin. Ich gab mich für eine andere aus. Aber Malcolm, der Mann, in den ich mich verliebt hatte, war ein Mörder.
Es gab keine andere Möglichkeit. Malcolm war Susannahs ergebener Sklave, der ihr in ewiger Liebe zugetan war, und er spielte jetzt sein Spiel. Aber was für eins?
Mir wurde übel vor Angst.
Er mußte wissen, daß Susannah tot war. Er, ein Mörder! Was mußte er für ein guter Schauspieler sein, der mich hatte dermaßen täuschen können. Er wollte das Schloß. Nur deswegen hatte er das alles getan.
Aber warum machte er seine Ansprüche jetzt nicht geltend? Da Susannah tot war, könnte er sein Erbe antreten. Warum hatte er mich nicht entlarvt?
Die Gedanken jagten sich in meinem Kopf. Ich tat in dieser

Nacht kein Auge zu, wälzte mich von einer Seite auf die andere und wartete aufs Morgengrauen.
Das pure Entsetzen hatte mich gepackt, und ich wußte, daß sich bald ein furchtbares Unwetter entladen würde.

Beim Frühstück traf ich keine Menschenseele. Anschließend ging ich in den Wald hinaus. Es war mir unmöglich, jetzt Malcolm gegenüberzutreten, trug er doch, genau wie ich, ebenfalls eine Maske. Was verbarg sich hinter diesen sympathischen, freundlichen Zügen? Ein kaltes, verschlagenes, gerissenes, grausames, lüsternes, mörderisches Antlitz.
Diese Vorstellung bereitete mir Übelkeit. Wie war ich getäuscht worden! Ich wollte Malcolm aus meinen Gedanken verbannen, doch es gelang mir nicht. Meine Gefühle waren bereits zu stark mit ihm verbunden; zumal ich ja nicht lediglich ein Mädchen war, das sein Vertrauen einem Zyniker, der zu den schlimmsten Schandtaten fähig war, geschenkt, sondern selbst unrecht gehandelt hatte.
Was war ich doch für eine Närrin gewesen! Was für ein verworrenes Netz hatte ich gesponnen, und nun stand ich im Mittelpunkt von Geheimnis, Intrige und Mord.
Ich gab mir Mühe, meine Gedanken zu ordnen und die Dinge im richtigen Licht zu sehen.
Mittags kehrte ich zum Schloß zurück. Erleichtert stellte ich fest, daß Malcolm nicht dort war. Er hatte eine Nachricht hinterlassen, daß er bei Jeff Carleton aß.
Emerald und ich speisten allein.
Ich hörte mir den Bericht über ihre schlaflose Nacht an und daß es ihr unmöglich sei, auf dem Rücken zu liegen. Dann hörte ich sie sagen: »Ich habe Garth geschrieben, daß du hier bist. Er hat uns schon so lange nicht mehr besucht. Es ist ihm vermutlich unangenehm, herzukommen, seit seine Mutter von uns gegangen ist.«
Nach dem Mittagessen ging ich wieder hinaus. Ich wanderte in

den Wald, und dort lag ich, betrachtete das Schloß und gedachte wieder einmal jenes zauberhaften Tages in meiner Kindheit. Damals hatte alles angefangen.

Doch wie hatte sich das kleine, unschuldige Mädchen verändert!

Als ich nach Hause kam, war Janet in meinem Zimmer, um ein paar Sachen, die sie gewaschen hatte, in eine Schublade zu räumen.

»Meine Güte«, sagte sie, »Sie sehen ja aus, als hätten Sie ein Goldstück verloren und dafür eine Kupfermünze gefunden.«

»Mir fehlt nichts«, erwiderte ich. »Ich bin nur ein bißchen müde. Habe letzte Nacht nicht gut geschlafen.«

Sie musterte mich auf diese Art, die mir ganz und gar nicht behagte.

»So sehen Sie auch aus! Stimmt etwas nicht, Miss Susannah?«

»Doch, doch«, sagte ich schnell, »es ist alles in Ordnung.«

Janet nickte und fuhr fort, die Wäsche wegzuräumen.

Das Geräusch von trappelnden Hufen war zu hören. Ich trat ans Fenster und sah Malcolm. Er hielt sein Pferd an und betrachtete einen Augenblick lang das Schloß. Ich konnte mir seine zufriedene Miene vorstellen. Er liebte das Schloß, wie Susannah es geliebt hatte und wie auch ich es von Tag zu Tag mehr liebte. Dieses Schloß war erfüllt von den Seelen der Menschen, die einst hier gelebt hatten – allen voran die Familie Mateland, zu welcher Malcolm, Susannah und ich gehörten.

Wir liebten das Schloß aus hunderterlei Gründen – nicht nur, weil es seit Generationen das Zuhause der Familie war, sondern wegen des Zaubers, den es auf uns ausübte, so daß wir zu Lug und Trug griffen, um es in unseren Besitz zu bringen – und einige von uns waren sogar bereit, dafür zu morden.

Als zum Abendessen gerufen wurde, schützte ich Kopfweh vor. Ich konnte Malcolm nicht gegenübertreten ... noch nicht.

Janet brachte mir mein Essen auf einem Tablett herauf.

»Ich mag nichts«, sagte ich.

»Aber, aber«, erwiderte sie in einem Ton, als sei ich zwei Jahre alt. »Es ist nicht gut, sein Wehwehchen mit leerem Magen zu ertragen.« Sie blickte mich besorgt an. Manchmal glaubte ich, daß Janet mich wirklich gern hatte.

In der Nacht schlief ich miserabel. War ich endlich in den Zustand seligen Vergessens versunken, so wurde ich von Schreckensträumen geplagt, in denen Esmond, Malcolm, Susannah und ich auftauchten.
Am nächsten Morgen stand ich früh auf. Ich hatte keinen Appetit, dennoch versuchte ich, ein wenig zu essen. Unterdessen kam Chaston herein und meldete, daß Jack Chivers mich zu sprechen wünsche. Er warte draußen und sei sehr aufgebracht.
»Ich hab' ihm gesagt, Miss Susannah, daß ich Sie nicht beim Frühstück stören möchte«, berichtete Chaston, »aber er sagt, es sei dringend; es handelt sich um seine Frau, und er bestand darauf, daß er sofort zu Ihnen müsse.«
»Seine Frau!« rief ich aus. »Es war ganz richtig, mich zu stören. Ich möchte Jack Chivers augenblicklich empfangen.«
»Ist gut, Miss Susannah. Soll ich ihn hereinführen?«
»Ja bitte. Sofort.«
Jack kam in die Halle. Ich ging mit ihm in einen der kleineren Salons. Ich nahm an, er wolle mir mitteilen, daß bei Leah die Wehen eingesetzt hatten, und war besorgt, weil es dafür noch zu früh gewesen wäre.
»Was ist, Jack?« fragte ich.
»Es geht um Leah, Miss. Sie ist ganz aufgeregt.«
»Das Baby ...«
»Nein, nicht das Baby, Miss. Sie sagt, sie muß Sie unbedingt sprechen. Sie möchten kommen, sobald Sie können.«
»Aber sicher, Jack. Worum handelt es sich?«
»Das möchte sie Ihnen selbst sagen, Miss Susannah. Wenn Sie kommen könnten ...«

Ich war bereits zum Ausreiten angekleidet, daher ließ ich nicht lange Zeit vergehen und ritt mit ihm zur Hütte.
Leah saß sehr blaß am Tisch und sah ganz verstört aus.
»Na, Leah, was ist passiert?« fragte ich.
»Mein Vater«, erwiderte sie. »Er hat alles rausgekriegt.«
»Was, Leah? Was meinst du?«
»Er hat mir angedroht, mich zu schlagen, Miss Susannah. Ich hätte es ihm sonst nie erzählt ... vor allem jetzt nicht ... niemals. Aber ich hab' mich gefürchtet ... nicht meinetwegen, sondern wegen dem Baby. Ich hab' alles erzählt, und er hat gesagt, er will mit Ihnen abrechnen ...«
»Was hast du ihm erzählt?«
»Das mit Ihnen ... und Saul.«
»Was ... mit mir und Saul?«
»Miss Susannah, er hat gesagt, er bringt mich um, wenn ich's nicht erzähle. Da mußte ich's ihm sagen, Miss. Ich mußte es tun, wegen dem Baby.«
»Natürlich ... aber was?«
»Ich werd' nicht schlau draus, Miss. Es ist, als wäre jemand anders an Ihrer Stelle. Als wären Sie gar nicht mehr Miss Susannah, Sie sind ein so guter Mensch. Sie müssen vom Teufel besessen gewesen sein. Aber der ist jetzt ausgetrieben, nicht wahr. Ich weiß, daß man so was machen kann. Sie sind jetzt gut, Miss. Jack und ich werden nie vergessen, was Sie für uns getan haben. Aber ich mußte es meinem Vater sagen ... Ich mußte ihm erzählen, wie Sie waren, als Sie noch den Teufel im Leib hatten.«
»Aber was hast du ihm erzählt, Leah?«
»Alles, was ich wußte ... Onkel Saul hat sich in seinen letzten Tagen schrecklich gequält. Er sagte immer, seine Seele wäre verloren und er käme in die Hölle. Mit mir hat er immer geredet und mich oft vor Schlägen bewahrt. Onkel Saul war ein guter Mensch ... aber gegen den Teufel kommt keiner an, Miss ... und Sie hatten damals den Teufel im Leib.«

»Bitte, Leah, sag mir endlich, was du deinem Vater erzählt hast.«

»Das, was Onkel Saul mir erzählt hat. Ich hab' Sie gesehen ... wie Sie zusammen in die Scheune gingen ... und später sind Sie herausgekommen und haben gelacht. Jetzt weiß ich, daß es der Teufel war, der da gelacht hat, aber damals dachte ich, Sie wären bloß so eine gemeine ... eine gemeine Hexe. Und Onkel Saul hat übers ganze Gesicht gestrahlt, als wäre er im Paradies gewesen ... bis er sich besann, und da war's um ihn geschehen, und er hat sich umgebracht.«

»Gott steh mir bei«, murmelte ich.

»Er hat oft mit mir geredet. Auch an dem Abend, bevor er's getan hat. Er hatte auf dem Feld gearbeitet, und ich hab' ihm seinen kalten Tee und sein Speckbrot gebracht. Wir haben an der Hecke gesessen, und da hat er zu mir gesagt: ›Ich halte das nicht aus, Leah. Ich muß da raus ... ich habe gesündigt. Ich habe schrecklich gesündigt. Ich weiß keinen Ausweg. Der Lohn der Sünde ist der Tod, Leah, und ich habe diesen Lohn verdient.‹ Das hat er zu mir gesagt, Miss. ›Der Teufel hat mich verführt‹, sagte er, und darauf ich: ›Ja, Miss Susannah ist ein Teufel.‹ Und dann hat er zu zittern angefangen und zu mir gesagt: ›Ich komm' nicht von ihr los, Leah. Wenn sie nicht bei mir ist, weiß ich, daß es verrucht ist, und wenn sie da ist, sehe ich nur noch sie.‹ Darauf ich: ›Bitte um Vergebung und sündige nicht mehr‹, und er: ›Aber ich habe gesündigt, Leah. Du hast keine Ahnung, wie sehr ich gesündigt habe.‹ Ich sagte: ›Ja, du hast gesündigt, aber das ist menschlich. Guck dir Annie Draper an. Sie hat ein Baby gekriegt, und dann hat sie den Bauern Smedley geheiratet, und jetzt geht sie regelmäßig in die Kirche, und alle finden, daß sie ein guter Mensch ist. Das nennt man Reue. Du kannst deine Sünden bereuen, Onkel Saul.‹ Er hat aber immer nur den Kopf geschüttelt. Dann meinte er, er sei zu weit gegangen. Ich wollte ihn irgendwie trösten. Ich hab' ihm gesagt: ›Das ist doch genau dasselbe, Onkel Saul. Ob's mit Miss Susannah war, wie bei dir ... oder mit einem Hausierer wie bei Annie Smedley.‹ Aber er wollte nichts davon hören. Dann hat er was ganz Schreckliches gesagt: ›Es ist viel schlimmer. Es ist schlimmer als Hurerei, und deshalb komme ich in die Hölle. Es ist Mord, Leah. Sie hat mich gebeten, ihr zu helfen, Mr. Esmond zu beseitigen. Sie kann ihn nicht ausstehen. Sie will ihn nicht heiraten. Sie will das Schloß, aber ihn will sie nicht.‹ Ich sagte: ›Wie meinst du das? Was geht es dich an, was die auf dem Schloß machen?‹ Und er sagte: ›Es ist Miss Susannah. Ich muß tun, was sie verlangt. Das verstehst du nicht. Ich muß es tun. Ich hab's schon getan. Und es gibt nur einen Ausweg.‹ Ich wußte nicht recht, was er damit meinte, bis sie ihn am nächsten Tag erhängt in der Scheune fanden.«

»Und das hast du deinem Vater erzählt?« fragte ich matt.

»Ich hätte es ihm nie erzählt, Miss. Nicht, nachdem Sie soviel für Jack und mich getan haben. Ich hätt's ihm nicht erzählt ... wenn das Baby nicht wäre. Ich weiß, Sie hatten den Teufel im Leib, Miss. Jetzt weiß ich es. Ohne Teufel sind Sie nett und gütig. Und ich hätt's ihm wirklich nicht erzählt ... aber dann wär's dem Baby schlechtgegangen. Doch ich mußte Ihnen gestehen, was ich getan habe.«

»Danke, Leah«, erwiderte ich. »Ich bin dir wirklich dankbar.«

»Miss Susannah«, fragte sie ernst, »Sie hatten den Teufel im Leib, nicht wahr? Sie werden nicht wieder böse. Sie bleiben von jetzt an, wie Sie wirklich sind, darauf können wir uns doch verlassen, ja?«

»Bestimmt, Leah«, rief ich, »ganz bestimmt.«

»Miss Susannah, mein Vater ... er kann schrecklich sein. Er ist ein so furchtbar guter Mensch, daß er alles bekämpft, was er als Übel ansieht ... egal, wo. Er sagt, er läßt diese Sache nicht auf sich beruhen. Er will Saul rächen. Er wird irgendwas tun ... ich weiß nicht, was. Aber er ist schrecklich grausam ... wenn es gilt, ein Unrecht zu sühnen.«

»Leah«, sagte ich, »du darfst dich nicht aufregen. Denk an das Baby.«

»Ja, Miss. Ich denke an alles, was Sie für uns getan haben. Es war schrecklich, als Vater hier war. Aber ich hatte solche Angst, Miss, nicht um mich, sondern um das Baby.«
»Keine Bange. Es wird alles gut«, beruhigte ich sie.
Ich mußte fort, mußte allein sein, um über alles nachzudenken. Verzweifelt lief ich in den Wald. Jetzt saß ich in der Falle. In dem Bestreben, mir das Schloß anzueignen, war ich in die Maske einer Mörderin geschlüpft.
Ich war vor Angst wie gelähmt, unfähig, einen Plan zu fassen, und wußte nicht, was ich anfangen sollte.
Der rachsüchtige Jacob Cringle wußte, warum sein Bruder Saul Selbstmord begangen hatte. Er wußte, daß man auf dem Schloß einen Mordplan ausgeheckt hatte und daß dieser auch ausgeführt worden war.
Er würde die Sache nicht auf sich beruhen lassen. Er würde die Mörder verfolgen und der gerechten Strafe zuführen. Endlich könnte er den Tod seines Bruders rächen.
Und ich wußte von dem Mordplan, hatten mir die Briefe in der Geheimschublade doch den Beweis erbracht. Die Dinge nahmen allmählich Gestalt an: Ich saß in der Rolle einer Mörderin auf Schloß Mateland in der Falle.
Es war, wie Cougabel gesagt hatte: Der »alte Satan« hatte mich am Ellbogen gepackt, hatte mich in Versuchung geführt, hatte die Herrlichkeit des Schlosses vor mir ausgebreitet und mir verheißen, es werde mir gehören ... wenn ich mit ihm einen Pakt schließen würde.
Und ich war der Versuchung erlegen. Meine Lage wurde von Stunde zu Stunde gefährlicher – und ich wußte keinen Ausweg.

Ich weiß nicht mehr, wie ich den Tag überstand. Schon allein der Gedanke an Essen war mir zuwider, darum blieb ich draußen und gab vor, auf den Gütern beschäftigt zu sein und in einem Gasthaus zu speisen.
Erst am späten Nachmittag kam ich heim. Ich würde wieder

einmal Kopfweh vorschützen müssen, denn ich wollte an diesem Abend keinem Menschen gegenübertreten, vor allem nicht Malcolm. Er war ebenso tief wie ich in die Geschichte verstrickt, und beim Gedanken an die Briefe wurde mir übel. Aus ihnen ging klar hervor, welcher Art seine Beziehung zu Susannah gewesen war, und ich konnte einfach nicht begreifen, warum er mir seine Zuneigung vorgetäuscht hatte. Er mußte doch von Anfang an gewußt haben, daß ich eine Schwindlerin war. Was für ein Spiel trieb er mit mir? Ich brauchte Zeit, um dahinterzukommen.

Janet kam mit einem Tablett herein. »Man sorgt sich um Sie«, sagte sie. »Das ist schon der zweite Abend, an dem Sie nicht zum Essen herunterkommen. Was fehlt Ihnen?«

»Ich habe bloß Kopfweh.«

»Es ist unnatürlich, daß ein junges Mädchen Kopfweh hat. Sie sollten lieber zum Arzt gehen.«

Ich schüttelte den Kopf, und sie ließ mich allein.

Als sie zurückkam, um das Tablett abzuholen, sah sie, daß ich nichts angerührt hatte.

Sie stellte sich ans Kopfende meines Bettes und sah mich an.

»Sie sollten mir wohl besser alles erzählen«, sagte sie. »Sie haben Ärger, das ahne ich.«

Ich gab keine Antwort.

»Sie sollten's mir lieber sagen. Vielleicht könnte ich Ihnen helfen. Ich habe Ihnen schon oft geholfen, seit Sie hier ankamen und vorgaben, Miss Susannah zu sein.«

»Janet!« schrie ich auf.

»Glauben Sie, ich hätte das nicht gemerkt? Glauben Sie, mich können Sie an der Nase herumführen? Die arme Mrs. Emerald mit ihrem schlechten Augenlicht, die sich fast um nichts kümmert als um sich selbst, die können Sie vielleicht täuschen. Aber mich doch nicht. Ich wußte auf den ersten Blick, daß Sie Miss Anabels Tochter sind.«

»Sie ... haben es gewußt?«

»Suewellyn!« sagte sie. »Ich habe Sie einmal gesehen, als Sie ein kleines Mädchen waren. Anabel und Joel waren dabei. Die zwei waren ein verwegenes Paar. Ja, ich wußte von Anfang an, wer Sie sind. Sie sehen Susannah ein bißchen ähnlich ... aber zwischen Ihnen beiden ist ein himmelweiter Unterschied. Für Anabels Tochter mußte ich tun, was ich konnte. Ich hatte sie wirklich gern. Sie waren ein süßes kleines Ding. Ich nehme an, Anabel hätte so was auch fertiggebracht. O ja, ich wußte gleich, wer Sie sind.«

»O Janet«, stieß ich hervor.

Sie trat zu mir und legte ihre Arme um mich. Dieses Zeichen ihrer Rührung und Zuneigung ergriff mich um so mehr, weil sie gewöhnlich so zurückhaltend war.

»Ist ja gut, Kleines«, beruhigte sie mich. »Ich tu', was ich kann. Sie hätten nicht versuchen dürfen, Susannah zu sein. Eher könnte sich eine Taube für einen Falken ausgeben. Susannah hatte den Teufel im Leib, jawohl. Es gab genug Leute, die das wußten, und trotzdem konnten sie ihr nicht widerstehen.«

»Jetzt ist es schon so weit, daß ...«, begann ich.

»Das mußte ja kommen. Sie können so was nicht tun, ohne früher oder später in der Tinte zu sitzen. Das Leben ist halt nun mal kein Maskenball.«

»Ich weiß nicht, was ich tun soll. Ich muß wohl fortgehen.«

»Ja«, stimmte sie zu. »Gehen Sie fort, und fangen Sie ein neues Leben an. Aber man wird Sie bestimmt suchen. Mr. Malcolm wird wissen wollen, wo Sie geblieben sind, oder? Mir scheint, Sie zwei mögen sich ganz gern.«

»Bitte ...«, flüsterte ich.

»Schon gut, schon gut. Komisch. Er konnte Susannah nicht ausstehen. Garth konnte sie auch nicht leiden. Ich schätze, die beiden sind die einzigen Männer, die nicht auf sie reingefallen sind. Aber nur, weil sie nicht versucht hatte, sie zu ködern. Oh, sie hatte es faustdick hinter den Ohren; sie hatte den Teufel im Leib ... das hab' ich gleich gemerkt.«

Ich konnte Janet nichts von den Briefen erzählen und auch nichts von Leahs Bekenntnis.
Es war schon genug, daß sie wußte, wer ich war. Das gab mir ein wenig Trost.

Unheil lag in der Luft. Ich war völlig ratlos. Ich hatte mich in Malcolm getäuscht. Er mußte die ganze Zeit Bescheid gewußt haben. Was hatte er mit mir vor? Warum tat er so, als hielte er mich für Susannah? Er spielte seine Rolle hervorragend. Aber ich – wie ich glaubte – meine nicht minder.
Vor lauter Überlegen war ich ganz benommen. Ich wollte fortlaufen, mich verstecken, nach Australien gehen ... während der Überfahrt arbeiten ... bei Laura oder auf dem Gut der Halmers um Zuflucht bitten.
Nein. Es war besser, mit Malcolm zu reden, ihm zu gestehen: »Ja, ich bin eine Betrügerin und eine Lügnerin, und du tust recht daran, mich zu verachten. Aber du bist ein Mörder. Du hast mit Susannah den Plan ausgeheckt, Esmond umzubringen; dann ging sie fort, und du hast es allein getan. Ich habe wenigstens niemanden getötet. Ich habe mir nur das angeeignet, was Susannah gehören würde, wenn sie noch lebte. Außerdem bin ich ihre Halbschwester. Ich weiß, was ich mir genommen habe, ist von Rechts wegen jetzt dein Eigentum ... aber du hast dafür gemordet.«
Ich konnte noch nicht fortgehen. Zuerst mußte ich mit Malcolm sprechen und ihm erklären, warum ich so gehandelt hatte; ich wollte wissen, warum er stets vorgegeben hatte, daß er mich für Susannah hielt.
Freudlos verging der Tag. Und kurz vor dem Abendessen kam der große Knall.
Wir wollten in dem kleinen Speisezimmer essen, wie immer, wenn wir keine Gäste erwarteten. Als ich die Treppe herunterkam, sah ich einen Mann in der Halle hin und her gehen.

Als er mich erblickte, blieb er unbeweglich stehen. Dann eilte er auf mich zu.
»Susannah!« begann er, doch dann hielt er abrupt inne.
»Hallo«, sagte ich lächelnd. Es war offensichtlich jemand, den ich kennen mußte.
Er starrte mich nur an.
Ich schritt die Treppe vollends hinab. Er ergriff meine Hände; sein Gesicht war dicht vor meinem
»Wie nett, dich zu sehen«, stammelte ich.
In diesem Augenblick erschien Emerald oben an der Treppe.
»Ich freue mich, daß du da bist, Garth«, sagte sie.
Jetzt wußte ich, wer er war.
»Ich habe Susannah nicht gesehen, seit sie nach Australien ging«, bemerkte Garth.
»Das ist lange her, nicht wahr«, sagte ich.
»Laßt uns zum Essen gehen«, warf Emerald ein. »Ah, da kommt Malcolm. Malcolm, Garth ist da.«
»Er ist nicht zu übersehen«, grinste Malcolm.
Ich schaute Malcolm aufmerksam an. Er war unverändert. Niemand hätte ihn für fähig gehalten, kaltblütig einen Mord zu planen.
Krampfhaft versuchte ich mich zu erinnern, was ich über Garth gehört hatte. Er war der Sohn von Elizabeth Larkham, die damals, als Anabel auf dem Schloß lebte, Emeralds Gesellschafterin gewesen war. Er kam auch jetzt noch gelegentlich zu Besuch aufs Schloß.
Wir gingen zum Essen.
»Wie hat es dir in Australien gefallen?« erkundigte sich Garth.
Ich erzählte ihm, daß ich mich dort wohl gefühlt hatte, bis es zu der Tragödie kam.
»Tragödie?« Natürlich, dachte ich, er hatte womöglich noch gar nichts davon gehört.
»Die Insel, auf der mein Vater lebte, wurde durch einen Vulkanausbruch zerstört«, berichtete ich.

»Das war wohl ziemlich dramatisch, wie?«
»Es war entsetzlich«, sagte ich, und ich merkte, daß meine Stimme zitterte.
»Und du bist glücklicherweise davongekommen.«
»Ich war in Australien, als es passierte.«
»Das sieht dir ähnlich«, bemerkte Garth.
»Nicht streiten, Garth«, sagte Emerald. »Ich weiß, wie ihr zwei euch aufführt, wenn ihr nur fünf Minuten zusammen seid.«
»Wir werden uns anständig benehmen, nicht wahr, Susannah?«
»Wir wollen's versuchen«, erwiderte ich.
Er erkundigte sich nach der Insel, und ich konnte meine Bewegung nicht unterdrücken. Dann wechselte Malcolm das Thema, und wir unterhielten uns über das Schloß. Ich stellte fest, daß Malcolm Garth nicht besonders gut leiden konnte, und dieses Gefühl schien auf Gegenseitigkeit zu beruhen. Ein- oder zweimal fing ich Garths abschätzenden Blick auf, und dabei wurde mir immer unbehaglicher zumute.
»Sie hat sich verändert«, sagte er schließlich. »Ist dir das auch aufgefallen, Malcolm?«
»Susannah?« erwiderte Malcolm. »O ja, der Besuch in Australien hat seine wohltuenden Spuren hinterlassen.«
»Es war ja auch ein unbeschreibliches Erlebnis«, warf ich ein, »und wenn man bedenkt, was geschehen ist …«
»Tja, wenn man bedenkt, was geschehen ist«, wiederholte Garth gedehnt.
»Susannah erweist sich als ausgezeichnete Verwalterin – oder sollen wir sagen Gebieterin?« meinte Malcolm. Er lächelte mir zu. »Ich muß schon sagen, ich war nicht wenig überrascht.«
»Du hattest demnach früher keine hohe Meinung von mir?« murmelte ich.
»Das kann man wohl sagen. Ich hätte nie gedacht, daß du jemals Zeit oder Gedanken an die Arbeit verschwenden oder dich für die Pächter interessieren würdest.«

»Sie erweist sich also als ein Ausbund an Tugend, wie?« bemerkte Garth. »Ich muß sagen, ich bin erschüttert.«
»Garth, bitte ...« flehte Emerald.
»Schon gut, schon gut«, lenkte Garth ein. »Aber der Gedanke, daß Susannah Flügel gewachsen sind, ist wirklich zum Lachen. Ich werde mich wohl daran gewöhnen müssen. Was hast du angestellt, Susannah? Eine ganze Kehrtwendung gemacht, deine Torheiten bereut ... oder was?«
»Ich interessiere mich eben für alles, was das Schloß betrifft.«
»Ja, das war schon immer so ... in gewisser Hinsicht. Und nun ... da es dir gehört ... das ist vermutlich ein Unterschied.«
Irgendwie brachte ich diese unerfreuliche Mahlzeit hinter mich. Als wir uns vom Tisch erhoben, sagte Malcolm: »Ich habe dich in den letzten Tagen kaum gesehen. Wo hast du gesteckt?«
»Ich habe mich nicht wohl gefühlt«, erklärte ich ihm.
Seine Augen blickten besorgt. »Du beschäftigst dich zu eingehend mit den Leuten. Ein bißchen Interesse ist ja ganz gut ...«
»Mir fehlt gar nichts weiter«, behauptete ich. »Ich bin nur ein bißchen müde.«
Gedankenvoll ging ich in mein Zimmer hinauf.
So geht es nicht weiter, überlegte ich. Irgend etwas muß geschehen. Ich sollte unverzüglich zu Malcolm hinuntergehen und ihm sagen, was ich wußte. Vielleicht konnte ich Emerald ins Vertrauen ziehen. Ich entkleidete mich und zog einen Morgenmantel an, dann setzte ich mich an den Ankleidetisch und starrte mein Spiegelbild an, als erwarte ich davon eine Eingebung, was ich als nächstes tun sollte. Mein Gesicht trug noch Susannahs Maske. Doch mir war, als sei sie ein wenig verrutscht.
Ich hörte Schritte im Flur. Vor meinem Zimmer hielten sie an, und die Tür ging auf.
Es war Garth. Er grinste mich an, während er auf mich zukam, die Augen unverwandt auf mein Gesicht gerichtet.

»Ich weiß nicht, wer Sie sind«, stieß er hervor, »aber eins weiß ich gewiß: Sie sind nicht Susannah.«
Ich stand auf. »Würden Sie bitte mein Zimmer verlassen«, sagte ich laut.
»Nein«, gab er zurück. »Wer zum Kuckuck sind Sie? Was haben Sie hier zu suchen? Wieso geben Sie sich für Susannah aus? Sie sehen ihr ein bißchen ähnlich. Aber mich können Sie nicht täuschen. Sie sind eine Betrügerin. Also, wer sind Sie?«
Ich gab keine Antwort. Da packte er mich an den Schultern und drückte meinen Kopf nach hinten, dabei hielt er sein Gesicht ganz dicht an das meine.
»Wenn einer Susannah kennt, dann ich. Ich kenne jeden Zoll an ihr. Wo ist sie? Was haben Sie mit ihr gemacht? Wo kommen Sie überhaupt her?«
»Lassen Sie mich los!« schrie ich.
»Erst, wenn Sie's mir sagen.«
»Ich ... Ich bin Susannah.«
»Das ist eine Lüge. Was ist denn mit dir passiert? Du bist eine Heilige geworden, wie? So gut zu allen Leuten. Hast die Achtung von Großvetter Malcolm errungen. Was soll das? Du behauptest, du bist Susannah. Dann wollen wir dort fortfahren, wo wir aufgehört haben, ja? Komm, Susannah, früher warst du nicht so zimperlich. Es ist lange her, seit wir zusammen waren.« Er hatte mich an sich gerissen und küßte mich ... heftig, leidenschaftlich. Er zerrte an meinem Morgenmantel. Er schien in Ekstase zu geraten.
»Aufhören!« schrie ich.
Er hielt unter dämonischem Gelächter inne.
»Wenn du Susannah bist«, keuchte er, »dann beweis es. Du warst niemals schüchtern. Unersättlich warst du, Susannah. Du hast mich so heiß begehrt wie ich dich. Deshalb hatten wir so großes Vergnügen aneinander.«
Wieder schrie ich: »Lassen Sie mich los! Ich bin nicht Susannah.«

Er gab mich frei. »Aha«, sagte er. »Jetzt werden Sie mir die Wahrheit sagen. Wo ist Susannah?«
»Susannah ist tot. Sie starb bei dem Vulkanausbruch auf der Insel.«
»Und wer in Gottes Namen sind Sie?«
»Susannahs Halbschwester.«
»Der Herr bewahre uns. Sie sind Anabels Göre. Anabels und Joels Balg.«
»Das waren meine Eltern.«
»Und Sie waren mit denen auf der Insel?«
»Ja. Susannah kam uns besuchen. Ich ging nach Australien, um die Hochzeit einer Freundin zu feiern, und währenddessen ist der Vulkan ausgebrochen. Alle, die auf der Insel waren, sind umgekommen.«
»Und dann ... haben Sie Susannahs Platz eingenommen.« Als er mich ansah, sprach so etwas wie Bewunderung aus seinem Blick. »Kluges Mädchen!« fügte er hinzu. »Kluges kleines Mädchen!«
»Jetzt wissen Sie alles und können die anderen aufklären. Ich bin froh darüber, denn so konnte ich nicht weitermachen.«
»Ein ausgezeichneter Plan«, sinnierte er und musterte mich prüfend. »Sie haben sich in den Besitz des Schlosses gebracht, wie? Und Malcolm haben Sie glatt übers Ohr gehauen. Ein toller Witz!« Er lachte. »Als Esmond starb, fiel das Schloß an Susannah ... und da kommt die kleine Stiefschwester daher und beschließt, es soll ihr gehören. Das ist ein starkes Stück. Irgendwie gefällt mir das. Aber narrensicher ist es nicht; und Susannahs ewiger Liebhaber und ergebener Sklave findet ein Kuckucksei im Nest.«
Da wußte ich, daß er der Absender der Briefe war. Er machte mir angst.
»Es war gemein von mir«, gab ich zu. »Das sehe ich jetzt ein. Gut, ich sage es den anderen, und dann gehe ich fort.«

»Sie könnten wegen Betruges belangt werden, Sie kleine Intrigantin. Nein, Sie dürfen nicht die Wahrheit gestehen. Sie dürfen mir nicht entwischen. Mir wird schon etwas einfallen. Sie ist also tot. Susannah! Sie war eine Hexe. Sie war eine Zauberin. Das werden Sie nie sein, meine liebe kleine Schwindlerin. Sie haben nicht das, was sie hatte. Sie war unvergleichlich. O Susannah ... Ich dachte, heute nacht würde es so werden wie früher. Warum wollte sie auch unbedingt auf diese vermaledeite Insel ...« Er war ehrlich bewegt. Plötzlich hellte sich seine Miene auf. »Man darf sich nicht vom Mißgeschick unterkriegen lassen«, fuhr er fort. »Man soll nicht weinen über etwas, das aus und vorbei ist. Das werde ich nicht tun, das verspreche ich Ihnen. *Sie* haben jetzt das Schloß. Also gut. Ich werde es Ihnen möglicherweise lassen ... wenn Sie es mit mir teilen.«

»Was soll das heißen?«

»Susannah und ich wollten nach Esmonds Tod heiraten.«

»Sie ... Sie haben Esmond umgebracht!«

Er packte mich am Handgelenk. »Sagen Sie das nicht zu laut. Esmond ist tot. Er hatte einen Rückfall in eine frühere Krankheit, von dem er nicht mehr genesen ist.«

Es war widerwärtig. Doch bei allem, was sich mir eröffnete, traf eine freudige Erkenntnis mein Herz. Ich hatte mich hinsichtlich des Mannes, der die Briefe geschrieben hatte, geirrt; es war nicht Malcolm, sondern Garth.

In das Grauen, das Garth in mir erweckte, mischte sich die Freude, daß Malcolm nie Susannahs Liebhaber war und mit Esmonds Ermordung nichts zu tun hatte.

Garth trat dicht an mich heran und legte mir seine Hände auf die Schultern. »Sie und ich wissen zuviel vom anderen, kleine nachgemachte Susannah. Wir müssen zusammenhalten, und ich werde einen Weg finden, darauf können Sie sich verlassen.« Mit dem Zeigefinger hob er mein Kinn und blickte mir ins Gesicht. Ich wich vor ihm zurück. Das Glitzern in seinen Augen versetzte mich in Panik. »Ich bin mit dem Gedanken hergekom-

men, daß Susannah und ich heute abend vereint sein würden. Ich hatte ungeheure Sehnsucht nach Susannah. Und nun ist sie tot ... die hinreißende, begehrenswerte, tückische, unersättliche Hexe ist tot. Die männerbetörende Zauberin ist nicht mehr. Der Teufel hat sich sein Eigentum zurückgeholt.« Er stieß mich heftig von sich und setzte sich schwerfällig hin. Dann schlug er mit der Faust auf den Frisiertisch und starrte vor sich hin. Ich war gespannt, was er als nächstes tun würde.
Plötzlich lachte er laut auf. »Du bist also gestorben, Susannah. Hast mich im Stich gelassen ... Sei's drum. Ich komme auch ohne dich zurecht. Du hast mir eine geschickt, die dir ein bißchen ähnlich sieht. Ich könnte mir einbilden, sie wäre du ... bisweilen.« Er wandte sich mir zu. »Kommen Sie her.«
»Ich denke nicht daran. Bitte gehen Sie.«
»Ich möchte Sie anschauen. Sie müssen mich vergessen lassen, daß ich Susannah verloren habe.«
»Ich werde das Schloß verlassen«, bemerkte ich, »und Sie müssen ebenfalls morgen gehen.«
»Sieh mal einer an! Die Königin des Schlosses spricht. Es macht ihr nichts aus, daß ich weiß, daß sie sich die Krone unrechtmäßig angeeignet hat. Sie glauben wohl, ich lasse mich von Ihnen herumkommandieren, wie? Nein, kleine Königin ohne Recht auf die Krone, *Sie* werden tun, was ich sage. Dann können Sie meinetwegen Königin bleiben, solange ich es zulasse.«
»Hören Sie«, beschwor ich ihn, »ich werde den anderen alles sagen. Lassen Sie mich fort von hier. Dann können Sie machen, was Sie wollen.«
»Das könnte Ihnen so passen«, meinte er. »Wenn Sie ein Schwächling wären, so wären Sie nicht hier, nicht wahr? Ich habe einen Plan, der uns beiden helfen könnte. Sie gefallen mir, meine Kleine. Sie sind wie Susannah ... in gewisser Hinsicht, und das könnte recht pikant sein.« Er nahm meine Hand und versuchte, mich an sich zu ziehen. »Wir wollen die Probe aufs

Exempel machen. Mal sehen, ob es funktioniert. Wenn ich mit Ihnen zufrieden bin, heirate ich Sie. Und wir herrschen zusammen, wie Susannah und ich es einander gelobt haben.«
»Bitte nehmen Sie Ihre Hände weg«, rief ich, »und gehen Sie. Sonst läute ich und rufe um Hilfe.«
»Und wenn ich den anderen erzähle, was für ein heimtückisches Mädchen Sie sind?«
»Nur zu. Ich will es ihnen ohnehin sagen.«
»Das wäre Ihnen durchaus zuzutrauen. Aber es wäre töricht. Es würde alles verderben. Malcolm würde als wahrer Erbe erkannt, und das wollen wir doch nicht, oder? Nein. Sagen Sie nichts. Ich mache einen Plan. Es wird dann genauso sein wie früher, als ich mit Susannah Pläne schmiedete.«
»Ich mache keine Pläne mit Ihnen.«
»Es wird Ihnen nichts anderes übrigbleiben. Entweder sind Sie nett zu mir, oder es ist aus mit Ihrem Spielchen.«
»Mein Spielchen ist sowieso zu Ende.«
»Das muß aber nicht sein.«
»Wenn mir ansonsten nur die einzige Möglichkeit bleibt, mit Ihnen Pläne zu machen, so ist es endgültig aus.«
»Schöne Worte. Edel gesprochen.« Er wippte auf den Fersen und sah mich an. »Sie gefallen mir mit jeder Minute besser. Es war ein arger Schock, als ich feststellte, daß Sie nicht Susannah sind. Aber es ist sinnlos, der Vergangenheit nachzutrauern, nicht wahr? Ich gehe jetzt ... wenn Sie es wünschen. Aber meine Pläne nehmen Gestalt an. Wir werden das Beste aus der Sache machen ... Sie und ich gemeinsam.«
Ich konnte nur noch hervorstoßen: »Bitte gehen Sie jetzt.«
Er nickte.
Dann kam er zu mir und küßte mich leidenschaftlich auf den Mund. »O ja«, flüsterte er, »Sie gefallen mir, meine falsche Susannah. Sie werden sich schon noch mit meinen Absichten anfreunden. Wir machen gemeinsame Sache, wir zwei.«
Und damit verschwand er.

Ich zog meinen Morgenmantel über meine von seiner rohen Behandlung geröteten Schultern.
Mir war übel, und dazu hatte ich schreckliche Angst.
Was konnte ich jetzt tun?

Während ich noch verstört so dasaß, klopfte es an meiner Tür. Ich sprang auf, voller Entsetzen, daß er zurückgekommen sei.
»Wer ist da?« flüsterte ich.
»Ich bin's bloß, Janet.«
Ich öffnete die Tür.
»Du lieber Himmel! Was ist denn mit Ihnen passiert?«
»Nichts ... nichts ... es ist alles in Ordnung, Janet.«
»Machen Sie mir doch nichts vor. Ich weiß Bescheid. Garth war hier. Ich hab' ihn herauskommen sehen. Was hat er gewollt?«
»Er weiß alles, Janet.«
»Das hab' ich mir gedacht. Mir wurde angst und bange, als er kam. Er hatte was mit Susannah. Die hat 's mit vielen Männern gehabt. Sie war heißblütig und geradezu mannstoll ... und denen ist nichts lieber als das.«
»Ach Janet«, jammerte ich, »was soll ich bloß machen? Ich hätte mich nie auf diese Sache einlassen sollen.«
»Aber Sie haben's nun mal getan, und was geschehen ist, ist geschehen. Dadurch sind Sie aufs Schloß gekommen, wo Sie von Rechts wegen hingehören. Sie hätten einfach sagen sollen, wer Sie sind. Man hätte Sie bestimmt nicht davongejagt.«
»Janet ... wer ist Garth eigentlich?«
»Elizabeth Larkhams Sohn. Als Kind war er sehr oft hier, weil seine Mutter hier lebte.«
»Das weiß ich. Aber wer war sein Vater?«
»David natürlich. Es hieß, Elizabeth sei Witwe, aber sie war Davids Geliebte, ehe sie hierherkam ... und Garth war das Resultat. Sie bezeichnete sich als Witwe und kam her, um mit ihrem Liebhaber unter einem Dach zu leben. So sind sie eben, diese Matelands. So waren sie von alters her, nehme ich an.

Sowenig wie ein Leopard seine Flecken ändern kann, sowenig können die Matelands aus ihrer Haut.«
Matelandsches Blut! schoß es mir durch den Kopf. Natürlich Garth, nicht Malcolm. Ich war unendlich erleichtert, weil Malcolm vollkommen entlastet war.
Ich vertraute Janet alles an, was geschehen war. Es war eine Erlösung, ihr mein Herz auszuschütten. Nachdem ich nun wußte, daß sie mir freundlich gesinnt war, erzählte ich ihr von meiner Begegnung mit David damals auf dem Heimweg und wie Anabel mich abgeholt hatte und wir alle zusammen abgereist waren.
Janet hörte aufmerksam zu. Sie erkundigte sich, wie Anabel auf der Insel gelebt hatte und ob sie dort glücklich gewesen sei.
»Hat sie mich jemals erwähnt?« wollte sie wissen.
»Und ob«, versicherte ich ihr, »und zwar sehr liebevoll.«
»Sie hätte mich mitnehmen sollen«, meinte sie. »Aber dann wäre ich in die Luft geflogen und könnte mich jetzt nicht um Sie kümmern.«
»Was soll ich nur tun, Janet?« fragte ich zitternd. »Ich muß es den anderen natürlich sagen. Ich spreche morgen mit Malcolm.«
»Ja«, erwiderte Janet, »aber lassen Sie uns zuerst gründlich darüber nachdenken.«
Sie saß bis zum späten Abend bei mir, und dann ging ich zu Bett. Ich war so erschöpft, daß ich zu meiner Überraschung bis zum Morgengrauen durchschlief.

Als ich aufstand, erfuhr ich, daß Malcolm ausgegangen war und den ganzen Tag über fortbleiben würde.
Das verschaffte mir einen Aufschub von einem Tag, denn ich hatte beschlossen, daß Malcolm derjenige sein sollte, dem ich meine Tat bekannte.
Ich war froh, daß ich beim Frühstück niemanden antraf, denn ich brachte lediglich eine Tasse Kaffee hinunter. Chaston er-

schien und meldete, daß Jack Chivers mich abermals zu sprechen wünschte.

Ich erhob mich und führte ihn in den an die Halle angrenzenden kleinen Salon, wo ich ihn schon früher einmal empfangen hatte.

»Leah schickt mich wieder«, erklärte er.

»Das Baby ...?«

»Nein, es geht um ihren Vater. Sie sagt, Sie möchten zu ihr kommen, sobald Sie können.«

Ich ging hinauf, zog mein Reitkostüm an und ritt mit ihm zur Hütte.

Leah erwartete mich bereits; aus ihren Augen sprach große Besorgnis.

»Mein Vater hat das hier für Sie abgegeben. Für Sie persönlich.« Sie reichte mir einen Umschlag. Ich schlitzte ihn auf, zog einen Bogen Papier heraus und las:

Ich habe Ihnen einiges zu sagen, Miss Susannah, und zwar kurz und bündig. Sie haben versucht, Mr. Esmond zu ermorden, und mein Bruder hat Ihnen dabei geholfen. Er war ein guter Mensch, aber Sie sind eine Hexe, und gegen Hexen können sich nur wenige behaupten. Jetzt müssen Sie dafür bezahlen. Ich verlange für den Hof einen Pachtvertrag auf Lebenszeit, der dann für Amos und Reuben erneuert wird. Ich verlange neue Gerätschaften und alles an Ausstattung, was den Hof wieder in Schwung bringen kann. Sie sagen vielleicht, das ist Erpressung. Das mag schon sein. Aber Sie können mich nicht verraten, ohne sich selbst zu verraten. Kommen Sie zur Scheune ... zu der, wo der arme Saul sich erhängt hat. Kommen Sie heute abend um neun, und bringen Sie das schriftliche Versprechen mit, daß ich bekomme, was ich verlange, und ich gebe Ihnen mein Wort, daß ich den Mund halten werde. Andernfalls erfährt morgen alle Welt, was Saul Ihnen verschafft hat, und daß dies der wahre Grund ist, warum er sich umgebracht hat.

Fassungslos starrte ich auf das Papier, und Leah beobachtete mich mit angstvollem Blick.
Ich steckte den Brief in den Umschlag zurück und schob ihn in meine Tasche.
»Ach, Miss Susannah«, seufzte Leah, »hoffentlich ist es nicht allzu schlimm.«
Ich blickte sie betrübt an und dachte: Ich werde das Baby nie zu Gesicht bekommen. Wenn es geboren wird, bin ich bereits weit fort. Wo ich wohl sein werde? fragte ich mich. Jedenfalls würde ich das Schloß und Malcolm nie wiedersehen.

Ich weiß nicht mehr, wie ich den Tag überstand.
Janet kam im Laufe des Vormittags in mein Zimmer. Einer plötzlichen Eingebung folgend, zeigte ich ihr Jacob Cringles Brief.
»Für mich sieht das wie 'ne kleine Erpressung aus«, meinte sie.
»Er haßt Susannah«, erwiderte ich. »Das kann ich verstehen. Er denkt, sie ist schuld an Sauls Tod.«
»Sie dürfen heute abend nicht dorthin gehen.«
»Ich erzähle es Malcolm, sobald ich ihn sehe.«
»Ja«, sagte Janet, »machen Sie reinen Tisch. Er geht gewiß nicht zu streng mit Ihnen ins Gericht. Ich glaube, er hat eine Schwäche für Sie. Sie sind so anders als Susannah. Die konnte er nicht ausstehen.«
»Ich muß fortgehen, Janet. Ich muß euch verlassen …«
»Aber Sie kommen wieder. Das hab' ich im Gefühl. Doch warten Sie, bis Malcolm zurück ist, und erzählen Sie ihm alles. Das ist das Beste, was Sie tun können.«
»Das finde ich auch.«
Ich ging nach draußen, damit ich zum Mittagessen nicht zu Hause sein mußte. Mir war noch ein Tag auf Mateland beschieden, weil Malcolm erst spät heimkommen würde. Heute konnte ich nicht mehr mit ihm sprechen. Ich mußte bis morgen warten. Am späten Nachmittag kam ich zurück und ging in mein Zim-

mer. Ich zog Jacob Cringles Brief hervor und las ihn noch einmal.
Das Seltsame war, daß ich längst die Möglichkeit erwogen hatte, den Cringle-Hof neu auszustatten, um Jacob zu härterer Arbeit anzuspornen; denn ich wußte, daß er ein tüchtiger Bauer war. Mit der Zeit hätte er alles von mir bekommen, was er heute forderte. Aber er haßte mich ... weil er mich für Susannah hielt, und am liebsten hätte ich ihm gesagt, daß ich sein Verlangen nach Rache verstehe. Aber wie hätte ich das tun können?
Als ich mit dem Brief in der Hand dasaß, ging die Tür auf, und zu meinem Schrecken kam Garth herein.
»Ah, die kleine Schwindlerin«, sagte er. »Freuen Sie sich, mich zu sehen?«
»Nein.«
»Und was haben Sie da?«
Er entriß mir den Brief, und während er ihn las, veränderte sich seine Miene.
»Dämlicher Kerl!« schnaubte er. »Der weiß zuviel.«
»Ich gehe nicht hin«, erklärte ich ihm.
»Aber Sie müssen.«
»Ich sage Malcolm so bald wie möglich Bescheid. Ich habe es nicht nötig, mich mit Jacob Cringle zu treffen.«
Garth wurde nachdenklich. Er blinzelte mich aus zusammengekniffenen Augen an.
»Wenn Sie nicht zu ihm gehen, kommt er aufs Schloß und posaunt die Wahrheit so laut heraus, daß alle es hören können. Sie sollten sich mit ihm treffen und ihm erklären, wer Sie sind. Sagen Sie ihm, daß Susannah tot ist, und damit ist der Fall erledigt. Das ist der einzige Ausweg.«
»Ich denke, ich sollte zuerst mit Malcolm sprechen.«
»Malcolm kommt nicht vor dem späten Abend zurück. Sie müssen sich vorher mit Jacob treffen.«
Ich überlegte.
»Ich komme mit Ihnen. Ich beschütze Sie«, bot er mir an.

»Ich brauche Sie nicht dabei.«
»Auch gut. Aber er darf auf keinen Fall die Wahrheit in die Welt ausposaunen.« Er tippte auf den Brief.
»Ich gehe heute abend zu ihm. Ich werde ihm alles erklären.«
Garth nickte.
Zu meiner Überraschung belästigte er mich nicht weiter.

Mein Entschluß stand fest. Ich wollte mich mit Jacob Cringle treffen. Dabei würde ich ihm eröffnen, daß ich nicht Susannah sei, daß ich seinen Bruder Saul nicht gekannt hatte und daß Susannah tot war. Vielleicht würde ihn das zufriedenstellen und seine Rachegelüste dämpfen.
Danach wollte ich Malcolm die Wahrheit gestehen.
Irgendwie fühlte ich mich erleichtert. Meine wahnwitzige Maskerade ging dem Ende zu. Welcher Preis auch dafür gefordert wurde, ich mußte ihn bezahlen und die Konsequenzen auf mich nehmen, denn ich hatte es verdient.
Der Tag schien nicht enden zu wollen. Ich war froh, als es Zeit zum Essen wurde, wenn ich auch nichts zu mir nehmen konnte. Garth, Emerald und ich brachten mühsam eine Unterhaltung zustande. Ich kann mich nicht mehr besinnen, worüber gesprochen wurde, aber es war gewiß nichts Vernünftiges. Ich überlegte die ganze Zeit, was ich Jacob Cringle erzählen, und vor allem, was ich anschließend zu Malcolm sagen würde.
Einerseits fürchtete ich mich vor dem Abend, andererseits konnte ich ihn kaum erwarten. Als die Mahlzeit vorüber war, eilte ich in mein Zimmer und zog mein Reitkostüm an. Es war halb neun, und um neun Uhr sollte ich mich mit Jacob Cringle treffen. Für den Ritt zur Scheune brauchte ich zehn Minuten.
Janet kam herein und schien besorgt.
»Sie sollten nicht hingehen«, sagte sie. »Das gefällt mir alles nicht.«
»Ich muß aber, Janet«, erklärte ich ihr. »Ich muß mit Jacob

Cringle sprechen. Er soll Bescheid wissen. Sein Bruder ist tot, und er gibt Susannah die Schuld. Ich habe ihren Platz eingenommen ... und jetzt schulde ich ihm eine Erklärung.«
»Einen solchen Brief zu schreiben ... das ist glatte Erpressung, und Erpresser taugen nichts.«
»Ich glaube, ganz so einfach ist es nicht. Dieser Fall liegt anders. Wie dem auch sei, ich muß gehen.«
Als wir so dastanden, hörten wir unten Hufeklappern.
»Das dürfte Malcolm sein«, meinte Janet und blickte mir auffordernd ins Gesicht.
»Ich sag's ihm heute abend, sobald ich zurückkomme.«
»Gehen Sie nicht«, bat Janet flehentlich.
Ich schüttelte den Kopf.
Sie stand unbeweglich und blickte mir nach, als ich hinausging. Im Stall bestieg ich mein Pferd. Malcolms Pferd war bereits angebunden. Er war also wirklich zurück. Bald würde ein Stallbursche kommen, um sein Pferd abzureiben, daher mußte ich mich beeilen.
Ich ritt aus dem Stall hinaus, und als ich die Scheune im Mondlicht liegen sah, kam sie mir unheimlich vor. Seit ich in dem gräßlichen Ding dort eingesperrt war, konnte ich mein Grauen vor dieser Stätte nicht überwinden.
Während ich mein Pferd festband, hörte ich einen Reiter nahen. Ich dachte, es sei Jacob, und drehte mich um. Jemand sprang neben mir ab. Es war Garth.
»Ich komme mit«, sagte er.
»Aber ...«
»Kein Aber«, herrschte er mich an. »Sie schaffen das nicht allein. Sie brauchen Hilfe.«
»Ich will keine Hilfe.«
»Die wird Ihnen aber zuteil, ob Sie wollen oder nicht.«
Er packte mich am Arm. Ich versuchte, ihn wegzuschieben, aber er hielt mich fest.
»Kommen Sie«, sagte er.

Das Scheunentor quietschte. Wir gingen hinein. Drinnen hockte Jacob mit einer Laterne. Die Vogelscheuche hing noch am Dachbalken.
»Da sind Sie ja, Miss«, sagte Jacob und stand auf, als er sah, daß ich nicht allein war.
»Ja«, sagte ich, »da bin ich. Ich bin gekommen, um Ihnen zu sagen, daß Sie sich irren.«
»Bestimmt nicht, Miss. Das können Sie mir nicht weismachen. Mein Bruder Saul hat sich zwar das Leben genommen, aber Sie haben ihn dazu getrieben.«
»Nein, nein. Das stimmt alles nicht! Ich bin nicht Susannah Mateland. Ich bin ihre Stiefschwester. Ich habe mich nur für Susannah ausgegeben.«
Garth packte meinen Arm so fest, daß es schmerzte.
»Still, Sie kleiner Dummkopf«, murmelte er. Dann schnauzte er Jacob Cringle an: »Was soll das alles, Cringle? Wollen Sie vielleicht Miss Mateland erpressen?«
»Miss Mateland hat uns ruiniert, als sie meinen Bruder in den Tod trieb. Das hat uns allen Mut genommen. Ich verlange eine Chance, um von vorn anzufangen ... das ist alles. Ich will den Hof wieder flottmachen ... sie hat uns Saul genommen, also soll sie dafür bezahlen.«
»Und was wollen Sie machen, mein Bester, wenn ich Ihnen sage, daß Sie sich mit Ihren Mätzchen um den Hof gebracht haben?«
Ich hielt den Atem an. »Nein ... nein, das stimmt doch alles gar nicht ...«
»Ich will Ihnen sagen, was ich tun werde«, schrie Jacob. »Ich sorge dafür, daß es Ihnen beiden hier zu brenzlig wird. Ich führe Sie der Gerechtigkeit zu.«
»Wissen Sie, was Sie getan haben, Cringle?« murmelte Garth. »Sie haben soeben Ihr Todesurteil unterzeichnet.«
»Soll das etwa heißen ...« begann Jacob.
Ich schrie auf. Garth hatte eine Pistole aus seiner Tasche gezo-

gen und zielte auf Jacob. Doch Jacob war schneller. Er stürzte sich auf Garth und wollte ihm die Waffe entreißen.
Keuchend rangen die beiden Männer miteinander, während ich mich ängstlich an die Wand drückte.
Plötzlich ging das Tor auf, und eine Gestalt trat ein, und gerade in dem Moment ging ein Schuß los. Ich blickte entsetzt auf die Blutspritzer an der Wand.
Die Pistole war zu Boden gefallen, und Jacob Cringle starrte auf den Körper, der auf der Erde lag.
Der Mann, der hereingekommen war, war Malcolm, und sein Anblick erfüllte mich mit ungeheurer Erleichterung. Er kniete neben Garth nieder.
»Er ist tot«, sagte er ruhig.
Ein entsetzliches Schweigen lastete im Raum. Das Licht der Laterne beleuchtete die makabre Szenerie. Am Balken hing die grausige Vogelscheuche, die scheußliche Fratze mit der roten Öffnung, die an Stelle des Mundes klaffte, uns zugekehrt.
Und auf dem Boden lag Garth.
Jacob Cringle schlug die Hände vors Gesicht und fing zu schluchzen an.
»Ich habe ihn getötet. Ich habe ihn getötet. Ich habe gemordet. Das war Satans Werk.«
Malcolm sagte zunächst gar nichts, und ich dachte, das schreckliche Schweigen würde ewig währen. Alles kam mir vor wie ein Alptraum. Ich konnte nicht glauben, daß es Wirklichkeit war, und hoffte verzweifelt, daß ich bald erwachen würde.
Dann fand Malcolm die Sprache wieder. »Wir müssen etwas tun ... und zwar rasch.«
Jacob ließ die Hände sinken und starrte ihn an. Malcolm war bleich; er blickte finster und entschlossen drein.
»Er ist tot«, sagte er. »Daran ist nicht zu zweifeln.«
»Und ich habe ihn umgebracht«, flüsterte Jacob wieder. »Ich bin auf ewig verdammt.«

»Es war Notwehr«, sagte Malcolm. »Wenn Sie ihn nicht getötet hätten, dann hätte er Sie getötet. Notwehr ist kein Verbrechen. Aber jetzt müssen wir schnell handeln. Hören Sie zu, Jacob. Sie haben sich von Rachegelüsten leiten lassen. Im Grunde Ihres Herzens sind Sie ein guter Mensch, und Sie könnten ein noch besserer Mensch sein, wenn Sie nicht so selbstgerecht wären. Wir müssen sofort etwas tun. Ich habe zwar eine Idee, aber nachdem keine Zeit zum langen Nachdenken ist, könnte mein Plan Fehler haben. Auf den ersten Blick sieht es jedoch so aus, als ob es klappen könnte. Sie müssen mir helfen.«

»W … wie, Sir?«

»Sie bekommen einen Pachtvertrag auf Lebenszeit für sich und Ihre Kinder, außerdem alle Mittel, um den Hof wieder in Schwung zu bringen. Diese Dame hier ist nicht Susannah Mateland. Sie hat sich für die Schloßbesitzerin ausgegeben. Das werde ich Ihnen später genauer erklären. Aber es könnte Schwierigkeiten geben. Ein Mensch ist getötet worden, und einerlei, wie es passiert ist, man wird Fragen stellen und jemandem die Schuld zuschieben. Wir werden jetzt die Scheune in Brand stecken, Jacob, und werden sämtliche Spuren verwischen. Wir lassen die Laterne hier im Heu zurück, damit es so aussieht, als sei das Feuer unbeabsichtigt ausgebrochen. Zwei Menschen sind offenbar in den Flammen umgekommen, Garth Larkham und die Dame hier. Das ist das Ende von Susannah Mateland und Garth Larkham.«

Er wandte sich an mich. »Hör mir gut zu. Du reitest augenblicklich zum Schloß zurück und nimmst alles Geld an dich, das du auftreiben kannst. Nimm mein Pferd. Laß deins hier. Versuche, ungesehen zu bleiben, aber wenn dich doch jemand sieht, benimm dich ganz natürlich. Laß niemanden merken, daß du mein Pferd reitest, also bring es nicht in den Stall. Binde es im Wald an, wenn du ins Schloß gehst. Wenn du das Geld hast, nimm wieder mein Pferd und reite zum Bahnhof von Denborough.

Das ist etwa dreißig Kilometer von hier entfernt. Steig im Gasthaus ab, und laß mein Pferd dort zurück. Ich hole es dann morgen ab. Fahr mit dem Zug um sechs Uhr früh nach London. Dort nimmst du deine wahre Identität an ... und deine Spur verliert sich.«
Ich war verzweifelt und unglücklich. Meine Maskerade war zu Ende und damit alles, was mir lieb und teuer war. Ich spürte die Kälte in Malcolms Stimme – und seine Verachtung.
Er hatte natürlich allen Grund dazu. Aber wenigstens gab er mir eine Chance, zu entkommen.
Er forderte: »Gib mir deinen Ring.«
»Den hat mir mein Vater geschenkt«, stammelte ich.
»Gib her«, verlangte er. »Und deinen Gürtel und die Brosche auch.«
Mit zitternden Fingern löste ich Schmuck und Gürtel und reichte sie ihm. »Das sind die Beweisstücke für deine Anwesenheit in der ausgebrannten Scheune, auch wenn man deine Leiche nicht finden wird. Nun, Jacob, was sagen Sie dazu?«
»Ich tu', was Sie verlangen, Sir. Ich hatte wirklich nicht die Absicht, ihn zu töten. Es ist einfach so passiert.«
»Aber ich glaube, er wollte Sie töten, Jacob, um Sie ein für allemal zum Schweigen zu bringen. Geben Sie mir die Pistole. Sie gehört zum Schloß.« Dann wandte er sich wieder an mich: »Worauf wartest du noch? Du bist noch mal davongekommen. Es ist Zeit, daß du verschwindest.«
Ich wandte mich zum Gehen. Er rief mir noch nach: »Du weißt, was du zu tun hast. Du darfst auf keinen Fall einen Fehler machen. Geh jetzt ... bleib möglichst ungesehen ... und vergiß nicht, der Zug nach London geht um sechs Uhr früh.«
Ich taumelte nach draußen, nahm sein Pferd und ritt zum Schloß.

Niemand sah mich, als ich in mein Zimmer ging. Janet war dort; sie wirkte sehr aufgewühlt.
»Ich hab' ihn hinter Ihnen hergeschickt«, erklärte sie. »Ich hab' ihm den Brief gezeigt und ihm gesagt, wo Sie sind.«
»Ach Janet, das ist das Ende. Ich muß fort ... noch heute abend.«
»Heute abend!« rief sie aus.
»Ja. Sie werden erfahren, was passiert ist. Garth ist tot. Aber alles wird ganz anders aussehen, als es in Wirklichkeit war. Und ich gehe jetzt gleich ... fort von euch allen, o Janet.«
»Ich komme mit Ihnen.«
»Nein, das geht nicht. Ich muß verschwinden, und die Leute müssen glauben, ich sei mit Garth in der Scheune verbrannt.«
»Ich begreife überhaupt nichts mehr«, sagte Janet.
»Bald werden Sie alles verstehen ... und werden wissen, wie es wirklich war. Es ist zu Ende. Es muß sein. Ich muß Malcolm gehorchen. Er sagte, ich dürfe nicht zögern, und ich müsse rasch verschwinden. So schnell wie möglich. Außerdem muß ich so viel Geld mitnehmen, wie ich nur auftreiben kann. In London werde ich ein neues Leben anfangen.«
Janet lief aus dem Zimmer, während ich das Geld zusammensuchte. Es war keine große Summe, aber wenn ich sparsam lebte, würde es ein paar Monate reichen. Janet kam mit einem Beutel Goldmünzen und einer Kameebrosche zurück.
»Nehmen Sie das«, sagte sie. »Und lassen Sie von sich hören. Schreiben Sie mir ... Versprechen Sie 's ... nein, schwören Sie. Lassen Sie mich immer wissen, wo Sie sind. Die Brosche hat Anabel mir einstmals geschenkt. Die dürfte Ihnen ein hübsches Sümmchen einbringen.«
»Das kann ich nicht annehmen, Janet.«
»Sie müssen, sonst bin ich tödlich beleidigt. Nehmen Sie ... und lassen Sie mich immer wissen, wo Sie sind.«
»Ja, Janet.«
»Das ist ein ernster Schwur.«
Sie legte ihre Arme um mich, und wir hielten uns ein paar

Sekunden lang umklammert. Es war das erste Mal, daß ich Janet gerührt sah.
Ich verließ das Schloß, ging zu der Stelle, wo ich Malcolms Pferd angebunden hatte, und hielt nur einen Moment inne, um zum Schloß zurückzublicken, das geisterhaft im Mondlicht schimmerte.
Als ich davonritt, sah ich das Feuer auf der anderen Seite des Waldes. Ich roch den scharfen Brandgeruch und wußte, daß die Scheune in Flammen stand. Der Beweis dessen, was an diesem Abend geschehen war, wurde vernichtet. Garth war tot, Susannah war tot. Die Maskerade war vorüber.

Nach der Entlarvung

Drei Monate sind vergangen.
Ich bin gewiß nicht zu bedauern. Mrs. Christopher ist gut zu mir. Jeden Morgen stehe ich um sechs Uhr dreißig auf, bereite ihr den Tee, bringe ihn ihr herein, ziehe die Läden hoch und erkundige mich, ob sie eine angenehme Nachtruhe hatte. Danach nehme ich mein Frühstück ein, das mir ein Hausmädchen etwas unwillig serviert, weil sie nicht einsieht, warum sie die Gesellschafterin bedienen soll. Anschließend helfe ich Mrs. Christopher bei der Morgentoilette. Sie ist von Rheumatismus geplagt, und das Gehen bereitet ihr Schmerzen. Anschließend fahre ich sie in ihrem Rollstuhl spazieren. Ich schiebe sie die Promenade entlang. Wir sind nämlich in Bournemouth, und Mrs. Christopher läßt immer wieder anhalten und unterhält sich mit Bekannten, während ich dabeistehe. Ab und zu richtet jemand ein mürrisches »Guten Morgen« an mich. Dann schiebe ich sie zurück. Und während sie am Nachmittag ruht, führe ich den Pekinesen aus, eine bösartige Kreatur, die mich ebenso liebt wie ich sie, das heißt, zwischen uns besteht ein Zustand kriegerischer Neutralität, die jeden Augenblick in offenes Gefecht ausbrechen kann. Hin und wieder gehe ich in die Leihbibliothek und suche Bücher aus – romantische Geschichten von Liebe und Leidenschaft, für die Mrs. Christopher schwärmt – und lese ihr diese dann vor.
So vergehen die Tage.
Mrs. Christopher ist eine herzensgute Frau, die sich bemüht, ihren Mitmenschen das Leben angenehm zu machen, und das weiß ich zu schätzen, nachdem ich drei Wochen bei einer

reichen Witwe als sogenannte »Gesellschaftssekretärin« beschäftigt war. Ich hatte die unterschiedlichsten Aufgaben zu bewältigen, und es wurde von mir erwartet, daß ich sie flink und gleichzeitig gründlich erledigte. Ich glaube, die Arbeit hätte mir nichts ausgemacht, doch das herrische Gehabe der Witwe war nicht zu ertragen. Deshalb kündigte ich, und es war ein großes Glück, daß ich Mrs. Christopher über den Weg lief.
Auf die Demütigungen folgte nun die Langeweile, und ich glaube, nur weil ich erstere durchgemacht hatte, war letztere leichter zu ertragen.
Ich hielt mein Versprechen und schrieb Janet regelmäßig. Ich schilderte ihr die Witwe und Mrs. Christopher haargenau, und ich bin sicher, Janet war schockiert, daß einer – wenn auch unehelich geborenen – Mateland ein solches Schicksal beschieden war.
Janet erzählte wiederum in ihren Briefen, was sich zugetragen hatte.
Es wurde vermutet, daß Garth und Susannah aus einem bestimmten Grund in die Scheune gegangen waren und eine Laterne mitgenommen hatten. Die Laterne war umgefallen und hatte das trockene Heu entzündet, das im Nu in Flammen aufging. Die beiden konnten sich nicht mehr aus der Scheune retten und waren verbrannt. Man hatte Überreste von Garths Leiche gefunden; von Susannah allerdings gab es keine Spur; immerhin hatte man aber einen Gürtel und ein paar Schmuckstücke, die sie nachweislich an jenem Tag getragen hatte, identifiziert.
Malcolm hatte inzwischen das Schloß übernommen. Der Cringle-Hof gedieh und wurde allmählich wieder zu dem, was er vor Sauls Tod gewesen war. Leah hatte einem Knaben das Leben geschenkt. Sie war die einzige, die über Susannahs Tod ehrlich bekümmert war.
Soweit die Neuigkeiten vom Schloß.
Was mich betraf, so hätte ich dankbar sein sollen, daß ich so

glimpflich davongekommen war. Mit der Zeit würde meine verwegene Täuschung in Vergessenheit geraten.
Wenn ich mit dem Pekinesen, der immer nach meinen Fersen schnappte, über die Promenade spazierte oder wenn ich in der Leihbibliothek in den Büchern blätterte, wanderten meine Gedanken häufig zu Malcolm.
Natürlich hatte mein Betrug ihn verbittert. Das hatte ich bereits in der Scheune gemerkt. Und doch hatte er mich gerettet. Er hatte Jacob Cringle vor Unannehmlichkeiten bewahrt; denn war Jacob auch nicht des Mordes schuldig, so hätte er gewiß Schwierigkeiten gehabt, seine Unschuld zu beweisen. Und was wäre aus mir geworden? Angenommen, Garth hätte Jacob getötet – das hätte mich in eine äußerst gefährliche Lage gebracht. Ich wäre womöglich in einen Mordfall verwickelt worden. Kalte Furcht ergriff mich bei dem Gedanken. Es wäre vielleicht sogar zu einer Anklage gegen mich gekommen. Immerhin hatte ich einen triftigen Grund, mich Jacobs zu entledigen. Was hätte Garth in diesem Fall getan? Was hätte er ausgesagt? Ich wußte, daß er ein skrupelloser Mensch war. Hätte er sich herausgeredet und mich der Anklage überlassen? Aber ich war gerettet worden ... von Malcolm. Er hatte es ermöglicht, daß die von mir geschaffene Susannah starb, auf daß ich, Suewellyn, in Freiheit leben konnte.
Vergeblich versuchte ich, ihn aus meinem Herzen zu verbannen, aber das war unmöglich. Er ging mir nicht aus dem Sinn. Manchmal sprach ich beim Vorlesen die Worte, ohne die Bedeutung zu erfassen, weil meine Gedanken bei jenen jetzt so fern scheinenden Tagen im Schloß weilten, als Malcolm und ich miteinander ausgeritten waren und uns ernsthaft über die Belange der Güter unterhalten hatten.
Wie sehnte ich mich dorthin zurück! Ich wollte wieder einmal durch das Portal reiten, wollte die grauen, undurchdringlichen Mauern betrachten und diesen glühenden Stolz verspüren, weil ich im Heim meiner Vorfahren weilte.

Aber das war vorbei. Ich hatte alles verloren. Ich würde es nie wiedersehen.
»Sie träumen«, pflegte Mrs. Christopher dann zu sagen.
»Verzeihung«, erwiderte ich.
»War es ein ungetreuer Liebhaber?« fragte sie hoffnungsvoll.
»Nein … ich hatte nie einen Liebhaber.«
»Oder einer, der sich nie erklärte?«
Sie tätschelte meine Hand. Sie war romantisch veranlagt. Sie lebte in den Büchern, die ich ihr vorlas; sie weinte um die guten Menschen, denen Ungemach widerfuhr, und sie ereiferte sich über die bösen.
»Sie sind zu jung, um sich zu verkriechen und eine alte Frau zu pflegen. Nur nicht verzagen. Vielleicht begegnen Sie eines Tages auf der Promenade einem netten Herrn.«
Ich gewann sie lieb, und ich glaube, daß auch sie mich in ihr Herz schloß, und wenn sie mich auch nicht verlieren wollte, so wäre sie doch froh gewesen, wenn ein strahlender Held sich auf der Promenade in mich verliebt und als seine Braut heimgeführt hätte.
Ich konnte mich also nicht beklagen und mußte dem Schicksal dankbar sein, daß es mich zu Mrs. Christopher geführt hatte.

Es war ein kalter, windiger Oktobertag. An solchen Tagen war es auf der Strandpromenade immer bitterkalt, und ich hatte große Mühe, den Hut auf dem Kopf und den Hund an der Leine zu halten. Dieser war über meine Nöte genau im Bild; er setzte sich immer wieder hin und rührte sich nicht vom Fleck, so daß ich ihn mehr oder weniger vorwärts schleifen mußte.
Als ich ins Haus zurückkam, meldete mir das Mädchen, daß Mrs. Christopher mich zu sprechen wünsche.
Sie war erregt, ihre Wangen waren gerötet, ihre Frisur war ein wenig zerzaust; denn sie hatte die Angewohnheit, an ihren Haaren zu zupfen, wenn sie aufgeregt war.

»Jemand hat nach Ihnen gefragt«, eröffnete sie mir, und ihre Augen waren rund vor Neugier.
»Nach mir? Ist das wahr?«
»Und ob. Er hat ganz deutlich Ihren Namen gesagt.«
»Ein Mann?«
»O ja.« Auf Mrs. Christophers Wangen zeigten sich Grübchen. »Ein sehr vornehmer Herr.«
»Wo ist er?«
»Ich habe ihn hier festgehalten. Ich wollte ihn auf keinen Fall gehen lassen. Ich sagte ihm, Sie würden bald zurückkommen, und habe ihn dort mit ein paar Nummern der ›Gesellschafterin‹ eingeschlossen.«
»Oh, vielen Dank.«
»Sie sollten sich wohl lieber erst ein bißchen zurechtmachen. Ihr Haar ist ziemlich zerzaust ... und vielleicht sollten Sie auch eine hübschere Bluse anziehen.«
Ich befolgte ihren Rat, und dann ging ich in den Salon.
Malcolm erhob sich, als ich eintrat.
»Hallo«, sagte er, und »Hallo« erwiderte ich.
Er blieb stehen und sah mich an. »Hier lebst du also. Als Gesellschafterin der alten Dame?«
Ich nickte.
»Ich hätte schon früher kommen sollen«, meinte er.
»O nein ... nein ... es ist lieb von dir, daß du gekommen bist. Ist etwas schiefgegangen?«
»Nein, es läuft alles prima.«
»Das habe ich von Janet auch gehört.«
»Ja, durch sie habe ich dich gefunden. Es hat alles geklappt. Man hat vermutet, daß Garth und Susannah zusammen in die Scheune gegangen sind. Da man schon immer über ihr Verhältnis gemunkelt hatte, schien das ganz plausibel. Man hat zwar gründlich nach Susannahs Leiche gesucht, gab sich jedoch schließlich mit den verkohlten Resten des Gürtels zufrieden, und den Schmuck haben sie auch gefunden. Janet und andere haben ihn

identizifiert. Ich habe dein Pferd dort zurückgelassen, damit man es mit Garths Pferd finden sollte, und meins habe ich am nächsten Tag abgeholt. Alles lief genau nach Plan.«
»Es war klug von dir.«
»Nun ist Susannah also tot«, fuhr er fort. »Leah Chivers war sehr traurig, doch jetzt hat sie ihr Baby und ist zufrieden.«
»Und das Schloß?«
»Alles in bester Ordnung. Ich habe es unserem tüchtigen Jeff Carleton überlassen. Er wird während meiner Abwesenheit schon allein damit fertig.«
»Du gehst fort?«
»Ja, voraussichtlich nach Australien.«
»Wie interessant.«
Ich wurde ganz traurig und wünschte, er wäre nicht gekommen. Er machte mir neuerlich bewußt, wieviel er mir bedeutete, wie sehr ich mich danach sehnte, mit ihm zusammenzusein.
»Ich habe gute Gründe, zu verreisen«, erklärte er. »Ich möchte nämlich heiraten.«
»Nun ... dann viel Glück. Ist sie in Australien?«
»Nein ... aber wir wollen nach der Hochzeit dorthin ... falls sie einverstanden ist.«
»Ich bin sicher, daß du sie überreden kannst.«
Ich hätte ihm am liebsten ins Gesicht geschrien: Geh doch. Warum bist du überhaupt gekommen, wenn du mich nur verspotten willst? Statt dessen sagte ich: »Ich nehme an, du warst sehr schockiert über das, was ich getan habe. Du hast mich gewiß verachtet.«
»Es war schon ein Schock ... aber im Grunde ahnte ich, daß du nicht Susannah sein konntest.«
»Dann habe ich dich also nicht richtig getäuscht.«
»Ich habe Susannah aus tiefster Seele verabscheut ... schon seit unserer Kindheit. Die Verwandlung ... sie war zu himmlisch, um wahr zu sein.« Er hielt inne. »Ich glaube, im Unterbewußtsein war mir klar, daß etwas im Gange war ... etwas Sonder-

bares. So sehr konnte Susannah sich einfach nicht verändert haben.«
»Also dann ... Ich wünsche dir alles Gute für deine Ehe.«
»Suewellyn, du merkst doch ganz genau, worauf ich hinaus will. Es hängt alles von dir ab.«
Fassungslos starrte ich ihn an.
»Ich wäre gern schon früher gekommen. Ich habe bereut, daß ich dich so mir nichts, dir nichts weggeschickt habe. Aber es schien der einzige Ausweg aus einer verworrenen Situation zu sein. Dann entdeckte ich, daß die gute alte Janet wußte, wer du bist.«
»Die gute alte Janet«, murmelte ich vor mich hin.
»Und jetzt habe ich einen Plan.«
»Im Pläneschmieden warst du schon immer großartig.«
Und auf einmal schien die ganze Welt zu singen, denn er hatte meine Hände in die seinen genommen.
»Also paß auf«, begann er eifrig. »Ich gehe nach Australien, und dort entdecke ich durch einen wunderbaren Zufall meine seit langem verschollene Verwandte ... eine Cousine zweiten oder dritten Grades ... Suewellyn. Sie lebte mit ihren Eltern auf der Vulkaninsel, aber als der Ausbruch erfolgte, war sie zufällig bei Freunden in Australien zu Besuch. Sie blieb in Sydney, und dort begegnete ich eben dieser jungen Dame, deren Ähnlichkeit mit meiner Familie mich tief beeindruckte. Wir verliebten uns und heirateten. Ich überredete sie, Sydney zu verlassen, und du weißt natürlich, als wer sie sich entpuppte. Der Plan hat nur einen Haken.«
»Und der wäre?«
»Wir müssen heiraten, bevor wir aufbrechen, und zwar heimlich. Wir reisen *nach* unserer Hochzeit nach Australien. Vielleicht besuchen wir die Vulkaninsel. Oder würde dich das zu sehr bekümmern? Wir wollen keinen Kummer mehr. Dann kehren wir heim ... heim auf unser Schloß. Dabei ist nur eine Frage offen.«

»Welche?«
»Ob *du* damit einverstanden bist.«
Ich lächelte ihn an und meinte: »Ich träume doch nicht, oder?«
»Nein, du bist hellwach.«
Wir hielten uns eng umschlungen, und ich wünschte, dieser Augenblick möge ewig währen. Mrs. Christophers Salon mit den Bildern all ihrer verblichenen Möpse und Pekinesen war für mich der schönste Ort der Welt.
Dann gingen wir zu ihr; sie strahlte uns an und meinte, es sei wie in einem der Romane, die ich ihr vorgelesen hatte, sie sei ja so glücklich. Es mache ihr überhaupt nichts aus, daß sie eine neue Anzeige in der »Gesellschafterin« aufgeben müsse, um jemanden zu finden, der ihren Hund ausführe und die Bücher in der Leihbibliothek umtausche.

Einen Monat später waren wir vermählt. Wir verließen England auf der *Ocean Queen*, und in höchster Seligkeit überquerte ich wieder einmal das Meer zum anderen Ende der Welt. Wir waren überglücklich ... daß wir uns trotz der Trennung wiedergefunden hatten.
In Sydney wohnten wir inmitten der Viehzüchter und der erfolgreichen Minenbesitzer. Wir fuhren zur Vulkaninsel. Der Anblick der sichelförmigen Kanus, die zum Schiff gepaddelt kamen, ließ die Vergangenheit in mir wieder lebendig werden. Und dann stand ich am sandigen Ufer und blickte zu dem Riesen hinauf, der so viel zerstört hatte. Jetzt war er still. Sein Grollen war verstummt. Schon standen hier und da verstreut ein paar neue Hütten, und die Palmen, die der Vernichtung entgangen waren, prunkten in frischem Grün und waren mit Früchten überladen. Bald würden neue gepflanzt werden, und eines Tages würde die Vulkaninsel wieder bevölkert sein.
Als wir nach England zurückgekehrt waren, stand das Schloß noch genauso da wie seit Hunderten von Jahren.
Die Dienerschaft kam heraus und begrüßte den Herrn von

Mateland und seine junge Frau, die er in Australien gefunden und die sich als seine Verwandte, ebenfalls eine Mateland, entpuppt hatte.
Auch Janet war da.
Sobald ich in meinem Zimmer war, kam sie zu mir. Zum zweitenmal ließ sie ihren Gefühlen freien Lauf, als ich ihr nämlich die Kameebrosche, die ich für sie verwahrt hatte, an die Bluse steckte.
Sie sah mich lange an.
»Jetzt ist alles gut«, seufzte sie glücklich. »Sie sind davongekommen, hm? Trotz all Ihrer Sünden ...«
»Ja, Janet«, erwiderte ich. »Trotz all meiner Sünden bin ich davongekommen.«